SIR DDINBYCH
A'R CYFFINIAU
2013

CYFANSODDIADAU

a

BEIRNIADAETHAU

Golygydd:
J. ELWYN HUGHES

Cyhoeddir gan Lys yr Eisteddfod

ISBN 978-0-9530950-8-7

Argraffwyd gan Wasg Gomer,
Llandysul, Ceredigion SA44 4JL

RHAGAIR

Fy mraint yw cael cyflwyno i chi gyfrol *Cyfansoddiadau a Beirniadaethau Eisteddfod Genedlaethol Dinbych, 2013*.

Gosodwyd 48 o gystadlaethau eleni yn y gwahanol feysydd (Barddoniaeth, Rhyddiaith, Drama, Dysgwyr, Cerddoriaeth, Gwyddoniaeth, etc.) a bu cystadlu ar bob testun a bennwyd. Ataliwyd y wobr ar chwe achlysur ond roedd mwy o gystadleuwyr eleni nag yn Eisteddfodau'r ddwy flynedd ddiwethaf. Mewn cyfrol o oddeutu 107,000 o eiriau, cynhwysir 56 o feirniadaethau a 30 o gyfansoddiadau (o gymharu â 23 y llynedd).

Dw i ddim am daranu eleni yn erbyn y beirniaid digalendr, diddyddiadur, er eu bod nhw'n dal efo ni. Cymharol ychydig eleni oedd y rhai nad oedd Mai 15 ond dyddiad diarwyddocâd ac islaw sylw iddyn nhw, a'u llofnod ar gytundeb i ddychwelyd eu beirniadaeth erbyn y dyddiad cau yn golygu affliw o ddim i'r cyfryw rai! Efallai y dylid ystyried rhoi anfarwoldeb i feirniaid o'r fath drwy eu henwi yn y Rhagair! Y tro nesaf ... efallai?

Bron nad oeddwn yn cydymdeimlo â'r beirniaid hynny a dreuliodd gymaint o'u hamser prin yn rhoi teitlau crand ar frig eu beirniadaeth (gan gynnwys rhif y gystadleuaeth a'r wobr), gyda phob ffugenw yn eu beirniadaeth mewn print trwm, a phrif lythrennau weithiau (ond *heb* fod mewn llythrennau italaidd!), a minnau wedyn yn gorfod cymryd sawl cam i ddadwneud eu llafur i gyd er mwyn cydymffurfio â'r patrwm a sefydlwyd yn y gyfrol hon *flynyddoedd* yn ôl. Ac i gael cip ar y patrwm hwnnw, yr unig beth oedd yn rhaid ei wneud oedd edrych ar unrhyw un o gyfrolau'r *Cyfansoddiadau a Beirniadaethau*. Alla' i ddim dychmygu y byddai hynny'n anodd! Nes cael y cwestiwn 'Pa gyfrol?' neu'r haeriad rhyfeddol: 'Wnaethon nhw ddim anfon copi o unrhyw gyfrol ata' i!'.

Bu'n rhaid i mi wynebu'r un her ag arfer ynglŷn â golygu'r cyfansoddiadau i'w cynnwys yn y gyfrol hon. Un peth yw cywiro mân lithriadau teipio, gwallau sillafu ac anghywirdebau amlwg mewn gramadeg ond mater arall yn llwyr yw ymyrryd â chynnwys, ystyr a mynegiant. Mae'r un egwyddor yn dal o safbwynt rhai beirniadaethau hefyd (fel y sylwa'r cyfarwydd yn achos un neu ddwy o'r beirniadaethau eleni).

Yn ystod cyfnod y golygu, cefais gydweithrediad arferol Hywel Wyn Edwards, Trefnydd yr Eisteddfod. Ni fynnwn golli'r cyfle hwn i ddymuno'n dda i Hywel ar ei ymddeoliad, gan fynegi fy ngwerthfawrogiad diffuant iddo'r un pryd am ei hynawsedd a'i gymorth yn ystod ein cydweithio dros y blynyddoedd.

Fy nghyswllt uniongyrchol yn Swyddfa'r Eisteddfod yn yr Wyddgrug yw Lois Jones, sydd bob amser gam ar y blaen i mi, fel petai, ac yn gwybod yn reddfol bron pryd i anfon pob deunydd ataf heb i mi ofyn amdano. Mor falch oeddwn o glywed bod Lois, wedi pum mlynedd ar hugain o wasanaeth clodwiw i'r Eisteddfod, wedi ei gwahodd i ymuno â'r Orsedd eleni.

Dylan Jones, Cyhoeddiadau Nereus, Y Bala, a gysododd yr emyn-dôn fuddugol eleni eto, gorchwyl a gyflawnodd gyda graen a thrylwyredd yn ôl ei arfer. Bu cydweithio braf rhyngof a Gari Lloyd, y cysodydd yng Ngwasg Gomer, ac rwy'n ddiolchgar iddo am ei effeithlonrwydd arferol.

J. Elwyn Hughes

CYNNWYS

(Nodir rhif y gystadleuaeth yn ôl y *Rhestr Testunau* ar ochr chwith y dudalen)

* * *

ADRAN LLENYDDIAETH

BARDDONIAETH

Rhif.   *Tud.*

142. **Awdl neu gasgliad o gerddi mewn cynghanedd gyflawn** heb fod dros 250 llinell: Lleisiau.
Gwobr: Cadair yr Eisteddfod a £750 (Rhoddedig gan Gerallt a Dewi Hughes er cof am eu rhieni, John a Ceridwen Hughes, Uwchaled).
Beirniaid: Myrddin ap Dafydd, Peredur Lynch, Gerallt Lloyd Owen.
Atal y wobr.   1

143. **Casgliad o gerddi digynghanedd** heb fod dros 250 llinell: Terfysg.
Gwobr: Coron yr Eisteddfod (Cangen Dinbych a Fflint o Undeb Amaethwyr Cymru) a £750 (Cymdeithas Tai Clwyd Cyf.).
Beirniaid: Ceri Wyn Jones, John Gruffydd Jones, Geraint Lloyd Owen.
Buddugol: *Rhywun arall* (Ifor ap Glyn, Gwelfor, Ffordd Cwstennin, Caernarfon, Gwynedd, LL55 2LF).   18

144. **Englyn**: Castell.
Gwobr: Tlws Coffa Dic yr Hendre (Cyflwynwyd gan aelodau Côr Meibion Blaen-porth, Côr Pensiynwyr Aberteifi a'r Cylch a Chymdeithas Ceredigion) a £100 (William Lloyd a Bet Griffith, Dinbych, er cof am Capten a Mrs R. R. Griffith, Erw Wen, Edern).
Beirniad: Rhys Dafis.
Buddugol: *Arianrhod* (Arwel Emlyn Jones, Penbryn, 1 Maes y Dre, Rhuthun, Sir Ddinbych, LL15 1DB).   50

145. **Englyn ysgafn**: Neges i'w rhoi ar beiriant ateb (peiriant ateb y derbynnydd).
Gwobr: £100 (Er cof am Bob Wil a Mary, Llys Aled, Dinbych).
Beirniad: Dai Rees Davies.
Buddugol: *Blip blip* (D. Emrys Williams, Nant y Gwlydd Hirion, Llangernyw, Abergele, LL22 8UB).   57

Rhif.   *Tud.*

146. **Cywydd deuddeg llinell**: Cymerau.
     Gwobr: £100 (W. L. Griffith, Dinbych, er cof am
     Mrs C. Williams, Erw Wen, Edern).
     Beirniad: Tudur Dylan Jones.
     Buddugol: *Neifion* (Gwyn M. Lloyd, Ardwyn, Ffordd Hen
     Ysgol, Llanfairpwll, Ynys Môn, LL61 5RZ).   60

147. **Telyneg**: Un nos olau leuad.
     Gwobr: £100 (John Glyn Jones, Dinbych).
     Beirniad: Nesta Wyn Jones.
     Buddugol: *Crwydro'n ôl* (John Emyr, 3 Heol Sant Isan,
     Y Mynydd Bychan, Caerdydd, CF14 4LU).   62

148. **Soned**: Cloddiau.
     Gwobr: £100 (Rhodd gan y teulu er cof am Tegwyn Watkin,
     Trefnant).
     Beirniad: Eirwyn George.
     Buddugol: *Gwas Mawr* (Vernon Jones, Gaerwen, Bow Street,
     Ceredigion, SY24 5BE).   68

149. **Englynion cil-dwrn**: Cyfres o chwe englyn – Chwe chyngor ar
     sut i fagu plant.
     Gwobr: £100 (Rhodd gan y teulu er cof am Tegwyn Watkin,
     Trefnant).
     Beirniad: Twm Morys.
     Buddugol: *Twt-twt* (Berwyn Roberts, Felin Ganol, Ystrad,
     Dinbych, Sir Ddinbych, LL16 4RL).   74

150. **Baled**: Coch Bach y Bala.
     Gwobr: £100 (Er cof am y Parch. O. R. Parry, Rhuthun).
     Beirniad: Robin Gwyndaf.
     Buddugol: *Fflach* (John Eric Hughes, Cwellyn, 4 Heol Elwy,
     Abergele, LL22 7US).   78

151. **Cerdd rydd**: Cerdd addas i'w llefaru megis 'Cwm Tawelwch',
     Gwilym R. Jones.
     Gwobr: £100 (Teulu Hafod Elwy [Er cof am ein rhieni]).
     Beirniad: John Gwilym Jones.
     Buddugol: *brith yr oged* (Huw Evans, Alltgoch, Cwrtnewydd,
     Ceredigion, SA40 9YL).   84

Rhif.   *Tud.*

152. **Cerdd ddychan**: Bancwyr.
Gwobr: £100 (Cymdeithas yr Hafan Deg, Rhuddlan a'r Cylch).
Beirniad: Geraint Løvgreen.
Buddugol: *Bancar y Ddafad Ddu* (Vivian P. Williams, Rhiwbach,
7 Trem y Fron, Blaenau Ffestiniog, LL41 3DP).   89

153. **Cyfres o chwe limrig**: Chwe dyfais fodern.
Gwobr: £100 (Er cof am E. Arfon Jones, Dinbych a Rhuthun
gynt, gan ei briod a'i fab, Sarah a Dilwyn Jones).
Beirniad: Dewi Prysor.
Buddugol: *Menna Lili* (John Meurig Edwards, Ystrad Fflur,
48 Heol Camden, Aberhonddu, Powys, LD3 7RT).   94

154. **Hir-a-Thoddaid**: Gwenllïan.
Gwobr: £100 (John Glyn Jones, Dinbych).
Beirniad: Gwenallt Llwyd Ifan.
Atal y wobr.   98

155. **Ysgoloriaeth Emyr Feddyg**
Er cof am Dr Emyr Wyn Jones, Cymrawd yr Eisteddfod
Sefydlwyd yr Ysgoloriaeth hon i hyfforddi llenor neu fardd
na chyhoeddwyd cyfrol o'i (g)waith eisoes. Dyfernir yr
ysgoloriaeth yn flynyddol i'r cystadleuydd mwyaf addawol.
Ar gyfer Eisteddfod 2013 fe'i cynigir i lenor. Gofynnir i'r
cystadleuwyr anfon darn neu ddarnau rhyddiaith o gwmpas
3,000 o eiriau ar un o'r ffurfiau a ganlyn: braslun nofel, pennod
agoriadol nofel, tair stori fer neu dair ysgrif. Rhaid i'r darnau
fod yn waith gwreiddiol a newydd yr awdur.
Gwobr: Ysgoloriaeth Emyr Feddyg, yn werth hyd at £1,000, yn
cynnwys £100 i'r enillydd ar gyfer meddalwedd neu lyfrau.
Yna trefnir ar gost yr ysgoloriaeth i'r enillydd gael prentisiaeth
yng nghwmni mentor profiadol a benodir gan y Panel
Llenyddiaeth.
Beirniad: Mairwen Prys Jones.
Buddugol: *Gelert* (Gwawr Morris, Cae Banc, Llanuwchllyn,
Y Bala, Gwynedd, LL23 7TT).   100

RHYDDIAITH

156. **Gwobr Goffa Daniel Owen.**
Nofel heb ei chyhoeddi gyda llinyn storïol cryf a heb fod
yn llai na 50,000 o eiriau.
Gwobr: Medal Goffa a £5,000 (£2,500 Cymdeithas Gymraeg
Dinbych; £1,500 Ymddiriedolaeth D. Tecwyn Lloyd;
£1,000 Siop Clwyd Dinbych).
Beirniaid: Geraint Vaughan Jones, Bethan Hughes, Gwen
Pritchard Jones.
Buddugol: *Seiriol Wyn* (Bet Jones, Bryn Seiriol, Rhiwlas, Bangor,
Gwynedd, LL57 4GA).   103

158. **Y Fedal Ryddiaith.**
Cyfrol o ryddiaith greadigol heb fod dros 40,000 o eiriau:
Cwlwm.
Gwobr: Y Fedal Ryddiaith a £750 (Clwb Rotari Dinbych).
Beirniaid: Menna Baines, Harri Parri, Elfyn Pritchard.
Buddugol: *Sidan* (Jane Jones Owen, Hafod y Rhiw, 2 Ffordd
Pennant, Yr Wyddgrug, Sir y Fflint, CH7 1RR).   111

160. **Stori fer heb fod dros 4,000 o eiriau**: Priodas.
Gwobr: £200 (John Idris ac Einir Owen, Dinbych).
Beirniad: Derec Llwyd Morgan.
Buddugol: *Sara* (Tony Bianchi, 7 Fields Park Road, Caerdydd,
CF11 9JP).   123

161. **Ysgrif**: heb fod dros 2,000 o eiriau: Ymweld â man arbennig.
Gwobr: £200 (Cronfa Bron Haul).
Beirniad: Jon Gower.
Buddugol: *Aziza* (Sian Rees, Tal y Waen, Ty'n y Groes, Conwy,
LL32 8TQ).   131

162. **Blog teithio** (gwir neu ddychmygol) heb fod dros 1,500 o eiriau.
Gwobr: £200 (£100 Cylch Llenyddol Bro Glyndŵr; £100 Elan
Griffith, Casnewydd, i gofio am y Parch. a Mrs J. H. Griffith,
Capel Mawr, Dinbych).
Beirniad: Elin Haf Davies.
Buddugol: *ar bedair olwyn* (Eirwyn George, Delfan,
Maenclochog, Clunderwen, Sir Benfro, SA66 7LB).   140

Rhif.   *Tud.*

163. **Tair erthygl ar gyfer papur bro** heb fod yn hwy na 500 o eiriau yr un.
Gwobr: £200 (Er cof am Hafina Clwyd gan Helen, Bryn ac Alan).
Beirniad: Rhiannon Parry.
Buddugol: *Titw* (Sian Rees, Tal y Waen, Ty'n y Groes, Conwy, LL32 8TQ).   145

164. **Stori feiddgar** heb fod dros 5,000 o eiriau.
Gwobr: £200 (Rhodd gan Mari Wiliam i gofio am ei rhieni, Edgar a Rhiannon Williams, Llansannan).
Beirniad: Sioned Davies.
Buddugol: *Boi Drws Nesa'* (Hefin Wyn, Carreg y Fendith, Maenclochog, Clunderwen, Sir Benfro, SA66 7LD).   153

165. **Darn newyddiadurol** heb fod dros 1,000 o eiriau ar unrhyw ornest ym myd chwaraeon (gwir neu ddychmygol).
Gwobr: £200 (Y Bigwn – Papur Bro Tref Dinbych).
Beirniad: Dylan Jones.
Buddugol: *Y Golwr* (Dilwyn Pritchard, 2 Bron Arfon, Rachub, Bethesda, Gwynedd, LL57 3LW).   163

166. **Pymtheg o bytiau crafog** ar ffurf colofn Madog Lygadog yn *Y Cymro*.
Gwobr: £200 (Er cof am Bob Wil a Mary, Llys Aled, Dinbych).
Beirniad: Dyfan Roberts.
Buddugol: *'Rhen Ddyrnwr* (Vivian P. Williams, Rhiwbach, 7 Trem y Fron, Blaenau Ffestiniog, LL41 3DP).   168

167. **Ymateb i dri o ffotograffau Geoff Charles** heb fod dros 3,000 o eiriau.
Gwobr: £200 (£100 Ann Rhys Wiliam, Croesoswallt; £100 Rhodd gan y teulu er cof am Bill Owen, Caeronwy, Dinbych).
Beirniad: Siân Melangell Dafydd.
Buddugol: *Pentax* (Sian Northey, Pencaergof, Penrhyndeudraeth, Gwynedd, LL48 6PN).   172

168. **Ymdriniaeth â 50 o eiriau tafodieithol** o un ardal benodol.
Gwobr: £200 (Cymdeithas Hanes Lleol Dinbych).
Beirniad: Goronwy Wynne.
Buddugol: *Alsen* (Meic Stephens, 10 Heol Don, Yr Eglwys Newydd, Caerdydd, CF14 2AU).   180

Rhif.   *Tud.*

169. **Casgliad o hyd at 10 o groeseiriau.**
     Gwobr: £200 (Gwobr Goffa Tryweryn [Rhodd gan Watcyn
     Jones er cof am ei chwaer Elizabeth a frwydrodd mor galed i
     achub Capel Celyn]).
     Beirniad: Len Jones.
     Buddugol: *Magïen* (Siân Lewis, Rhyd, Llanilar, Aberystwyth,
     SY23 4NR).   202

170. **Cystadleuaeth i rai sydd wedi byw yn y Wladfa ar hyd eu
     hoes ac yn dal i fyw yn yr Ariannin:** 'Y pedwar tymor yn y
     Wladfa' (heb fod yn llai na 1,500 o eiriau) ar ffurf traethawd,
     cyfres o negeseuon e-bost neu flog.
     Gwobr: £200 (Cymdeithas Cymru Ariannin – Gwobr Goffa
     Shân Emlyn).
     Beirniad: Nans Rowlands.
     Buddugol: £120 i *Vivaldi* (Esther Evans de Hughes, Rivadavia,
     1467, 9200 Esquel, Chubut, Ariannin) a £80 i *Andes* (Nantlais
     Evans, Carlos Rui 2 1565, 8400 San Carlos de Bariloche, Rio
     Negro, Ariannin).   204

ADRAN DRAMA

99. **Cyfansoddi drama lwyfan** heb unrhyw gyfyngiad o ran hyd.
    Gwobrwyir y ddrama sydd yn dangos yr addewid mwyaf ac
    sydd â photensial i'w datblygu ymhellach o gael cydweithio
    gyda chwmni proffesiynol.
    Gwobr: Y Fedal Ddrama, er cof am Urien Wiliam, rhoddedig
    gan ei briod Eiryth a'r plant, Hywel, Sioned a Steffan a £500
    (Theatr Twm o'r Nant, Dinbych).
    Beirniaid: Mared Swain, Geraint Lewis.
    Buddugol: *Famau dwi* (Glesni Hâf Jones, 5 Hereford Street,
    Grangetown, Caerdydd, CF11 6TA).   210

100. **Cyfansoddi drama fer rhwng 20 a 50 munud o hyd** ar gyfer
     cwmni drama ar y thema 'Gwrthdaro'.
     Gwobr: £300 (Cronfa Goffa Huw Roberts, Pwllheli).
     Beirniaid: Aled Jones Williams, Bryn Fôn.
     Atal y wobr.   216

Rhif.   Tud.

101. **Cyfansoddi drama (cystadleuaeth arbennig i rai dan 25 oed).**
Ni ddylai'r ddrama fod yn hwy na 40 munud o hyd a dylai fod
yn addas i'w pherfformio gyda dim mwy na thri actor (heb fod
yna gyfyngiad ar nifer y cymeriadau).
Gwobrwyir y ddrama sydd yn dangos yr addewid mwyaf ac
sydd â photensial i'w datblygu ymhellach o gael cydweithio
gyda chwmni proffesiynol.
Gwobr: £100 (Richard a Jois Snelson, Dinbych).
Caiff yr enillydd gyfle i ddatblygu'r gwaith gyda Sherman
Cymru a gobeithir cyflwyno darlleniad ohoni yn ystod yr
Eisteddfod.
Beirniad: Iola Ynyr.
Atal y wobr.   218

102. **Trosi un o'r canlynol i'r Gymraeg.**
Rhaid defnyddio'r fersiwn a nodir: 'Shadow of a Boy', Owen;
'Permanent Way', Hare; 'Woman in Mind', Ayckborn.
Gwobr: £400 (Er cof am Edgar Rees, gan ei briod Mair a'i
feibion, Gethin a Selwyn).
Beirniad: Betsan Powys.
Buddugol: *R2D2* (Lyn T. Jones, Tŷ'r Castell, Crwbin, Cydweli,
Sir Gaerfyrddin, SA17 5DR).   219

103. **Cyfansoddi dwy fonolog gyferbyniol** heb fod yn hwy na
4 munud yr un.
Gwobr: £150 (Cyn-Gwmni Drama Cymdeithas Lenyddol Cefn
Meiriadog).
Beirniad: Cefin Roberts.
Buddugol: *Crumble Cyffredin* (Sian Northey, Pencaergof,
Penrhyndeudraeth, Gwynedd, LL48 6PN).   222

104. **Cyfansoddi sgript comedi sefyllfa** – y gyntaf o chwech yn
ei chyfanrwydd a braslun o'r lleill yn y gyfres. Pob un i fod
rhwng 25 a 30 munud o hyd.
Gwobr: £200 (Rhodd gan Gwmni Drama Llannefydd).
Beirniaid: Maldwyn John, Caryl Parry Jones.
Atal y wobr.   228

ADRAN DYSGWYR

Cyfansoddi i Ddysgwyr

117. **Cystadleuaeth y Gadair**.
Cerdd: Drysau.
Lefel: Agored.
Gwobr: Cadair (Er cof am Pat Neill) a £75 (Rhoddedig gan
D. Emlyn Evans, Rhuddlan a Llundain (gynt), er cof am ei
annwyl briod, Eleanor Morris Evans [1928-2009]).
Beirniad: Mererid Hopwood.
Buddugol: *Ianto* (Richard S. Howe, The Old Orchard,
12 Newton-Nottage Road, Newton, Porthcawl, CF36 5PF).   231

118. **Cystadleuaeth y Tlws Rhyddiaith**.
Darn o ryddiaith, hyd at 500 o eiriau.
Testun: Crwydro.
Lefel: Agored.
Gwobr: Tlws (Cymdeithas Efeillio Dinbych) a £75 (Rhoddedig
gan D. Emlyn Evans, Rhuddlan a Llundain (gynt), er cof am ei
annwyl briod, Eleanor Morris Evans [1928-2009]).
Beirniad: Harri Parri.
Buddugol: *strydoedd oer y ddinas* (Alan Roberts, 1 Malham View
Close, Barnoldswick, Swydd Gaerhirfryn, BB18 5SX).   236

119. **Sgwrs rhwng dau berson mewn ystafell aros**, tua 100 o eiriau.
Lefel: Mynediad.
Gwobr: £50 (David Gareth Joy, Treffynnon).
Beirniad: Myfi Brier.
Buddugol: *Pili-Pala123* (Julia Owen, 10 Coed Fedwen,
Birchgrove, Abertawe, SA7 0HA).   240

120. **Sgript cyfweliad**, hyd at 5 cwestiwn ac ateb gyda Chymro neu
Gymraes enwog, tua 150 o eiriau.
Lefel: Sylfaen.
Gwobr: £50 (Rhoddedig gan D. Emlyn Evans, Rhuddlan a
Llundain (gynt), er cof am ei annwyl briod, Eleanor Morris
Evans [1928-2009]).
Beirniad: Dylan Jones.
Buddugol: *Siân* (Susan Johnson, 29 Sandcliffe Road, Wallasey,
CH45 3JH).   242

Rhif.   *Tud.*

121. **Llythyr serch neu lythyr mewn potel** tua 200 o eiriau.
Lefel: Canolradd.
Gwobr: £50 (Rhoddedig gan D. Emlyn Evans, Rhuddlan a
Llundain (gynt), er cof am ei annwyl briod, Eleanor Morris
Evans [1928-2009]).
Beirniad: Nia Royles.
Buddugol: *Rhosyn y Nadolig* (Judy Chaudhri, Alniaz,
Rhydargaeau, Caerfyrddin, SA32 7DR).   245

122. **Adolygiad o lyfr Cymraeg neu raglen deledu/radio Gymraeg,**
tua 300 o eiriau.
Lefel: Agored.
Gwobr: £50 (Rhoddedig gan D. Emlyn Evans, Rhuddlan a
Llundain (gynt), er cof am ei annwyl briod, Eleanor Morris
Evans [1928-2009]).
Beirniad: Aled Lewis Evans.
Buddugol: *strydoedd oer y ddinas* (Alan Roberts, 1 Malham View
Close, Barnoldswick, Swydd Gaerhirfryn, BB18 5SX).   248

123. **Gwaith grŵp neu unigol.**
Llunio tudalennau ar gyfer papur bro neu wefan ar unrhyw
destun rhwng dwy a phedair tudalen A4.
Lefel: Agored.
Gwobr: £100 (Rhoddedig gan D. Emlyn Evans, Rhuddlan a
Llundain (gynt), er cof am ei annwyl briod, Eleanor Morris
Evans [1928-2009]).
Beirniad: Pegi Talfryn.
Buddugol: *Dyfi* (Grŵp Dosbarth Pellach Machynlleth,
dan ofal Nia Llywelyn, Awelfa, Cwmllinau, Machynlleth,
Powys, SY20 9NU).   251

Paratoi deunydd ar gyfer Dysgwyr
Agored i ddysgwyr a siaradwyr Cymraeg

124. **Creu pedair gêm iaith** ar unrhyw lefel neu lefelau.
Gwobr: £100 (Hywel Davies, Aberdaugleddau, er cof am
William Davies, North Neeston, Aberdaugleddau).
Beirniad: Eirlys Wynn Tomos.
Buddugol: *Chwarae* (Eurgain Rowlands, Hafod Heli, Borth,
Ceredigion, SY24 5JE).   254

ADRAN CERDDORIAETH

81. **Tlws y Cerddor**.
Darn Corawl di-gyfeiliant seciwlar rhwng pedwar a saith
munud o hyd.
Gwobr: Tlws y Cerddor (Urdd Cerddoriaeth Cymru) a £500
(Cymdeithas Gorawl Dinbych a'r Cylch).
Ysgoloriaeth gwerth £2,000 i hyrwyddo gyrfa'r cyfansoddwr
buddugol.
Beirniaid: Sioned James, Owain Llwyd.
Buddugol: *fi* (Ieuan Wyn, Fflat 2, 65 Ferry Road, Grangetown,
Caerdydd, CF11 7DX). 255

82. **Emyn-dôn** i eiriau Dorothy Jones.
Cenir yr emyn ar y dôn fuddugol yng Nghymanfa Ganu'r
Eisteddfod.
Gwobr: £200 (Er cof am Bob Wil a Mary, Llys Aled, Dinbych).
Beirniad: Rob Nicholls.
Buddugol: *Iorwerth* (Kenneth Gange, 129 Dartmouth Avenue,
Cannock, Swydd Stafford, WS11 1EJ). 257

83. **Unawd i lais isel** ar eiriau Cymraeg o ddewis y cyfansoddwr.
Gwobr: £200 (Er cof am Tom ac Ann James, Aberaeron).
Beirniad: Eric Jones.
Buddugol: *Ymbilgar* (Euron J. Walters, 30 Hanover Flats,
Binney Street, Llundain, W1K 5BG). 260

84. **Trefniant o unrhyw gân werin Gymraeg neu gân ysgafn
Gymraeg** ar gyfer Côr Meibion TTBB gyda chyfeiliant piano.
Gwobr: £200 (Er cof am Tom ac Ann James, Aberaeron).
Beirniad: Tim Rhys Evans.
Buddugol: *Jac y Do* (Gwilym Lewis, Bryn Meillion, Caergybi,
Ynys Môn, LL65 2RB). 262

85. **Symudiad offerynnol** yn seiliedig ar alaw neu alawon gwerin
Cymreig i unrhyw gyfuniad o offerynnau.
Gwobr: £200 (Er cof am Tom ac Ann James, Aberaeron).
Beirniad: Huw Tregelles-Williams.
Buddugol: *Deio* (Euron J. Walters, 30 Hanover Flats,
Binney Street, Llundain, W1K 5BG). 267

Rhif. *Tud.*

86. **Cystadleuaeth i ddisgyblion ysgolion uwchradd a cholegau trydyddol 16-19 oed** (gwaith unigol, nid cywaith).
Dau ddarn cyferbyniol mewn unrhyw gyfrwng heb fod yn hwy nag 8 munud.
Gwobr: £200 (Er cof am Tom ac Ann James, Aberaeron).
Beirniad: Dafydd Lloyd Jones.
Atal y wobr. 269

ADRAN GWYDDONIAETH A THECHNOLEG

127. **Erthygl Gymraeg yn ymwneud â phwnc gwyddonol** ac yn addas i gynulleidfa eang heb fod yn hwy na 1,000 o eiriau. Croesewir y defnydd o dablau, diagramau a lluniau amrywiol.
Gwobr: £400 (£150 Gwobr Goffa Dr Bryneilen Griffiths a Dr Rosentyl Griffiths; £150 Cronfa Goffa Eirwen Gwynn; £100 Lyn Beardsley, Victoria, Awstralia).
Beirniaid: Neville Evans.
Buddugol: *Dafad Ddu* (Jacqueline Ann Willmington, 3 Carregwen, Bow Street, Ceredigion, SY24 5DG). 271

ADRAN LLENYDDIAETH

BARDDONIAETH

Awdl neu gasgliad o gerddi mewn cynghanedd gyflawn heb fod dros
250 llinell: Lleisiau

BEIRNIADAETH MYRDDIN AP DAFYDD

Derbyniwyd deuddeg ymgais, ac wrth ddechrau eu darllen, gallwn weld
ambell un yn codi i dderbyn Cadair leol neu daleithiol am ei ymdrech. Ond
chwilio am deilyngdod i Gadair genedlaethol yr oedd y tri ohonom.

Gwair y Weirglodd: Linell ar ôl llinell, mae iaith a chynghanedd a chrefft y
mesurau'n lân ganddo. Heddwch yw ei destun ond dewisodd draethu'n
haniaethol a chyffredinol yn hytrach na darlunio'n fyw a phenodol.
Mae'r darnau hirfaith a niwlog yn tueddu i fynd ar chwâl ond ni allwn
lai na rhyfeddu at ei ddyfalbarhad i raffu'i benillion yn ymddangosiadol
ddiymdrech.

Llais o'r Llwyn: Cân y ddynoliaeth a gynigir yma, a'r gân honno wedi'i
mynegi gan wahanol leisiau o'r gorffennol. Yn eu cwmni, cawn grwydro
hen gynefinoedd Llŷn; cawn atgof o ryfel diangen; cawn ailgodi adfeilion o
ddŵr cronfa Llanwddyn a braw o Fukushima cyn troi at newyn y trydydd
byd a'r bygythiad i'r Gymraeg. Yn aml, mae'n llwyddo i droi'i thema'n
ddarluniau diriaethol: 'Hen dŷ glandeg caregog,/ hen nef yn gartref i'r gog/
o'r dwyrain, a'i rhad arian/ yn prynu a llyncu llan'. Mae'n gynganeddwr
rhwydd ac yn amrywio'i acenion yn fedrus. Ond teimlwn fod y cynfas yn
rhy eang a'r profiadau penodol yn rhy brin.

Bryniau Clwyd: Casgliad o gerddi byrion ar y cyfan yn cyfleu stori'r Gymraeg
a'i llên a'i diwylliant ar hyd yr oesoedd. Mae'n fydryddwr a chynganeddwr
rhugl. Sawl ffordd sydd o gynganeddu'r geiriau 'y Gymraeg'? Mae dewis
da o gynganeddion Croes o Gyswllt yma – dewis rhy dda, efallai. Gall fod
yn ddychanwr effeithiol – mae'i gywydd deuair fyrion i recriwtiwr rhyfel
yn tynnu blewyn tew o drwyn. A dyma'i deyrnged i'r gymanfa ym Mae
Caerdydd: 'Yng nghylch gwaith a gobeithion – ein senedd/ Fe sonia'r
gwleidyddion/ Am fonws ac am fanion'. Mae'n ei rhoi hi i flogwyr cyfoes
wedyn: 'Go dwp yw dy flogio di/ A go bŵl dy gyboli'. Ar y llaw arall, mae
ganddo deyrngedau i ymgyrchwyr fel Lewis Valentine a Geraint Jones. Er

1

mai am gasgliad yn hytrach nag am ddilyniant o gerddi y gofynnwyd, mae cynnwys cynifer o gerddi byrion – nifer ohonynt yn ddim ond pedair llinell o hyd – yn gwneud y casgliad yn bytiog. Mae'r cerddi'n frith o'r geiriau 'llais / lleisiau' a chredaf fod yr ymgeisydd yn gwybod ei fod wedi mynd i drafferthion wrth geisio personoli'r iaith ei hun. Geiriau sydd mewn iaith; gan y bobl sy'n ei siarad y mae'r lleisiau.

29B: Caerdydd ydi cefnlen y cerddi hyn: glannau Taf, Albany Road, Stadiwm Heol Leckwith, yr Aes, Parc y Rhath a Threganna yw'r gwahanol olygfeydd. Cawn gwmni pobl y ddinas, gweithwyr toriad y wawr mewn siop elusen, cefnogwyr pêl-droed, hei-leiffwyr a chardotwyr canol y dre, torfeydd nos Sadwrn, teithwyr ar fws a hen wraig mewn tŷ teras. Portread o ddinas sydd yma, nid mawlgan, ac mae'n ddarlun gonest a chynnes gan fod y pwyslais ar y trigolion. Mae'r canu'n wastad iawn ond heb gyrraedd cribau uchel chwaith. Rwy'n amheus a yw rhai o'i arbrofion wrth gynganeddu mesurau rhyddion wedi gweithio. Gorfodir aceniad y gynghanedd i daro rhythm undonog er mwyn cydganu ag aceniad telynegol y mesur.

Crwydryn: Mae'i gerdd gyntaf yn mynd â ni i ogof ein cyndeidiau, i ddychmygu'r bwrlwm oedd i'w bywydau yno. Mae'n defnyddio'u celf ar waliau a nenfwd yn drên i'w ddychymyg. Mae cryfder y cynganeddu'n adleisio cryfder y darlun hwn: 'Uwch fy mhen ar gromen y graig / hyrddiai cyrn a chorddai carnau, / wal o gynhyrfu wrth sarnu saig / yn gwthio ynni drwy ru'r gwythiennau'. Â'r *Crwydryn* â ni gyda'r gwŷr meirch i Gatraeth, i ardal Bobby Hogg, siaradwr olaf iaith pysgotwyr ei fro yng ngogledd yr Alban, ar drywydd y pererinion, at drychineb Fukushima a pherthynas (cymar neu fam, efallai) yng ngafael cymylau henoed. Mae cerddi cryfach na'i gilydd yn y casgliad ac mae'i linellau gorau'n dynn a dramatig ac yn ddigon o anogaeth iddo ddal ati o ddifri. Ond mae'n un hir ei wynt ac yn amlhau geiriau'n ormodol, yn dweud yr un peth mewn sawl ffordd wahanol ac nid yw'n gwerthfawrogi gwerth bod yn gryno.

Romero'r Meirwon: Awdl sy'n rhoi pwyslais mawr ar weld a chlywed yw hon, gan gynnwys darluniau byw a gafaelgar. Drwy'r synhwyrau hyn, mae'n creu drychiolaeth o rengoedd o breswylwyr di-iaith sy'n cael eu poeri allan o ryw bair ar yr aelwyd hon. Mae'n gweu delweddau o afiechydon a lluoedd cythreulig a'r hyn a ganfyddwn yn y gwrthdaro erchyll yw anghydfod rhwng plentyn a rhieni: 'Calon sy'n gynrhon i gyd / a welaf, nid anwylyd'. Ond yna down at y fam yng ngafael salwch difrifol y mae'n mynd yn ysglyfaeth iddo. Mae ganddo'r ddawn i grynhoi angladd y fam fel hyn: 'moment / o wynt mewn mynwent mwy yw'n hemynau'. Mae'n troi at addoliad a gweddi: 'drwy'r angau, dyro angel', gan ddiweddu gyda darn cryf sy'n ein cyhuddo o fygu'n lleisiau wrth guddio dan eiriau arwynebol, trawiadau derbyniol a mydryddu dof. Mae'n farddoniaeth yn rhy gyfforddus, meddai, yn erydu effaith iaith 'a dyfnhau/ ceudwll ein holl gleciadau'. Er bod mydr chwithig yn addas ar adegau, mae tuedd i gywasgu gormod ar eiriau a chystrawen a gorlwytho llinellau yn amharu ar lyfnder y dweud yn yr awdl hon.

Sarn Cynfelyn: Merch fach sy'n tywynnu drwy'r cerddi hyn. Mae'n agor gyda chyfeiriad at y Cyfrifiad a cholli tir – ac eto, erbyn y drydedd linell, mae wedi canfod yr 'ond' allweddol ac mae'r cywair 'nid yw'r nos yn nos i ni' yn pefrio drwy'r llinellau hyd y diwedd. Salm o fawl sydd yma, a'r perygl eto yw i honno droi'n eiriog a gor-orfoleddus. Er hynny, ni fedrwn lai nag uniaethu â'r ymgeisydd – tad-cu neu fam-gu – pan dd'wed, 'dof i godi/ merch y wawr i 'mreichiau i'. Yr hyn sy'n cadw'r llawenydd rhag mynd dros ben llestri ydi'r darluniau cyfochrog. Ochr yn ochr â'r pleser a'r gobaith a ddaw i ran y to hŷn o weld a chlywed yr wyrion, cawn ddarluniau o'r dreftadaeth sydd wedi'i cholli a'r pyllau llyncu sydd o'n blaenau. Mae'n drai ac mae'r haul yn taro ac yn sychu'r gro ar Sarn Cynfelyn y teulu hwn ar hyn o bryd ond mae'r llanw bygythiol ar y gorwel o hyd. Mwynheais yn fawr y gerdd am gerdded drwy orielau celf Tyddewi, yn llygadu'r delweddau ystrydebol o bentrefi glan môr, gan grynhoi'r cyfan: 'Bwthyn gwyn a'i nyth gwennol' – a chanfod ei ymateb mewn ffordd weladwy, 'Y lluniau heb wynebau/ yn y tai – rhyfedd, ynte?' O fewn y casgliad, ceir ambell gerdd fwy cymdeithasol ei naws – cerdd gyfarch a cherdd briodas, er enghraifft. Nid ydynt yn cynnwys yr un tyndra nac yn cyfrannu at adeiladwaith y casgliad. Mae *Sarn Cynfelyn* wedi mynd i hel cregyn yn lle cadw at y tir oedd ganddo o dan ei draed.

Clymau'r nos: Mae cyfanwaith y cerddi hyn am salwch a henaint mam sy'n cael ei gwthio i gartref gofal yn groes i'w hewyllys yn creu argraff. Drwy gyfrwng y cerddi, a'r cyflwyniadau cyfleus, cawn hanes mam sy'n cael ei bwlio gan ei phlentyn bychan yn y pum degau, ac yna'n cael ei hesgeuluso gan ei theulu agos yn ei henoed. Mae'n stori a adroddir yn gignoeth ar adegau. Dyma ichi lun o hen wraig yn swatio yn ei chornel o dan y felan: 'Ei dwylo'n ôl yn rholio – hen sigâr/ ymyl sgert'. Crafog iawn yw'r olygfa lle mae'r mab yn gyhoeddus iawn wrth sôn am ei ofal dros ei fam: 'Y brawd â'i barch yn llawn brol,/ i'w heiddo aeth yn ddyddiol'. Nid ati hi, nid yn gwmni iddi ar ei haelwyd, ond i'w 'heiddo', ac mae'r dewis o air yn dweud cyfrolau. Yng ngherddi *Clymau'r nos*, canfûm newydd-deb testun, defnydd effeithiol o dafodiaith a chwarae'n ôl a blaen rhwng cydymdeimlo a brathu. Mae yma rannau gwir gofiadwy ond mae yma hefyd nifer o frychau sy'n pylu effaith y cerddi. Ceir gwallau na ellir eu cywiro heb effeithio ar y gynghanedd. Fel yng ngwaith amryw o'r cystadleuwyr eraill, nid yw'r acen a'r ystyr yn cydorwedd yn esmwyth yn nifer o'i gynganeddion ac mae cystrawen rhai brawddegau'n diflannu i niwl gofynion y fydryddiaeth.

Maldwyn: Mae hen frwydrau glannau Hafren yn codi o'r tarth yn y caniad cyntaf. Agorawd digon addas hefyd, gan fod sawl math o frwydr a gwrthdaro yn y cerddi sy'n dilyn. Mae termau cerddorol yn talu am eu lle wrth eu trafod yn ogystal – bydd y cyfarwydd yn sylwi mai testunau a themâu prif ddramâu cerdd Cwmni Theatr Ieuenctid Maldwyn ydi cnewyllyn y cerddi. Dônt â straeon Heledd, Glyndŵr, Siartwyr Llanidloes a brwydr ysbrydol Ann Dolwar a'r perfformiadau ysgubol hynny yn ôl i'r cof. Mae elfennau fel ailadrodd ymadroddion a chystrawennau a chreu llinellau angerddol a chyhyrog yn f'atgoffa o natur caneuon mewn sioe gerdd, ac mae naws anthem glo i gerdd olaf y casgliad. Gallaf ddychmygu llond llwyfan yn perfformio hon, y dyrnau yn yr awyr a'r gynulleidfa ar ei thraed. Mae mwy i'r canu na hynny hefyd; ceir cerddi i gaer Llywelyn yn Nolforwyn, i gyfieithydd yr ysgrythurau yn Llanrhaeadr ac i foddi bro Llanwddyn. Ein difodiant sy'n amlwg yn y canu ar y dechrau ond yn raddol mae pelydrau'n torri drwy'r niwl a'r nos. Ceir rhai darluniau byw a dramatig: 'Sŵn y corn ac atsain carnau'. Wrth weld yr haul newydd yn Sycharth, mae'n gweld 'a'i fysedd / melyn hollta'r glyn â'i gledd'. Yng nghryfder y cynhyrchiad hwn y mae'r elfen o wendid hefyd. Er mor ddeinamig yw'r perfformiad, ychydig yn ysgafn ac arwynebol ydyw wrth eu profi am yr ail a'r drydedd waith.

Cerdina: Agoriad yr awdl yw mam yn esgor ar fabi ac mae poen yr esgor yn hyglyw ('ennyd fel tynnu 'winedd'). Pan glywir cri'r fechan, mae'r byd yn newid ac â'r cur 'a'r ing hyd feidr ango'…' . Â'r fam rhagddi i adrodd hanes ei gwreiddiau wrth y fechan yn ei chôl. Awn yn ôl gyda hi i arfordir y gorllewin a chymdeithas ei phlentyndod: 'Roedd yno hiwmor a gwên frodorol, / roedd gwaith, roedd afiaith ac iaith hynafol, / arwyr a phlant bach siriol, – roedd egni, / roedd ŷd i'w fedi, ac roedd dyfodol'. Dwy linell o gerdd Sarnicol, 'Ar Ben y Lôn', sydd o dan deitl yr awdl, cerdd am bedair ffordd yn gadael yr hen rostir i bedwar ban byd, a ffordd yn ôl yno o bedwar ban byd yn ogystal. Cawn hanes y fam yn cael ei hudo o'i hen ardal gan sibrydion 'am swyddi brasach a meysydd breision'. Â drwy giât yn y niwl, fel pe bai'n mynd i gylch y Tylwyth Teg, a gadael am y ddinas. Mae'r stori – fel yr ansoddeiriau – efallai'n or-gyfarwydd inni. Cawn gyfnod o fwynhau'r eiliadau, cyffro caru â llanc; yna 'diflastod nabod neb' a hiraeth am yr hen ardal. Mae'n ceisio'r ffordd yn ôl ond yn canfod y giât dan glo – mae'r gorffennol yn llwch, fel yn chwedl Osian. Ond caiff nerth, gyda'r babi yn ei chôl, i wynebu'r her i ddychwelyd o'r newydd a bydd bro ei mebyd yn feithrinfa i'r fechan; bydd y fechan hefyd yn rhoi bywyd newydd i'r hen erwau. Mae *Cerdina* am inni anghofio weithiau mai siarad â merch fach y mae'r awdl. Er ei bod yn dweud, 'Awn i fyd y groten fach', arall yw'r ieithwedd. Cawn linellau fel hyn, sydd i fod yn sgwrs â babi: 'cred yn nodded coflaid ddiddos'. Er bod ynddi linellau cofiadwy ('iaith maen hir oedd iaith mwynhau' ac 'Yn aflonydd fel haf o wylanod'), mae yma flerwch ac ystumio geiriau hefyd. Ond mi ganodd awdl, ac mae cryn gamp ar rannau ohoni.

Dysgwr: Casgliad o gerddi. Dyma Guto'r Glyn y gystadleuaeth gyda'i gasgliad trawiadol o linellau agoriadol i gerddi. Mae'n gamp cydio mewn cynulleidfa gydag un llinell a hawlio ust, mynnu gwrandawiad. Maent yn cynnwys: 'Leni bûm ar lan ei bedd' (cerdd am ei fam); 'Dros y grib cân y pibydd' (cerdd i dir mynydd); a 'Cyn bod duw, cyn bod daear'. Mae'r rhain yn fy nhynnu at y cerddi, yn codi awydd am glywed rhagor. Er gwaethaf ei ffugenw, mae profiadau bywyd yn cyfoethogi'i gerddi. Gallwn gynhesu'n rhwydd at gerddi fel 'Ailgysegru Ffynnon Tydecho' lle ceir teimlad o gymdeithas o deuluoedd lleol yn adfer treftadaeth wrth droed yr Aran, ac yn deffro ymwybyddiaeth o hanes wrth wneud hynny. Drwy'r cerddi, mae'r ysbrydol a'r gorffennol yn cael eu diriaethu ym mhresennol y gymdogaeth. Dotiais at yr ymadrodd sy'n cyfleu rhywun ar ei liniau a'i wyneb ar y ddaear yn craffu ar ysgrifen ar garreg: 'pori edrych'. Mae'r gerdd 'Gweision' yn ddarlun hiraethus a chynnes o 'undebwyr llofft stabal' a'r enwau ar ddrysau a waliau'r tai allan yn creu presenoldeb o ymdrech eu bywydau o hyd. Ochr yn ochr â hynny, ceir y chwithdod bod pobl ddieithr yno bellach nad ydynt yn deall y geiriau nac yn gwybod yr hanes – hynny er bod y llythrennau'n dal yn ddarllenadwy: 'eglur oedd / P. Edwards. Ond pwy ydoedd?' Mae'r hen lwybrau o gwmpas y fferm yn dal yr edrychiad a welodd yn llygaid ei dad y tro holaf hwnnw yr aeth y ddau yng nghwmni'i gilydd o gwmpas ei herwau. Yn yr un modd, mae'n teimlo presenoldeb ei fam yn ei fywyd o hyd wrth fagu ei blant ei hun. Taith bywyd sydd yma, a'r lleisiau a'r adleisiau'n parhau o genhedlaeth i genhedlaeth – mae'r cerddi hyn yn emosiynol ac yn stoicaidd yr un pryd.

Cyflwynodd wyth cerdd ond byddai'n well gen i pe bai wedi hepgor dwy ohonynt lle mae tuedd i athronyddu yn hytrach na dangos. Nid yw'r rheiny fel pe baent yn perthyn i'r un casgliad – mae'n drueni mawr. Gwaetha'r modd, mae llawer o flerwch yn y cerddi gorau hefyd – diffyg gofal gyda'r gynghanedd, atalnodi a chystrawen. Ar sail ei gerddi gorau a'i linellau gwirioneddol ysgytwol, roeddwn yn dyheu am ei weld yn dringo'n uwch yn y gystadleuaeth. Roeddwn yn ewyllysio hynny ac yn fodlon golygu rhywfaint ar y testun. Ond wedi pwyso a mesur y cyfanwaith, mae arnaf ofn fod gormod o waith twtio a thocio yma. Mae Cadair yn disgwyl amdano dim ond iddo gael yr hyder i wrando ar ei lais a'i brofiad ei hun a chael yr amser i fynegi hwnnw'n lân.

Emrallt: Mae o leiaf dri llais yn yr awdl hon: mae un yn rhestru cyfarwyddiadau mewn italig, un yn sylwebydd, a cheir llais arall, mewn teip wedi'i fewnosod, yn adrodd ei brofiadau. Ffilm am weithredwr yn edrych yn ôl ar ei brotest yn erbyn boddi Capel Celyn yw fframwaith yr awdl. Mae nifer o raglenni wedi'u darlledu a'u hailddarlledu eleni a hithau'n hanner canmlwyddiant gweithredu yn erbyn y gwaith o adeiladu'r argae ar draws afon Tryweryn. Am y tro cyntaf yn hanes cystadleuaeth y Gadair, cyfarfu'r beirniaid i wylio recordiad o ffilm. 'Tri Tryweryn' oedd honno, a mynd ymlaen wedyn i drafod 'Y Weithred – Terfysgwyr Tryweryn' ac ambell raglen arall. Ysgogiad oedd y rhaglenni hyn – nid cyfeirio at ffilm benodol a wneir yn yr awdl. Nid bod y ffilm yr ymdrinnir â hi yn yr awdl yn wir sy'n bwysig, ond a oes gwirionedd ynddi ai peidio.

Emyr Llywelyn yw'r gweithredwr sy'n ganolog yn yr awdl. Yn ogystal â chyfweliadau ar ffilm, mae cynnwys rhai o'i erthyglau yn Y Faner Newydd ar Waldo, creu cronfeydd anferth ar afonydd Yangtze a Mekong a'r drones, yr 'adar angau', yn cael eu cynnwys fel dyfyniadau yn y cyfweliadau yn yr awdl hon. Ymysg adleisiau eraill yn y dweud, y mae barddoniaeth Waldo yn bennaf a chaneuon protest Meic Stevens a Dafydd Iwan.

Yn bersonol, mae cerdd am ddarnau o gelf yn gallu fy ngadael yn oer. Profiad ail-law a hyd braich sydd yn y rheiny'n aml – mae'r hyn sydd o werth wedi'i fynegi eisoes yn y darn celf gwreiddiol. Ond nid hynny a geir yn yr awdl hon. Mae llais y cynhyrchydd yn cydnabod beth yw swyddogaeth y ffilm iddo – siocio, cyfleu cyffro, trais, taro'n ôl. Mae cael sgwrs gyda rhywun Cymraeg sydd wedi gosod bom yn sgŵp iddo. Mae llais y gweithredwr yn urddasol a gwrth-ymfflamychol, gan egluro'i fod wedi newid ei agwedd a'i dactegau – mae bellach yn ymwrthod yn llwyr â dulliau treisiol ac yn gwrthod gwisgo mantell yr arwr.

Yn llais y sylwebydd – llais y bardd – cawn ymateb beirniadol i'r 'darn o gelf'. Nid moli neu ddehongli celf drwy gelfyddyd arall a geir ond ei bwyso a'i fesur – a'i gael yn brin. Mae'n ymateb i'r ffilm olygfa wrth olygfa fel petai'n siarad yn uchel gyda chyd-wyliwr ar y soffa – neu, yn idiom y dydd, yn trydar gyda'i ddilynwyr. Yn hyn o beth, mae Emrallt wedi creu rhywbeth newydd o fewn y corff eithaf sylweddol sydd ar gael eisoes yn y Gymraeg o ganu 'Cofia Dryweryn'. Ond nid cerdd am y boddi sydd yma – defnyddio trais neu beidio, a dyrchafu defnyddwyr trais neu beidio, yw gwir destun yr awdl. Creu ffilm sy'n mynd i dynnu sylw ati'i hun a denu gwrandawyr yw unig ddiddordeb y cyfarwyddwr a chaiff hynny ei ddychan drwy chwyddo'i sylw i fanion arwynebol (er y gallai'r dychan fod yn fwy crafog nag ambell linell lipa sy'n cael ei chynnig iddo). Wrth i'r gweithredwr adrodd am ei brofiadau, mae Emrallt yn cyfleu'r carchar a boddi'r cwm gyda chyfres o ddarluniau gweladwy effeithiol. Gall techneg ailadrodd geiriau greu naws ond rydw i'n gorfod gofyn pa mor bell y gellir ymestyn y tric hwnnw. Canodd Meic am y 'dŵr oer' yn gorwedd yn Nhryweryn, ac mae 'oer' yn air sy'n cael ei ddefnyddio drosodd a throsodd yn yr awdl – yr eiliadau, y waliau, y tir, a'r dial – i gyd yn oer o fewn ychydig linellau i'w gilydd. Mae'r gweithredwr yn defnyddio'r llwyfan sydd ganddo yn y ffilm am drais yn erbyn cymdogaethau eraill ledled y byd, a rhai o'r rheiny 'yn ein henwau ni'. Darn reit bregethwrol ydi hwn. At ddiwedd yr awdl, mae dull amgenach o weithredu'n cael ei gynnig a'r cyn-fomiwr yn ei dderbyn yn ei gell. Rhaid gweithredu ond ar hyd ffyrdd goleuni a brawdgarwch dewr y mae gwneud hynny, meddir. Er bod gwreiddioldeb i fframwaith yr awdl ac er bod ynddi linellau cofiadwy, fel cyfanwaith ofnaf ei bod yn ddiffygiol. Mae rhannau gwan a llac eu gafael a chryn dipyn o flerwch iaith a mynegiant.

Cafwyd cystadleuaeth ddiddorol eleni a bu'r tri ohonom ni feirniaid yn trafod a phendroni am wythnosau. Cefais fy nghyffwrdd gan nifer o gerddi gorau *Dysgwr*; mae rhannau gwirioneddol raenus yn awdl *Emrallt*. Pe byddai un o'r ddau wedi cynnal eu safonau uchaf drwy gydol eu cerddi, byddai wedi cipio'r Gadair eleni. Pe bai'r ddau wedi cryfhau eu mannau gwan, byddai'n dynn iawn rhyngddynt, yn fy marn i. Y siom eleni yw na wnaeth *Dysgwr* nac *Emrallt* hynny. Anfonwyd y cynigion – am ba bynnag reswm – heb chwysu digon uwch y gwendidau. Y calondid yw bod dau o'r deuddeg wedi dangos bod ganddynt y ddawn i ennill Cadair y Genedlaethol, a bod nifer o'r lleill hefyd yn ymestyn tuag ati. Ond am eleni, mae'r Gadair yn cael ei hatal.

BEIRNIADAETH PEREDUR LYNCH

Profiad cymysg iawn fu beirniadu'r gystadleuaeth hon eleni. Ar un wedd, yr oedd yn brofiad eithaf cadarnhaol. Ar sail tystiolaeth y darnau mwyaf llwyddiannus a oedd yn eu gwaith, y mae'n amlwg fod cipio Cadair y Genedlaethol o fewn cyrraedd cyfran dda o'r ymgeiswyr. Ar eu gorau, cafwyd ganddynt ddeunydd a oedd nid yn unig yn boddhau ond hefyd yn ennyn chwilfrydedd ac yn goglais y dychymyg. Fodd bynnag, roedd bod yng nghwmni'r beirdd hyn hefyd yn brofiad arteithiol o rwystredig. Ni welais erioed gynifer o feirdd mewn cystadleuaeth eisteddfodol yn pendilio rhwng y gwych a'r gwachul – yn llwyddo i wneud argraff ar ddyn ar y naill law ac yna'n ei siomi a'i anniddigo drwy ddiffyg chwaeth a chloffni geiriol. Wele ymdrech i osod yr ymgeiswyr yn nhrefn eu teilyngdod.

Gwair y Weirglodd: O safbwynt technegol, y mae ganddo gryn feistrolaeth ar gerdd dafod. Awdl sy'n ymbil am heddwch ac am ddiwedd ar ryfela a gafwyd ganddo ac mae'n cloi ei gerdd ar nodyn cadarnhaol. Ei wendid yw ei amharodrwydd i feddwl yn estynedig mewn cynghanedd. Mae'r gallu technegol ganddo ond yr her sy'n ei wynebu yw gweithio awdl sydd hefyd yn ddarn cydlynus o farddoniaeth.

Llais o'r Llwyn: Casgliad o gerddi gan gynganeddwr rhwydd a rhugl. Dyma ymgeisydd a geisiodd berswadio'r beirniaid ei fod yn canu'n ddestunol drwy roi'r teitlau a ganlyn i'w gerddi: 'Llais Plentyndod', Llais Rhamant', 'Llais Rhyfel', 'Llais y Llyn', 'Llais Trychineb', 'Llais Newyn', a 'Llais yr Iaith'! Rwy'n synhwyro bod y gynghanedd yn llifo'n ddiymdrech o enau'r bardd ond prin yw'r cyffro yn ei ganu, ac ystrydebol braidd yw'r hyn sydd ganddo i'w ddweud.

Clymau'r nos: Rhaid i mi gyfaddef bod rhannau o'r gwaith hwn yn bur aneglur i mi. Mae yma gasgliad o gerddi sydd hefyd yn ymffurfio'n ddarn estynedig, ac yn gefndir i'r cwbl, hyd y medraf farnu, hanes gwraig a'i dioddefaint o dan law ei bwli o fab. Mae'r canu'n llawer rhy stroclyd ac anghynnil i'm chwaeth i. Oes, y mae yma ddigon o linellau i brofi bod gan *Clymau'r nos* ryw ddawn, ond dawn ydyw a lwyr afradlonwyd yn y gerdd hon.

Bryniau Clwyd: Casgliad amrywiol iawn o gerddi, llawer ohonynt yn ymwneud â materion y bu cryn byncio arnynt dros y blynyddoedd, fel y dengys teitlau megis 'O'r Hen Ogledd', 'Yr Iaith', 'Lewis Valentine' a 'Capel Celyn'. Nid wyf am nacáu ei hawl i ganu am bynciau o'r fath ond, gwaetha'r modd, y mae ei genadwri a'i fyd-olwg braidd yn rhagweledig a threuliedig, a'i ganu, o ganlyniad, braidd yn ddi-sbarc. Gyda llaw, byddai'n werth iddo ymorol am linell gyntaf newydd i'r englyn 'Cyfarchion Dydd Santes Dwynwen'. Y mae hwnnw bron â bod yn englyn gwir gofiadwy.

Sarn Cynfelyn: Tenau braidd yw cysylltiad y casgliad hwn â'r testun gosodedig. Caiff rhywun yr argraff mai ysgogiad i glirio'r cwpwrdd cerddi yn hytrach na chyfle i gyfansoddi o'r newydd fu'r gystadleuaeth hon iddo. Mae 'Orielau Tyddewi' yn gerdd effeithiol a chrafog (er bod yr orffwysfa'n milwrio yn erbyn y gynghanedd lusg yn y llinell 'môr dwfn ar hyd arfordir') ac mae 'Y Byd' hefyd yn argyhoeddi. Gwaetha'r modd, braidd yn ddi-fflach a dieneiniad yw'r cerddi eraill yn y casgliad, er na ellir amau diffuantrwydd y cerddi cymdeithasol a defodol sydd yn eu plith.

Maldwyn: Rwy'n synhwyro bod y casgliad hwn, neu ryw fersiwn ohono, wedi cael ei anfon i gystadleuaeth y Gadair o'r blaen, a hynny yn Wrecsam yn 2011. *Owain* oedd y ffugenw bryd hynny. Yr hyn a gawn ni yma yw cyfres o gerddi sy'n ymwneud â gwahanol agweddau ar hanes Powys, o ganu Heledd hyd at hanes Ann Griffiths a gwrthryfel Llanidloes ym 1839. Oni bai fy mod i'n camgymryd, rwy'n tybio bod y rhan fwyaf o'r cerddi'n ymwneud â thestunau a fu hefyd yn sail dros y blynyddoedd i gynyrchiadau gan Gwmni Theatr Ieuenctid Maldwyn. Rhaid cydnabod bod rhyw ddiffuantrwydd cynnes yn hydreiddio'r casgliad hwn, ac mae'r gynghanedd yn llifo'n reddfol rwydd. Ond gall rhwyddineb o'r fath hefyd fod yn faen tramgwydd. Efallai fy mod yn gwneud cam ag ef ond rwy'n tybio bod yma fardd sy'n llawer rhy barod i dderbyn y trawiadau cynganeddol cyntaf hynny a ddaw i'r meddwl. Braidd yn ddigyffro yw'r casgliad o ganlyniad, er bod ynddo ganu digon croyw a chymen.

Crwydryn: Cerddi mwyaf llwyddiannus y casgliad hwn yw 'Ogof', 'Tybed' a 'Bachgen'. Y mae'r gerdd 'Gwŷr' – sy'n seiliedig ar 'Y Gododdin' – braidd yn ystrydebol ei chynnwys a byddai 'Cân y Morloi' yn gerdd lawer mwy effeithiol o'i chwtogi a'i chrynhoi. Fodd bynnag, y mae olion gwir ddawn yn y casgliad hwn a phrawf pendant fod yma fardd a chanddo'r adnoddau ieithyddol a'r crebwyll creadigol i gyflawni pethau llawer rhagorach. Ond amod y cyflawni hwnnw fydd ymddisgyblu a magu ysbryd mwy hunanfeirniadol.

Romero'r Meirwon: Dyma fardd mwyaf gwreiddiol y gystadleuaeth. Mae ei bwnc yn un tra chyfarwydd ac yn un y bu canu bron hyd at syrffed arno, sef tranc y Gymraeg a'i diwylliant. Ond fe lwyddodd *Romero'r Meirwon* i ymdrin â hyn oll mewn modd herfeiddiol o newydd. Ar y dechrau, rhaid cydnabod i mi fod yn ymbalfalu yn y niwl yn ei gwmni. Yna synhwyrais fod cliw i'w gael, efallai, yn ei ffugenw anarferol, a thrwy'r we fyd-eang wele ganfod gwybodaeth am y cyfarwyddwr ffilm, George Romero, a'i ffilmiau apocalyptaidd am sombïaid, y meirwon hynny sy'n codi o'u beddau i rodio ymhlith y byw. Yr hyn a wna'r bardd yw creu sefyllfa ddramatig sy'n efelychiad o ffilmiau George Romero er mwyn darlunio argyfwng Cymru heddiw. Dyma wlad lle mae 'byddin y dall a'r byddar', sef y sombïaid, 'yn bodio gyts bywyd gwâr'. Er iddo daro ar syniad gwreiddiol, bardd pur anwastad yw *Romero*. Mae rhai rhannau o'i awdl yn effeithiol, ond rywsut, wrth iddo'i gymhwyso i'r eithaf, fe drodd y syniad gwreiddiol ynghylch y sombïaid yn ormes erbyn y diwedd, a hynny ar draul y farddoniaeth, mae arnaf ofn. Fodd bynnag, rwy'n ddiolchgar i *Romero'r Meirwon* am ehangu fy ngorwelion diwylliannol.

29B: Bardd tawel, deallus a myfyrgar yw hwn a'i gerddi'n tarddu o'i brofiadau yng Nghaerdydd. Lleisiau amrywiol y ddinas honno sydd i'w clywed yn y cerddi ymatalgar hyn. Mae 'Tynged' yn gerdd effeithiol ond gallai *29B* yn hawdd fod wedi hepgor y gadwyn o englynion 'Stadiwm', sy'n hiraethu am yr hen Barc Ninian. Yn wahanol i'm cydfeirniaid, rhaid datgan bod rhyw swyn i mi yn y modd yr aeth ati i gyfuno'r mesurau rhydd a'r gynghanedd yn y cerddi 'Elusen' a 'Hydref'. Fodd bynnag, er bod gan *29B* ragoriaethau amlwg, ni lwyddodd y tro hwn i wir danio fy nychymyg.

Dysgwr: Y mae arnaf ofn na wnaeth 'Pelydryn', y gerdd gyntaf yng nghasgliad *Dysgwr*, unrhyw argraff arnaf. Darn o rethregu athronyddllyd ydyw ac enghraifft o'r modd y cawsom ein camarwain gan y mudiad rhamantaidd i gredu mai priod swydd y bardd yw bod yn weledydd. Cyfosod geiriau'n grefftus yw man cychwyn pob barddoniaeth a phan fo *Dysgwr* yn gwneud hynny y mae'n canu'n llawer mwy argyhoeddiadol. Er gwaethaf y llithriad gramadegol bychan, gallwn awgrymu mai ef a luniodd gwpled gorau'r gystadleuaeth: 'Leni bûm ar lan ei bedd,/ Mae hi 'lenni'n dde[n]g mlynedd', meddai ar ddechrau cerdd i'w ddiweddar fam, a phan fo'n canu'n syml a diymffrost fel yna y mae'n gwir ragori. Ei gerddi mwyaf llwyddiannus yw 'Ailgysegru Ffynnon Tydecho' a 'Gweision' a cheir darnau cyhyrog mewn cerddi eraill o'i eiddo hefyd. Gyda mwy o ddisgyblaeth – a mwy o ofal hefyd ynghylch rhai materion ieithyddol – gallai *Dysgwr* wir ragori yn y gystadleuaeth hon yn y dyfodol.

Cerdina: Ar yr olwg gyntaf, dyma awdl sobr o dreuliedig ei chynnwys. Ymson merch sydd yma, merch a ymadawodd â chefn gwlad Cymru – lle paradwysaidd iawn yn ôl *Cerdina* – ac a hudwyd i'r ddinas fawr ddrwg. Yn y ddinas 'i'w thwyllo hi fe ddaeth llanc'; fe rannodd ei 'gusanau gwin' â hi ac fe esgorodd hithau yn y man ar blentyn. Cyflwynir yr hanes hwn, a hanes plentyndod y fam, ar ffurf stori neu chwedl gan y fam i'w phlentyn. Fel y dengys clo'r awdl, nid rhamantu coegfeddal am gefn gwlad sydd yma, mewn gwirionedd. Y mae'r fam yn datgelu iddi geisio dychwelyd i'w hen gynefin ond siom a dadrith a ddaeth i'w rhan yn sgîl hynny. Ar ddiwedd y gerdd, mae'n derbyn nad oes dychwelyd i fod ac mai llecyn na ellir ailymweld ag ef yw'r gorffennol. Ceir llawer o linellau cofiadwy yn yr awdl swynol hon ac mae *Cerdina* yn meddu ar un ddawn eithriadol o brin, sef y ddawn i adrodd stori'n rhwydd a llithrig mewn cynghanedd. Ond, gwaetha'r modd, mae yma gryn anwastadrwydd a darnau cloff a diafael, yn enwedig yn y rhannau hynny o'r gerdd sy'n sôn am fywyd y ddinas.

Emrallt: Dyma awdl a ysgogwyd gan y rhaglenni teledu a ddarlledwyd ddiwedd Ionawr eleni i nodi hanner canmlwyddiant y ffrwydrad ar safle adeiladu argae Tryweryn ym 1963. Yr hyn a gawn ar ddechrau'r awdl yw geiriau dychmygol cyfarwyddwr neu gynhyrchydd teledu, a chawn bytiau eraill o'i enau yma ac acw yn y gerdd. Y mae'n amlwg mai'r hyn a wêl ef yn hanes y bomio yn Nhryweryn yw cyfle i greu rhaglen ddramatig a chyfle i ddiddanu'i gynulleidfa drwy droi'r weithred yn stori gyffrous. Yr hyn a wna'r bardd yw ein harwain y tu hwnt i ddelweddau o'r fath, a hynny drwy ganolbwyntio ar un o'r gweithredwyr, Emyr Llywelyn. Fel y datgelwyd droeon gan Emyr Llywelyn, yn bur fuan ar ôl iddo gael ei garcharu trodd natur led filitaraidd y weithred yn Nhryweryn – gosod bom o dan drosglwyddydd trydan cyn dianc i dywyllwch nos – yn fater o edifeirwch iddo, ac o dan glo daeth i goleddu'r math o heddychiaeth radical a arddelid gan Waldo. Yn achos Waldo, yr oedd heddychiaeth nid yn unig yn sail i'w genedlaetholdeb Cymreig ond hefyd yn fodd o uniaethu â chŵyn y gorthrymedig – neu'r 'lleisiau llai' a defnyddio geiriau *Emrallt* – ym mhedwar ban y byd. Dyma'r gwerthoedd y daeth Emyr Llywelyn i'w coleddu yn ei gell, a thrwy gyfrwng cyfres o ymsonau dychmygol o'i eiddo, eir ati yn yr awdl i olrhain y daith seicolegol boenus hon o fyd chwerw'r bom a'r gweithredu dirgel tuag at heddychiaeth a chariad at gyd-ddyn. Yn un o'r ymsonau, y mae myfyrdodau dychmygol Emyr Llywelyn yn ystod ei ymweliad cyntaf â safle'r argae er noson y weithred ym 1963 – ymweliad a ddarlledwyd ar raglen *Y Byd ar Bedwar* – yn cael eu cyfosod â'i wewyr yn ei gell hanner can mlynedd ynghynt wrth iddo gael ei ddwysbigo gan natur y weithred a gyflawnwyd ganddo. Mae yn yr ymsonau hyn hefyd neges anesmwyth i'n hoes ni sy'n gydnaws â heddychiaeth y llefarydd. Ofer i ni fel Cymry ddelfrydu'r gweithredu a fu yn Nhryweryn a ninnau'n gibddall i dynged y bobloedd hynny sy'n parhau i gael eu diwreiddio er mwyn creu cronfeydd dŵr anferthol mewn gwledydd megis India a Tsieina. Ofer rhamantu, a ninnau'n fud yn wyneb y ffaith fod rhannau helaeth o ofod awyr de-orllewin Cymru bellach yn faes arbrofi ar gyfer yr awyrennau dibeilot hynny sy'n lladd y diniwed ym mhellafoedd byd.

Yng ngolwg *Emrallt*, hon oedd gwir stori Tryweryn ac, fel y dengys clo'r awdl, daw yntau yn ei dro i goleddu'r un math o werthoedd heddychol. Y mae ei awdl, felly, yn ymwneud â themâu sy'n ehangach, mewn gwirionedd, na mater Tryweryn. Y mae'n ymwneud â'r tyndra rhwng gofynion slic byd teledu a natur y gwirionedd, ac amlygir hynny yn y gerdd yn y gwrthgyferbyniad rhwng unplygrwydd cymeriad Emyr Llywelyn a'r islais sinigaidd – a bwriadol ryddieithol – sydd i eiriau'r cymeriad dychmygol o fyd y cyfryngau. (Wrth gwrs, gellid anghytuno'n frwd â gweledigaeth *Emrallt* yn hyn o beth. Nid yw byd teledu a ffilm yn hanfodol amddifad o unplygrwydd na dewrder moesol, a gall fod yn gyfrwng radical o blaid y gwirionedd fel y prawf gyrfaoedd rhai megis Ken Loach a John Pilger). Ond, yn bennaf oll, cerdd yw hon sy'n traethu o blaid heddwch a chymod a'r ymchwil Waldoaidd hwnnw am y goleuni mewnol sy'n dwyn tangnefedd yn ei sgîl.

Cefais fy ngwir gyffroi gan rannau o'r awdl hon. Y mae yma fardd gwreiddiol ei feddwl sy'n ymwrthod i gryn raddau â'r llwybrau cyfarwydd. O ran ei ddull amlhaenog o ymdrin â'i destun, diau y gellid dal bod yma fardd sy'n perthyn yn nes i fyd y bryddest a'i meddylwaith nag i draddodiad yr awdl a'r pwyslais ar effaith esthetaidd y gynghanedd. Gwaetha'r modd, fodd bynnag, ceir yma hefyd ddiffygion nid bychan ac olion brys mewn mannau, yn enwedig tua chanol yr awdl. Ni lwyddwyd i wau'r ymson ynghylch creu argaeau heddiw mewn rhannau pellennig o'r byd na'r ymson ynghylch yr awyrennau dibeilot yn rhannau diwnïad o'r gerdd. Yn ychwanegol at hynny, er bod ynddynt rai llinellau cofiadwy, dyma ymsonau sy'n cael eu difetha tua'u diwedd gan ddiffyg cynildeb a llinellau llanw diangen.

Yn fy marn i, *Emrallt* yw bardd gorau'r gystadleuaeth hon eleni a bûm mewn cryn gyfyng-gyngor ynghylch ei dynged. Y mae'n deg nodi bod y Gadair wedi ei dyfarnu ar sawl achlysur yn y gorffennol i feirdd llawer llai mentrus a llawer llai gwreiddiol eu cân nag ef. Fodd bynnag, er rhagored ei awdl mewn mannau, ni ellir anwybyddu'r ffaith ei bod yn ddiffygiol fel cyfanwaith. Am y rheswm hwnnw y mae arnaf ofn mai atal y Gadair a wneir eleni.

BEIRNIADAETH GERALLT LLOYD OWEN

Y peth cyntaf a'm trawodd eleni oedd fod gan yr ymgeiswyr i gyd afael go dda ar reolau cynghanedd. Felly, mae'r esgyrn yn eu lle'n burion ond rhaid wrth gig a gwaed hefyd ac yn hynny o beth fe'm siomwyd braidd. Drwodd a thro, digon gwantan ac anemaidd fu'r gystadleuaeth hon.

Gwair y Weirglodd: Lluniodd awdl i leisiau heddwch gan ddechrau fel hyn: 'Calon pob llais wna honni/ Y daw eu bryd gyda'u bri/ I'w daenu er grym dunos/ Â'u byw a'u hyder heb os/ Yn gytûn o un ynom/ I gyd drwy'r byd er grym bom'. Rhaid ei longyfarch ar lendid ei gynghanedd a'i iaith. Yn awr, aed ati i ddweud llai yn fwy cofiadwy.

Llais o'r Llwyn: Mae'r cystadleuydd hwn a minnau wedi cwrdd o'r blaen er nad ymddengys ei fod yn cofio. Yn ei gerdd agoriadol, 'Llais Plentyndod', mae'n gosod cywair ei ganu, e.e. 'Yn yr haf troedio'r afon,/ carlamu a llamu'n llon/ a'r awydd am chwaraeon'. Os oedd *Gwair y Weirglodd* yn drwm ei droed, mae hwn yn prancio'n benchwiban ac yn baglu sawl gwaith o ran crefft a chwaeth. Y rhwyddineb anystyriol hwn sy'n peri iddo ddweud pethau anffodus megis 'Y dorf a gollodd borfa' wrth sôn am y newyn yn Somalia. Cystadlodd ar y cywydd yn 2009 a thynnais ei sylw bryd hynny at y cwpled ansoddeiriog hwn am Lanwddyn, 'a'r dyfroedd glandeg segur/ a mud yng nghysgod y mur'. Dylid ei gosbi am ddirmyg llys!

Clymau'r nos: Ffugenw addas oherwydd mae'r cerddi hyn yn bur dywyll i mi. Daw'n amlwg ar ôl ychydig linellau fod yma rywun na fedr ei fynegi'i hun yn glir mewn cynghanedd: 'Bwli boi hael ei bŵer/ yn rhwydo ble roedd breuder;/ ei fam yn brae a gwae'r gêr yn alanas urddasol,/ o raid – rheolwr â'i ôl/ yn waniad, o mor fewnol!' Mam yn cael ei bwlio gan ei mab sydd yma, a hynny'n peri iselder iddi, iselder a'i tery eilwaith yng Ngorffennaf 1998. Mae nodi'r mis a'r flwyddyn fel hyn yn awgrymu fod yma stori wir ac ymgais i greu drama ohoni – rhoi'r fam mewn cartref, ceisio 'stumio' ei hewyllys ar y cyd â chwaer iau, cogio galaru yn ei hangladd, a.y.b. – ond nid yw stori wir o reidrwydd yn gwneud drama dda na barddoniaeth dda. Ofnaf mai tipyn o gawdel a gafwyd gan *Clymau'r nos*. Gyda llaw, dylai ddysgu'r gwahaniaeth rhwng 'nag' a 'nad' ac 'yw' ac 'i'w'.

Bryniau Clwyd: Cywyddau, hir-a-thoddeidiau, englynion (penfyr ac unodl union) yw cynnwys y casgliad hwn. Y mae llawer o'i destunau – O'r Hen Ogledd; Yr Iaith; Lewis Valentine; Capel Celyn; Cof yr Iaith; Gwarchodwr y Ffin, a.y.b – yn tueddu i fod yn undonog a threuliedig. Arddull hir-a-thoddeidiau coffa dechrau'r ganrif o'r blaen sy'n nodweddu ei deyrnged i Valentine, e.e. 'Goreugwr y gwir egin – a'i eiriau'n/ Her a nawdd gorau i'n heddiw gerwin', ac mae ei gywydd 18 llinell 'Yr Iaith' yn rhyw lun ar ymarferiad i gynganeddu 'y Gymraeg' cyn amled ag y gellir mewn llinellau croes o gyswllt marw-anedig. Gresyn na chafwyd ganddo fwy o linellau gafaelgar megis 'Drwy heddiw hir holl eiliadau'r dderwen'. Sylwais ar dri llithriad, sef odli 'gollwyd' a 'mud' (Lleddf a Thalgron); 'Clod tafod rhydd' (Sain anghyflawn) ac 'Yn dawel oediog dy alwedigaeth' (Camacennu).

Sarn Cynfelyn: Pe bai hwn yn ddisgybl i Guto'r Glyn a'i debyg, buasai wedi cael sawl bonclust bellach. Heddiw, fel erioed, dyletswydd ar fardd yw ymdrwytho yng ngramadeg yr iaith. Os yw hynny y tu hwnt i allu'r beirdd, o bawb, sut yn y byd y gellir disgwyl dim amgenach gan gyflwynwyr a gohebwyr golygus S4C? Deg o gerddi gan rywun a benderfynodd glirio'i gypyrddau sydd yma, 'dybiwn i. Dyna'r unig reswm pam y byddid yn cynnwys cyfarchiad priodas yng nghystadleuaeth y Gadair, cyfarchiad sydd, gyda llaw, yn cynnwys gwall gramadegol eithaf sylfaenol. Yn wir, ceir sawl gwall yn y casgliad hwn, a rhai sydd y tu hwnt i eiriau yn y gerdd 'Ysgol Swyddffynnon': 'Ar y gât mae'n dweud "ar gau",/ a gwn fu yno gynnau/ lle dysg – lle i gymell dawn ...'. Yn yr un gerdd, ceir llinell drawiadol sy'n haeddu bod yn gywir – 'mae cen dros hen darmac hon' – ond sydd, credwch neu beidio, yn proestio! Hyd yn oed pan yw'n cynganeddu'n gywir, ar bapur o leiaf, fel yn y llinell 'Cerdyn post yw'r bwthyn bach', *gweld* cynghanedd Sain (cerdyn/ bwthyn/ bach) a wna. Pam gwtrin nad yw ei glust yn ei alw i gyfrif? Ceir sawl enghraifft o'r croestynnu hwn rhwng sain a synnwyr. Yn y gerdd hyfryd 'Tonnau', lle mae'n sôn am ei blant ('Y ddau fychan a anwyd/ yn lliw haul ar fore llwyd./ A'u llieinau yn llenwi/ dydd a nos ein dyddiau ni'), fe ddifethodd y cyfan gyda'r cwpled nesaf: 'Eli haul yw sŵn y plant/ a hen dwyni amdanant'. Amdanant? Mewn difri' calon!

29B: Cerddi a leolwyd yng Nghaerdydd, prifddinas ein barddoniaeth bellach. Mae yma fardd digon deheuig ond ni theimlaf iddo wneud cyfiawnder â'i allu y tro hwn. 'Rhwydau weithiodd ef ei hun' sy'n ei ddrysu. Pam trefnu priodas anghymarus rhwng rhythmau'r canu rhydd a'r canu caeth mewn cerdd fel 'Elusen'? Pam ymorchestu mewn llunio gostegion o englynion fel 'Stadiwm' a 'Ffôn'? Llyffethair diangen ydyw. Pan yw'r ymgeisydd hwn ar ei orau, mae'n wych, e.e. pan yw'n sôn am un o anffodusion y ddinas yn canu carolau yn yr Aes '... gan udo'i yngan yn ganiad ingol/ am ei wala ar bafin ymylol,/ ond aiff dagrau'r nodau nôl i'r craciau/ mor wag â'i eiriau ym mriw ei garol'. Oes, mae yma ddarpar brifardd ond efallai y dylai ymlacio rhywfaint.

Crwydryn: Cynganeddwr go sicr ei drawiad. Yn fras, mae'r cerddi'n ymwneud â darfodedigrwydd pobl a'u lleisiau. Ar ei orau, mae'n eithaf ysgytwol ond nid yw bob amser yn gwybod pryd y mae ar ei orau. O'r herwydd, tuedda i ganu gormod ac, wrth reswm, os gadewir i decell ganu'n rhy hir mae'n siŵr o ferwi'n sych. Dyna sy'n digwydd yn y gerdd 'Gwŷr', cerdd 38 llinell am 'Y gwŷr a aeth Gatraeth gynt' a'u harwyddocâd i ni heddiw. Hawdd y gellid ei thocio i'w hanner. Mae'r pennill cyntaf sy'n diweddu â'r llinell 'â ni heddiw, un oeddynt' yn cydio'n daclus gyda'r cwpled olaf namyn dau, sef 'y dienw, diwyneb,/ yn ni oll ac eto'n neb'. Ond na, roedd rhaid i *Crwydryn* gael ychwanegu 'awr eu cad ar furiau'r co'/ a'r hwyr yn eu goreuro./ Eu haberth ar y dibyn/ yno'n dal yr argae'n dynn', sydd, gyda phob parch, yn dipyn o rwtsh. Ar y llaw arall, cerddi trawiadol yw 'Cân y Morloi', 'Bachgen', 'Tybed?' a 'Hi' (o'i chwtogi). Bardd *genuine*, ddywedwn i.

Maldwyn: Ymgeisydd glân ei iaith a'i gynghanedd ond braidd yn ystrydebol ei fater a'i fodd. Gwahodd trwbwl yw pupro cerddi ag enwau aruchel yn ein hymwybod cenhedlig – Heledd, Cynddylan, Pengwern, Sycharth, a.y.b – oherwydd eich bod yn cystadlu â'ch gwell. Rhaid ichwi, o leiaf, fod â rhywbeth newydd i'w ddweud. Heb os, mae'r cerddi hyn yn swnio'n dda ond gofynned *Maldwyn* iddo'i hun beth yw ystyr rhai o'i linellau, e.e. 'Ym Mhengwern mae hwiangerdd/ oera'r gwaed. Daw geiriau'r gerdd/ drwy'r stafell fel bwyell bâr/ a'i lesgedd i ddail ysgar'. Ac mae'n rhaid imi ddweud na all fy nychymyg i, hyd yn oed ar ôl llawer o win, lyncu'r syniad fod hwyaden wyllt a'i chywion yn 'argoel bri' yn Sycharth. Mae'n rhy ffansïol o'r hanner i'm chwaeth i. Gresyn fod ymgeisydd mor addawol yn ymfoethuso gymaint mewn gwneud synau barddonllyd fel yn y gerdd olaf, 'Ni': 'Ni yw gwylwyr y geulan,/ ni yw'r llwyth yn erwau'r llan,/ ni yw'r ffos, a chaer y ffydd,/ ni yw Owain o'r newydd'. Beth a olygir wrth 'ni yw'r llwyth yn erwau'r llan'?

Dysgwr: Ymgeisydd glân ei gynghanedd oddigerth un llinell lle mae'r orffwysfa'n rhy bell, 'Heddiw o hyd, ddoe ydyw', ond nid mor sicr ei ramadeg a'i orgraff. Yn fy marn i, dylai osgoi'r math o goegathronyddu a geir yn ei gerdd gyntaf, 'Pelydryn'. Nid yw'n gweddu i'w awen; ei gryfder ef, a phob cynganeddwr gwerth ei halen ar hyd y canrifoedd o ran hynny, yw'r dweud croyw, uniongyrchol fel yr hyn a geir ganddo yn ei gywydd am ei fam: "Leni bûm ar lan ei bedd,/ Mae hi 'leni'n dde[n]g mlynedd ...' neu'r gerdd drawiadol 'Gweision' sy'n sôn am genedlaethau o weision ffermydd yn naddu eu henwau yn y llofft stabal ac yn gorffen â'r pennill 'heddiw wedi'r blynyddoedd/ a golau'r wawr, eglur oedd/ P Edwards, ond pwy ydoedd?' Mae'n wir y dylai gwtogi a thynhau yma ac acw yn ogystal â mireinio'i fynegiant ond, yn sicr, mae gwreiddyn y mater gan *Dysgwr*.

Romero'r Meirwon: Rhaid i mi gyfaddef na wyddwn i ddim oll am George A. Romero a'i ffilmiau brawychus hyd nes y cyfeiriwyd fi atynt gan Peredur. Ffilmiau am sombïaid o feirwon atgyfodedig yn bygwth gwareiddiad ydynt – 'Byddin y dall a'r byddar/... yn bodio gŷts bywyd gwâr'. Sonnir yma am 'ddewiniaeth y gwyddonydd a'i awch/ i greu aur o gynnydd ...', sef alcemydd ein dyddiau ni. Arferai'r hen alcemyddion, ganrifoedd lawer yn ôl, gyfuno 'cemeg' â dewiniaeth i greu trwyth yr honnid ei fod yn sicrhau anfarwoldeb yn ogystal â throi mwynau llai gwerthfawr yn aur ac, os deallaf yn iawn, mae'r ymgeisydd hwn yn cyfochri hynny â'r modd y mae'r cwmnïau ffarmacolegol modern, ymhlith eraill, yn elwa ar draul y blaned a'i thrigolion. Er bod y gerdd yn canolbwyntio ar Gymru, yr un yw'r stori ledled y byd – gwarineb a gwerthoedd pobloedd yn cael eu traflyncu gan lythineb masnachol. Nid yw ceyrydd y gorffennol – capel, eisteddfod, a.y.b. – yn gallu rhwystro'r 'fyddin' ellyllaidd hon 'a'i thwf hi fel rhyw iaith fain'. Awdl hyll yw hon, a dyna oedd ym mwriad ei hawdur. Er bod ganddo linellau cryfion eu cynghanedd, mae'r gystrawen a'r ystyr yn simsan ar brydiau, e.e. 'geiriau'n darf ar gorn darfod' neu 'a don' nhw'n ddof o roi dannedd i afu'. A dweud y gwir, dim ond un pennill gwir gofiadwy sydd yma, sef yr hir-a-thoddaid sy'n gorffen â'r geiriau 'moment/ o wynt mewn mynwent mwy yw'n hemynau'. Mae hwnnw'n bennill ysgytwol. Ymdrech wreiddiol os braidd yn uchelgeisiol.

Cerdina: Awdl gan ymgeisydd go saff o'i bethau. Egyr gyda disgrifiad o enedigaeth lle ceir cwpled gwych: 'ennyd fel tynnu 'winedd,/ un gŵyn hir, ac yna hedd.' Am weddill y gerdd, mae'r fam yn adrodd hanes ei bywyd wrth ei phlentyn, sut y gadawodd ei bro enedigol ar arfordir Ceredigion, mi dybiaf, a symud i'r ddinas yn ddeunaw oed. Yno 'fe drodd y lodes yn ddynes ddawniog' (nid llinell orau'r awdl o bell ffordd; y llinell honno yw 'heneiddio mae rhyfeddod'). Sut bynnag, 'Un haf o gyffro ifanc,/ i'w thwyllo hi, fe ddaeth llanc', ei meddwi (?) a'i beichiogi cyn diflannu o'i bywyd mor ddisymwth ag y daethai. Yn unigrwydd y ddinas a 'diflastod nabod neb', daw arni hiraeth am ei gwir gynefin ond nid yr un yw'r gymdogaeth honno bellach: 'gwelai'r glwyd yn glir ar glo'. Ceir elfennau cyfarwydd yn y stori hon, wrth gwrs. Tueddu i ganu'n siwgraidd a wna *Cerdina* ac ofnaf nad yw hynny at fy nant i. Ac onid yw 'Ymwrolais. Sychais i/ olion y lonydd heli'n/ ddistaw bach ...' yn enghraifft o or-farddoni peth mor syml â sychu dagrau? Ac eithrio un neu ddau lithriad orgraff ynglŷn â dyblu'r 'n' fel 'Gwaeddais, a syn[n]ais greu sŵn' yn y llinell gyntaf un, mae'r iaith yn bur lân ond rhaid tynnu sylw at 'A'n fiwsig ...' ac 'a'n rhwydd ...' pryd y golygir 'Ac yn ...'. Ond, ar nodyn mwy calonogol, mae rhannau o'r awdl hon yn canu ei hochr hi, a llinellau megis 'yn aflonydd fel haf o wylanod'; 'roedd ŷd i'w fedi, ac roedd dyfodol'; 'iaith maen hir oedd iaith mwynhau', ac eraill, yn glynu yn y cof.

Emrallt: Awdl am Emyr Llewelyn a'i ran yn y ffrwydrad yng Nghwm Celyn hanner canrif yn ôl. Seiliwyd hi ar raglen a ddarlledwyd ar S4C ym mis Chwefror eleni pan gyfarfu Owain Williams, John Albert Jones ac Emyr Llewelyn ar argae Tryweryn – y tro cyntaf i'r tri ddod ynghyd a'r tro cyntaf i Emyr fod yng ngolwg y lle er y noson luwchiog honno ym 1963. Ceir tri llais gwahanol yn y gerdd, sef llais y cyfarwyddwr/ cyflwynydd teledu, llais y bardd/ storïwr, a llais Emyr Llewelyn ei hun. Am sawl rheswm, roedd gennyf ddiddordeb yn y rhaglen ac fe'i gwyliais ond roedd hynny dros ddau fis cyn gweld yr awdl, ac felly bu'n rhaid ei gwylio eto yn Ysgubor 'Plaza', Llwyndyrys. Yr hyn a'm poenai i o'r dechrau oedd i ba raddau yr oedd rhaid bod wedi gweld y rhaglen i fedru gwerthfawrogi'r awdl. Mae hynny'n dal i'm poeni i ryw raddau. Er bod pawb sy'n prynu'r *Cyfansoddiadau* yn sicr o fod yn gyfarwydd â'r cefndir, nid pawb sy'n gwybod am gred ddiysgog Emyr Llewelyn mewn dulliau di-drais. Cyflawni gweithred symbolaidd oedd ei ddymuniad ef. Byddai'n ofynnol ichwi fod wedi gweld y rhaglen neu ynteu wybod cryn dipyn am y gwrthrych i fedru llwyr werthfawrogi'r gerdd hon. Rhaid dweud bod yma ddarnau gwirioneddol afaelgar ac, yn rhyfedd iawn, yng ngenau Emyr ei hun y mae'r rhan fwyaf ohonynt. Fe ddywedodd yn y rhaglen fod yna Dryweryn ymhob oes, ac fe ddywed yma '... mae pryder rhyw Dryweryn/ a rhyw gwm dan eira gwyn; yn rhywle mae rhyw alar –/ dial oer lle bu dôl wâr./ ... A ninnau/ mor glyd, ein hysgwyd ni all/ doluriau cenedl arall'. Yr ydym yn 'chwarae'r rhan mewn tei a chrys ... chwarae "dileu" rhwng deuawd/ gyfforddus y bys a'r bawd'. Ar y llaw arall, strôc siêp, i'm tyb i, a geir yn ail linell y cwpled hwn; 'Gwariwn yn ddidrugaredd,/ gwario bom i agor bedd'. Gwyddom fod Emyr yn edmygydd mawr o Waldo ac mae yma adleisiau bwriadol neu o leiaf gyfeiriadau at rai o gerddi adnabyddus y bardd. 'Synnwn i fawr nad cyfeirio at Waldo'n benodol a wneir yn yr adran olaf ond un, e.e. 'Dim ond amynedd, meddai,/ a daw golau'r lleisiau llai ...'. Tila, yn fy marn i, yw'r ddwy linell sy'n rhagflaenu'r cwpled yna ac yn cyfeirio at 'chwyldro'r hedd': 'Yn eich meddyliau chi meddalwch yw,/ ond rwy'n dweud, cadernid ydyw'. O ran crefft, mae ganddo un gynghanedd Sain ddadleuol ('Ynof, rôl datod y clo fe'i clywaf') ac un sy'n Groes gwbl wallus neu'n Draws anfoddhaol iawn ('yn nydd hedd? Oni wyddoch?'). Mae'r iaith yn lân ac eithrio'r llinell 'Beth oedd y cof, tybed, yn gofyn?', ac yn y geiriau hyn 'Â chamau fy nychymyg/ es ymlaen, gwelais ymhlyg/ y gorwel ...', ai 'ym mhlyg y gorwel' a fwriadwyd?

Hon yw'r awdl orau yn fy marn i, ac mae'n gwbl destunol, sy'n fwy nag y gellir ei ddweud am rai o'r ymdrechion eraill. Er bod iddi rinweddau amlwg, awdl anwastad ydyw. Yn gymysg â'r rhannau gwych, ceir rhannau lle mae'r bardd fel pe'n ceisio cael ei wynt ato cyn ailgodi stêm. Ar adegau felly mae'n tueddu i ganu ar ei gyfer ac ailadrodd geiriau nes peri i'r neges ingol swnio'n neis. Mae modd gor-wneud rhethreg nes dad-wneud ei heffaith. Er y gellid dadlau bod awdlau salach wedi ennill yn y gorffennol, nid y rheiny rhagor goreuon y gorffennol a ddylai bennu'r safon. Fel arall, byddai perygl i ddisgwyliadau beirniaid a darllenwyr ostwng yn gyfatebol. Felly, mae arnaf ofn na fedraf argymell gwobrwyo awdl y mae amheuaeth am ei theilyngdod *yn ei chyfanrwydd*.

Dilyniant o gerddi digynghanedd heb fod dros 250 llinell: Terfysg

BEIRNIADAETH CERI WYN JONES

Mae'r 29 casgliad sy'n cystadlu am y Goron eleni wedi ymffurfio'n dri phentwr ar lawr fy stydi: llond dwrn o rai gwan iawn, llond dwrn o rai da iawn, a phawb arall, fel sy'n arferol, mae'n siŵr, rywle rhwng y ddau ddwrn. Ond, hyd yn oed o fewn y pentyrrau hyn, mae graddfeydd o ragoriaeth.

Nid gwaith hawdd, serch hynny, yw gosod meini prawf wrth dafoli casgliadau o gerddi. Mae'n haws pwyso a mesur a chymharu dwy bryddest, dyweder, neu ddau ddilyniant o gerddi, lle mae disgwyl rhyw fath o unoliaeth ac, yn wir, ryw fath o ddatblygiad. Yn rhyfedd iawn, beth a ddaeth yn amlwg i mi wrth ddarllen y casgliadau oedd bod y beirdd hwythau ychydig yn ansicr o beth yw hyd a lled casgliad. A dweud y gwir, teimlwn fod y beirdd hynny a weithiodd ddilyniant y tro hwn yn camu yn eu blaenau'n fwy hyderus na'r lleill, fel pe baent yn credu ym mêr eu hesgyrn fod angen unoliaeth a datblygiad hyd yn oed o fewn terfynau annelwig casgliad.

Mae'n deg dweud cyn dechrau nad 'Terfysg' yw testun neu thema go iawn nifer o'r casgliadau hyn, er i'w hawduron wneud eu gorau glas i gynnwys y gair 'terfysg' mor aml â phosib yn eu cerddi. Cofied y beirdd y cyngor ar ddudalen 13 *Llawlyfr Beirniaid Llenyddol Eisteddfodau Cymru*: 'Po amlaf yn y gwaith yr ymddengys y gair neu'r geiriau sy'n destun gosod y gwaith, y mwyaf annhestunol, gan amlaf, yw'r gwaith hwnnw'!

Ond, at y tri phentwr, a'r graddfeydd o'u mewn.

PENTWR 3

Yr olaf a fyddant flaenaf, a dyna anrhydedd *Susta* â'i gasgliad 'Ar y Seithfed Dydd', sef cyfres o ebychiadau, datganiadau a darluniau annisgybledig wedi eu cysylltu (neu eu gwahanu, dw i ddim yn hollol siŵr) gan ddyfyniadau o lyfr Genesis. Yn dynn ar ei sodlau, mae cerddi protest taer ond rhyddieithol *neb arall* a cherddi athronyddol herciog *Yr Oes Fodern* sydd, o bryd i'w gilydd, yn codi gwên gydag odlau mor ogleisiol â 'Gaugin' a 'darogan'! Yn nesaf, mae *Pandora*, sydd yn darlunio'n blaen iawn ei frwydr bersonol â'i rywioldeb, a *Gwern*, sydd yr un mor uniongyrchol wrth olrhain hanes dirdynnol April Jones.

Mae peth golau dydd rhwng y casgliadau a ganlyn â'r pump a nodwyd eisoes. Syllu ar y cyflwr dynol yn ei holl anocheledd a wnaeth *Islwyn* ond mae'r dweud yn dueddol o bendilio rhwng y cyffredin a'r anghyffwrdd. Cerdd, nid casgliad, am wn i, a gafwyd gan *Y Glyn*, a thymherau'r gerdd honno'n newid gyda'r tymhorau ac yn un stribed o ddelweddau ac ansoddeiriau. A fyddai'n syniad i'r bardd bwyllo ac ystyried ei ddarllenydd weithiau, oherwydd nid yw bob amser yn glir beth yn union yw ei bwnc?

Mae'n glir mai chwalfa carwriaeth sydd gan *Gellifor* ond, er mor ddiffuant ac annwyl yw'r canu, e.e. y disgrifiad o'r hen albwm lluniau fel 'gwlad ddieithr', troi yn ei unfan y mae'r casgliad a hynny'n ddealladwy, ar un ystyr. Mae'r un diffuantrwydd ar waith yng ngherddi *Tŷ Isa* sy'n olrhain datblygiad carwriaeth rhwng brodor o'r Bala a gwraig o Dde'r Affrig, a thrwy hynny yn cyfosod dioddef hanesyddol dwy genedl. Er bod y sefyllfa yn un arbennig, anarbennig yw'r dweud ar y cyfan. Traethodau hanes a gawsom gan *Tawelwch*, yn cwmpasu terfysgoedd fel rhai Merched Beca a'r Chwyldro Ffrengig, a hynny mewn cyfres o ddatganiadau cyffredinol a haniaethol, er bod peth chwarae da ar eiriau ar brydiau. Mae angen cywiro'r iaith yma ac acw, a cham gwag oedd cyflwyno teipysgrif a oedd mewn llythrennau bras drwyddi.

Cerddi'n dwyn i gof anghyfiawnder a chywilydd sydd gan *man gwyn*, a'r rheini'n cyfosod tynged y Cymry â'r Iddewon, yr Americaniaid brodorol a'r bobl groenddu. Hyd yn oed os yw'r gwersi hanes braidd yn dreuliedig a chyfleus, a'r dweud braidd yn amlwg, does neb yn amau nad yw'r canfyddiadau'n para'n berthnasol. Mae *Penygraig* wedyn yn portreadu'r modd y mae'r byd cyfoes yn gweddnewid bywyd delfrydol y Gymru wledig, er bod y gerdd olaf enigmatig yn cynnig rhyw oleuni. Dyma gasgliad eglur ei ystyr ar y cyfan gyda delweddau hawdd eu hadnabod ac uniaethu â nhw. Mae delweddau cyfarwydd hefyd i'w canfod yn nilyniant cyfoes a chignoeth *Promethiws* sy'n darlunio rhai o achosion ac effeithiau'r rhyfel yn Affganistan. Hoffais rai o'r golygfeydd dramatig ond cyfyng yw'r cynfas yn y pen draw, ac rwy'n teimlo mai ail-ddweud pethau mewn ffordd wahanol yw dull y bardd erbyn diwedd. Wedi dechrau di-fflach ac ystrydebol, mae casgliad *Cilmyn* yn cryfhau wrth fynd rhagddo. Mae syniadau gwirioneddol drawiadol yma (e.e. yn 'Y Llyfrgell Plant' lle mae gŵr sydd wedi ysgaru yn gorfod benthyg ei blant am brynhawn), ond nid yw'r ymlafnio dros y dweud mor amlwg drwyddi draw.

Ceisiodd *Seriws* esbonio-ddarlunio prosesau creu'r byd a hynny drwy gyfres o olygfeydd difyr sy'n cyfuno gwybodaeth ddaearegol, gemegol a ffisegol, ynghyd â chyfeiriadaeth at chwedlau ac emynau. Mae delweddau o gerddoriaeth ac o dân yn dod i'r amlwg droeon, a minnau'n amau o'r herwydd nad 'Terfysg' oedd gwir deitl y gerdd (nid casgliad o gerddi) uchelgeisiol hon yn wreiddiol.

PENTWR 2

Shoni'r Sgubor: Cofnod yw'r cerddi hyn o ddyn yn cefnu ar Dduw ac ar ffordd o fyw ei rieni, yn cofleidio'r bywyd peryglus a'i eithafion yfed-a-chyffuriau, cyn iddo fwrw ati i chwilio am dduw neu grefydd amgen. Mae rhai rhannau gafaelgar iawn hwnt ac yma, gyda'r dafodiaith rywsut yn gwneud i'r cwbl deimlo'n fwy real, ac yn cynnig cyferbyniad da â'r cymeriadau mwy egsotig sydd yma, fel Jack Kerouac a Thomas Merton. Serch hynny, mae gormod o rannau sy'n fwy rhyddieithol a llac.

Yannis: Mae'r casgliad hwn yn cynnwys sefyllfaoedd lle mae cymeriadau'n gwegian ar y dibyn. Mae'r gerdd gyntaf, er enghraifft, yn ein hatgoffa o gyfyng-gyngor yr Arlywydd Kennedy a Chiwba a Rwsia ym 1962, a'r peryg' o gyflafan niwclear o'r herwydd, tra mae un arall yn canolbwyntio ar gyrff drylliedig y milwyr yn Ysbyty Camberwell. Ceir nifer o linellau unigol da, ynghyd â delweddau trawiadol ond mae'r dweud yn rhy amlwg ar brydiau a'r ddelweddaeth, hyd y gwela' i, braidd yn ddigyswllt.

Seiont: 'Toes na'm gymaint o derfysg dyddia yma. Tydi'r hafau ddim mor braf ag y buo nhw'. Taid y bardd sy' pia'r gwirionedd cyfoethog hwn, a does dim yn braf yn y bywyd a ddarlunnir yn y casgliad teimladwy hwn. Yn sicr, mae'r byd-olwg yn un digon diobaith, a hynny, dybiwn i, oherwydd y cyfnod argyfyngus y bu mab y bardd 'ar riniog rhwng byw a pheidio'. Mae nifer o'r cerddi'n ymdrin â 'phaled o eithafion,/ yn codi terfysg mewn tawelwch', e.e. 'Tyrd Wanwyn', sy'n cynnig ymateb doeth i'r hyn a ddigwyddodd i April Jones. Ar ei orau, mae'r canu'n dda iawn ond anwastad yw'r safon, gwaetha'r modd.

Luna: 'Cae Gwirionedd', yn hytrach na 'Terfysg', yw teitl y casgliad hwn, casgliad sy'n rhychwantu'r personol a'r rhyngwladol, a'r cyfoes a'r oesol, mewn cyfres o ddarluniau neu sefyllfaoedd cofiadwy. Mae ganddo yntau gerdd i April Jones, sef 'Calan Gaeaf, 2012 (Machynlleth)', telyneg ragorol sy'n gorffen yn iasol: 'Noswyl yr Holl Eneidiau,/ namyn un'. Efallai fod y gerdd 'Llawlyfr Arteithio Tyner', sy'n dychanu unbeniaid a chyfiawnder rhyngwladol, fymryn yn hir ond, drwyddi draw, mae yma feddwl craff, dychymyg dyfeisgar a dweud sy'n peri i ddyn wrando.

Encyd: Mae'r tri dyfyniad sy'n ffurfio is-deitl i'r casgliad hwn yn cynnig tair gwedd ar rym a gwendid amser; felly hefyd y casgliad ei hun. Dychmygus iawn, felly, fyddai unrhyw honiad mai 'Terfysg' yw thema'r cerddi!

Ond, mwynheais y cerddi â'u ffocws penodol a'u cyfeiriadau eang. Mae cyferbynnu'r mynach Lazar (adeiladwr y cloc mecanyddol cyhoeddus cyntaf yn Rwsia) â Llasar Llaesgyfnewid (y gof a'r gemydd a gariodd y Pair Dadeni i Gymru yn chwedl Branwen) yn ddyfeisgar: 'Dau â'u gefynnau'n dynn am hoedl dyn', ac mae sawl syniad unigol da iawn yn dod i'r wyneb drwy'r cerddi, a'r rheini mewn ystod o ffurfiau. Byddwn i'n dadlau, serch hynny, bod y cerddi mewn mydr ac odl yn llai llwyddiannus, gyda'r casgliadau weithiau'n rhy gyfleus neu ystrydebol.

Mab y Daran: Dyma gasgliad effeithiol o gerddi, er 'mod i'n synhwyro mai cwympo rhwng dwy stôl a wnaed, sef rhwng dilyniant o gerddi penodol a phersonol am garwriaeth yn chwythu'i phlwc, a chasgliad o gerddi mwy cyhoeddus (yn crybwyll pynciau fel yr Arwisgiad, Meibion Glyndŵr, 9/11, etc.). Y canu gwers rydd i'r berthynas yw gogoniant y casgliad, tra mae'r sonedau gwleidyddol yn llawn o haniaethau a rhethreg dreuliedig. O fod yn feirniadol, mae llinellau hirion y wers rydd hwythau'n awgrymu awydd i adrodd stori ryddiaith weithiau ac, o bosib, gellid bod wedi gwneud tro â chywasgu delweddau a disgrifiadau.

Byw: Hyd y gwela' i, portread o berthynas gŵr a gwraig yn dirywio yw'r casgliad hwn, a hynny yng nghyd-destun un haf gwlyb penodol, ynghyd â newid hinsawdd yn gyffredinol, o bosib. Cerddi byrion yw'r cwbl, bron, nifer ohonynt braidd yn anghyffwrdd, a dyn yn gorfod gwneud tipyn o ddyfalu i werthfawrogi'r union sefyllfa a ddisgrifir. Ond mae dyn hefyd yn synhwyro cysgod barddoniaeth drwy'r casgliad ac ar brydiau'n ymwybodol iawn o'i grym a'i threiddgarwch.

PENTWR 2+

Orffews: Dyma ddilyniant gwirioneddol ddirdynnol, gan ŵr a fu'n gwylio'i wraig yn marw o ganser yn yr ysbyty, 'yn gwylad y dirwyn a'r dadelfennu'. Cyfres o ymsonau'r gŵr sydd yma ac mae'r dweud yn rymus o'r dechrau i'r diwedd, yn gyfuniad o farddoniaeth ingol, rhethreg dyn dan deimlad a chri uniongyrchol o'r galon. Yn naturiol, serch hynny, cywair tebyg sydd i'r cerddi i gyd, cywair digalonni a dioddef, nes creu awyrgylch sy'n gallu llethu'r darllenydd. Onid oes dadl esthetig dros gyfosod y cerddi trwm gyda cherddi a gynigiai gipolwg i ni ar atgofion melysach y gorffennol neu rywbeth tebyg? Ond digon hawdd i feirniad, yn wrthrychol gyfforddus, ddweud hyn, wrth gwrs. Digon hawdd i feirniad ofyn am driniaeth fwy ymatalgar neu amrywiol. Yn y pen draw, mae gan *Orffews* bob hawl i ganu'r gân arbennig hon yn ei ffordd ei hun.

Niblo: Casgliad difyr iawn yn manteisio ar feistrolaeth ar fwy nag un o dafodieithoedd cymoedd diwydiannol De Cymru er mwyn adrodd hanes rhai o derfysgoedd penodol y gorffennol, ynghyd ag amlygu'r dylanwadau radical ehangach a fu ar y cymoedd hynny. Cawn deyrnged hyfryd i'r gweriniaethwr, Harri Webb; cawn atgof hen löwr am gwrdd â Mussolini; cawn glywed y Comiwnydd enwog hwnnw yn llun Evan Walters yn 'galw arnoch i sefyll yn stansh/ rhag y cyfalafwrs'. Mae'n canu baled o ryw fath wedyn yn olrhain prif ddigwyddiadau 'Reiots' Tonypandy yn 1910, cyn gorffen gyda llythyr gan y Barnwr a glywodd achos 'Richard Lewis,/ neu Dick Pen Derrin', cyfle da eto i'n hatgoffa o'r hyn a ddigwyddodd ym Merthyr ym 1831. Mae ôl mwynhau'r dasg ar yr ysgrifennu ond, er bod y cyfanwaith yn crisialu ysbryd a hanes terfysg, ac yn ail-greu cyfnodau hanesyddol yn effeithiol, y rhethreg a'r rhyddiaith a'r dafodiaith a'r dychan sy'n aros gen i, nid y farddoniaeth. Ond, dyna ni, ys dywed y bardd ei hun: 'A'n beirdd? Hawdd direpu'r rhan fwyaf, 'n enwetig/ y bois sy'n garlantu'r Awen fel Brenhines y Mai/ ac yn hebrwng y Gwmrâg i'w bedd, neu, yn yr iaith fain,/ yn dodwy wya dryw er mwyn pleso'r beirniad academig;/ 'sdim rhyfedd nad yw'r bobol yn ymateb i'w canigion'.

An a Log: Gwefr cariadon sy'n gyrru'r casgliad hwn yn ei flaen, ynghyd â chyfres o ôl-fflachiadau sy'n cyfosod safbwyntiau'r ddau gariad. Mae nifer o dechnegau'n clymu hon yn un gerdd, a dweud y gwir: y cariad unig yn y gwely ar y dechrau a'r diwedd, ynghyd â'r freuddwyd am siwrne car tua'r gorwel, siwrne sydd yn ei delfrydiaeth ramantus yn cyferbynnu â'r realiti wrth i'r berthynas golli ei gwefr gychwynnol. Mae rhyw ddieithrwch yn treiddio'r cwbl a ninnau ddim yn siŵr bob tro o'r union amgylchiadau. Ond mae'r canu'n arbennig o synhwyrus, yn gyfoes heb fod yn ymdrechgar felly, e.e. yn y gerdd 'Lloerennau' a'r gerdd 'Anfon', lle mae bys y bardd 'ers meitin/ yn mynnu pendilio;/ ai gyrru llatai/ dros y ffôn ai peidio?/ Clirio'r sgrin.// Ystyried pob ymadrodd,/ y gystrawen i gyd,/ y gair sy'n dweud gormod,/ eto sill yn ddi-hid./ Laru ar lên'.

PENTWR 1

Rhydian: Casgliad ysgytwol o chwech o gerddi yw hwn 'er cof am y ffotonewyddiadurwr Philip Jones Griffiths (1936–2008), cofnodwr a dehonglwr terfysgoedd daear'. Mae nodyn esboniadol neu ddyfyniad gweddol estynedig ar ddechrau pob cerdd ac yn achos pedair o'r cerddi, cafwyd hefyd ffotograff a gwe-gyfeiriad perthnasol. Y nodyn mwyaf dadlennol wrth ystyried cynllun a chynnwys y casgliad hwn yw'r canlynol, sef ail baragraff y rhagymadrodd i'r gerdd agoriadol, sef 'Rhuddlan': 'Tynnodd Philip Jones Griffiths sylw droeon at y ffaith mai'r profiad o gael ei fagu yng ngogledd Cymru a roddodd iddo ddealltwriaeth o ddioddefaint cenhedloedd bychain dan ormes ar draws y byd'. Ac mae dechrau'r gerdd honno yn ein hargyhoeddi ar unwaith: 'Yma mae'r tir yn mynnu ei enwi'i hun'.

Ffotograffau yw testunau'r pedair cerdd sy'n dilyn: y cyntaf o fachgen bach o Fietnam a laddwyd ar ddamwain gan un o rocedi strae byddin yr Americaniaid; yr ail o ferch 'Amerasiaidd' yn gwerthu sigaréts ar y stryd yn ninas Ho Chi Minh yn ystod y blynyddoedd wedi'r rhyfel; y trydydd o filwr Prydeinig yng Ngogledd Iwerddon ym 1973, y tu ôl i darian wrthfwledi; a'r pedwerydd o gorff milwr yn yr anialwch yn Kuwait ym 1991. Mae'r gerdd olaf un wedyn yn dod â'r ffotograffydd enwog yn ôl i Gaernarfon i ddangos sleidiau o'i waith, a hynny ychydig fisoedd cyn iddo farw.

Mae'r casgliad hwn yn fyfyrdod nid yn unig ar natur rhyfel a gormes ond mae'n archwilio'n gynnil iawn y modd y mae brwydro'n cael ei gofnodi a'i ddehongli. Mae gan *Rhydian* ddychymyg fforensig o eglur, ac mae ganddo linellau a chymalau syfrdanol. Ond, i mi o leia', cam gwag oedd cynnwys y ffotograffau, oherwydd nid oes dewis gennym ond edrych arnyn' nhw cyn darllen y cerddi, a chyn gynted ag y byddwn wedi edrych arnyn' nhw, nid oes modd darllen y cerddi fel gweithiau llenyddol annibynnol. Fel y mae pethau, mae'n amhosib i mi beidio ag ystyried y casgliad fel cywaith rhwng *Rhydian* a'r diweddar Philip Jones Griffiths. Ond, diawch, mae'n gywaith cyffrous!

A safo: Cyn bwrw ati, mae gan hwn ddyfyniad adnabyddus o waith Dylan Thomas i gyfeirio meddyliau'r darllenydd: 'Do not go gentle into that good night. / Old age should burn and rave at close of day; / rage, rage against the dying of the light'. Ond os oes cynddaredd yn y cerddi, cynddaredd fyfyrgar ydyw, wrth i'r bardd fwrw golwg dros ei gyflwr ei hun (yn hanner cant oed, os yw'r gerdd gyntaf i'w chredu), a thros gyflwr ei genedl a chyflwr 'y byd sydd ohoni'.

Cawn wybod o'r gerdd gyntaf fod hwn yn sylwebydd chwareus a threiddgar: 'Ymolchwn, ac eillio rhywfaint / ar flew'r trwyn; tynnu'n tei i'r hyd iawn; / cribo'n moelni. / Tynnu siwtiau dynion amdanom / er bod oglau llwch a chwys yn y ceseiliau. / Tost oer; coffi'n llosgi; sws; / troi trwyn y car at ddydd / o shyfflo papur a phryderon pitw'. Dyma fardd â chanddo lygad am fanylion dibwys a'r rheini'n gyforiog o arwyddocâd. Weithiau, serch hynny, mae'n fwy newyddiadurol, fel yn achos ei gerddi i Belfast a Keith O'Brien, ond hyd yn oed yn y cerddi hynny ei ddiddordeb yw'r tyndra rhwng yr hyn a deimlwn go iawn a'r modd y mae disgwyl i ni ymddwyn. Ac mae'r tyndra hwnnw'n cael triniaeth gofiadwy yn 'Y gelyn yng Nghosta'. Wrth i'r bardd 'fudr-ddarllen ar f'iPad / erthygl am farwolaeth yr iaith: / mewnlifo, ail-lifo, tai, gwaith, cymhathu, / y teip hwnnw o beth', mae mewnfudwraig ddiweddar yn taro sgwrs gyffesgar ag e, a dyma fe o fewn munudau yn gwenu a chwerthin a chynnig dangos y dre iddi.

Gall *A safo* hyd yn oed ddefnyddio rhai o'r elfennau daearyddol mwyaf cyntefig i awgrymu'r tyndra neu'r terfysg mewnol hwn, fel y gwelir yn ei ddisgrifiad gwych o fynydd Teide yn Tenerife: 'A'r mynydd a ffurfiwyd gan ryferthwy'r lafa dwfn/ yn ddiog, sefydlog, fud./ Ond gwn fod distawrwydd y graig/ yn ymladd â thanbeidrwydd ei dyfnder ei hun;/ rwy'n meiddio meddwl/ y ffrwydra rhuthr goleuni'r gwaelod a guddiwyd/ yn llachar eto/ un dydd/ heb hidio dim'. Mae'r casgliad yn cyrraedd uchafbwynt yn y gerdd olaf, sef 'Arwriaeth', sy'n portreadu'r 'dyn bach tenau' a gododd 'fel proffwyd a mellt yn ei lygaid' i ddweud y drefn wrth y bechgyn a'r merched drwg a regai ar goedd yng nghefn y bws, 'cyn i'r bws swingio rownd rowndabowt/ a'i daflu'n ôl i'w sedd'. Dyma gasgliad i'w fwynhau ac i gnoi cil drosto.

PENTWR 1+

Rhywun arall: Casgliad a ysgogwyd gan ganlyniadau digalon Cyfrifiad 2011 ond mae digon o amrywiaeth o ran arddull a chywair i sicrhau nad yw'r cerddi'n troi yn eu hunfan. Mae gwreiddioldeb dweud, dychan a hiwmor yn cydbwyso'r prudd-der a'r hunanholi disgwyliedig, a digon o *vignettes* difyr i wneud y casgliad yn un gwirioneddol gofiadwy. Mae'n dechrau o flaen sgrin gyfrifiadurol, lle mae'r 'rhifau'n rhedeg/ fel cloc tywod .../ a ph'le mae'r geiriau i gyd yn mynd?' a llygaid y bardd yn brifo wrth ddarllen ffigurau'r cyfrifiad. 'Oes modd eu hawlio nôl/ o'r tawelwch llethol/ diderfysg?' yw ei gwestiwn ac, i raddau, ymgais i hawlio'r geiriau'n ôl yw'r cerddi sy'n dilyn. Yn sicr, mae trosiadau sy'n ymwneud â byd iaith, boed y rheini'n straeon, neu frawddegau, neu lythrennau neu gromfachau, yn britho'r cerddi gan sicrhau bod undod delweddol a thematig i'r casgliad. Mae '11.12.12' yn ein hatgoffa ein bod wedi bod yma o'r blaen fel cenedl a bod dyletswydd ar bob oes i fathu ei straeon ei hun, nid dim ond ailadrodd rhai ddoe. Ond mae presenoldeb ddoe yn amlwg iawn yn y casgliad, fel yn y gerdd 'Ystrad Fflur': 'Mae'r hen fynachlog/ wedi gollwng ei gwallt yn rhydd,// ond er godidoced y bwa, yr hyn sy'n fy hudo innau/ yw'r grisiau sy'n gorffen ar eu hanner,/ yn ofer-droi yn erbyn yr awyr,/ yn ceisio cydio yng nghorcyn hen hanes;/ y peth cyfrin hwnnw sy'n sancteiddio'r lle'. Mae sawl math o derfysg ar gerdded yn y casgliad, ac ymhlith yr amlycaf yw tywydd terfysg (fel yn achos y cyfeiriadau at storm fawr marwnad Gruffudd ab yr Ynad Coch i Llywelyn ap Gruffudd). Yn wir, mae'r gerdd 'Glaw' yn honni ein bod ni yn y gorffennol yn arfer 'symud yn ffraeth/ rhwng cawodydd,/ mynd dros y mynydd,/ o lech i lwyn,/ o gymal i gymal; croesacennu â'r glaw yn ôl y gofyn...// Ond aeth y ddrycin mor ddidostur/ nes dwyn pob mynegiant gennym'. Ceir prawf o hyn yn y gerdd sy'n dilyn, sef 'Swyddfa', lle mae'r sawl sy'n 'bugeilio'r ystadegau' weithiau am lenwi'r 'drôr mawr/ yn nesg fy isymwybod' â 'gwaedd/ sy'n rhwygo o grombil fy mod'. Ond 'ni ddaw'r waedd, a rhaid cau'r drôr,/ mor dawel a thaclus â chlic ar gaead arch'.

Yn naturiol, mae'r bardd yn mynd â ni am dro i lefydd fel Tryweryn, a hynny 'pan oedd llwybrau'r haf yn dringo'n ôl i'r lan/ trwy'r misoedd sych', ac am glywed hefyd 'beth mae'r beirdd yn feddwl', cyn i'r rheini hefyd droi 'yn rhesi cymesur ar slab y gwerthwr'. Mae'n rhaid wrth brotest wedyn, a'r bardd yn rhwygo'r geiriadur gan daflu'r geiriau i bob cyfeiriad: 'rhai yn nofio ar wyneb y dyfroedd,/ rhai ar hyd y llwybr a'r graig,/ a rhai yn edliw fel bagiau plastig/ ynghrog yng nghanol y drain'. Yn 'Son et Lumiere', mae'n dychanu'r awydd i droi'n hetifeddiaeth ddiwylliannol yn sioe o hyd, tra mae'r gerdd 'hen gapel' yn dangos anesmwythyd y bardd wrth iddo godi peint wrth y bar lle cafodd ei fedyddio, a 'lle bu fy nhad yn hel casgliad,/ lle cyfarfu gyntaf â llygaid fy mam'.

Soniais am hiwmor *Rhywun arall* a'i allu o bryd i'w gilydd i chwerthin am ei ben ei hun, fel yn y gerdd fer '"gwae ni chlyw organ na chlych"' ac ar ddechrau'r gerdd 'hunlle', ond mae'n gallu bod yn ddamniol o ddeifiol hefyd fel yn 'bathodyn "cymraeg"': 'Cysga'r Cymry, llydan nifer,/ â'u llafar yn eu llygaid,/ yn chwilio'n ofer/ am fathodyn caniatâd,/ atalnod oren y pwyllo parhaus/ rhag pechu neb'. Tinc ffeinach, mwy gobeithiol, serch hynny, sydd i'r gerdd olaf, lle mae'r bardd yn gwrando ar y 'deryn du yn addo paradwys'. 'Ei delori sy'n fy ngalw at fy ngwaith,/ i greu chwyldro gyda gwên;// am fod y byd yn gân i gyd,/ a bwlch enbyd yn ei harmoni/ heb nodau ein halaw ninnau'.

Mae *Rhywun arall* yn fardd galluog a dychmygus, un wedi ei drwytho yn y Traddodiad Barddol (hyd yn oed os yw, at fy nant i, braidd yn rhy awyddus i dynnu ein sylw at hynny), a chawsom ganddo gasgliad o gerddi cyfoethog. Mae'n deg dweud y byddwn i'n bersonol wedi hoffi ychydig mwy o gynildeb, mwy o ymatal: y gamp, weithiau, yw dewis y llinell neu'r ddelwedd a fydd yn sicrhau nad oes yn rhaid i chi ychwanegu llinell neu ddelwedd arall ati er mwyn egluro neu bwysleisio arwyddocâd y llinell neu'r ddelwedd gyntaf!

del Rey: Casgliad cynnil i'w ryfeddu yw hwn â'i 11 o gerddi wedi eu gosod yn ardal Aber-porth a Thre-saith. Ond, er bod y cerddi'n bersonol a'r lleoliadau'n benodol, does dim byd yn gyfyng neu'n blwyfol amdanynt. A dweud y gwir, mae iddynt ddimensiwn rhyngwladol ac ymwybyddiaeth gydwybodol o'r hyn sy'n ein clymu at ein cynefin, at ein pobol ac at y ddynoliaeth gyfan. Y presenoldeb amlwg yn y cerddi yw'r awyrennau dibeilot, y drôns bondigrybwyll, sy'n cael eu datblygu a'u profi gan y Weinyddiaeth Amddiffyn uwchlaw Aber-porth. Er bod yr 'adar angau' hyn yn siŵr o ddwyn nodyn cyfoes i'r canu, y gwir yw eu bod nhw'n cynrychioli'r holl rymoedd hynny, ymhell ac agos, sydd wedi bygwth ein gwareiddiad erioed.

Mae'r gerdd gyntaf yn cyfeirio'n benodol at yr arwydd 'MOD Aber-porth' ger Blaenannerch, a'r 'man 'sgeler/ lle caiff echel car/ ei sigo'n sydyn/ gan y cambr croes' sy'n dwyn i gof un drychineb leol ac yn ein harwain at fan creu trychinebau eraill. Mae'r ail gerdd 'Adarwr' yn ein cyflwyno wedyn gan bwyll bach i un o'r peiriannau hyn: 'Yr ast fach sylwodd gyntaf.// Ymsythodd, ysgyrnygu –/ holl egni'r corff/ yn herio awyr goeg', cyn i'r drydedd fwrw golwg graff dros y glannau: 'Uwch cilgant deudraeth/ taenaf fap uwchben y môr// a gosod pedair carreg ar ei gyrion/ rhag y gwynt.// Mae map yn blingo gwlad'. Wrth i'r bardd weld 'rhes o byramidiau coch/ yn parthu'r bae'n/ faes perygl' ar y map, lle gynt bu cychod yn torri cwys a'u cargo calch, down yn ymwybodol o'r modd cyfrwys y mae'r grymoedd milwrol wedi meddiannu'r darn bach hyfryd hwn o'r Gymru wledig. 'Adar Rhiannon' yw'r gerdd nesaf, ac ynddi gawn gip arall ar fywyd y bardd wrth iddo ddarlunio'n dyner wraig yn ei salwch olaf a honno'n 'tynnu cudyn ar ôl cudyn aur o wallt' a'u gosod 'gyda gofal gwych yn nwfn pob llwyn,/ pob gwrych, i'r adar fedru nyddu nyth'. Ond y mae adar ac adar, ac yn 'Hadau' – un o gerddi unigol gorau'r gystadleuaeth – mae'r 'adar angau/ yn dwyn cyrch' tra mae'r plant wrthi'n bwyta mefus nes bod eu genau'n 'ffrydio'n goch'. Mae'r cyferbyniadau syml ond gwefreiddiol hyn yn rhan o wead y cerddi i gyd, fel yn 'Xbox', er enghraifft, lle mae'r mab yn 'chwarae rhyfel' ar sgrin ei gyfrifiadur, a'i dad mewn ystafell arall yn gwylio 'gemau'r oes' ar YouTube: 'trem drôn dros dai/ yn Datta Khel/ a Lashkar Gar; y taniad mud;// a therfyn sydyn y picselau'.

Hyd yn oed ar ddiwrnod angladd, 'wrth ollwng/ pwysau prin dy gorff i'r pridd/ yng nghrud y rhaffau,// doedd dim dianc rhagddynt'. Ie, 'crud y rhaffau'. Ond yn y gerdd olaf un, mae'n cyrraedd glendid a grym gwyn y pistyll yn Nhre-saith (fel y gwnaeth yn blentyn droeon), y tro hwn yng nghwmni ei blant, ac yn 'tynnu'r sbectol haul/ i brofi syndod,// dyfnder, bendith/ awyr wag', gan synhwyro nad angau a'i gysgod yw'r byd i gyd, wedi'r cwbl.

Mae *del Rey* yn fardd sy'n barod i ymddiried yn y darllenydd, ac o'r herwydd, mae modd i ni ddarganfod y cysylltiadau dwfn sydd rhwng y cerddi â'i gilydd drosom ein hunain a synhwyro'r gyfeiriadaeth ehangach, yn hytrach na theimlo bod y bardd yn dweud popeth wrthym am y profiadau (a'r meddyliau dwys) a ysgogodd y cerddi graenus a threiddgar hyn.

A'r dyfarniad? Byddwn yn ddigon hapus i weld *Rhydian* ac *A safo* yn cael eu coroni. Ond rhwng *del Rey* a *Rhywun arall* y mae hi i mi eleni. Rwy'n cyfaddef yn blwmp ac yn blaen, serch hynny, i mi gael anhawster mawr wrth geisio dewis rhyngddyn nhw. Rwy'n edmygu'r ddau gasgliad yn fawr iawn. Y dewis yn y pen draw yw rhwng cynildeb treiddgar *del Rey* a dawn dweud fyrlymus *Rhywun arall*. Ond, o orfod dewis, *del Rey* amdani! Ond am fod fy nau gydfeirniad wedi gosod *Rhywun arall* ar y brig, rhaid llongyfarch hwnnw neu honno o waelod calon nid yn unig ar gyfansoddi casgliad o gerddi i'n difyrru a'n sobri am yn ail, ond am gipio Coron yr Eisteddfod Genedlaethol, a hynny gyda chanmoliaeth uchel gan y tri beirniad.

BEIRNIADAETH JOHN GRUFFYDD JONES

Derbyniwyd 29 o gasgliadau ac nid tasg hawdd oedd dewis enillydd. Hen bregeth gennyf yw dweud y dylai'r rhai sy'n ymgeisio am y Goron gystadlu mewn eisteddfodau lleol a thaleithiol cyn mentro i'r Brifwyl ac mae'n amlwg nad yn y gystadleuaeth hon y mae lle ambell gasgliad a ddaeth i law eleni. Mae'n bwysig hefyd sylweddoli'r gwahaniaeth rhwng casgliad a dilyniant ac roedd y testun eleni yn rhoi digon o libart i feirdd ymestyn eu dychymyg. Canodd ambell un yn benodol ar derfysg tywydd ac fel ar sawl tro arall fe ystumiodd rhai'r testun i gyflwyno cerddi oedd wedi bod ar daith eisteddfodol o'r blaen. Wedi dweud hynny, roedd hon yn gystadleuaeth a lwyddodd i ddenu beirdd o safon, sicr eu cerddediad a'u crefft ac, yn fy marn i, roedd o leiaf bump a oedd yn hollol deilwng o ddod i'r brig, ac ambell un arall a oedd yn llawn addewid am bethau gwell i ddod yn y dyfodol. Da, felly, yw gallu dweud bod yma ganu cymen yn aml, bod yma sawl cerdd unigol hynod o rymus, a bod, ymysg y goreuon, gasgliadau gwirioneddol gyffrous. Nodaf rif y dosbarth y gosodais hwy ynddo ar ddiwedd fy sylwadau ar bob cystadleuydd, gan obeithio bod y sylwadau hynny o fudd ac yn deg. Diolch i bawb am gyflwyno gwaith taclus a chymen.

Promethiws: Dwsin o gerddi pregethwrol eu naws sy'n condemnio rhyfel a thrais. Sŵn barddonllyd sydd yma yn hytrach na barddoniaeth. Ceir tuedd i dorri brawddegau ar hap gyda'r canlyniad i'r canu fynd yn glogyrnaidd yn aml ac mae'r ymadroddi'n llac mewn sawl man. Nid amheuaf ei ddidwylledd ond prin yw'r grefft. (3)

Tŷ Isa: Casgliad a fu yng nghystadleuaeth y Goron ym Meirion yn 2009, a hynny o dan yr un ffugenw ac o dan yr un beirniad! Yr un yw'r feirniadaeth hefyd. Thema dda am ferch groenddu'n cael ei thrwytho yn hanes y Bala, ac fe gysylltir hynny â dioddefaint dwy genedl dan orthrwm. Mae yma sawl cyffyrddiad chwaethus wrth i serch ddatblygu ond mae angen tynhau a chaboli. Syniad da oedd yn haeddu gwell ymdriniaeth. (2)

Niblo: Dyma'n sicr feistr ar dafodiaith hyfryd Cwm Tawe a'r tu hwnt, ac fe gafwyd casgliad o bum cerdd safonol iawn ganddo. Mae'r gerdd agoriadol yn deyrnged gynnes i Harri Webb a'r mesur yn gweddu i'r dim i gerdd o'r fath. Felly hefyd y gerdd i Mussolini sy'n llawn disgrifiadau lliwgar hanesyddol wedi eu dweud yn raenus. Rwy'n amau'r angen i gynnwys darlun o'r llun gan Evan Walters yn y gerdd i'r 'Comiwnydd', er bod yma eto goethni'r dafodiaith a sawl brawddeg afaelgar: 'Mae'r cymylau'n copri uwchben Llangyfelach'. Gwaetha'r modd, trodd y farddoniaeth yn rhyddiaith noeth tua'r diwedd, yn enwedig felly yn y gerdd olaf, 'Merthyr', lle mae'r brawddegau hir sydd ar ffurf llythyr yn arafu'r dweud yn ormodol ac fe gollwyd rhin y canu blaenorol yn llwyr. Ond roedd yma ymgais glodwiw iawn ac oni bai am y diweddglo byddwn yn ei rhoi yn y dosbarth cyntaf. (2)

Islwyn: Naw o gerddi amrywiol ond prin yw'r cyswllt â therfysg yn y casgliad hwn, ac mae hefyd yn llawn treigladau gwallus. Y gerdd orau yw 'Cwlwm' ond mae honno hefyd yn brin o fireinder ac yn arwynebol. Canu 'ffwrdd-â-hi', efallai, yw'r disgrifiad gorau o'r cerddi. (3)

Y Glyn: Prin fod un gerdd hir yn gasgliad. Mae tuedd amlwg i bentyrru ansoddeiriau ac aneglur iawn yw'r mynegiant drwyddi. Mae llinellau clogyrnaidd fel 'Cyfyng yw rhywle tu draw i'r glyn' yn enghraifft o'r gwaith afreolus yma. Os dysgwr sydd yma, rwy'n ymddiheuro am feirniadaeth galed ond efallai y byddai creu cerddi byrion yn well lle i ddechrau. (3)

Penygraig: Cyfres o ddarluniau'n ymestyn o gefn gwlad i ganol y dref ac mae sawl brawddeg sy'n plesio wrth i'r bardd ein harwain o le i le. Llinellau byrion sydd yma ac fe gollwyd rheolaeth ar y canu wrth iddo dorri brawddegau ar fympwy'n unig Yn sicr, mae yma addewid, ond prin yw'r farddoniaeth mewn llinellau fel: 'Mae colledion cefn gwlad / yn cyrraedd y tudalennau blaen'. Teimlais iddo ar brydiau ddefnyddio'r gair cyntaf i ddod i'w feddwl yn hytrach na saernïo cerdd. (3)

neb arall: Ymgais arall sy'n tueddu i fod yn bregethwrol, a disgwyliedig oedd cael cerdd yn condemnio'r drôns. Mae'n agor gyda cherdd mewn mydr ac odl ond mae'r mesur yn newid o bennill i bennill, ac arwynebol iawn yw'r dweud ymhob cerdd gyda sawl camdreiglad yn britho'r cyfan. Canu diog sydd yma heb fawr o barch at fesur na rhythm llinellau. Cyffredin oedd y gwaith. (3)

Gwern: Rhoddwyd is-deitl 'Plentyn Coll' i'r cerddi, a does dim angen dyfalu ymhle mae gwreiddiau'r gwaith. Ond cerddi catalogaidd o ddigwyddiadau trist sydd yma ac fe groeswyd y ffin rhwng barddoniaeth a rhyddiaith yn llawer rhy aml er bod yma ambell frawddeg sy'n talu am ei lle fel 'Eco'i habsenoldeb lond y tŷ'. Roedd angen llawer mwy o gynildeb i greu'r gofid. (2)

Shoni'r Sgubor: Mae tipyn mwy o afael ar rythmau'r wers rydd yn y cerddi hyn sy'n llawn o eiriau tafodieithol hynod o dlws fel 'pystylad,' 'byrnwr' a 'sbagal'. Atgofus yw naws y cerddi ac eitha' prin yw'r teimlad o derfysg ynddynt ond mae yma fwy nag addewid pan mae ar ei orau, fel yn y gerdd 'Moelyd.' Prin fod angen rhestru toreth o blanhigion yn y gerdd olaf. (2)

Seriws: Un gerdd hir a gyflwynwyd ar thema creu'r bydysawd ac mae'n gerdd lân o ran mynegiant ac arddull. Roedd cyfle yma i gael casgliad hollol destunol ond fe gollwyd y cyfle hwnnw drwy gyflwyno un gerdd yn unig. Gall ganu'n grefftus ar brydiau er iddo golli mydr llinellau mewn sawl man tua'r canol ond hoffais y diweddglo wrth i'n byd ddiflannu i 'seremoni'r sêr'. Mae yma lygad bardd ond mae angen gloywi a thynhau ei grefft a pheidio â chanu ar yr un nodyn. (3)

Yannis: Nid tasg hawdd fu dilyn trywydd rhai o'r cerddi yn y casgliad hwn, cerddi a gefais yn newyddiadurol eu naws yn aml: 'Nesáu mae llongau Rwsia at/ flocâd ger ynys Ciwba'. Ar ddiwedd y casgliad, rhoddwyd troednodiadau'n ein cyfeirio at wybodaeth ar y We ond sawl darllenydd fyddai'n fodlon gwneud hynny er gallu deall y cerddi? Mae'r gerdd 'Dawnswyr' am gaethiwed yn dilyn gweithio gydag asbestos yn ddisgrifiadol dda ac felly hefyd 'Cyffyrddiad ysgafn' sy'n dychanu gwleidyddion dauwynebog, ond ni lwyddwyd i gadw at safon y canu hwnnw yng ngweddill y cyfanwaith. Anwastad a herciog yw'r gwaith ar y cyfan. (2)

Tawelwch: Cerddi penodol am wahanol fathau o derfysg mewn sawl man, yn ymestyn o Ffrainc (1789) trwy gyfnod Hitler hyd at America heddiw, a'r cyfan wedi ei gyflwyno mewn prif lythrennau drwyddo. Ond arwynebol iawn yw'r cerddi gyda sawl camgymeriad a diffyg treiglo'n britho'r cyfan. Mae angen darllen barddoniaeth safonol er mwyn sylweddoli rhin geiriau a deall rhythm a phatrwm canu rhydd. (3)

encyd: Mae dau ddyfyniad Saesneg gyda'r casgliad yma, un gan y nofelydd Julian Barnes a'r llall gan William Faulkner, a'r ddau ddyfyniad yn ymwneud â threuliad amser. Rhaid cyfaddef i mi gael y cerddi hyn yn anodd eu deall, yn enwedig felly'r gerdd agoriadol sy'n sôn am Lazar. Mae'r delyneg 'Trip' yn taro deuddeg yn sicr, ac o'r tair soned sydd yma 'Pont' yw'r gryfaf o ran crefft a chynnwys. Er bod gan hwn afael ar y wers rydd a bod yma sawl llinell drawiadol, mae ystyr y cerddi'n mynd ar goll yn aml fel yn ail bennill 'Anarchwyr': 'O glydwch grym/ ni chlyw tipian cadfridogion/ ddiferu awr ac awr/ yn flêr hyd y waliau crwca'. Canu fel yna sy'n gwneud y cerddi'n niwlog ar brydiau. (2)

An a Log: Er mai braidd yn annhestunol yw'r cerddi hyn, cefais flas ar eu darllen am fod yma fardd sy'n gallu creu darluniau geiriol, yn enwedig felly yn y gerdd 'Gwefru' sy'n disgrifio dau'n cyfarfod ar nos Sadwrn: 'Yn y gorlan dacsis/ a'r praidd yn crynu'n eu crysau haf'. Ffresni'r dweud sy'n apelio yn y casgliad hwn, ac mae gan y bardd reolaeth ar bob mesur a ddefnyddia, ac fe ganodd am sawl profiad sy'n gyffredin i lawer. Mae bardd dawnus yma sydd ar ymylon y dosbarth cyntaf. (2)

Seiont: Mae terfysg yn ganolog i bob cerdd yma, o'r disgrifiad cyntaf am derfysg haf i'r chwilio ym Machynlleth lle 'mae carreg y drws yn ddychryn'. Nid yw'r safon cystal ym mhob cerdd ac fe drodd brawddegau'n rhyddiaith sawl tro, yn enwedig yng nghanol y gerdd 'Supernova mewn 'stafell fyw'. Tybiaf mai bardd ifanc sydd yma. Os felly, mae'n llawn addewid a byddai'n dda iddo ddal ati i gryfhau a thynhau ei grefft. (2)

Gellifor: Dwy ar bymtheg o gerddi, rhai'n eithriadol o fyr ac un gerdd hir ond i mi dyma'r casgliad mwyaf rhyddieithol yn y gystadleuaeth. Prin iawn yw'r rheolaeth ar y mesur rhydd ac mae llinellau fel: 'Dw i d'angen di/ fel storm ar fin torri' yn esiampl dda o safon y gwaith drwyddo. Mae'r mynegiant yn drwsgl ac aneglur ac yn llawn o gamgymeriadau ieithyddol, e.e. 'Dwi'n dy fethu di' yn lle '... dy golli di.' (3)

A safo: Geiriau cyfarwydd Dylan Thomas ('Do not go gentle into that good night ...') yw'r dyfyniad ar ddechrau'r casgliad gloyw hwn o gerddi ac mae yma fardd sy'n gallu saernïo cerddi mewn iaith goeth a chywir heb golli rhythm llinellau. Tybiaf fod yma hen law. Mae ei derfysg yn ymestyn i sawl cyfeiriad, o waith yr artist Elfyn Lewis i daith bws ar Nos Iau lle mae dadl yn codi, ac mae ei baent geiriol yn gweddu i bob darlun bron. Mae ei gerdd i Keith O'Brien dan y teitl 'Fflangell' yn un o gerddi unigol gorau'r gystadleuaeth. Anodd yw cael newydd-deb wrth ganu am broblemau Belfast, a hon yn sicr yw ei gerdd gryfaf, ond er cystal yw ei ddisgrifiad o'r Prifardd Gerallt Lloyd Owen yn ei gerdd 'Eiddil', tybed a fyddem wedi dirnad y gerdd yn iawn heb weld y rhaglen amdano ar S4C? Efallai iddo hefyd ymestyn gormod ar ambell gerdd a pheidio â'i thorri yn ei blas. (1)

Byw: Deg o gerddi byrion yn ymwneud yn bennaf â byd natur a newid hinsawdd. Er bod yma ambell gameo bach eitha' derbyniol ac ambell linell drawiadol, anwastad yw safon y cerddi ar y cyfan. Ceir hefyd ddiffyg cynildeb mewn sawl man, ac yma eto fe deimlais iddo ddefnyddio'r gair cyntaf a ddaethai i'w feddwl. (3)

Pandora: Cerddi sy'n cynnwys sawl sgwrs ddiystyr yn aml a hynny'n ymwneud â phroblemau rhywiol. Nid bod hynny'n gondemniad ond aeth y mwyafrif o'r cerddi'n rhyddiaith arwynebol a hwnnw'n cynnwys diffyg treiglo fel yn y gerdd i 'Alecsander': 'Dyn gwrol a gipiodd byd,' Prin iawn yw'r Awen yn y gwaith hwn. (3)

man gwyn: Mae ei gerdd agoriadol, 'Munudau Cyfiawnder', yn ein cyflwyno i bedwar darlun mewn ffenestr liw lle mae'r gwydr yn 'llewyrchu delweddau'n cywilydd arnom', cyn mynd ymlaen i ddisgrifio'r darluniau yn eitha' manwl yn y pedair cerdd nesaf, gan droi braidd yn bregethwrol wedyn i sôn am gydwybod ac euogrwydd. Gormes a chasineb Hitler tuag at y genedl Iddewig sydd yn y darlun cyntaf, testun sydd eto'n anodd cael dim byd newydd i'w ddweud amdano, ac er didwylledd y gerdd, teimlais imi glywed y cyfan o'r blaen. Felly hefyd y tair cerdd sy'n dilyn am gyflwr yr Indiaid Cochion, Hiliaeth yn America ac yna Brad y Llyfrau Gleision. (2)

del Rey: Mae un gerdd yn y casgliad hwn yn mynd i aros gyda mi am amser, sef y gerdd 'Hadau', gan fod yma fardd sy'n gallu cyfleu teimladau'n gynnil ac yn effeithiol, a hynny heb rwysg geiriol. Mae yma goethder iaith, darluniau cyfoes a chanu gafaelgar am heddiw ei gynefin. Ond nid bardd yr un gerdd yw hwn; yn wir, mae bron pob cerdd o'i eiddo'n afaelgar wrth iddo ganolbwyntio ar ei gynefin. Enghraifft o'r canu cywrain yma yw agoriad ei gerdd gyntaf am MOD Aber-porth: 'Mae 'na fan/ lle mae'r arwydd/ yn ei lifrai sgarlad/ yn gwanu gwyrdd y gwrych'. Sylwer ar bwysigrwydd y ddeuliw sgarlad a gwyrdd yn y fan hon. Mae yma gariad at fro, at eiriau ac at grefft. Rwy'n amau a oes angen y troednodiadau ar y diwedd, ond roedd hwn yn gasgliad cyfoethog iawn. (1)

Yr Oes Fodern: Cymysgedd o gerddi mewn sawl mesur, ambell gyffyrddiad caeth, mydr ac odl a chanu rhydd, ond gwasgarog tu hwnt yw'r cyfan a phrin yw'r terfysg er iddo roi 'Terfysg Tawel' ar y dechrau. Digwydd nifer o wallau ieithyddol ac mae'r llinellau hyn o'r gerdd 'Glaw' yn dweud llawer: 'Mi gollais bob cyfeiriad ar y tir/ yn ymbalfalu'n düwch am rhy hir. (3)

Mab y Daran: Er bod yma ambell linell dderbyniol, mae gormodedd o ganu rhyddieithol ac ymdrechus. Mae dwy soned yn y casgliad ond blas ddoe sydd arnynt heb fawr newydd-deb. Mae gwell safon yn ei gerdd 'Y Storm', yn enwedig y diweddglo, ond fflachiadau o farddoniaeth yn unig sydd yma a thenau yw'r cerddi o ran awen. (3)

Rhydian: Roedd cyflwyno cerddi er cof am y ffotonewyddiadurwr enwog, Philip Jones Griffiths, yn syniad gwreiddiol a thestunol, a cheir cerddi grymus sy'n eilio gwaith y ffotograffydd ac yn disgrifio mewn geiriau'r boen a'r dioddefaint a welir yng nghrefft y lluniau. Wedi cyflwyno ardal Rhuddlan, lle ganwyd y ffotograffydd, a hynny mewn cwpledi treiddgar, mae *Rhydian* yn cynnwys pedwar darlun o'i waith ac yn canu'n benodol am gynnwys a chefndir y rheini cyn troi i sôn am beth o waith olaf Philip Jones Griffiths wrth iddo ddychwelyd i Gaernarfon i ddangos sleidiau o'i waith. Does dim dwywaith nad oes yma farddoniaeth rymus, er nad oeddwn yn sicr o ambell doriad yn y cwpledi agoriadol: e.e. 'er hyn. Athrylith ymerodraeth ei mwrdro/ hardd. Ateliaist lif y rhydwelïau, cam-/ lesi'r dyfroedd byw'. Rhoddir cefndir y darluniau a'r manylion cyfrifiadurol amdanynt ar ddechrau pob cerdd, ac o gynnwys hynny a ydyw ein dealltwriaeth o'r cerddi gwych hyn yn dibynnu'n ormodol ar weld y lluniau? Mewn geiriau eraill, a ydi'r cerddi'n sefyll ar eu pennau'u hunain heb y darluniau? Tybed a fyddai problemau hawlfraint o gyhoeddi'r gwaith fel y mae? Mae yma farddoni o'r safon uchaf mewn iaith goeth. (1)

Cilmyn: Disgrifiad catalogaidd o derfysg y Pasg a'r croeshoeliad yw agoriad y casgliad hwn, gyda phennill yn codi cwestiwn ynghylch ystyr y cyfan i ni heddiw yn cloi'r gerdd, ond does dim byd newydd yn cael ei ddweud ynddi. Mae ffresni yn y gerdd 'Tatŵ', ond 'gwar' sy'n gywir ac nid 'gwâr' yn yr ail ran. Cerdd fer heb atalnod o gwbl ynddi yw 'Brad' a thinc atgofus heb fawr o derfysg a gefais yn 'Terfysg y Dail'. Ond mae yma addewid, yn enwedig yn y gerdd 'Trannoeth', y gerdd gryfaf yn y casgliad. Rwy'n teimlo bod gwell i ddod gan y bardd hwn, a chyda mwy o ofal a chaboli, byddai wedi bod yn uwch yn y gystadleuaeth. (2)

Susta: Mae'n anodd disgrifio'r cerddi hyn gan mor arwynebol yw'r cyfan, ac yn sicr nid yn y gystadleuaeth hon y mae eu lle. Truth geiriol nad oes pwrpas eu gosod mewn unrhyw ddosbarth.

Rhywun arall: Roedd y cerddi hyn yn gafael o'r darlleniad cyntaf ac mae'r gyfeiriadaeth ynddynt yn profi dawn a gwybodaeth yr awdur am ein diwylliant fel cenedl. Terfysg a storm y cyfrifiad damniol sydd y tu ôl i'r cerddi grymus hyn ac mae ing a phoender y bardd am ein sefyllfa ieithyddol wedi eu gweu i bob cerdd. Mae yma reolaeth lwyr ar y mesur rhydd ac fe lwyddodd i greu darluniau cofiadwy dros ben trwy ddefnyddio'i baent ei hun heb anghofio'r meistri eraill yn oriel ein llên. Mae'r gyfeiriadaeth yn ymestyn ar draws nifer o feysydd o Feibl i farddoniaeth ac mae diweddglo'r gerdd 'gweledigaeth' yn rhoi ias i lawr fy nghefn. (1)

Luna: Mae un gerdd arbennig iawn yn y casgliad, ac er i eraill ddarlunio gwewyr y digwyddiad ym Machynlleth, yn nwy frawddeg olaf y gerdd 'Calan Gaeaf' y mae'r disgrifiad mwyaf iasol: 'Noswyl yr Holl Eneidiau/ namyn un'. Er iddo roi is-deitlau i sawl cerdd, ni lwyddodd y bardd i gyfleu darlun cyfan bob tro, serch bod yma gerddi hynod dderbyniol eraill. Hoffais ei gerdd gynnil i'r Drôn o Aber-porth gyda'i diweddglo bachog. Felly hefyd 'Sari 2013'. Teimlais iddo ailadrodd yn ormodol yn y gerdd 'Llawlyfr Arteithio Tyner' ond mae'r cerddi hyn ar frig yr Ail Ddosbarth. (2)

Orffews: Terfysg y golled o golli gwraig sydd yn y cerddi ac ni ellir dianc rhag gwewyr ac ing y profiadau sydd ymhob un. Mae'r gerdd 'Encil (yng nghapel yr ysbyty)' yn ddirdynnol gyda brawddegau fel: 'Yr Ust cysegredig yn disgyn' yn disgrifio'n berffaith unigrwydd y munudau tawel, ac ni ellir ond edmygu'r teimladrwydd sydd yn y dweud. Yn sicr, mae'r brawddegau hir a ddefnyddir yn y cerddi yn ategu'r aros anodd sydd yn y munudau: 'a hi yn ei gwanwyn a'i blagur/ yn disgwyl Ebrill i flodeuo'r dŵr â'i elyrch'. Mae dewrder ac enaid y bardd yn y llinellau hyn. Nid beirniadaeth yw dweud iddo ganu ar un nodyn, efallai, ond fe ellir deall yn sicr pam mai nodyn lleddf yw hwnnw, ac yn bendant yn nodyn cywir. (1)

Fel y dywedais, tasg anodd fu dewis enillydd mewn cystadleuaeth lle mae peth bwlch rhwng y goreuon a'r gweddill, ac efallai mai chwaeth bersonol sy'n penderfynu yn y diwedd. I mi, mae pump o feirdd yn dod i'r brig, sef *Orffews, A safo, del Rey, Rhywun arall* a *Rhydian*, ac o'r pump mae *del Rey* a *Rhywun arall* ychydig ar y blaen. O drwch blewyn *Rhywun arall* yw fy newis.

BEIRNIADAETH GERAINT LLOYD OWEN

Wrth feirniadu cystadleuaeth fel hon, mae unrhyw feirniad yn dechrau efo'i farnau personol – ei ragfarnau i rai! Dr John Gwilym Jones, Y Groeslon, a ddywedodd ryw dro nad oes 'gan neb hawl i ddisgwyl perffeithrwydd, ond hawl i ddisgwyl o leiaf fethiannau da; hynny yw gwaith gan bobl sy'n adnabod barddoniaeth'. Cymysg fu'r gystadleuaeth hon yng ngoleuni'r dyfyniad yna. Mae nifer o'r casgliadau'n dibynnu ar y peth cyntaf wrth law ac ychydig o 'weld llais a chlywed llun' a gafwyd.

Beth am y 29 casgliad? Cafwyd sawl math o derfysgoedd, a nifer heb unrhyw fath o derfysg o gwbl hyd y gwelaf i, boed yn yr elfennau neu yn yr enaid. Gwendid pennaf gweithiau'r ymgeiswyr yw mynegiant anfoddhaol mewn brawddegu rhyddieithol; aneglurder ystyr oherwydd cymysgu ffigyrau a defnyddio cymariaethau a throsiadau anaddas; anghynildeb, gyda'r ymadroddi'n llac neu'n chwyddedig; a chymysgu arddulliau gan ddwyn ynghyd elfennau anghymharus. Trafod y *vers libre* y mae mwyafrif y cystadleuwyr. Efallai y byddai *diffyg* trafod yn nes ati gan fod llawer o'r farddoniaeth yn llac ac yn flêr. Rwy'n ymdrin â'r cystadleuwyr yn y drefn y daeth y cynnyrch i law (ond nodaf mewn cromfachau yn dilyn pob beirniadaeth unigol ym mha ddosbarth y gosodaf hwy).

Promethiws: Y rhyfel yn Affganistan yw ei thema a rhoes inni gyfres o delynegion *vers libre* sy'n llawn delweddau o offer rhyfel a'u harwyddocâd erchyll. Mae'n dechrau trwy draethu'n ddatganiadol: 'Darganfod drygioni mae dyn/ trwy ei grefydd'. Tuedda'r mynegiant i droi'n rhyddieithol – er enghraifft, 'Ar derfyn dydd daw cwmwl dros anialdir,/ ac yn ei sgîl y cryndod sydd rownd pob cornel'. Mae dau air anghydweddol yn yr ymadrodd 'gwibio'n llwybreiddiol' (gwibio'n droellog a olygir, mae'n debyg). Prin iawn yw'r fflachiadau ond ambell dro cawn ef yn sôn am filwr gyda 'recwiem yn llechu yn ei bac', a'r ansoddair yng nghymal olaf ei ddisgrifiad o'r drôn: 'tyn luniau tyngedfennol'. (2)

Ty Isa: Cerdd mewn rhannau dilyniannol sy'n troi o gwmpas ymweliad merch groenddu o Dde Affrica ag ardal y Bala, ac sy'n cyfosod profiadau dwy genedl. Fel *Yannis*, un arall o'r cystadleuwyr, caiff yr ymgeisydd hwn beth trafferth gyda rhythmau'r *vers libre*, a hynny gyda'r acennu a diweddu llinellau – er enghraifft 'Hithau fy ffrind/ Balch croenddu/ Yn gwledda ar hanes/ Y lle'. At hynny, mae'r mynegiant yn llithro'n rhyddieithol yn gyson: 'Crwydrais o'r neuadd/ At lwybr Llanycil/ A Non yn dilyn/ Yn ddistaw wrth fy nhraed'. Prin yw'r fflachiadau ond ambell dro cawn linell fel 'ofn Duw ar wyneb gwyn' sy'n awgrymu y gellid gwell. Rhyfedd oedd gweld yr ymgais hon o dan yr un ffugenw yng nghyfrol *Cyfansoddiadau a Beirniadaethau Eisteddfod Genedlaethol Meirion a'r Cyffiniau* yn 2009. (3)

Niblo: Gwahanol enghreifftiau o 'derfysgoedd' a geir gan y bardd hwn a'r rheini'n derfysgoedd gwleidyddol. Uwchben bedd Harri Webb, fe ymddengys, y lleferir y gerdd gyntaf a hynny yn y Wenhwyseg. Yn hyn o beth y mae'n atgoffa rhywun o ambell gerdd gan Dyfnallt Morgan. Hen ŵr yn cofio am Mussolini a'i ddiwedd a geir yn yr ail gerdd a cherdd am lun gan Evan Walters yw'r drydedd; tyst yn llefaru am helynt rhwng gweithwyr a milwyr yn 1910 yw'r bedwaredd, a 'Llythyr' gan yr un a ddedfrydodd Dic Penderyn i gael ei grogi yw'r bumed – y mae hon bron iawn â throi'n rhyddiaith, er gwaethaf ei neges gref. Y mae'r cerddi tra diddorol hyn yn waith bardd diamheuol o ddawnus ac mae grym terfysgoedd yn ei iaith lafar liwgar a chyfoethog iawn. (2)

Islwyn: Cafwyd naw o gerddi ond prin yw'r terfysg ynddynt. Mae yma nifer o frychau iaith a gwallau sillafu sy'n atal rhwyddineb y darllen. Heb gywirdeb ieithyddol mae darllen yn troi'n orchwyl diflas. (3)

Y Glyn: Terfysg ymwahanu dau yw thema'r gerdd ond dim ond cant namyn un o linellau yw'r ymgais i gyd. Gyda chynfas mor fach nid oes digon o ddatblygiad yma ac mae hynny'n drueni oherwydd gall yr ymgeisydd hwn ganu'n drosiadol i gyfleu'r ddwy lefel, y diriaethol a'r haniaethol. Dyma enghraifft o'i arddull: 'ni chlywaf y trydar llon yn llechu yn y llwyn/ gan i ti 'sgaru'r brigau'n 'sgerbydau â dicter dy chwyth'. Tueddu i droi yn ei hunfan y mae'r gerdd ac, o'r herwydd, mae rhai o'r delweddau, megis 'fflam', 'gwydr' a'r pedwar tymor, yn digwydd yn rhy aml ac yn colli eu blas, eu lliw a'u min. Anniddorol, felly, yw'r cynnwys er mor raenus yw'r iaith a'r cyflwyniad. Diwedd carwriaeth sydd yma a'r ferch yn disgwyl, 'Mae ffrwyth haf llynedd yn fflam yn fy nghôl'. Mwy o bethe fel yna y tro nesa, *Y Glyn*. (3)

34

Penygraig: Nifer o gerddi am fyw yn y wlad a'r argyfyngau, neu'r 'terfysg', a geir yno yw pwnc y cystadleuydd hwn. Mae'r elfen wledig amaethyddol yn amlwg. Ceir cyfeiriad at y diciâu ac at hunanladdiad hefyd. Mae ambell ddarlun yn cydio fel yr un am yr aderyn ysglyfaethus, 'Eryr arian / O nythfa'r adar angau / Yn ymarfer / Cyn cael ewinedd coch'. Mae *Penygraig* yn mynegi'n daclus a graenus ond, gwaetha'r modd, ynghyd â darnau medrus sy'n cyfleu bywyd yn y wlad, ceir ambell bwt o or-wneud barddonllyd fel hwn: 'Gyda throad y rhod / Taenodd Arlunydd yr oesoedd / Haf arall / Ar gynfas y flwyddyn'. (2)

neb arall: Thema'r gwaith yw'r gwrthdaro gwleidyddol mewn gwahanol rannau o'r byd ac o'r deg cerdd a gyflwynwyd, mae tair a hanner ohonynt ar fydr ac odl. Amrwd at ei gilydd yw'r cynnyrch, ac ôl diffyg cywiro, caboli a thynhau'r mynegiant arno, fel y dengys yr enghreifftiau a ganlyn: 'Pan fod'; 'Mae angen ond y delfryd hwn'; 'Ar ddeuddegfed Medi / cymerwyd i'r stadiwm'. Hefyd, er bod lle i gwestiynau rhethregol mewn barddoniaeth, gocheler rhag traethu datganiadol, pregethwrol. Mae 'siopa' yn gerdd drawiadol a dywed y bardd bethau da ond mewn Cymraeg chwithig a gwallus – er enghraifft: 'A faint o bobl sy wedi stopio tyfu / ers i ti ymuno'r fyddin'. Od iawn ydi hynny. (3)

Gwern: Cyflwynwyd wyth o gerddi'n ymwneud â cholli plentyn. Fel y disgwylid ar themâu o'r fath, mae natur a thôn y cerddi'n drist a rhywun yn ymdeimlo â'r golled. Ond erbyn y diwedd, try'r ymgais braidd yn ddiflas ac undonog. Mae'r iaith yn wallus ac ni lwyddwyd i ffurfio brawddegau, e.e. 'O na ddoi Gretel yn ôl / a'r diniwed drech na'r drwg' ac eto: 'Y gymdeithas glòs closio / henoed llwybyr y llanciau / yn un cri cribo'r tir'. Mae'r cyfan yn troi'n fwrn. (3)

Shoni'r Sgubor: Trwy enwi cymeriadau a llefydd ac apelio at ein synhwyrau yn y gerdd 'Pystylad', â'r ymgeisydd hwn â ni i addoldy gwledig mewn oes a fu, ac yntau'n blentyn yn dyheu am ryddid: 'Myfi a flasaf 'fale sur a melys'. Mae yma ymadroddwr llyfn mewn arddull lafar fel y dengys yn y modd y mynegir ymhellach awydd yr ifanc i ymryddhau: 'Gïe fy nghalon wyniasa / i fystyn y tu hwnt / i foddion gras a'r patrwm pendil'. Yn y cerddi eraill, edrychir dros ysgwydd y blynyddoedd a cheir ambell fflach yn y mynegiant. Fodd bynnag, nid wyf yn ymglywed ag unrhyw derfysg nac argoel o derfysg. (3)

Seriws: Terfysg yr ymgeisydd hwn yw cyffro'r creu, a'r grymusterau sydd ar waith yn y cyfanfyd. Gwneir defnydd o rannau o un o emynau Nantlais ('Beth yw mesur glas y nen?') gyda'r ymgeisydd wedi newid un cwpled a llunio cwpledi ar yr un patrwm ond nid ydynt yn ychwanegu dim at y gwaith. Collir y ddisgyblaeth yn aml a thry'r mynegiant yn frawddegol, e.e.

'Fe'u magwyd hwy/ ym meithrinfa'r bydysawd/ mewn gwres gormesol a chynnwrf'; 'Bu ffrwydrad ffyrnig,/ a thasgodd yr haul/ yn belen o dân'. Rhyw dindroi o gwmpas ei weledigaeth a wneir ac mae'r holl linellau byrion yn diflasu dyn. (3)

Yannis: Caiff anhawster weithiau wrth ddiweddu llinellau, sy'n peri i'r cynnyrch fod yn ddi-rythm, fel y dengys yr enghreifftiau a ganlyn: 'Nesáu mae llongau Rwsia at/ flocâd ger ynys Ciwba, at/ linell derfyn'; 'Tu allan pefria'r heulwen ar/ ddiferion ffynnon loyw'; 'Oedaf fel llofrudd cyn/ camu i mewn i'r stafell sy'n dywyll'; 'Hwn yw'r llawr lle/ llofruddiwyd Luis Miguel Sur'. Serch hynny, mae yma gyffyrddiadau a ddeil ein sylw, fel yr ansoddair yn y llinell hon: 'y llanciau/ didranc/ yn cyd-gamu/ ar y sgwâr yn Aberhonddu'. (3)

Tawelwch: Prin iawn yw'r rhythm yn y canu a di-fflach yw'r mynegiant. Mae llawer o frychau treiglo yn y gwaith ac mae'r ymgais i gyd wedi ei theipio mewn prif lythrennau. Tipyn o lobsgóws ond lobsgóws di-flas! (3)

encyd: Terfysg amser yw pwnc y bardd hwn ac mae'n dyfynnu '*tempus rerum imperator*' (amser sy'n rheoli pethau). 'Lazar' yw teitl ei gerdd gyntaf, ac y mae'r ffurf 'Llasar' yn ymddangos unwaith neu ddwy yn y cerddi. Mae'r cymysgu rhwng y ddau enw yn peri penbleth i mi. Pe bawn yn gwybod pwy 'di pwy, byddai pethau'n haws. Cawn olwg ar adegau ar ymwybod â threigl amser. Mae gan y bardd hwn ambell dro ymadrodd trawiadol: 'Ond nid yw'r bws yn arafu/ wrth dderbyn yr hwyr ar ei lampau', ac ambell gerdd sy'n gafael yn rhywun, megis y gerdd syml, 'Trip' a'i thinc telynegol. Eto, mae'n rhaid cyfaddef mai braidd yn annelwig yw'r testun yma. Eithr mae *encyd* yn fardd gwych. (2)

An a Log: Nifer o gerddi am ryw ddigwyddiad braidd yn annelwig (y 'terfysg' efallai). Y mae rhai o fanylion ei gerddi'n drawiadol o fodern, er bod llusgo'r hen gerdd 'Pais Dinogad' i un ohonynt yn dangos tipyn o straen. Gallai fframwaith y cerddi fod yn eglurach i gynnal argraffiadau digon trawiadol. Mae yma fardd da iawn wrth ei waith er bod y cerddi braidd yn dywyll i mi. (2)

Seiont: Llwydda i greu naws a chynnig sylwadaeth yr un pryd wrth agor ei gerdd gyntaf yn atgofus: 'Hin eirias Mehefin yn bywhau/ meistr a gwas, nes/ asio haul a myllni'n un/ gwres yn esgyn,/ a chymylau'n colli gafael ar y glaw'. Gellir ymglywed â'r golled yn y chwilio am y ferch fach bump oed o Fachynlleth, 'hirnos Hydref oedd/ a llewyrch y lloer, fel lamp fry/ yn taflu goleuni/ ar dortshis llai/ yn chwilio/ gan losgi'r nos yn dyllau mân/ yn medi mentyll carpiog uwch y caeau/ wrth i'r dail droi eu lliw'. Ceir yma gymysgu arddulliau ar dro, gan gyfuno arddull lafar a chynildeb ymadrodd fel yn 'A thair sedd sydd wag,/ i'r angylion; debyg,/ Hwy a'u hutgyrn mud/ yn cadw golwg astud'. Ac eto, o gofio mai April oedd enw'r ferch fach, mor briodol yw'r cyffyrddiad a ganlyn 'Caiff y plant chwarae tu allan ar ôl te/ A bydd mwynder bythol/ ym mriallu mis/ Ebrill'. Er bod nifer o gyffyrddiadau effeithiol yn y cerddi, yn anffodus y tro hwn, nid oes modd ymglywed â gwir rym terfysg ynddynt. (2)

Gellifor: Dilyniant am siomedigaeth serch a dirywiad perthynas dau, ond nid yw llinell agoriadol y gerdd gyntaf yn ein hargyhoeddi: 'Fe fydda i'n dy gofio di ar ddiwrnod braf'. Â'r ymgeisydd rhagddo yn ei arddull lafar – nid yw hynny ynddo'i hun yn fai – ond y tueddiad yw traethu'n foel, ddi-liw. Cyffredin yw'r disgrifiadau'n aml – er enghraifft, 'Ar ddiwrnod pan yw'r môr yn las olau,/ llonydd fel gwydr', ac meddai: 'methu dy freuddwydion chwâl' am 'colli dy freuddwydion chwâl'. Prin yw'r enghreifftiau o geisio delweddu'n drosiadol i gyfleu ystyr, megis 'Pydew yn y chwerthin'. Prin hefyd yw'r terfysg. (3)

A safo: Gosododd ddyfyniad o waith Dylan Thomas ar ddechrau ei gerddi: 'Do not go gentle into that good night./ Old age should burn and rave at close of day;/ rage, rage against the dying of the light'. Sôn am ddarfod y goleuni, 'terfysg' (*rage*), am fod y golau'n mynd i ballu yw testun cerddi'r bardd, a'r hyn a wna yw cyflwyno inni enghreifftiau llachar o fodoli. Y mae'n canu'n graff iawn i'r presennol, gydag ymwybod gafaelgar o'r gorffennol. Mae ei gerddi'n ddiddorol a llawn teimlad ac mae'n eithaf eang ei ganu a gellir gweld yr hyn sy'n digwydd mewn ambell gerdd, fel y sefyllfa ar y 'bws Nos Iau' yn y gerdd 'Arwriaeth'. Yn wir, mae'r gerdd hon yn rhyw fath o stori fer. Nid yw'n ennill marciau am gyfansoddi cerdd i'm brawd, dan y teitl 'Eiddil'. Mae'r teitl yn atgoffa dyn o 'nid eiddil pob eiddilwch/ tra dyn, nid llychyn pob llwch'. Cyfansoddwyd y gerdd ar ôl y rhaglen deledu 'Gerallt' ar Fawrth 3 eleni. Ond oni welsoch y rhaglen, mae ambell ddarlun gan *A safo* braidd yn dywyll – er enghraifft, 'y truan sy'n llusgo'i esgyrn i wneud wy' (doedd o ddim yn *gwneud* wy – iâr sy'n gwneud hynny!). Yn ei gerdd 'Plas', gofynnaf ble mae'r terfysg. Efallai mai 'Agos' yw ei gerdd wannaf, ond cefais gryn bleser yng nghwmni'r bardd crefftus hwn. (1)

Byw: Telynegion byrion, gyda'r rhai mwyaf llwyddiannus yn gynnil ac argraffiadol. Dengys ei ddarluniau y gall fod yn ysgafn gyda'i frws: 'fe fu hafau iawn/ pan oedd Awst yn cysgu'n goch/ a gwair yn grin gan orwedd' a 'gloÿnnod newydd/ yn codi o'r eithin gwyllt a gwlyb'. Serch hynny, mae yma orymatal a cholli cyfle i gydio yn y testun gerfydd ei war, ac mae dyn yn dyheu am deimlo'r terfysg yn hytrach na chael ei swyno i gysgu ym murmur ymadroddi atgofus am yr hen ddyddiau. (3)

Pandora: Mae yma fwrlwm o sefyllfaoedd ond mae gwendidau amlwg, sef diffyg myfyrdod a rhoi trefn briodol ar y deunydd, a mynegiant anfoddhaol. Mae'r ymadroddi storïol, sy'n cynnwys llawer o ddeialog, yn rhyddieithol, a chollwyd cyfle i gyfoethogi'r mynegiant trwy ddefnyddio cymariaethau neu drosiadau a fyddai wedi cyfleu'r digwydd trwy ei fywhau a'i godi o'r dudalen i'n dychymyg. Yma eto, gwaetha'r modd, ni ellir dweud bod grym terfysg i'w deimlo. (3)

man gwyn: Cawn gan yr ymgeisydd hwn ddisgrifiadau o ddarluniau ffenestr liw mewn cysegrle, gyda'r lluniau'n cyfleu gwahanol achosion o ormes a gwrthdaro mewn hanes – tynged yr Iddewon adeg yr Ail Ryfel Byd, diwreiddio brodorion Unol Daleithiau America o'u tiroedd, brwydr y bobl dduon yn yr un wlad, a'r Welsh Not yma yng Nghymru. Ofnaf mai cyffredin ac ystrydebol (er didwylledd diymwad yr ymgeisydd) yw'r mynegiant at ei gilydd, fel y dengys ei ddewis o ansoddeiriau: 'ffenest ... hardd', 'llaw ofalus', 'lluniwr medrus', 'gaeaf llwyd', '(c)ofadail ... cain', 'lliwiau cain', 'neges lachar', 'y noson dywyllaf'. Syrffedus, hefyd, yw'r enwau haniaethol sy'n britho'r cynnyrch: 'creulondeb dyn at ddyn', 'hunanoldeb dyn', 'Camwri a chamweddau'n dyddiau', 'drygioni plant Adda'. Colli mewn arbenigedd y mae'r canu ac ofnaf fod yr awdur yn dibynnu'n ormodol ar y pethau agosaf at law. (2)

del Rey: Ymateb gŵr i bresenoldeb awyrennau rhyfel yn awyr ei fro yng Ngheredigion sydd yma – profiad wedi'i fynegi'n bur effeithiol yn y modd y consuria awyrgylch bygythiol. Enghraifft ohono ar ei orau yw'r gerdd 'Hadau' sy'n wirioneddol afaelgar – ei blant yn bwyta mefus wrth wylio'r wennol: 'Yn y bwlch amhosibl/ rhwng car a charafán,/ crymana'r wennol yn ôl i'w nyth/ a chyfandiroedd ar ei chof' (sy'n ein hatgoffa o un o ddelweddau Waldo, fel y gwna elfennau eraill yn y cynnyrch). Yna, 'rhywle uwch pennau'r plant –/ eu genau'n ffrydio'n goch –/ adar angau/ yn dwyn cyrch,/ eu cof yn gamerâu./ Gyrrwn adref; had mefus/ yn feini tramgwydd/ yn y geg'. Dychmygwn blant eraill, mewn gwledydd eraill, yn gwaedu o ganlyniad i ymosodiadau'r awyrennau hyn, ac mae'r cymal olaf yn ein hatgoffa o'r adnod 'Y tadau a fwytasant rawnwin surion, ac ar ddannedd y plant y mae dincod.' (Jeremeia 31:29 ac Eseciel 18:2). Mae hwn yn ganu sy'n llwyddo fel canu atmosfferig gan ei fod yn deffro mwy nag un o'r synhwyrau. Pe bai wedi llwyddo cystal ymhob cerdd fel y gwnaeth yn 'Hadau', byddai'n nes ati. Ond y mae *del Rey* yn fardd da iawn. (1)

Yr Oes Fodern: Mae'n awgrymu fel is-deitl 'ôl/ Terfysg Tawel'. Ond prin iawn yw'r terfysg mewn unrhyw ddull na modd. Mae'r gwallau iaith sydd yma yn amharu unwaith eto ar y darllen ac yn llyffetheirio'r dweud, e.e. yn ei gerdd 'Yr Haul', dyma a ddywed 'mlith testni – hylif rhyw prynhawn Mehefin,/ wybrlas gwlithog Haleliwia Nen'. (3)

Mab y Daran: Diffyg cysondeb yw gwendid y gwaith, colli cynildeb yn rhy aml, ac ymadroddi'n llac. Fodd bynnag, ar ei fwyaf cynnil, gall yr ymgeisydd hwn gyffroi ein synhwyrau, boed i gyfleu'r awyrgylch cyn i storm dorri: 'Pan fai oglau'r heli'n tresmasu ar y tir/ a'r pnawn yn drwm a thwymyn yn y tes', neu wrth ddefnyddio terfysg yn drosiadol i fynegi gwrthdaro mewn perthynas bersonol: 'Bu drycin rhyngom wedi nosweithiau trwm/ y caru llesg a'n geiriau'n llusgo sgwrs', gyda'r ddau'n 'fflachio mellt y gwirioneddau cras'. Yn gymysg â'r cerddi *vers libre*, mae dwy soned yn y casgliad hwn, ac er eu bod yn dweud eu dweud mewn arddull uniongyrchol, maent yn dangos ôl crefft, e.e. yn 'Cyfraith a Threfn', dywedir, 'Rhyfelwyr rhyddid biau'r clod a'r gân,/ a loriodd Dresden a dileu Berlin,/ ddiddymodd Hiroshima gyda thân/ arswyd y machlud yn y bore gwyn./ Rhaid troi dy gefn mewn gwg ar drais pob un/ ond terfysg teg dy feistri di dy hun'. (2)

Rhydian: Rhai o'r terfysgoedd a ddaliodd y ffotograffydd Philip Jones Griffiths yw testun cerddi'r bardd hwn, gan nodi mai oherwydd ei eni yng ngogledd-ddwyrain Cymru, lle y gwyddai beth oedd bod dan warchae estron, y daeth i ddeall dioddefaint cenhedloedd bychain dros y byd. Ar ôl y gerdd ddiffiniol gyntaf, cerddi wedi'u seilio ar luniau a dynnwyd gan Philip Jones Griffiths a gawn. Y maent yn gerddi grymus iawn, yn rhai sydd yn deffro'r dioddefaint a ddaliwyd yn y lluniau trwy eiriau. Llwyddwyd i gyfleu egrwch a thrueni'r sefyllfaoedd a drafodwyd mewn dull argyhoeddiadol. Ond cerddi yw'r rhain sy'n dibynnu ar luniau. Nid wyf yn sicr a ddalient eu tir ar eu pennau eu hunain. Y mae gweld y llun a'r gerdd yn rhoddi mantais annheg i feirniad. Ond dyma un sy'n gweld a chlywed fel bardd. (1)

Cilmyn: Anwastad at ei gilydd yw'r gwaith hwn, a chollodd yr ymgeisydd gyfle i gyfleu ei feddyliau'n fwy effeithiol a chryfhau ei fynegiant trwy ddewis geiriau'n fwy pwrpasol. Pe bai wedi caboli'n fwy trwyadl a thynhau'r ymadroddi, byddai 'ymysg y grug' yn llai chwithig nag 'ymysg y grugdir'. Hefyd, mae'n ymollwng yn anrhythmig ar dro – er enghraifft, dywed 'heno,/ pan mae'r dail yn ymbil ...' pryd y gallai fod wedi dweud 'heno, a'r dail yn ymbil ...'. Er hynny, cawn ganddo nifer o gyffyrddiadau sy'n gweithio'n burion, megis yn y gerdd 'Tatŵ': 'minnau'n rhyfeddu arni/ a'm beichiau a'm beiau/ yn ddiogel o anweledig/ ar fy nghefn fy hun'. Ychydig o dywyllwch yn y canu sy'n amharu ar y darllen. (3)

Susta: Ofnaf nad wyf yn llawn ddeall beth sydd gan hwn. Ond rhaid cydnabod y ceir yma ymdrech i ysgrifennu'n alegorïol, gydag arddull uniongyrchol yr ymgomio arwynebol yn cludo ystyr ddyfnach. Dyma enghraifft: 'Yn sŵn gorfoledd y Cymry'n trechu'r Saeson/ mae clown yn gwthio cadair/ ac yn chwerthin./ Dach isho chwarae, genod?/ Chwarae cuddio? / "Yndw" medda hi / "Nadw" medda fi / A hi oedd yn iawn / dim fi'. Gwaetha'r modd, mae aneglurder a dryswch yn ogystal ag anwastadrwydd yn y gwaith o achos nad yw'r weledigaeth wedi ei datblygu'n glir yn ei ffurf bresennol, ac efallai nad barddoniaeth yw'r cyfrwng gorau i'r syniad. Mae nifer o wallau iaith hefyd yn amharu ar rediad y dweud. (3)

Rhywun arall: Y mae'r bardd hwn yn agor trwy gymryd y gair 'terfysg' yn ei ystyr o 'dymhestlog', a'r dymestl sydd ar ein gwarthaf fel Cymry Cymraeg yw ei bwnc. Y mae ganddo ambell olwg yn ôl ac ambell adlais o gerddi hen yr iaith, nodweddion sy'n rhoi praffter i'w ystyriaeth o'r sefyllfa fel y mae hi ar hyn o bryd, ac y mae ambell ddyfyniad o'r Ysgrythur sy'n dwysáu ei sylwadau ar grefydd. Cawn fwy nag un ddelwedd o iaith yn chwalu ac amryw o sylwadau pwerus o berthnasol i'w bwnc, megis '*tinnitus* diwylliant arall yn merwino'r clyw'. Ond yn y dyddiau dreng mae gobaith gonest y gellir, efallai, 'greu chwyldro gyda gwên'. Y mae cerddi'r bardd hwn yn iasol o berthnasol i'n presennol ni fel Cymry. Yn gefnlen i'r casgliad o 15 cerdd, y mae marwnad enwog Gruffudd ab yr Ynad Coch i Lywelyn ap Gruffudd. I fardd o Gymro yn y drydedd ganrif ar ddeg, yr oedd tranc Llywelyn yn gyfystyr â diwedd y byd. I fardd o Gymro wyth canrif yn ddiweddarach, yr hyn sy'n gyfystyr â marw Llywelyn yw tranc y Gymraeg ac mae cyfrifiad 2011 yn ein rhybuddio o'r farwolaeth honno. O'r llinellau cyntaf un, gwelwn fod y cerddi'n llawn adleisiau o ganu mawr ein gorffennol. Un wedd ar ei gamp yw iddo gyflwyno casgliad o gerddi sydd hefyd yn ddilyniant yn yr ystyr eu bod i gyd yn thematig berthynol; maent i gyd yn ymwneud â darfod y pethau â'n gwna'n Gymry sef, yn anad dim, yr iaith Gymraeg. Nid yw *Rhywun arall* yn gwbl ddi-fai ychwaith. Ambell dro, mae'r ffrwyn yn llithro o'i afael fel yn y gerdd 'Hunlle', lle mae'n dymuno cyflwyno'r Gymraeg i'w gymydog anghyfiaith: 'I mi, mae'n beg / iddo fo, mae'n begwn'. Rhyw glyfrwch diangen yw hynna. Ac yn y gerdd 'Gweledigaeth', lle mae'n sôn am 'y niwl / yn araf ddringo atom … ac yna'n raflo fel mwg', nid oedd angen cynnwys 'Dringo i'n mygu, fel yr iaith fain? / Ynteu datod yn ddim, fel yr iaith Gymraeg?' Mae'n anghynnil. Ac eithrio hynny, nid oes gennyf unrhyw gŵyn yn erbyn y cerddi ysgytwol hyn.(1)

Luna: Ystyried gwahanol enghreifftiau o derfysgoedd, o ddatrys cwerylon yn yr Oesoedd Canol i awyrennau dibeilot, ac arteithiau ein dyddiau ni, a wna *Luna*. Y mae cyflwr y byd yn peri iddo / iddi ddweud nad yw'r Oes Bres na'r Oes Gerrig mor bell yn ôl ag y tybiwn. Y mae ymysg cerddi'r bardd hwn un gerdd wirioneddol ysgytwol, sef 'Calan Gaeaf, 2012'. Dyma un o gerddi gorau'r holl gystadleuaeth i mi. Mae'n codi arswyd o'i darllen ac mae'r ddau air bach ar y diwedd, sef 'namyn un', yn adrodd cyfrolau, o gofio'r hyn a ddigwyddodd ym Machynlleth eleni. Tachwedd 2 yw 'noswyl yr holl eneidiau' a Hydref 31 yw Calan Gaeaf. Dyma ddweud da, 'plant a'u mygydau gwynion / yn ysgerbydu'r nos, / arswyd o'r henfyd / yn plagio ei baganiaeth'. Ac meddai *Luna*: 'Noswyl oedd hi/ i rialtwch annaearol/ dwyllo'r tywyllwch. Noswyl yr Holl Eneidiau,/ namyn un'. Mae *Luna* yn fardd da iawn ond efallai fod ambell gerdd braidd yn rhy ddyfeisgar. Ond mae'n curo ar ddrws y dosbarth cyntaf. (2)

Orffews: Marwolaeth gwraig yw 'Terfysg' cerddi'r bardd hwn. Y mae yma wynebu profiad anodd yn onest a dwys, ac y mae yma deimlad cryf sy'n rhwyfo drwy'r cerddi i gyd, a gallu manwl hefyd i greu angerdd trist trwy'r math o bethau a welir mewn ysbyty. Wynebir angau gan wybod am boenau hanes a chan gydnabod mor bwerus ydyw ei ddyfodiad i ganol mwynderau bywyd. Mae ei gerdd gyntaf yn wych ac felly hefyd 'Drama'r Aros'. Dyma'r ddwy gerdd orau yn y casgliad. Yn fy marn i, mae'n gôr- ganu ar brydiau nes colli cynildeb, e.e. yn y gerdd 'Mae crac yn y cread': 'hymian nyrsus drwy'r nos,/ troliau'n crynu drwy'r coridorau, olwynion yn gwichian' (ond doedd dim angen ychwanegu 'olwynion yn gwichian'). Felly, hefyd, yn ei gerdd 'Cawod Eira', nid oes angen 'Torrwyd y llinyn arian a chwalwyd/ fy nghawg aur ger y ffynnon'. Mae'n ganu geiriog iawn ac o'r herwydd yn tueddu i'n llethu. Ond mae yma ddarluniau arbennig o dyner a sensitif a rhyw ddyhead ysol y medrwn uniaethu ag ef. Dyma un arall sydd o fewn golwg y dosbarth cyntaf. (2)

I mi, y mae pedair ymgais ar y blaen yn y gystadleuaeth, sef *A safo, del Rey, Rhydian a Rhywun arall*. Mae'r safle terfynol rhwng *A safo* a *Rhywun arall*. Ond oherwydd ei eironi, ei hiwmor, ei ddychan a'i ing, i mi *Rhywun arall* sydd ar y blaen mewn cystadleuaeth dda.

Y Casgliad o Gerddi Digynghanedd

TERFYSG

darnio

Wedi'r elwch, tawelwch sydd,
sgyrsiau ar eu hanner,
llinellau gweddw …

ac mae'r cyfrifiad jest yn brifo;
ni ddylid darllen ei ffigurau
ar ôl hanner nos

pan fo dy wyneb
yn lleuad uwch bysellfwrdd,
a'th lygaid yn nofio yn erbyn y sgrin.

Mae'r rhifau'n rhedeg
fel cloc tywod …
a ph'le mae'r geiriau i gyd yn mynd?

Oes modd eu hawlio'n ôl
o'r tawelwch llethol
diderfysg?

11.12.12

Buom yma o'r blaen,
'… y môr yn merwino'r tir,
a'r sêr yn syrthio' …

ac euthum am dro wedi'r dilyw
i weled pell yn agos, ar hen lwybr,
a'r haul yn llenwi'r pyllau â'i oleuni,
yn bathu ôl traed oren ar lawr.

Bu sawl un yn cerdded yma o'm blaen
gan droedio rhyw bytiau o straeon i'r tir;
u bedol, u bedol rhyw ferlen;
sgwennu *kanji* pawennau'r cŵn
a theiar beic fel cromfachau am y cyfan.

42

Ac roedd haul neu farrug wedi sychu'r stori;
yr haenau o hanes,
eiliadau, neu ddyddiau hwyrach, ar wahân,
nes i draed a charnau eraill
droi'r brawddegau'n llwch
a'u chwalu'n ddalen lân.

ystrad fflur

Mae'r hen fynachlog
wedi gollwng ei gwallt yn rhydd,

ond er godidoced y bwa,
yr hyn sy'n fy hudo innau
yw'r grisiau sy'n gorffen ar eu hanner,
yn ofer-droi yn erbyn yr awyr,
yn ceisio cydio yng nghorcyn hen hanes;
y peth cyfrin hwnnw sy'n sancteiddio'r lle.

Eisteddaf weithiau ar y gris uchaf
a dychmygu dringo'n uwch,
tynnu'r corcyn cyndyn;
ac ar draws yr adfeilion
bydd y gorffennol yn ffrydio'n ôl fel gwin;

y ffatri weddïau ar waith unwaith eto,
y mynachod gwynion yn noddi'r tlawd
a'r beirdd yn canu eu mawl …
nes y daw chwalfa Cromwell
a throi abaty hardd yn chwarel.

entropi
(i AJW)

Pe teflid y meini sanctaidd yma
i'r awyr fil o weithiau,
ni fyddent yn glanio fel hyn yn ôl.

Mae pob sgwrs mewn carreg
yn datod, dymchwel,
y cystrawennau'n cracio,

pobl fel morgrug
yn cario'r geiriau cerfiedig i ffwrdd,
a'r seiniau pwyth-drwodd o fol y waliau,

i godi rhywbeth newydd;
a fydd hefyd
yn disgyn yn ei dro …

glaw

'Cerddoriaeth gynta ein gwlad
oedd pitran y glaw yn y coed';

ac i ddechrau
roedden ni'n symud yn ffraeth
rhwng cawodydd,
mynd dros y mynydd,
o lech i lwyn,
o gymal i gymal;
croesacennu â'r glaw yn ôl y gofyn …

Ond aeth y ddrycin mor ddidostur
nes dwyn pob mynegiant gennym,
lleibio ohonom bob sylw craff a hiwmor du,
pob dim,
ond ein hangen i ddygnu 'mlaen drwy'r rhyferthwy,
y reddf sy'n ein gyrru
drwy symffoni anghysain y storom,
a'n pennau wedi'u plygu'n wylaidd wag,
a'n hysgwyddau'n dabyrddau i'r glaw.

swyddfa

Myfi sy'n bugeilio'r ystadegau,
eu corlannu yng nghynteddau'r cyngor,
lle mae peiriant yn sgleinio'r llawr …

ac weithiau dw i'n agor y drôr mawr
yn nesg fy isymwybod,
er mwyn ei lenwi â gwaedd
sy'n rhwygo o grombil fy mod,
nes bod hen agorydd fy nghenedligrwydd
yn diasbedain …

ond ni ddaw'r waedd, a rhaid cau'r drôr,
mor dawel a thaclus â chlic ar gaead arch.
Ac mae peiriant y llawr
yn grwnan yn dawel ym mhen draw'r coridor ...

hydref eto

Ar ael y bryn,
lle mae'r llwyni lletraws
a'r gwrychoedd gwargam
yn edliw'r gwynt i'r gwyll,

yno mae'r hydref
yn tynnu wynebau watsus y coed ...

y dail fel cocos
yn chwyrlïo yn y gwynt,
fel llythrennau'n hedfan,
a'r wyddor yn datod.

boddi cynhaea'

Bûm unwaith yn Nhryweryn,
pan oedd llwybrau'r haf yn dringo'n ôl i'r lan
trwy'r misoedd sych,
a'r stympiau coed fel ebychnodau
ym mrawddegau chwâl y cloddiau.

Ond ym Medi dyma'r llwybrau'n llithro'n ôl i'r llyn
a'r iaith yn mynd fel gwartheg i'w canlyn ...
Ac wrth adfer trefn y dyfroedd oer,
tybed i mi glywed tincial hen leisiau
yn canu wrth foddi'r cynhaea'?

a beth mae'r beirdd yn ei feddwl?

Maen nhw'n troi fel mecryll, mewn fflach o ymryson,
yn cyd-hoywi mewn cynghanedd hardd;
a phan ddaw eu tymp,
bydd eu cyrff mewn ffurfwisg *octavo*
yn rhesi gymesur ar slab y gwerthwr.

protest

Rhwygais y geiriadur fel protest;
cracio'i feingefn fel asgwrn brau
a hau'r tudalennau i'r gwynt –
roedd y geiriau ar gerdded!
rhai yn nofio ar wyneb y dyfroedd,
rhai ar hyd y llwybr a'r graig,
a rhai yn edliw fel bagiau plastig
ynghrog yng nghanol y drain.

Ddaeth neb heibio
i weld blerwch fy ngweithred,
na dod i gasgliadau yng ngwrychoedd yr iaith …
Roedd y mwyar duon yn eu hanterth
a neb yn hel y rheini chwaith …

son et lumière

Ac yna disgyblion a ddaethant
gyda grant a gweledigaeth i'w canlyn.
A hwy a osodasant
daflunyddion ac uchelseinyddion
gerbron hen furddun
fu'n eiddo i fardd.

Ac wele, dynion hetiau caled â locsyn clust,
a'u gwragedd meindrwyn torsyth
a ymrithiasant ar y waliau gwyngalch;
syllu o'r pair dadeni'n fud,
i gyfeiliant telyn chwaethus;

a gwnaed ddoe yn sioe,
gwerthu'r gorffennol
fel cysgod ar fythynnod tlawd;
mae'r amgueddfa yn ymledu …
a minnau'n awchu cael hyd i'r switsh.

peblig: 87.4%

Sdim gorwel yma; dim ond toeau gwâr
yn cau'n gwlwm amdanom;
cylchoedd gwm cnoi
yn fydysawd sêr dan draed;

a phwy a ŵyr na chawn ni ddinas barhaus
yma, lle mae'r ffenestri mor ddall â'r dyfodol,

yma, lle mae waliau brics fy mebyd,
na fedr ond un iaith eu codi;

yma, lle mae'r camerâu yn syllu'n slei
o ben eu polion, o gyrion ein gwyll?

hen gapel

'Cysgant mewn Hedd', meddai cofeb y colledigion,
ond ar y jiwcbocs heno, nid oes emynau,
ddim hyd yn oed *Rhys*
nac *Ebenezer*,
wnaeth gathreinio'r milwyr o'r ffos ...

Codaf beint wrth y bar lle ces i 'medyddio.
Mae'n amser cwrdd;
mae merch yn hel gwydrau cymun y p'nawn;
mae'n rhoi gwên yn adnod i'r barman.

Cyfodaf fy llygaid tua'r oriel chwil
lle bu 'nhad yn hel casgliad,
lle cyfarfu gyntaf â llygaid fy mam
a hithau'n rhoi einioes gyda'r swllt yn ei blât.

'O ba le y daw fy nghymorth?'
Plethaf ddwylo am fy nghwrw.
Cau llygaid. Plygu pen.
Cyfri bendithion ...
ond methu mwynhau
fy mheint cableddus.

'gwae ni chlyw organ a chlych'

Colli llais; galw'n ofer ar Dduw,
tinnitus diwylliant arall yn merwino'r clyw;
cwyno fy myd; mynd i le'r doctor o hyd;
trio crogi 'nhelyn ar yr helyg.
'Rwyt ti'n colli dy falans', meddai'r meddyg ...

gweledigaeth

Ar darmac llyfn y llwybr beic,
roedd yr haul drwy'r ffens
fel drym rôl ar retina,
ei ddwyster yn bygwth
chwythu cannwyll llygad;
ac roedd hen wraig o blaned Labrador
yn bario'r llwybr â'i chi.

Arafais.
Gwasgais frêc ac edrych fry
ar nythod brain
yn gaglau rhwng brigau'r coed;
a'r tu hwnt, 'aros' wnâi'r 'mynyddau mawr';
a sylwais ar y niwl
yn araf ddringo atom,
fel cwrlid byw dros y grib
ac yna'n raflo fel mwg …

'Dringo' i'n mygu, fel yr iaith fain?
Ynteu datod yn ddim, fel yr iaith Gymraeg?
A chydiais yng nghyrn y beic wrth geisio sadio …

'Mae'r tywydd yn troi', meddwn i.
'*About five miles?*' meddai dynes y ci.

hunlle

Yr un ofnau hurt sy'n fy llethu bob nos,
rhwng bisgedi Fiet Cong a breuddwydion Formica,
englynion tequila a santesi silff ucha,
ceisiaf bob nos
gyflwyno'r iaith i 'nghymydog.

I mi, mae'n beg,
iddo fo, mae'n begwn,
yn Arctig anghyfarwydd;

ond dyw'r is-deitlau, ysywaeth,
ddim gen i bob tro;
a gas gen i sgwrs wedi'i dybio,
a'r geiriau fel dannedd rhywun arall yn fy ngheg,
a chwestiynau'r cenedlaethau nesa'
yn cochi fy nghlustiau innau …

a dw i'n deffro'n chwys i gyd,
yn ceisio llyncu
hanner stafell i'm 'sgyfaint …

ond wrth sadio,
ac anadlu'n gall,
wrth i'r nos gilio,

wrth godi llefrith o garreg y drws,
a chyfarch boi drws nesa,
gwn y bydd ail gyfle
a bydd yn haws nag mewn hunlle.

bathodyn 'cymraeg'

Cwsg y Cymry, llydan nifer,
â'u llafar yn eu llygaid,
yn chwilio'n ofer
am fathodyn caniatâd,
atalnod oren y pwyllo parhaus
rhag pechu neb;

Seibiwn, fel cenedl, ar y cyd,
yn dal ein gwynt yn rhy hir …

a bydded i ni siarad Cymraeg fel dyn dall,
â'r iaith wen yn ffon hyder yn ein llaw!
Drwy afiaith chwyldroadol yn unig, y mae llwyddo …

ceiliog mwyalchen

Yng nghefn y tŷ, wrth bwyso ar fy rhaw,
mae 'deryn du yn addo paradwys,
yn garglo heulwen yr hwyr yn ei wddf;

mi ganith, am fod rhaid iddo;
byrlymu'r nodau croyw …

Ei delori sy'n fy ngalw at fy ngwaith,
i greu chwyldro gyda gwên;

am fod y byd yn gân i gyd,
a bwlch enbyd yn ei harmoni
heb nodau ein halaw ninnau.

Rhywun arall

Englyn: Castell

Daeth 78 o englynion i law – nifer go dda, yn wir, am gipio'r Castell. Roedd y testun yn sicr o arwain y beirdd ar gyrch hanesyddol, â'r castell yn symbol o'n darostyngiad fel cenedl a'n dyfalbarhad yn goroesi ers hynny. Cafwyd pob gwedd bosibl ar y trywydd hwnnw yn y gystadleuaeth. Fodd bynnag, mae'r testun yn ei gynnig ei hun i'w ddehongli'n wahanol. Gellid bod wedi gosod person arbennig yng nghanol yr englyn, er enghraifft, neu nerth cariad neu gadernid cyfeillgarwch wrth wynebu bygythiadau bywyd. Prin iawn ydy trywyddau mwy dychmygus ac annisgwyl yn y gystadleuaeth ond mae'r rhai a gafwyd yn ei chyfoethogi.

COLLEDION CYNNAR

Penderfynodd *Yma o hyd* adael y rhengoedd ar y daith tua'r Castell ac ymosod ar 'hen gaer tu hwnt i'n geiriau ... yn awr hi sy'n bentwr brau'. Yna, yn drychinebus, syrthiodd wyth i'r ffos wrth y mur allanol cyn i'r frwydr ddechrau. Roedd pwysau arfau'r gynghanedd yn ormod iddyn nhw! Dydy 'Wedi'r ymdrin a'r brwydro' ddim yn gynghanedd draws, *Amos*, na chwaith 'Bellach brau ei dyrrau o' yn gynghanedd sain. Trueni, *Gwarth*, am ddiffyg cynghanedd 'Dwy bunt i gadw'r pentwr'. Dydy'r llythyren 'r' ar ddechrau'r cyrch ddim wedi ei hateb gan *I'r Gad*. Rhaid canmol *Rhosyn Saron* am ddyfalbarhau; dringodd allan o'r ffos bedair gwaith cyn syrthio'n ôl i mewn y pumed tro a boddi. Daliwch ati i ymarfer yn nefoedd cynghanedd – byddwch yn cario'r faner yno ryw ddydd.

Syrthiodd wyth arall yn y cyrch agoriadol oherwydd nad oedden nhw wedi llwyr feistroli sut i chwifio arf y gynghanedd. Ceir proest i'r odl yn llinell gyntaf *Yn y gwaed*. Mae angen pwyslais mewn man annaturiol i gael cynghanedd lusg yn nhrydedd linell *Owain*, a dydy'r llusg ddim i'w chlywed yn llinell gyntaf *Dan y Tŵr*, yn fy marn i. Hen dro clywed llusg yn llinell olaf englyn *Hiraethus* ac un *Adfail*, a chlywed sathru'r odl yn nhrydedd linell *Un o'r banerwyr* a llinell olaf *Ronsyfal*. Cynghanedd wan iawn, *Pawl Haearn*, ydy 'Yn wae, fel gwayw, trwof'.

I'R BUARTH ALLANOL

Llwyddodd y 40 nesaf i fynd dros y mur allanol. Mae eu hymdrech yn gywir o ran cynghanedd a mesur, ac yn gefn sicr i'r gweddill sy'n brwydro ymlaen. Yn wir, ceir hen lawiau ar y gynghanedd yn eu rhengoedd. Syrthio oherwydd gwendid a wnân nhw. Gwendid hen drawiad, sef 'a darnio ei gadernid', a loriodd *Erydiad*. Felly hefyd 'A phŵer hil a'i pharhad' gan *Goroeswr*; 'ai estron ai dinistria' gan *Cyrchwr*, ac 'Na ddaw hen fraw eto i'r fron' yn englyn *Tŷ'n y Gornel*. Yna, diffyg newydd-deb yn bennaf a arweiniodd at gwymp *Gwerinwr, Eto'n methu, Baneri, Llys, Ffoadur, Amser, Dan Warchae, Darryl F Zanuck, Cymro* a *Pleb*. Cael eu dal wrth golbio'n drwm yn lle gwanu'n gynnil a wnaeth *Haenau, Mab y Glyn 1, Mab y Glyn 2, Tom 1, Tom 2, Uwch y Llan, neb arall, Cennen, Adyn* a hefyd *Llywelyn*, ac mae ei englyn ef am gestyll Edward yn nodweddu'r rhain:

> Ei furiau sy'n ddiferol o hen wawd,
> a'r hen wên orchfygol,
> a fry cwyd ei dyrau'n frol
> am oes, â'u trem ormesol.

Cloffni mynegiant neu ystyr a faglodd *Olion bygythiol, Pendefig, Tywod, Efnisien, Clegyr, Glan y Gors, Ger y Ffin, Llew, Y Bancwr, Morgan, Caradog, Gofalwraig,* a *Gwylan y Don*, tra oedd *Castell y Gwynt*, a *Morlo bach* wedi colli eu hanadl at y diwedd. Meddwi ar y gynghanedd a wnaeth *Porffor*.

MEDDIANNU'R CASTELL

Ymlaen â'r cyrch yn awr dros y mur mewnol i gwrt y Castell ei hunan. Nid tasg hawdd oedd cyrraedd cyn belled, ac arwydd o'u cryfder ydy bod 21 ar ôl yn y frwydr o hyd. Arhosodd 14 yn y fan hon am wahanol resymau ac mae pob un ohonyn nhw'n haeddu cydnabyddiaeth a gair neu ddau amdano.

Mae englyn cyntaf *Pys pocad* yn debyg iawn ei neges i nifer o'r englynion a adawyd ar ôl ond mae fflach o wreiddioldeb yn ei 'Dônt drwy'i ddôr i ladd orig'. Ni sylwodd ar gamsillafiad 'dyrrau' (yn lle 'dyrau'), ac mae'r llinell olaf yn ei sigo. Gwna *Pys pocad* yr un camgymeriad sillafu yn ei ail englyn, wrth ddarlunio ein ffordd afradlon o fyw fel codi castell tywod. Gwall anffodus mewn englyn crefftus fel arall:

> Yn hyderus codwn dyrrau, – dyrnwn
> gadernid i'r waliau,
> byw ac anghofio'r beiau
> nes daw ton i'w wastatáu.

Englyn graenus ei adeiladwaith ond heb godi'n ddigon uchel a gafwyd gan *Owen*. Mae'n ceisio egluro bod symbol ein goresgyniad yn y pen draw yn arwydd o'n cryfder yn goroesi ond dydy 'Fe fynnwn gael ei feini/ i roi nerth i'n muriau ni' ddim yn argyhoeddi rywsut. Mynd i gyfeiriad cyfarwydd a wna *Etifedd*, hefyd, wrth deimlo iasau brwydrau'n hynafiaid yn y meini.

Mae'n englyn rhwydd gan hen law, a ddylai wybod sut i anelu'n uwch. Mae 'adrodd am wrhydri' wedi hen golli ei fin. Rwy'n hoffi esgyll englyn *Ted*. Erys y tŵr mawreddog yn symbol o rwysg a balchder 'ond deil o dan ei seiliau / y tir rhwng y gwir a'r gau'. Anelodd *Ted* yn uwch, ac fe fflachiodd cynffon ei saeth yn yr haul. Codi a dymchwel castell tywod sydd gan *Penmorfa*. Dyna hanes ei grefft hefyd y tro hwn – gosodwyd mur y paladr yn addawol ond aeth troed drom drwy'r esgyll, mae gen i ofn. Dechrau'n addawol a wna *Pen y Garnedd* hefyd: 'Nid y gwirion wladgarwr – yw yr un / i ariannu'r pentwr' ond mae'r drydedd linell ('Nid hawdd yw ailgodi tŵr') braidd yn dila ac yn tynnu gweddill yr englyn i lawr. Mae ergyd englyn *Afallon* hefyd yn mynd i gyfeiriad gwladgarol, a'r tro hwn, ar ôl sôn am 'trais / bwtresi', mae ei gwpled clo'n gofiadwy: 'A thu allan, pothelli / dwylo noeth ein cenedl ni'. Nid anobeithio ond gweld olion castell fel arwydd o'n dyfalbarhad er gwaethaf popeth a wna *Arfon*: 'Ni welaf yn ei olion – ogoniant / hen genedl yn deilchion, / ond eryrod hynod hon / yn hedeg o'i gysgodion'. Gormod o sŵn 'o' yn y drydedd linell a defnydd treuliedig 'ogoniant / hen genedl' yw ei wendid. Englyn cyhyrog ei gynghanedd a gafwyd gan *Collen*; englyn sy'n swnio'n dda:

> Yn gofeb o gyhwfan – rhyw eco
> Yw'r grawc o gyflafan,
> Doe a'i adfyd ei hedfan,
> Brenhines bro'n Ninas Brân.

Cofiadwy ydy'r darlun o'r gigfran yn hofran uwchben yr olion, a'i chrawc yn atsain dros Langollen. Cofiadwy, nes i ni ddod at y llinell olaf. Dw i'n mentro dweud mai hon a ddaeth yn gyntaf, ac i'r bardd ffoli ar gryfder ei chynghanedd groes o gyswllt gymhleth. Mi ffolodd i'r graddau na chlywodd o'r proest i'r odl yn sain 'bro'n / Brân', ac er y diffyg asiad rhyngddi â gweddill yr englyn, glynodd wrthi'n dynn.

Cawn olwg wahanol iawn ar Gaernarfon gan *Pendeitsh*. Hogiau'r Maes ac nid milwyr y Castell sy'n gormesu trigolion y dre erbyn hyn. Mae'n crynhoi'r sefyllfa fel 'caer criw y sglods a'r cwrw / ein gormes nes ydyn nhw'. Hoffais ergyd annisgwyl yr englyn hwn ond dydy'r gair 'nes' ddim yn taro deuddeg. Profiad gwraig oedrannus mewn cartref henoed sydd gan *Mamgu*, ac mae'r syniad yn cynnig delweddau gwahanol i'w cynganeddu:

> Ceir waliau am ei phoen creulon – a'i gwâl
> sy'n gaer rhag pryderon,
> i'r clos y daw bob noson,
> ond tŵr oer yw'r Cartre i hon.

Does dim dwywaith nad yw'r llinell glo yn gampus ond mae peth straen yn y llinellau cyntaf.

Cafodd *Lego* syniad gwahanol, hefyd, wrth sôn am effaith rhyfel ar sadrwydd meddwl. Daw'r llanc ifanc adref gan ddyheu am sicrwydd plentyndod: 'Hwyl hogyn gyda'i lego ... ond Irác ei frwydrau o/ a welodd y dadfeilio'. Cyrch yr englyn sy'n ei wanhau; hen dro am hynny. Hoffais newydd-deb syniad *Arbedwr*, sef tŵr o gôl-geidwad sy'n gosod ei fur amddiffynnol rhag yr ymosodwyr:

> Safed pob dyn yn unol. – Chwi fawrion,
>   Byddwch fur gwarchodol;
>   Yn drwch bugeiliwch y gôl,
>   Yn fagwyr anorchfygol.

Rhaid gwenu wrth i'r dewis o eiriau roi wyneb Saunders Lewis i'r gôl-geidwad! Rhyw oedi dros 'yn drwch' a wnes i hefyd. Diolch *Arbedwr* am ddehongliad cwbl wahanol.

HAWLIO'R NEUADD FAWR

O'r 78 gwreiddiol, mae saith yn dyfalbarhau ac erbyn hyn wedi llwyddo i gyrraedd neuadd y Castell. Mae sglein ar eu harfau, bob un. Dyma *Morys*, y cyntaf ohonyn nhw, yn datgan:

> Difilwyr ydyw'r muriau – erbyn hyn,
>   Ond yn nhŵr yr oesau
>   Dihoena'n ei gadwynau,
>   Un musgrell, a'i gell ar gau.

Dyma droi'r holl beth ar ei ben yn dwt. Erbyn hyn, y castell Normanaidd ydy'r carcharor anghofiedig yn y tŵr. Symbol o gwymp y concwerwr ydy o erbyn hyn, a dydy ei furiau ddim yn bwrw eu cysgod drosom. Mae pob gair yn talu am ei le, a'r cyfan yn adeiladu tua'r llinell glo ardderchog. Y cyswllt rhwng y frawddeg gyntaf a gweddill yr englyn ydy gwendid yr englyn yn fy meddwl i. Chwilio am 'Ac' (nid 'Ond') a wna'r ystyr, a gellid dweud hynny heb golli'r gynghanedd 'Sain Alun' yn y cyrch.

Trywydd tebyg sydd gan *Bechod!* wrth gyfarch yr hyn sydd ar ôl o gerflun wyneb Iorwerth y Cyntaf uwch porth castell Dinbych:

> Dy rythu heddiw drethwyd – a hanner
>   Dy wyneb ddifodwyd;
>   Dy dremynt, fe'i di-rymwyd:
>   Dilygaid, dienaid wŷd.

Mae dychan yr iaith rwysgfawr yn gweddu i'r dim, wrth i'r bardd watwar y modd y cyflawnodd yr erydiad yr union niwed i wyneb Iorwerth ag a brofodd Llywelyn ac arweinwyr eraill dan ei law o. Addas iawn hefyd ydy'r gair 'trethwyd' o gofio tynged y blynyddoedd ar ôl trechu Llywelyn, ac mae cyfoeth ystyr i'r gair 'dienaid'. Mae'n debyg y gellid dadlau nad englyn i 'Castell' ydy o. Wfft i hynny; cestyll ein darostyngiad a ddaw i'n meddwl yn syth pan welwn lun Iorwerth neu pan glywn ei enw. Mae erydiad ei gerflun yn cyfleu cwymp castell ei ddylanwad; nid oes gennym ei ofn mwyach. Beth am anghysondeb calediad 'd' yn y llinell olaf? Mae'r ystyr yn parchu'r atalnod ac felly rhaid i'r glust wneud yr un fath, onid oes?

Yr Eisteddfod Genedlaethol ydy'r Castell yn englyn cofiadwy *Aberteifi*, a pha ffugenw arall y gellid ei ddewis, mewn gwirionedd?

> Down liw Awst yn ôl i lys ein geiriau
> gwaraidd, ac ymddengys
> eto awen i'n tywys
> oll i ŵydd yr Arglwydd Rhys.

Does dim angen atgoffa mai yng nghastell Aberteifi, dan nawdd yr Arglwydd Rhys, y cynhaliwyd yr eisteddfod swyddogol gyntaf ym 1176. Pan gynhaliwn ei draddodiad, pontir y canrifoedd, ac mae yntau fel pe bai'n bresennol. Darlun i gynhesu enaid pob eisteddfodwr ydy hwn. Oedais yn hir dros werth 'geiriau gwaraidd' yn y cyrch, yn teimlo bod gor-rwbio yn ei gilydd wedi bod ar y ddau air rhwydd yma, ac eto maent yn cymryd eu lle yn naturiol, ac yn cyfleu bod wythnos yr Eisteddfod yn ddihangfa rhag byd llai gwâr ein presennol. Wedi pwyso a mesur, cael fy hun yn closio at anwyldeb yr englyn hwn a wnawn ond heb fy nghyffroi ganddo.

Cosi â blaen ei gledd a wnaeth *Y Porthor*, gan lwyddo i dynnu gwaed! Dyma'i englyn:

> Dario nhw, hen ladron nos iaith a thai
> a thir. Rwyf yn andros
> o anniddig, ond diddos.
> Haws hynny na phalu ffos.

Gwatwar y rhai sy'n eistedd yn eu cestyll bach cysurus a gwneud dim ond gresynu y mae'r bardd. Tasg ofer ydy palu ffos, felly gwell cadw draw a gadael y gwaith i rywun arall sy'n ddigon gwirion i dorchi ei lewys. Mae clyfrwch yng nghrefft pigo cydwybod yr englyn hwn, a'i neges wedi ei dweud mor rhwydd a naturiol. Mae'n haeddu bod ymhlith y goreuon.

O blith yr englynion gwlatgar, un *Deio* sy'n dod i'r brig:

> Yno fyth, er inni fyw a marw
> ger y mur annistryw,
> dan ein traed ein tir ydyw,
> a mater o amser yw.

Nid cyfeirio at y castell hynafol a wna 'Yno fyth' ond at y tir o dan ei fur sy'n eiddo i ni. Dweud y mae'r bardd yn gynnil iawn, er mor hir y bu'r cestyll estron yn sefyll uwch ein pennau, roeddem ni yma o'u blaen, ac er mor annistryw, mi ddaw dydd eu cwymp. Bydd byw a marw cenedlaethau eto, efallai, ond fe oroeswn y cestyll yn y diwedd. Mae'n englyn campus o ran crefft, pob gair yn talu am ei le, y cynganeddu'n gadarn heb dynnu sylw, a'r cyfan yn arwain at linell glo ysgubol. Yr unig wendid ydy imi ei chlywed o'r blaen.

Cafwyd sawl englyn i'r castell tywod ond doedd yr un mor syml gofiadwy â chynnig *Bwced a rhaw*:

> Er yn gadarn ei godi – o dywod,
> fel duw y bwcedi
> duw d-fach a ydwyf fi,
> ni reolaf yr heli.

Yn symlrwydd ei un frawddeg ddelweddol, ceir y gwirionedd mwyaf am anallu dynoliaeth i reoli'r Greadigaeth a newid cwrs y dyfodol. Llinell wych iawn ydy'r un gyntaf, sy'n gosod cywair y gweddill. Castell tywod ydy bywyd, ac er mor iach a chryf ydy corff dyn, ni all wrthsefyll llanw amser. Mae ergyd i ego dyn yn nefnydd y gair 'bwcedi' ac wedyn 'duw d-fach'. Gyda'i chwilfrydedd a'i ddyfeisgarwch technegol a gwyddonol, mae dyn wedi llwyddo i gyflawni 'gwyrthiau' ar y ddaear, ond pitw a dinerth ydy o yn wyneb grym rhagluniaeth. Yn Gristion neu'n ddilynwr Darwin a Hawking, yr un yw ysgytwad y sylweddoliad mai dros dro y cawn adael ein hôl yma. Mae pob gair yn talu am ei le yn yr englyn hwn, a'i gynganeddu'n gadarn gynnil, gan gyrraedd uchafbwynt sobr neges y llinell olaf. Ond, yn anffodus i *Bwced a rhaw*, does dim modd derbyn yr 'a ydwyf' chwithig yn y drydedd linell. Byddai 'duw â d-fach ydwyf fi' yn berffaith gywir heb newid dim ar yr ystyr na llyfnder y dweud ... ond nid hynny a gefais. Dyna hen dro.

Cymerodd englyn *Arianrhod* fy sylw o'r darlleniad cyntaf:

> O'n tai ar dwyni tywod – a'r heulwen
> Dros yr heli'n darfod
> Nid yw'r bae ond breuder bod
> Ger unrhyw Gaer Arianrhod.

Mae Caer Arianrhod yn ynys fechan sy'n llechu yn agos i'r wyneb oddi ar arfordir gogledd Gwynedd ger Dinas Dinlle. Roedd Arianrhod yn dduwies Geltaidd y lleuad – y cylch arian – a chysylltwyd genedigaeth, gwyryfdod, marwolaeth ac atgyfodiad â'i mynd a dod misol. Mae Arianrhod yn gymeriad hefyd ym mhedwaredd gainc y Mabinogi, a giliodd i'w chaer mewn cywilydd ar ôl twyllo ynglŷn â'i phurdeb.

Cyfoeth a swyn yr englyn hwn ydy'r gwahanol ddelweddau ac ystyron sy'n cuddio ynddo. Gwelwn wrth fynd yn hŷn nad castell anorchfygol ond tŷ tros dro – tŷ ar dywod – ydy bywyd, bod ein machlud yn anorfod, a bod yr 'ochor draw' – Arianrhod marwolaeth – yn aros amdanom ar y gorwel. Gwelwn ynddo hefyd natur fregus byd arian a throad y rhod ariannol – seiliau tywod sydd i gastell economi'r byd a phan fydd haul cyfnod llewyrchus yn machlud, yn fuan iawn mae'r bae llydan, braf o'n blaenau yn tywyllu ac yn troi'n lle ansicr os nad peryglus. Mae tai ar *dwyni* tywod yn rhai oferach fyth; bydd twyni'n symud gyda'r gwynt ac yn rhoi a gwegian. Dyna pa mor wamal ydy castell cyfalafiaeth mewn gwirionedd. Gair cyfoethog hefyd ydy'r gair 'unrhyw' yn y llinell olaf. Wrth ddarllen yr englyn y tro cyntaf, swniai fel gair llanw i gyflawni'r gynghanedd. Sylweddolais wedyn mai ym mhwyslais y gair hwn y ceir allwedd neges arall yr englyn, sef gochelwn rhag cael ein hudo gan dwyll gau dduwiau o unrhyw fath. A dyna'n ni'n ôl eto gydag Arianrhod, duwies y lleuad, yr un sy'n ein twyllo drwy ymddangos fel haul, ond disgleirio drwy ddwyn ei olau a wna. Rhith ydy'r wyneb arian. Duwies y bancwyr hefyd, felly, mae'n rhaid! Mae'n englyn llawn delweddau ac ystyron sy'n clymu'r gorffennol a'r presennol – yn llawn hud a lledrith fel Arianrhod.

CIPIO'R TŴR

Mae cryfderau ym mhob un o'r saith englyn gorau a braf oedd cael amrywiaeth syniadau yn eu plith. Rwy'n cyfaddef imi gael fy hudo gan *Arianrhod* ac af i'm tranc yn ei chwmni. *Arianrhod* sydd yn cipio twr y Castell, ac yn codi baner buddugoliaeth.

Yr Englyn

CASTELL

O'n tai ar dwyni tywod – a'r heulwen
Dros yr heli'n darfod,
Nid yw'r bae ond breuder bod
Ger unrhyw Gaer Arianrhod.

Arianrhod

Englyn ysgafn: Neges i'w rhoi ar beiriant ateb (peiriant ateb y derbynnydd)

BEIRNIADAETH DAI REES DAVIES

Derbyniwyd 34 o negeseuon ond nid oedd pob un ohonynt ar gyfer peiriant ateb y derbynnydd. Mae rhai o'r englynion ar ffurf neges i'w rhoi gan rywun i'r derbynnydd ond un o ofynion y gystadleuaeth yw fod y neges i fod *ar* beiriant ateb y derbynnydd. Dyfynnaf englyn *Daniel* fel enghraifft:

> O mistar Clegg, rwy'n begian – am ein dôl;
> Ni mewn dyled 'ychan,
> 'Rwy ise llanw'r hosan
> A ma ceg 'da'r deg, hwyl – Dan.

Mae'r neges yn yr englyn uchod wedi ei gyfeirio at un person yn unig ac nid yw'n addas i bob un sy'n galw. Y rhai eraill sydd wedi rhoi neges anaddas ar eu peiriant yw: *Gŵr Mrs Lolipop, Anffodus, Bethan, Staylittle, gŵr misus, Northen* a *Now y Cynydd*.

Ni allaf glodfori na chondemnio englyn *Padyn* oherwydd fe'i caf yn anodd deall y llawysgrifen. Efallai mai meddyg ydyw!

Mae dylanwad iaith arall yn drwm yn englynion *Oswallt, Deio* a *Myfi*. Dyma englyn *Oswallt*:

> Ar ôl tri, nei di nodio? – Be? Wyt-ti …?
> Y botwm 'di bwyso!
> Hec! Wir, 'dan ni'n recordio?
> Rîli? Wps! Ym … yr … Helo …

Cynghanedd amheus yn y llinell olaf sy'n cadw *Rhosyn Saron* a *Moses* rhag cyrraedd y brig. Mae *P.C., Arwel, Traed Mewn Cyffion* a *Dil* yn dibynnu ar enwau personau i hwyluso'r cynganeddu. Dyma englyn *P.C.*:

> Nid yw Ifor 'ma, sorri – yn hwyr ddoe,
> Pan rodd wad i Wili,
> Ar batrôl drwy'n heol ni,
> O bawb, yr oedd y bobi.

Mae englynion *Hen Ŵr y Lleuad, neb arall* a *Dic Dywyll* yn gywir ond nid yw'r neges yn ddigon eglur.

'Chwefror 2013' yw is-deitl englyn gwych *Llandre*. Mae'r neges yn cynnwys yr odlau 'eidon', 'plismon'ac 'ebolion' a theimlaf mai diogelach yw peidio â'i gyhoeddi yn fy meirniadaeth. Er hynny mae *Llandre* yn englynwr da.

Deuwn yn awr at englynwyr a fu'n curo ar ddrws y dosbarth cyntaf ond heb gael mynediad y tro hwn. Yn eu plith mae *Apêl, Twm o'r Ffos, Dei Alto, Gŵr Doris, Castell Cawr, Cynddylan* a *Dêt*. Dyma'r ymateb a gefais ar ôl rhoi caniad i *Twm o'r Ffos*:

> Dw i'm yma, felly ha ha! Yn wir,
> 　Dw *i'n* jolihoetia'!
> Os rhaid, gyfaill, siarada
> Un dau tri, BIP, 'de. Ta-rá!

A dyma'r pump a'm plesiodd i fwyaf. Mae *Brêns* yn hanner addo rhoi galwad nôl wedi dod adref o'r dafarn:

> Helo, helo, fe alwoch – a minnau'r
> 　un man fel y sylwoch;
> mewn tafarn, galwaf arnoch
> heno, glei, rôl cân y gloch.

Nid oes pwynt gadael neges brys ar beiriant ateb *Gofodwr*.

> Yr wyf yn anghartrefol – wedi mynd
> 　I Mawrth, taith ofodol,
> Yr wy'n ŵr annaearol,
> Ni wn pryd fyddaf yn ôl.

Mae neges fwy hamddenol gan *Berwyn*:

> Heddiw i ffwrdd rhag gwaedd ffôn – yn y dref
> 　Ar drip mae 'nghyfeillion.
> Gwas wy' i'ch negeseuon,
> Yn ara' deg, wedi'r dôn.

Bûm yn rhoi galwad i *Meinwen* sawl gwaith gan ddod i hoffi ei neges:

> Oherwydd 'mod heb godi – o'r gwely,
> 　'Does ar gael, rwy'n ofni,
> Yma neb i'ch ateb chi:
> Yr ydwyf newydd briodi!

A dyma gyrraedd y brig. Dywed *Blip blip* ei neges yn rhwydd ac yn eglur ac mae'n englyn addas iawn i'w roi ar beiriant ateb:

> Hawddamor, fi sydd yma – ond wedyn
> Nid ydwyf i adra',
> Felly, 'rôl y blip ola'
> Dweud dy ddweud, os gweli'n dda.

Gwobrwyer *Blip blip*

Yr Englyn Ysgafn

NEGES I'W RHOI AR BEIRIANT ATEB

> Hawddamor, fi sydd yma – ond wedyn
> Nid ydwyf i adra',
> Felly, 'rôl y blip ola'
> Dweud dy ddweud, os gweli'n dda.

Blip blip

Cywydd deuddeg llinell: Cymerau

BEIRNIADAETH TUDUR DYLAN JONES

Chwe chywydd a ddaeth i law. Roedd y testun yn heriol, ac yn benodol. Go brin y byddai cywydd o'r drôr yn gwneud y tro ar gyfer y testun hwn. Gall 'cymerau' olygu lle daw afonydd at ei gilydd neu lle daw dwy fyddin ynghyd mewn brwydr. Mae rhai wedi dewis cymryd y testun yn drosiadol ac eraill wedi canu i gymerau penodol.

Nentydd: Mae ganddo gywydd hyfryd am ddau berson yn dod at ei gilydd mewn priodas ac fe gadwodd at y ddelwedd yn fedrus. Mae cynhesrwydd yn y dweud: 'Dwy nant â'u swildod yn un', ac yna'r llinell ardderchog, 'yn ddŵr wrth ddŵr am a ddêl'. Gwaetha'r modd, mae dwy linell bendrom yn y gwaith ond gellid yn hawdd eu cywiro, e.e. Gellid dweud 'Ni bu 'rioed un briodas' yn lle 'Ni bu erioed briodas'.

Penyberth: Cywydd taclus ac uniongyrchol. Rhydcymerau yw ei gymerau ef ac er y gellid dadlau nad yw felly'n gwbl destunol, i mi mae safon cerdd yn bwysicach nag agosatrwydd llwyr at destun. Er nad enwir D. J. Williams yn y cywydd, cerdd foliant iddo ef yw hon. Mae Dafydd Iwan yn cael ei enwi fel un a gyfansoddodd y gân i'r cawr o Rydcymerau. Cymeraf felly mai DI a DJ yw'r ddau ferthyr y cyfeirir atynt yn y cwpled clo. Mae gwall sillafu yn y llinell '… y byr [*sic*] hoff bau', ond mae'n gywydd didwyll a hoffus.

Y Teigr: Â'r cystadleuydd hwn â ni i Mont-Saint-Michel. Naws debyg i gywydd *Nentydd* sydd ganddo yntau, yn yr ystyr bod dau berson yn dod at ei gilydd. Byddai rhai'n dweud bod y 'rh' yn 'rhwng' yn achub y proest yn y llinell 'i gymun rhwng y gwymon', ond mae'n well osgoi llinellau fel hyn pe bai modd. Mae un gwall gramadegol: 'a'r wawr' a ddylai fod yn lle 'a'r gwawr'. Serch hynny, mae yma ymdeimlad o agosatrwydd y ddau, a'r llinell 'i brofi'r bore hufen' yn fendigedig.

Cadfan: Dyma'r unig gystadleuydd i ddehongli'r testun fel lle y daw dwy fyddin at ei gilydd. Cyfeirio at frwydr a ddigwyddodd ym 1257 a wna, pan oedd byddin Lloegr wedi cael ei threchu gan gefnogwyr Llywelyn ein Llyw Olaf yn Nyffryn Tywi. Â'r bardd â ni yno ar daith i weld y lle. Ni cheir disgrifiad o'r frwydr; yn hytrach dywed ei bod yn bwysig ein bod ni'n 'coffáu/ y meirwon yng Nghymerau'. Mae fferm o'r enw Cadfan yn dal yno heddiw, a chaeau o'r enw 'Cae Dial' a 'Cae Tranc' i'w gweld ar y map o hyd. Dyma gywydd hyderus sy'n cynnwys un o linellau gorau'r gystadleuaeth: 'Lle i ddoe fy lladd hefyd'.

Tan y Bwlch: Aberystwyth yw lleoliad cywydd hwn. Mae'n gywydd crefftus o'r dechrau i'r diwedd. Mae llif y ddwy afon, Rheidol ac Ystwyth, i'w deimlo yn y cywydd. Mae'r agoriad yn ysgubol: 'Yn dyner dan Pen Dinas, / sy'n estyn ei glogyn glas / yn gariadus, / dwg Rheidol / ei hen chwaer Ystwyth i'w chôl'. Gresynu bod yn rhaid i daith y ddwy chwaer yma ddod i ben a wna'r bardd yn ail hanner y cywydd. Byddai'n well osgoi defnyddio cymaint o ansoddeiriau yn yr ail bennill, e.e. ysol, anwar, slei, hardd. Yn arbennig, dylid ceisio osgoi'r arfer o roi'r ansoddair o flaen yr enw, e.e. 'slei ysgariad', 'hardd lygaid' 'y deg lan'. Mae ôl bardd profiadol ar y cywydd hwn a daeth yn uchel iawn yn y gystadleuaeth.

Neifion: Cyfeiria at afon sy'n gwneud rhywbeth anarferol iawn, sef rhannu'n ddwy. Afon ym Môn yw afon Braint, sy'n rhannu'n ddwy ychydig i'r gorllewin o Lanfairpwll. Mae un rhan ohoni'n llifo i'r môr gerllaw Pont Britannia, a'r rhan arall yn llifo i'r môr filltiroedd i ffwrdd ym mhentref Dwyran. Hyd yn hyn, nid cymeru sydd yma o gwbl ond y gwrthwyneb llwyr, sef rhannu. Ond yn y diwedd, mae'r môr yn uno dwy ran yr afon. Darlun o bâr yn eu henaint a geir yma, a marwolaeth yn eu gorfodi ar wahân. Ond mae'r cwestiwn hyfryd sy'n cael ei ofyn ar ddiwedd y cywydd yn rhoi gobaith y bydd y ddau'n cael eu huno rywbryd eto. Cywydd trawiadol a gwreiddiol ei syniad, ac yn teilyngu'r wobr gyntaf.

Y Cywydd

CYMERAU

Yn ein bro ceir Afon Braint,
Un sy'n rhannu'n ei henaint
Yn ddwy afon, ddaw hefyd,
Yn ôl eu gwahanol hyd,
I ben yn annibynnol;
Y ddwy'n un ni ddaw yn ôl.
A rhaid i bâr, er cariad
Gwir, er mor hir ei barhad,
Ddod i 'nabod anobaith
Unigedd diwedd y daith.
'Rydd hyn ryw gysur i ddau
Mai môr yw ein cymerau?

Neifion

61

Telyneg: Un Nos Olau Leuad

BEIRNIADAETH NESTA WYN JONES

Bob hyn a hyn ar noson gymylog, ceir cipolwg ar leuad yn hwylio heibio – ac felly'n union y cefais gipolwg llachar ar y testun, wrth fynd drwy'r pecyn cyfansoddiadau. Derbyniwyd pedair ar bymtheg o delynegion a chafodd amryw o'r cystadleuwyr weledigaeth. Does 'na'r un yn anobeithiol o ran safon, ond chwe chynnig sydd wedi cyrraedd y dosbarth cyntaf eleni.

Rwyf wedi rhannu'r cynigion yn dri dosbarth, yn y drefn y daethant i law ar wahân i'r dosbarth cyntaf, lle maent yn nhrefn teilyngdod: pump o delynegion mewn mydr ac odl ac un yn y mesur rhydd.

Beth yw telyneg? 'Cân fer, gryno, syml, bersonol ei naws, yn cyflwyno ymateb y bardd i ryw un profiad arbennig, a hynny'n ddidwyll ac yn grefftus', yn ôl H. J. Hughes, yn ei gyfrol *Gwerthfawrogi Llenyddiaeth*, dadansoddiad byr a phwrpasol y magwyd cenedlaethau o blant Cymru i'w ddysgu ar eu cof. Beth yw dychymyg? Meddai HJH eto: 'Y gynneddf greadigol honno a berthyn i'r meddwl sy'n ein galluogi i gyfuno ein profiadau amryfal a digyswllt yn un darlun byw, a dangos gwrthrychau nid fel y maent ynddynt eu hunain ond mewn golau anghyffredin, oherwydd eu cysylltu, trwy fyfyrdod, â syniadau a theimladau eraill'.

DOSBARTH 3

Noson dywylla'r enaid: Dau ddwsin o linellau rhy gyfartal ac undonog ac felly llethir drama 'gweledigaeth uffern' cyn cyrraedd y llinell olaf. Ni hoffaf y gair 'bwystfeiliaid', a gair agosaf-i-law yw 'goroesi'. Cerdd ryfedd ac ofnadwy.

neb arall: Dathlu concro Siapan, digwyddiad a arweiniodd at ddiwedd yr Ail Ryfel Byd – a hanes y dathlu byrlymus hwnnw, ar noson loergan, yn cael ei adrodd gan blentyn. Ceir ambell linell glonciog ac eraill heb eu caboli. Rhoddwyd 'Awst 14, 1945' yn deitl yn hytrach na thestun yr Eisteddfod.

Floyd: Gofyn ac ateb cwestiwn a wneir, sef beth yw apêl nofel Caradog Prichard? Yr ateb yw fod y Llyn Du yn rhan o'n gwneuthuriad ni oll. Sylw treiddgar ond cerdd yn trafod syniad ydyw yn hytrach nag emosiwn.

Domingo: Disgrifiad o 'un llygad y lleuad' dros fyd hud a lledrith yr Eidal 'pan oedd nos yn nos/ tan y bore'. Nid oes angen ychwanegu 'cyn i drydan/ gael ei ddyfeisio' ar y diwedd. Telyneg hoffus, a dawn ddiamheuol i greu awyrgylch.

Cwmwl Cudd: Disgrifiad pum pennill o bysgota ar noson loergan. Gellid bod wedi ei chrynhoi (er mai braidd yn findlws fyddai hi wedyn, efallai). Mae rhywbeth yn annwyl a dengar ynddi, er hynny.

DOSBARTH 2

Llonyddwch: Cerdd odledig, draddodiadol, grefftus yn dechrau'n llawn ofn ac anhunedd ond mae dyfodiad y wawr yn lleddfu'r 'hunllef drom'. Ond ni ddaeth gwefr yr Awen y tro hwn.

Adwy'r Nant (1): Ceir gwrthgyferbyniad cynnil rhwng disgleirdeb y pennill cyntaf a thywyllwch yr ail bennill. Effaith yr hyn a welodd sydd yn y trydydd pennill, gan gyfannu'r delyneg odledig yn ddestlus. Gall greu awyrgylch ond mae'r diweddglo braidd yn benagored.

Awel: Crëwyd golygfa ramantus iawn – llyn a sglefrwyr arno ger plasty ar noson olau leuad lawn ysbrydion. Mae iddi awyrgylch breuddwydiol iawn. Hoffwn fwy o ofal gyda'r mynegiant, fel na cheid llinellau chwithig fel 'Yna daeth i'm sylw y llyn ...'

Ileucu Ilwyd: Pennill cyntaf effeithiol yn dwyn atgofion am leuad felen fawr plentyndod gan ei gyferbynnu â'i bywyd presennol. Diweddglo ansicr ac eto mae'n gweddu. Ymgais eithaf da.

Chwiban: Mae yma nifer o wallau iaith sy'n cymylu ystyr cerdd sy'n disgrifio anturiaeth rywiol yng ngolau'r lloer. Ymgais i gaboli a chryn dipyn o gyflythrennu. Teimlaf rywsut y gellid bod wedi gohirio'r sigarét!

Bradwr: Dweud stori am long yn dychwelyd o'r môr ar ôl rhyfel a'r lleuad yn datgelu ei lleoliad nes achosi trychineb. Ydi, mae hi'n gweithio. Mae clymu'r pennill cyntaf a'r olaf yn effeithiol ond gwyliwch y mynegiant – mae llawer gormod o frawddegau'n dechrau gyda 'mae'!

Syria: Cerdd am y rhyfel yn Syria yng ngeiriau merch a gollodd blentyn. Tybed ai gwaith Dysgwr sydd yma? Hoffwn pe bai wedi symleiddio neu ganolbwyntio ar un agwedd o'r rhyfel er mwyn rhoi'r lle canolog i deimlad personol.

JMM: Dau bennill telyn sionc. Clywodd y bardd leisiau ysbrydion yn dadlau wrth bont Capel Celyn yng ngolau lleuad. Yn y trydydd pennill, ceir disgrifiad o gerflun John Meirion Morris a fydd, gobeithio, i'w weld ar lan Llyn Celyn yn fuan. Hoffais ddelwedd yr aderyn heddwch yn codi fel Caledfwlch o'r tonnau, a diolch am y llun hyfryd o'r cerflun a amgaewyd gyda'r ymgais. Byddai'r trydydd pennill ar ei ben ei hun yn delyneg fach ddymunol. (A fyddai 'chwilio' yn well gair yn y llinell olaf, yn hytrach na 'gwylio'?)

DOSBARTH 1

Iolo: Telyneg dawel, daclus, sy'n gân serch fach hyfryd, er bod yr odli – a'r hiraeth ar ôl yr anwylyd yn y trydydd pennill – braidd yn dreuliedig. Gair da yw 'llathru' am olau lleuad ar donnau'r môr. Ei diffuantrwydd yw cryfder y delyneg hon.

euog: Gast fu'n lladd defaid yn dychwelyd i'r buarth 'ar fol-wib slei'. Dau bennill byr, syml, a'r stori wedi ei hawgrymu yn unig. Golwg annisgwyl ar y testun i bawb ond ffermwyr! Fel telyneg *Iolo*, ei didwylledd yw ei chryfder hithau a'r craffter i sylwi ar fanylion. Ac fel gwaith *Iolo*, gallai *pathos* y delyneg hon ennill ffortiwn mewn eisteddfodau taleithiol!

Deilen: Telyneg gynnil, gynnil mewn *vers libre* yn cyfleu gorffwylledd sinistr. Credaf mai llofruddiaeth April Jones yw'r ysgogiad oherwydd cyfeirir at 'ddail Ebrill', at 'flewyn glas' (gan adleisio enw papur bro Machynlleth a'r cyffiniau) ac at afon Dyfi. Dyna'r unig gliwiau a roddir a rhaid canmol y cynildeb, ond teimlaf yn anesmwyth. A ddylid bod wedi trafod yr achos hwn cyn iddo gael ei ddatrys? Mae *Deilen* yn artist geiriau, fodd bynnag, a'i throsiadau'n fodern: 'disg loyw lawn' yw'r lleuad, a'r 'blewyn glas yn arian byw' yng ngolau'r lloer. Dydi 'cynnar wywedig yn diflannu' ddim yn llinell dda, a hyd yn oed wrth lunio telyneg fer iawn (deg llinell), rhaid wrth fframwaith. Nid yw'r frawddeg sy'n cynnal yr holl delyneg yn cael ei gorffen – yn fwriadol, tybed? Darllenwch y delyneg yn uchel gan roi hanner-saib bychan ar ddiwedd pob llinell a saib rhwng pob pennill neu adran. (Ydi hi damaid bach yn rhyddieithol, efallai?)

Begw: Telyneg yn disgrifio 'arian byw' o eogiaid yn nofio'n ôl i'r aberoedd er mwyn claddu eu hwyau yng ngwely graean yr afonydd lle'u magwyd. Na, doeddwn i ddim wedi rhag-weld telyneg ar y thema hon! Ond gallaf ddychmygu'r pysgod yn ymnyddu yn y dŵr yng ngolau lleuad. Gwn fod arian byw yn beth anodd iawn i'w ddal. O feddwl am wrhydri'r eogiaid yn nofio'r holl ffordd yn ôl o gyrion yr Ynys Las, mae'n drueni meddwl am y rhwyd ar ddiwedd y delyneg, ond gŵyr ciperiaid a photsiars yn dda am symudiadau'r pysgod ifainc ac er mai yn nyfroedd afonydd llydan llawr gwlad y gwelir eogiaid amlaf, fe glywsom ninnau yn yr ucheldir am wrhydri'r dyddiau a fu, a darllen am gwryglau, am osod rhwydi, am osod lamp i ddenu'r pysgod, am ddefnyddio tryfer, a dianc rhag y ciperiaid! Does ryfedd mai tua phump y cant o eogiaid sy'n cael llonydd i ddychwelyd fwy nag unwaith i gladdu eu hwyau yn eu cynefin, a hynny, cofiwch, ar ôl synhwyro (blasu neu arogli – does neb yn siŵr) y dyfroedd lle'u ganwyd. Gwyrth natur, yntê? Dodwy eu hwyau mewn 'gwely graean, oer ei wres' – *Begw* biau'r gwrthgyferbyniad gwreiddiol yna. Mae 'Drwy grib y don fel eryr cwyd' yn gyffelybiaeth gref. Ydych chi'n cofio'r chwilio am Fabon fab

Modron yn chwedl Culhwch ac Olwen? Dau o'r anifeiliaid hynaf a holwyd oedd Eog Llyn Llyw ac Eryr Gwernabwy. Gall cymharu naid yr eog i fyny dros raeadr â chodiad yr eryr ar ei aden ddod â hen, hen gysylltiadau i gof y darllenydd. Mae odli fesul cwpled yn dipyn o straen, ar adegau, ac nid yw'r llinell 'Cordda'r gymysgaeth laeth ei maeth' yn gweithio – mae gormod o odlau'n tynnu sylw atynt eu hunain ar draul rhediad y gerdd. Glywsoch chi am 'gannwyll mordan' sef ffosfforeiddiwch neu oleuadau ar y môr (*marine phosphorescence*)? Môr a thân wedi cyfuno yn air Llydaweg: 'mordan'. Ni chlywais yr ymadrodd erioed nes darllen y delyneg hon. 'Hira'n y byd y bydd dyn byw, mwya' a wêl a mwya' a glyw', ys dywedai fy nhaid! Rhaid canmol *Begw* am ddewis thema wahanol a'i chyflwyno mor naturiol.

Adwy'r Nant (2): Gwaith bardd hynod o grefftus, na all fod yn unman ond yn y dosbarth cyntaf, yn adleisio gwaith llenyddol Waldo Williams, T. H. Parry-Williams a Charadog Prichard. Cyfeiriadaeth at waith tri bardd o bwys wedi ei phlethu'n ddeheuig. Ie, ond mewn telyneg, chwilio y byddaf am lais y bardd ei hun, yn gwisgo mewn geiriau yr ysgogiad neu'r Awen (nad yw'n para mwy na hanner awr, yn ôl Edgar Allan Poe!). Bûm yn pendroni beth oedd y teimlad personol a roddodd fod i'r gerdd hon yn y lle cyntaf – ffrâm unol y weledigaeth, efallai – oherwydd rhyw nesáu at y testun wrth fynd ymlaen y mae hi, yn fy marn i. Onid y 'môr goleuni' sy'n gofiadwy yng ngwaith Waldo – 'haul Duw yn blodeuo'? Clywaf lais John Gwilym Jones, y darlithydd o'r Groeslon, y funud hon, yn dehongli 'Mewn Dau Gae' a 'Cwmwl Haf' yn ei ddull dihafal. Rhwng heulwen gyson Waldo a lleuad gyson Caradog (yn ei ryddiaith a'i gerddi), gosodwyd T. H. Parry-Williams, bardd tirwedd Eryri a disgrifir ei lais unigryw. Yn fy myw, ni allaf weld fod cwmnïaeth y tri chydymaith a ddewisodd y bardd yn asio i fod yn delyneg sydd wedi ei sodro ar y testun. 'Cowlaid fach a'i gwasgu'n dynn,' a ddywedwn ni'r ffermwyr. Felly hefyd gyda'r delyneg. Pe bai'r bardd yn rhoi 'Pan fyddo ...' ar ddechrau'r pennill olaf, gan hepgor y ddau bennill cyntaf yn llwyr, byddai hon yn berl o delyneg ddiguro, yn union ar y testun ac yn goffâd cofiadwy i Garadog Prichard. Dyna pam nad wyf wedi dyfynnu sill ohoni. Bydd yn siŵr o gael ei chyhoeddi, a'r bardd ei hun sydd i benderfynu ar ei ffurf derfynol. Dyna'r drwg efo'r busnes cystadlu 'ma – testun gosodedig a beirniad sydd yn hoff o siswrn!

Crwydro'n ôl: Noson olau leuad yn codi hiraeth am y gorffennol sydd yma a hen hanes yn gefnlen i'r cyfan. Mae'n agor drwy ofyn cwestiynau tawel am draeth Aberdesach, Maen Dylan, yr Eifl, a Chwm Gwared. Clywn sŵn y tonnau ar y traeth yn y pedair 'd' sydd yn y llinell gyntaf, sŵn 'clepian ddisgyn' cyson sydd yn sugno'r tywod. Caiff geiriau bach eu hailadrodd i bwrpas: tonnau'n dal i dorri ar y traeth, y wawr yn dal i dorri ger Maen Dylan (sef Dylan Ail Ton, mab Arianrhod) a'r Eifl yn dal i ddisgwyl ... Ailadroddir 'eto' yn y pennill olaf, i bwrpas. Am bwy y mae'r haul yn chwilio? 'Am rai fu yno ac a aeth' – dyna'r ateb enigmatig. Trodd ffurf yr Eifl yn 'dair alaw eglur' yn yr ail bennill. Gallai fod wedi cymharu'r mynydd â rhywbeth gweledol ond na, sŵn sydd yma, tair alaw'n plethu fel deuawd cerdd dant. *Synesthesia* yw un term amdano, cymysgu'r synhwyrau. 'Ein croesawu ni yn ôl ...' O ble, tybed? Gall y 'canghennau coed ieuengoed' ar ddiwedd y gerdd fod yn goed go iawn, yn ganghennau teulu neu'n Geinciau mewn llyfrau. Ond gwn fod hen goedlan hynafol yng Nghwm Gwared, ar ochrau Afon Hen, islaw'r Bwlch Mawr ger Clynnog.

Treuliais funudau difyr yn pori yn *Geiriadur Prifysgol Cymru* cyn llawn werthfawrogi'r gair mwys 'carnau'. Gall olygu carnau meirch yn ogystal â charneddi neu hen feddau (Onid oes Bryn y Beddau ger Pwynt Maen Dylan?) Pwy sy'n 'edliw'? Mae sôn yn Math fab Mathonwy, yr olaf o chwedlau *Pedair Cainc y Mabinogi* am ystryw Gwydion, yn dychwelyd i Gaer Arianrhod, fel pe bai'n dychwelyd o Forgannwg? Pa hen lwybr a gymerodd? Beth yw ystyr yr enw hyfryd 'Cwm Gwared'? Goriwaered, wrth gwrs. Ond 'gwared 'y 'nghalon i', fel y dywed rhai o bobl Arfon (yn ôl Myrddin Fardd); beth arall allai ei olygu? Yn ôl y geiriadur: gwaredigaeth; croeso neu swcwr; gwella neu iacháu; dychryn neu arswyd. Cafwyd croeso yno gynt ar noson loergan debyg, meddai'r bardd ... ond pwy yw'r 'ni'? Ymson sydd yma. A hiraeth am ardal fu'n arwyddocaol yn ei ieuenctid. Ai llais Gruffudd ap Cynan (c.1055-1137) a glywir? Ymosododd Trahaearn arno ef a'i wŷr ym mrwydr Bron-yr-Erw ger Clynnog a bu'n rhaid iddo ffoi yn ôl i Iwerddon ond dychwelodd yn 1081. Lladdwyd Trahaearn ym Mynydd Carn a daeth Gruffudd yn frenin Gwynedd. Bu farw, yn ddall a methiantus, yn 1137 a chladdwyd ef yn Eglwys Gadeiriol Bangor. Os dyfalais yn gywir, pa gyfnod yn ei hanes yw hwn? Ar ôl ffoi i Iwerddon? Pan oedd yn garcharor yng Nghaer am dros ddeuddeng mlynedd? Yn ei henaint? Mae darnau'r jig-so yn disgyn i'w lle a 'llwybrau ieuengoed' yn troi i fod yn llwybrau tipyn mwy anturus! Ond peth peryglus iawn yw 'darllen gormod i mewn' i waith bardd arall. Mae'r dehongliad yn ffitio, er hynny. Cân serch? Telyneg am ardal arbennig a'i hanes lleol? Dyna awgrym y ffugenw. Ynteu dryll neu ran fechan o Hanes Cymru, na fu (hyd y gwn i) yn rhan o'r cwricwlwm cenedlaethol? Dewiswch chi. Rwy'n sicr y cytunwch ei bod yn gyforiog o ysbrydion y gorffennol.

Amwysedd â dychymyg yw cryfder y delyneg hon, angerdd yn ogystal â chrefftwaith diamheuol. Mae'r fframwaith-gofyn-cwestiynau a'r delweddau i gyd yn eu lle heb ffws na ffwdan, a'r mymryn cloffni yn y ddwy linell olaf yn awgrymu henaint neu rwystredigaeth. 'A fydd croeso i ni eto?' yw'r cwestiwn sy'n canu yn y cof. Mewn cystadleuaeth ardderchog, hon yw'r delyneg sydd wedi tanio fy nychymyg i. *Crwydro'n ôl* sy'n fuddugol.

Y Delyneg

UN NOS OLAU LEUAD

Ydi'r don yn dal i dorri'n Aberdesach
    Fel llaw y nos yn clepian ddisgyn ar y traeth?
Ydi'r wawr yn dal i dorri ger Maen Dylan
    Fel pe'n chwilio am rai fu yno ac a aeth?

Ydi'r Eifl yn dal i ddisgwyl ar y gorwel,
    Tair alaw eglur i'n croesawu ni yn ôl,
Neu ai edliw difynegiant ddaw o'r carnau'n
    Ein ceryddu ni am ildio i'n crwydro ffôl?

A fydd croeso i ni eto yng Nghwmgwared
    Pan fydd y lleuad eto'n olau ac yn rhydd?
A oes modd i ailddarganfod yr hen lwybrau
    At ganghennau coed ieuengoed yn hwyr y dydd?

Crwydro'n ôl

Soned: Cloddiau

BEIRNIADAETH EIRWYN GEORGE

Derbyniwyd un ar bymtheg o gyfansoddiadau. Nid oes angen traethu ar nodweddion y soned. Mae'r cystadleuwyr i gyd yn gyfarwydd â'r gwahanol ffurfiau. Un soned Betrarchaidd a dderbyniwyd. Amrywiadau ar y dull Shakespearaidd yw mwyafrif y gweddill. Gan nad oedd y testun yn gofyn am unrhyw ffurf benodol ar soned, roedd y drws ar agor i arbrofi rhywfaint gyda'r mesur – a chafwyd un hefyd. Roeddwn braidd yn siomedig nad aethai neb i'r afael â'r soned laes – ffurf fawreddog sy'n caniatáu mwy o ryddid gyda rhythmau a hyd y llinellau. Cystal dweud ar y dechrau fod enw lluosog yn destun a achosodd anhawster i'r cystadleuwyr. Braidd yn anodd oedd ceisio ymdrin â *nifer* o gloddiau mewn pedair llinell ar ddeg. Dewisodd tri ganu'n ffigurol neu'n symbolaidd i gloddiau haniaethol fel cloddiau dosbarth, crefydd, iaith, ac ati. Y canlyniad oedd peth wmbreth o gyfeiriadau ffeithiol at y gwahanol fathau o gloddiau heb greu sefyllfaoedd diriaethol i roi cnawd am yr esgyrn. Mae'r cystadleuwyr a ganodd i gloddiau go iawn yn fwy llwyddiannus yn hyn o beth. Eto, teimlir weithiau fod rhai cloddiau (fel Clawdd Offa a Chlawdd Wat yn ffin rhwng Cymru a Lloegr yn soned *Crogen*) wedi cael eu llusgo gerfydd eu clustiau i fod yn destunol. Un o'r gwendidau amlycaf oedd pentyrru ansoddeiriau, e.e. 'A'r waliau hirion concrit cadarn drud' gan *mwy neu lai*, sydd yn wir am lawer o'r cystadleuwyr eraill hefyd. Ni fedraf gymeradwyo'r arfer diddiwedd o roi'r ansoddair o flaen yr enw chwaith. Pob un o'r ymgeiswyr yn euog! Bu defnyddio geiriau llanw, ac weithiau linell gyfan, i ateb gofynion y mesur yn faen tramgwydd i sawl un hefyd. Gwendid arall oedd anystwythder mynegiant a chystrawennau chwithig. Rhaid aros i feddwl a yw pob gair yn addas yn ei gyd-destun a chwysu weithiau i ailwampio'r mynegiant i gyd-fynd â'r patrwm mydryddol. Gair o gyngor: astudiwch yn ofalus sonedau Gwenallt ac Alan Llwyd o ran eu saernïaeth gyda sylw arbennig i'r dewis o ansoddair. Dyma sylwadau ar y cystadleuwyr yn y drefn y rhifwyd hwy yn y Swyddfa, ar wahân i'r ddau olaf.

mwy neu lai: Y cloddiau cymdeithasol, gwleidyddol a chrefyddol sy'n ein gwahanu yn y byd sydd ohoni ynghyd â'r rhesymau dros eu codi yw'r thema. Gwaetha'r modd, ymdriniaeth ffeithiol neu draethodol sydd yma'n bennaf. Deisyfwn am enghreifftiau o'r cloddiau mewn digwyddiadau neu weithredoedd. Tipyn o gamp mewn pedair llinell ar ddeg, mae'n wir. Teimlaf fod gormod o gywasgu tua'r canol hefyd nes peri i'r mynegiant fynd braidd yn glogyrnaidd ar brydiau.

Camfa Wen: Soned yn ymdrin â'r syniad o bellter yn agosáu o hyd. Daeth clawdd Pen Draw'r Byd yn glawdd Pen Draw'r Wlad ymhen amser, yn glawdd Pen Draw'r Plwy wedyn, ac erbyn hyn mae'r bardd wrthi'n codi clawdd Pen Draw'r Ardd. Ni ddywedir sut na phaham y codwyd y cloddiau. Dim ond nodi eu bodolaeth. Os bwriedir i'r cloddiau gynrychioli rhywbeth ym mhrofiad y bardd ei hun, dylai fod swits neu ddau yn rhywle i oleuo pethau i'r darllenydd. Cymreigydd da a'r iaith yn ddi-fefl.

Maes yr Awel: Mae'n dechrau'n gryf gyda'r darlun diriaethol: 'Fe blygodd fy nghyndeidiau'r perthi'n dynn / Gan sefyll nôl er mwyn edmygu'r gwaith'. Sonnir wedyn am y cloddiau'n dirywio gyda threigl y blynyddoedd gan nad oedd amser bellach gan ffermwyr i ofalu amdanynt oherwydd y newid dulliau o amaethu. Mae'r chwechawd yn troi'n sydyn i fod yn ddelwedd estynedig o fewnfudwyr yn heidio i'r gymdogaeth yn nhermau defaid estron yn torri drwy'r bylchau yn y cloddiau i chwilio am borfa lasach. Felly, rwy'n teimlo y byddai'n well i'r chwechawd fod yn bennill ar ei ben ei hun. 'Fel *yn* y dyddiau gynt' y bwriedir ei ddweud yn llinell 6. Yn hytrach na throi i'r haniaethol a dweud bod 'esgeulustod' wedi bylchu'r cloddiau, gwell fyddai 'pobl esgeulus'. Nid yw 'bref' yn ei gyd-destun chwaith yn taro deuddeg wrth sôn am yr iaith estron. Eto, gydag ychydig o gaboli, fe fyddai hon yn soned gymeradwy iawn.

Bugail: Stori syml am fugail yn mynd ati i drwsio clawdd ffin yn dilyn cwynion a bygythiadau rhai pobl am fod ei ddiadell yn crwydro i bori'r mynydd-dir gerllaw. Wedi cwblhau ei waith, a chael popeth yn ei le, siom fawr iddo oedd gweld yr atgasedd ymhlith pobl yn parhau o hyd. Mae'n gorffen drwy ddweud bod y bugail ei hun ar ddiwedd ei oes wedi croesi clawdd arall i drigfan lle nad oes 'dig na chroes' yn ei ddisgwyl. Er bod y stori'n cael ei hadrodd yn ddigon didramgwydd, nid oes fawr o gamp ar y dweud. Mae yma ormod o ansoddeiriau hefyd. Nid yw 'ffin' a 'prin' yn odli; a dylid osgoi defnyddio'r hen gysylltair 'sef' mewn barddoniaeth o bobman. Mae yna ddigon o ddewisiadau eraill.

Llannerch: Mae'r bardd, yn yr wythawd, yn personoli'r cloddiau i hen ffrindiau agos y bu'n cydgerdded â hwy ar lwybrau ei gynefin gynt. Dotiais ar y llinellau: 'A ddysgodd i mi drefn y ddraenen ddu, / A gwyrth y goron eithin yn yr haf'. Ysywaeth, fe aeth y bardd ar chwâl yn gyfan gwbl yn y chwechawd – y mynegiant yn drwsgl a'r ystyr yn gymysglyd. Os deallaf yn iawn, mae'r cloddiau wedi dirywio erbyn hyn, a'r bylchau 'Yn wenau llydain, gwirion, gwael eu llun'. Disgrifiad od ac anghymwys, a dweud y lleiaf. Mae'n dod â'i draed ar y ddaear eto yn y cwpled clo drwy gyfeirio at y tai gwag a'r hen ffordd o fyw sydd wedi darfod.

Llafn y Bladur: Cloddiau diflanedig eto y bu iddynt amcan a phwrpas yn eu dydd sydd bellach yn ddim ond llinellau ar hen fapiau sydd dan sylw yn y soned hon. Gellid gwella'r mynegiant, mae'n siŵr, yn y llinell sy'n sôn am yr hen werinwyr yn eu codi 'Â dyfal ddycnwch eu bôn breichiau blin'. Gyda llaw, 'dygnwch' sy'n gywir. Mae yma ormod o ansoddeiriau diangen hefyd fel 'gwastadedd noeth' a 'damcaniaeth ddoeth' er mwyn osgoi tor-mesur a chynnal yr odl.

Gwas y Gors: Cloddiau wedi cael eu dileu eto. Cawn olwg ar y math o gloddiau a gwrychoedd a geid yn y dyddiau gynt yn yr wythawd ynghyd â'r ymdrechion i'w cadw'n gyfan ac yn gymen. Nodyn mwy personol sydd yn y chwechawd gyda'r sôn am fam-gu'r bardd yn gwneud gwin penigamp o'r mwyar a'r eirin oedd yn tyfu ar y cloddiau. Gellid cael gwell ansoddair na 'glir' yn llinell 6; nid yw 'llinellau' yn taro deuddeg yn y cyd-destun yn llinell 9; ac enw gwrywaidd yw 'bilwg'. Ymadrodd llanw yw 'Ai fi sy'n ddall'; ac yn fy marn i, mae galw cloddiau cyffredin yn 'gampweithiau' yn dipyn o ormodiaith! Eto i gyd, mae rhyw naws agos-atoch-chi yn y soned hon.

Porth y Dŵr: Yr un thema eto. Cloddiau wedi mynd yn fylchog ac wedi eu cuddio dan dyfiant y mieri yng nghymdogaeth Pen Llŷn. Yn wir, wrth ddarllen drwy'r sonedau, rwy'n dechrau dyheu am glywed sôn am glawdd yn rhywle sy'n dal i sefyll! Hen ŵr sy'n siarad yma ac ni ddywedir dim mwy na bod y cloddiau a fu'n gymen yn yr amser gynt bellach wedi dirywio'n enbyd. Gormod o ansoddeiriau eto er bod rhywfaint o rym mewn ambell un, e.e. y llethrau'n '*gyndyn* wyrdd', a'r gwynt yn 'chwythu'n *haerllug*'. Yn y llinell 'Rhag i anifail feiddio treiddio'r mur', treiddio *drwy'r* mur a olygir. Mae rhywbeth yn chwithig yn y gymhariaeth o'r cloddiau gynt 'yn daclus dynn fel gwallt fy nain'. Nid yw'r ddau'n perthyn i'r un byd rywsut. Yn rhyfedd iawn, hon yw'r unig un o sonedau'r gystadleuaeth sydd wedi ei lleoli mewn ardal benodol.

Y Gelli: Stori sydd yma am was bach, sydd bellach wedi ei gladdu, yn dangos nifer o gloddiau a godasai pan oedd e'n dair ar ddeg oed. Ni ellir amau nad oedd ei hunanymffrost yn gwbl haeddiannol a dywedir yn y cwpled clo: 'Mae mesur y dyn yn y cloddiau llwyd'. Soned arbrofol o ran mesur gyda llinellau decsill pedwar curiad yn odli'n acennog a diacen bob yn ail yn yr wythawd. Mae 'i'r' (yr arddodiad yn cael ei ddilyn gan y fannod) ar ddiwedd llinell yn rhy wan i gynnal yr acen i odli â 'pentir' ar ddiwedd llinell arall. Rwy'n cael gwead y stori braidd yn glytiog hefyd ac, o'r herwydd, yn colli llawer o'i heffaith. Ond mae ceisio estyn cortynnau mesurau cerdd dafod yn rhywbeth i'w gymeradwyo.

Nomad: Thema wahanol y tro hwn. Y cloddiau a godwyd gan Offa gynt o ganlyniad i'r brwydro a'r gwrthdaro rhwng gelynion bellach wedi eu troi'n llwybrau cerdded deniadol ar hyd y ffin. Ond erbyn hyn mae gwrthdaro ieithyddol yn digwydd yn ardaloedd y ffin a chloddiau newydd yn cael eu codi o'r herwydd – cloddiau perthynas rhwng dyn a dyn. Naws draethodol sydd i'r llinell agoriadol ond mae'r canu'n grymuso wrth fynd rhagddo ar wahân i ambell gymal rhyddieithol hwnt ac yma. Mae'r soned yn gorffen yn naturiol ac yn effeithiol gyda'r drydedd linell ar ddeg. Llinell wan a chwbl ddianghenraid yw'r olaf – ar wahân i gadw at ofynion y mesur, wrth gwrs!

Gwyliwr: Soned ddelweddol sydd gan yr ymgeisydd hwn yn ymdrin â'r berthynas (neu'r diffyg perthynas, a bod yn gywir) rhwng y bardd a'i gariad. Mae'r gwrychoedd hardd a fu'n dal ei meddwl hi bellach wedi mynd yn ddim 'Ond cloddiau budr, cryf eu herchyll nerth'. Eto, mae'r bardd yn dal i wneud ei orau i gael gwared â'r 'brigau gwael' ym môn y clawdd. At ei gilydd, y mae yma lawer gormod o ansoddeiriau. Dylid osgoi dechrau gormod o linellau sy'n dilyn ei gilydd â'r cysylltair 'A' hefyd. Hoffwn pe bai awgrym yn rhywle beth yn union a ddigwyddodd i achosi'r fath newid yn ymddygiad y ferch.

Y gwas bach: Brogarwch yw'r thema. Nid y bobl chwaith ond yr ymdeimlad o berthyn i'r dirwedd. Amcan a phwrpas y cloddiau sydd dan sylw yn yr wythawd. Yn y chwechawd, cawn olwg ar y mab afradlon yn dychwelyd am dro i'w hen gynefin ac yn teimlo'r grym oedd mewn daear a choed wedi croesi terfynau'r gymdogaeth. Hen thema, mae'n wir. Mae nam gramadegol yn y llinell gyntaf: 'y rhain' sy'n gywir. Mae arlliw o gymysgu ffigurau hefyd yn 'â gwynt y dwyrain yn pladuro'r oen'. Gwynt y dwyrain fel pladur yn taro'r oen. Popeth yn iawn. Diflastod i'r glust yw'r diffyg amrywiaeth sain fel sy'n digwydd ar ddiwedd llinellau ail hanner yr wythawd: praff, phlas, saff, tras. Ceir ambell ansoddair cryf fel 'Awst *bryfedog*', ond ni fedraf yn fy myw dderbyn '(g)wâr' fel ansoddair cymwys i ddisgrifio'r ddaear yn y llinell olaf.

Crogen: Golwg ar effaith a dylanwad Clawdd Offa a Chlawdd Wat sydd gan *Crogen*. Dwy agwedd wrthgyferbyniol i raddau: canrifoedd o ryfela a thywallt gwaed, a'r Cymry, o ganlyniad i'r gwahanu â Lloegr, yn dod yn ymwybodol o'u hunaniaeth fel cenedl. Dyma'r syniad mwyaf gwreiddiol yn y gystadleuaeth hefyd. Hoffais yr arddull gartrefol. Eto, rwy'n teimlo'i fod wedi ceisio cywasgu gormod o ffeithiau a sylwadau yn ei linellau nes i'r mynegiant fynd braidd yn gymysglyd ac yn anodd ei ddilyn ar brydiau.

Clawdd Terfyn: Cloddiau a godwyd drwy lafur ac ymroddiad deiliaid oes a fu wedi eu chwalu i wneud 'hen leiniau bach yn stadau mawr' sydd gan y bardd hwn. Llinellau decsill pedwar curiad sydd yn yr wythawd a llinellau pum curiad yn y chwechawd. Braidd yn ymfflamychol yw'r gymhariaeth yn y ddwy linell gyntaf: 'Carreg wrth garreg fel nadredd llwydion/ Ymlusgiaid cyntefig y llechwedd du', ac allan o gytgord yn llwyr â gweddill y soned. Nid yw'r dewis o eiriau bob amser yn foddhaol, e.e. 'tir a dolydd'.

Onid tir yw deunydd pob dôl? Fe fyddai rhywbeth fel 'maes a mynydd' neu 'dôl a gweundir' yn iawn. Ni allaf dderbyn chwaith mai 'addurniadau' oedd y cloddiau. Onid oedd amcan a phwrpas iddynt yn eu dydd?

Menna Lili: Ffiniau safonau ac arferion cymdeithasol bro ei febyd, fel moesoldeb, parch a gwyleidd-dra, wedi diflannu yn sgîl yr hyfdra, y difaterwch a'r anhrefn sy'n nodweddu'r oes bresennol. Sawr hen ffasiwn sydd i eiriau fel 'gwaraidd' a 'boneddigaidd'. Mae'r ffurfiau cryno 'gwâr' a 'bonheddig' yn well o lawer. Mae ôl hen law ar y saernïo, gyda'r bardd wedi dewis ei eiriau'n ofalus. Nid oes yma gloffni mydryddol ac mae'n osgoi undonedd drwy ddechrau rhai llinellau â geiriau diacen. Ei wendid yw gormod o draethu ffeithiol a rhyddieithol. Deunydd traethawd sydd yma wedi ei addurno hwnt ac yma gan drosiadau haniaethol. Eto i gyd, mae taclusrwydd y soned hon yn ei chodi uwchlaw'r sonedau eraill a drafodwyd hyd yma.

Gwas Mawr: Cloddiau ffermydd yn cael eu dymchwel eto at ddibenion dulliau newydd o amaethu. Hon yw'r soned symlaf a mwyaf arwynebol yn y gystadleuaeth i gyd. Nid yw heb ei gwendidau. Mae diffyg amrywiaeth sain ar ddiwedd llinellau hanner cyntaf yr wythawd a gormod o ansoddeiriau hefyd at fy chwaeth i. A yw pob gair yn talu'n briodol am ei le? Fe gawn ni weld. 'Peniog' a 'trwm' yn y ddwy linell gyntaf? Wrth gwrs, mae'n rhaid wrth rywfaint o fedrusrwydd i godi clawdd. Rwy'n cofio 'nhad hefyd yn cartio cerrig o'r garn i godi pwt o glawdd ar ffarm Tyrhyg ac yn pwysleisio bod angen cerrig mawr i osod y sail. Ar y dechrau, roeddwn yn amau 'drin' (odli â 'ffin') fel gair cymwys i ddisgrifio nerth y gwynt yn taro'r cloddiau drain. Ond gan fod *Geiriadur Prifysgol Cymru* yn rhoi 'trin' a 'gwrthdaro' yn eiriau cyfystyr – popeth yn iawn. 'Hamddenol droedio'? Tua diwedd yr hydre', wedi gorffen â'r cynaeafau, roedd gan y ffermwyr fwy o amser i gerdded o gwmpas i roi trefn ar bethau cyn y gaeaf. Gellid gwella'r gystrawen yn y llinell 'Yn hogi min y grefft i'r ifanc was'. Wrth gwrs, gwaith *rhwydd* i'r peiriannau oedd gwastatáu'r cloddiau i greu perci *maith*; a chyda'r arallgyfeirio diweddar mae cnydau fel miscanthus (math o danwydd i gynhyrchu gwres) yn rhywbeth *dieithr* iawn i'm cenhedlaeth i. Dim gair diangenraid yn unman. Wrth ailddarllen, sylweddolais fod y cyfan yn symud o flaen fy llygaid fel ffilm fideo: y ffermwyr yn codi'r cloddiau, y gwynt yn siglo'r perthi drain, gwrychoedd yn cael eu tacluso â nerth braich, peiriannau'n dymchwel y cloddiau, a weiren bigog wedi ei gosod rhwng rhes o byst i gwblhau'r ffilm. Dyma ganu diriaethol o'r iawn ryw. Mewn cystadleuaeth siomedig, *Gwas Mawr* oedd yr unig ymgeisydd y medrwn ystyried ei wobrwyo. Wedi pwyso a mesur, rwy'n gwbl ffyddiog ei fod yn deilwng o'r clod a'r anrhydedd.

Y Soned

CLODDIAU

Hen hwsmyn peniog gynt fu'n cartio pridd
A meini trwm yn sail i gloddiau'r ffin,
Rhoi ambell blet i arbed gwynt o'r ffridd
A sietyn ddrain i sugno grym y drin.
Yn nydd hamddenol droedio'r erwau glas
Bob hydref, bu cymhennu clawdd a pherth
Yn hogi min y grefft i'r ifanc was,
A'r ffiniau sownd yn profi mwy na'u gwerth.
Ond loes fu gweled ddoe y teirw harn
Yn rhwydd wastatu'r gamp mewn un prynhawn,
Y cymdogaethau'n datod bob yn ddarn
A'r perci maith yn meithrin dieithr rawn.
Ac ni ddaw gwanwyn i flodeuo'r drain
Lle rhed y weiren bigog rhwng dwy lain.

Gwas Mawr

73

Englynion cil-dwrn: Cyfres o chwe englyn – Chwe chyngor ar sut i fagu plant

---

BEIRNIADAETH TWM MORYS

Gair bach yn gyntaf am yr englyn cil-dwrn. Heblaw'r pedwar mesur ar hugain, roedd hefyd ryw 'ofer-fesurau' oedd yn codi chwerthin wrth barodïo'r mesurau swyddogol yn fasweddus neu'n ddychanol. Un o'r rheini oedd yr englyn cil-dwrn, sy'n dechrau â thoddaid byr fel paladr englyn unodl union ond yn diweddu â rhyw linell fer, ffwr-bwt ar yr un odl. 'Dwl yw'r dyn ni wêl mai cellwair ydyw peth fel yna', meddai John Morris-Jones.

Mae'r testun yn ddigon difyr, ac yn un y gallai llawer o'r to ifanc o feirdd ganu arno erbyn hyn, ond dim ond saith cynnig a ddaeth i law. Mae hynny'n bennaf, 'dybiwn i, oherwydd na fu lle amlwg iawn i'r mesur ar y Talwrn. Ac am nad oes llawer o hyder yn y canu, ni chafodd y saith at ei gilydd lawer o hwyl arni. Ond gellir gwahanu'r rheini y byddai John Morris-Jones yn eu galw'n ddwl oddi wrth y rheini sydd wedi taro nodyn mwy priodol. Rhai 'trwm' a rhai 'ysgafn' y galwn ni nhw!

TRWM

Am wn i: Rhoes deitl i bob un o'i chwe englyn. Dyma'i gyngor ynghylch 'Bwyd':

> Byw ar iach gynhyrchion bro – yw'r rhinwedd
> I'r rhain sydd yn prifio.
> Garddio.

'Teganau' wedyn:

> Digonedd o deganau – o dan draed
> Yn drwch, hoe i'r mamau.
> Tadau?

Mae'n gwbl ddiffuant, rwy'n siŵr, ond mae'r llais hunanfodlon yn dân ar groen! Mae rhywbeth yn bod yn ramadegol ar yr englyn 'Gofal', lle mae 'rhiant' unigol yn methu gweld 'eu plant hwy', ac mae'r gynghanedd rhwng y cyrch a'r ail linell yn denau iawn, iawn, os ydi hi'n bod o gwbl: 'ni wêl/ Eu plant hwy ...' Ond mae crefft *Am wn i* yn lân.

Ned: Mae hwn hefyd yn grefftwr da; mae wedi cynganeddu'r llinell glo fer hyd yn oed. Serch hynny, mae diffyg cyfatebiaeth rhwng y cyrch a'r ail linell yn ei ail englyn: 'waeth pwy,/ waeth ple ...' Ac mae acennu chwithig yn ail linell y trydydd englyn. Mae *Ned* yn cymryd y dasg o ddifri hefyd ond nid yw lawn mor hunanbwysig ag *Am wn i*. Mae ei englyn olaf yn ddigon derbyniol:

> Cariad at iaith eu tadau enynnwch
> ym mhob un o'r dechrau.
> Rhaid parhau.

Pentre Mawr: Cynghorion ar sut i fagu plant 'yn ôl yr oedran' sydd gan y bardd hwn. Mae'n dechrau'n addawol:

> Pan fo pwt yn o swta, yn biwis
> A heb awydd bwyta:
> Asiffeta.

> I ochel rhag rhyw wichian, a nadu
> Am hydoedd, a snwffian:
> Peltan.

Ond wrth gyrraedd yr arddegau, dyma *Pentre Mawr* hefyd yn troi'n flaenor:

> Rhybuddier rhag oferedd, neu wasaidd
> Anwesu gormodedd:
> Agwedd.

YSGAFN

Dei N o'Sor: Nid cynnig cyngor ar sut i fagu plant a wna yn gymaint ag annog a dwrdio plentyn wrth ei fagu, weithiau'n gall (bwyta sbrowts; glanhau'r dannedd; mynd i'r ysgol), ac weithiau'n gwbl anghyfrifol (? dwyn sgidiau, codi dau fys ar awdurdod). Mae'r grefft yn ddigon diogel ond mae gormod o eiriau llanw: 'yn union' yn yr ail linell, er enghraifft, ac 'yn warthus' yn y drydedd. Does dim angen treiglo'r gair 'llais' yn yr englyn olaf, chwaith.

Myrddin: Hwn sydd fwyaf miniog a chlyfar ei ddychan o bawb: rhyw *Am wn i* o rywun yn rhoi cynghorion doeth a phwysig i riant ifanc, neu ddarpar-riant, di-feind yn y paladr, a'r tad neu'r fam ifanc yn ateb bob tro yn y llinell glo yn iaith drydarllyd yr oes:

> Y d'wedyd traddodiadol, – y geiriau
> Gorau o'r gorffennol.
> *(LOL.)*

Mae'r diweddglo'n amwys:

> Fel hyn, wedi'r cyflawni, – oni ddaw
> Eu holl ddiolch iti?
> *(O.M.G.!)*

Ai diflastod sydd yn yr ebychiad *O.M.G.!* (*'Oh, my God!'*) yma, ynteu braw wrth sylweddoli cymaint y cyfrifoldeb, a hefyd y fraint? Byddai'r gyfres ar ei hennill, yn fy marn i, pe bai'n gorffen ar nodyn pendant yn awgrymu bod gobaith i'r dyfodol!

Hen law: Mae dychan hwn yn sicr ei nod!

> Pe byddai rhai yn ddireol – iddynt
> > Rhowch foddion tra hudol:
> > > Calpol.

Ond 'os bydd' yn hytrach na 'pe byddai' fyddai'n taro orau yma ac er bod y canu'n rhwydd ac yn ddiwastraff, mae rhyw frychau eraill tebyg yma ac acw: 'Os byddant weiddi' ac 'ar i fynnu'. Pethau hawdd i'w twtio ydi'r rhain ond cyn eu hanfon y mae gwneud hynny! Er gwaethaf hyn, mae *Hen law* wedi creu cyfres lwyddiannus iawn, ac ef o'r saith a barodd imi wenu fwyaf. Dyma'r diweddglo (ac os ydi 'chwi na *all*' yn eich taro chi'n chwithig, cofiwch 'y llygaid na *all* agor'):

> I chwi na all, ffoniwch nain – hi a ddaw
> > Yn ddi-oed i'ch arwain,
> > > Dim llefain.

Ond mae un cil-dyrnwr yn aros, a hwnnw'n wahanol i bawb arall.

Twt-twt: Nid cyngor dychanol sydd gan hwn, ac eto nid oes dim yn drwm nac yn bregethwrol yn ei ganu, chwaith. Nid yw ei bennill cyntaf, yn fy marn i, yn cyd-orwedd yn rhyw hapus iawn â gweddill y gyfres ond hoffais yn fawr iawn ei arddull syml a thelynegol, a hefyd ei ddawn i greu darlun. Dyma argyfwng yr arddegau i'r dim:

> Rhai pwdlyd â'u byd ar ben – yn tynnu
> > croen tin dros eu talcen.
> > > Taro bargen.

Ar ben hynny, mae rhywbeth gwerthfawr a chofiadwy yng nghynghorion *Twt-twt*. Cariad ydi'r eli, meddai, yn 'eithin pob dadrithiad'. Ac fel hyn mae'n cloi:

> Mynnu rhoi y maen i'r wal – ydi'r nod.
> > Dyrnu hir a dyfal.
> > > Dyrnu tawal.

Ychydig yn chwithig ydi 'rhoi y maen i'r wal', a does dim angen y gair 'mynnu' o ran yr ystyr; byddai'r ymadrodd 'ydi'r nod' yn ddigon hebddo ond dyna chwalu'r gynghanedd, wrth gwrs. Ond hyfryd ydi 'dyrnu tawal', a'r blas tafodieithol yn cyfoethogi'r dweud.

Cystadleuaeth siomedig iawn! Ond rwy'n credu bod cil-dyrnu *Twt-twt* yn deilwng o'r wobr.

Yr Englynion Cil-dwrn

CHWE CHYNGOR AR SUT I FAGU PLANT

Yn bur ifanc cawsant ei brofi, – sef
dos hael o gwrteisi.
Lyfli.

A hwythau yn llygadrythu – fel ieir
o flaen y teledu –
'Gwely!'

A ninnau yn ail-esbonio, – hwythau
yn rhyw chwithig wrando.
Aralleirio.

Rhai pwdlyd â'u byd ar ben – yn tynnu
croen tin dros eu talcen.
Taro bargen.

Yn eithin pob dadrithiad – anelwn
i roi eli cariad
ar bob pigiad.

Mynnu rhoi y maen i'r wal – ydi'r nod.
Dyrnu hir a dyfal.
Dyrnu tawal.

Twt-twt

Baled: Coch Bach y Bala

BEIRNIADAETH ROBIN GWYNDAF

Testun ardderchog. Diolch i Bwyllgor Llên yr Eisteddfod am osod cystadleuaeth o'r fath. Bu yng Nghymru draddodiad cyfoethog iawn o gyfansoddi baledi ac y mae'r traddodiad yn parhau. Nid baledi, fel y cyfryw, y gelwir y cerddi lleol eu naws a gyhoeddir heddiw – er enghraifft, yn rhai o'n Papurau Bro. Ond yr un, fwy neu lai, yw eu swyddogaeth, a'r un yw eu gwerth. Diolch, felly, i'r Eisteddfod am hyrwyddo'r traddodiad, a diolch fwyfwy i'r saith a gystadlodd ac, yn arbennig iawn, am gyfansoddi baledi a roes foddhad mawr imi.

Fel y dengys cyfrol Ernest Jones (1972), yr oedd ar gael i'r cystadleuwyr fwynglawdd o wybodaeth ddiddorol am y cymeriad rhyfeddol a hynod hwn, John Jones (1854-1913) – 'Jac Llanfor'; 'Coch Bach y Bala'; 'Yr Houdini Cymreig'; 'The Welsh Turpin'; 'The Little Welsh Terror'. A dyna oedd y gamp i'r cystadleuwyr: dewis yn ofalus rai o'r hanesion a'r traddodiadau mwyaf cynrychioliadol, er mwyn cyflwyno darlun byw a diffuant, cynhwysfawr a chymesur, o gymeriad unigryw a nodedig iawn. A gwneud hynny'n gryno, gan osgoi geiriau ac ymadroddion llanw.

Cofio hefyd mai cyflwyno stori ar gân oedd y nod. Boed y geiriau ar gyfer eu hadrodd neu i'w canu ar alaw boblogaidd, cyfrwng llafar yw baled yn y bôn. O ran mesur a mynegiant, dylai'r geiriau ganu wrth gael eu cyflwyno. Dylid rhoi pwys ar gyfathrebu, ar y bont rhwng y baledwr – y storïwr – a'i gynulleidfa, gan roi sylw dyladwy i fynegi'n glir, yn uniongyrchol ac yn gofiadwy, fel y bo'r darllenydd, neu'r gwrandäwr, yn mwynhau'r hanes a'r stori ar y darlleniad neu'r gwrandawiad cyntaf. A hyd yn oed fwy na hynny, pe bai modd: dylai'r darllenydd, neu'r gwrandäwr, gael ei ddenu bron yn ddiarwybod i fod yn rhan annatod ei hun o'r hanes a'r stori, fel y mae cynulleidfa mewn theatr yn eu huniaethu'u hunain yn llwyr â'r actorion ar y llwyfan.

Nantclwyd: Cerdd mewn ugain pennill, sy'n agor fel hyn: 'Yr oedd fel cysgod ar ochrau'r lôn ...' Mae'n cynnwys sawl pennill cofiadwy. Dyma'r pedwerydd pennill: 'Y lleidr diniwed a ddygai wy,/ Gan adael yno drysorau mwy'. Awgrym caredig: mewn baled sy'n ddarlun o Goch Bach y Bala, fe fyddwn i wedi hepgor y penillion yn rhan olaf y gerdd sy'n cynnwys sylwadau'r awdur ar natur y lladrata a wnaed ganddo ef a'i debyg (ac a wneir o hyd) ac yn ychwanegu rhagor o hanesion am y rhyfeddod hwn o Feirion.

Cochyn: Pedwar pennill, wyth llinell, a blas tafodieithol iddynt, gyda chytgan: 'Diniwed a 'smala/ Yw Coch Bach y Bala,/ Fe gofiwn ei gampe/ Am o's, reit-i-wala'. Disgrifir y Coch Bach fel 'eilun' Sir Feironnydd; fel 'Hen

Enillwyr Prif Wobrau
Eisteddfod Genedlaethol Cymru
Sir Ddinbych a'r Cyffiniau, 2013

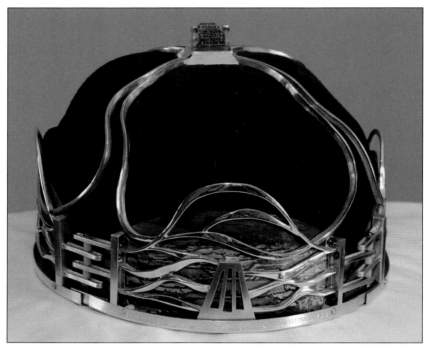

Mae'r Goron yn rhoddedig gan Gangen Dinbych a Fflint o Undeb Amaethwyr Cymru.Cynlluniwyd a gwnaed y Goron gan Andrew Coomber o Ysceifiog, Sir y Fflint.

IFOR AP GLYN
ENILLYDD Y GORON

Magwyd Ifor yn Llundain lle mae ei deulu wedi byw ers canrif a mwy. Ar ôl graddio o Goleg y Brifysgol yng Nghaerdydd a byw yno am gyfnod, priododd â Bethan yn 1987 a 'dechrau byw' yn Ninbych cyn symud i Gaernarfon sy'n gartref iddynt ers chwarter canrif bron. Yno maen nhw wedi magu pedwar o blant, Lowri, Gruffudd, Gwion a Rhys, ac yno mae Ifor yn gweithio fel cynhyrchydd a chyflwynydd teledu. Roedd yn un o sefydlwyr Cwmni Da ac mae wedi ennill sawl gwobr am ei waith ym maes hanes a rhaglenni ffeithiol – prosiectau fel 'Popeth yn Gymraeg', 'Lleisiau'r Rhyfel Mawr', a'r ddiweddara am raglenni yn ymdrin â Thai Bach y Byd!

Fel bardd, mae hefyd wedi mynd i ambell gyfeiriad annisgwyl; mae wedi cyflwyno'i waith o flaen deng mil o bobl yn y cyngerdd i ddathlu agor y Cynulliad, ac wedi cyhoeddi cerddi ar fatiau cwrw. Mae cyrraedd cynulleidfaoedd newydd yn bwysig iddo – mae wedi perfformio'i waith mewn sawl gwlad yn Ewrop ac mae newydd ddychwelyd o Washington DC, lle bu'n cynrychioli Cymru am yr ail waith yng ngŵyl flynyddol y Smithsonian.

Ond mae agweddau mwy traddodiadol o waith bardd yn bwysig ganddo hefyd. Mae'n aelod o dîm Talwrn Caernarfon, roedd yn Fardd Plant Cymru yn 2008/9 ac mae wedi bod ar sawl taith farddol o gwmpas Cymru yn ystod y chwarter canrif ddiwethaf. Cyhoeddwyd pedair cyfrol o'i waith – ac enillodd y Goron genedlaethol yn Eisteddfod 1999 am gyfres o gerddi'n ymwneud â dysgwyr a'r heriau sy'n rhaid iddynt eu hwynebu.

Mae ei gerddi eleni, yn fath o ymateb i siom ffigurau'r cyfrifiad iaith a gyhoeddwyd yn Rhagfyr y llynedd – a'r angen am fymryn mwy o 'derfysg' gan y Cymry ynghylch yr iaith!

BET JONES
ENILLYDD GWOBR GOFFA DANIEL OWEN

Ganwyd a magwyd Bet Jones ym mhentref Trefor, Caernarfon, yn ferch i Phoebe a'r diweddar Griffith Jones ac yn chwaer i Gareth. Mynychodd Ysgol Gynradd Trefor, Ysgol Frondeg ac Ysgol Ramadeg Pwllheli, cyn dilyn cwrs addysg yn y Coleg Normal ym Mangor. Wedi iddi fod yn dysgu am gyfnod yn Lerpwl, dychwelodd i Wynedd yn 1974 a phriodi Elwyn. Yna bu'n dysgu yn ysgolion Pentreuchaf a Rhoscolyn.

Ar ôl byw am gyfnod byr yn y Ffôr a Llanfairpwll, symudodd y teulu i bentref Rhiwlas lle magwyd eu dwy ferch, Gwen a Meinir.

Wedi bod gartref yn magu'r plant am rai blynyddoedd, cafodd swydd yn athrawes yn Ysgol y Graig, Llangefni, lle bu'n dysgu am bedair blynedd ar hugain. Mae bellach wedi ymddeol ac yn mwynhau garddio a theithio yn ogystal ag ysgrifennu.

Cyhoeddodd ddwy nofel flaenorol: *Beti Bwt*, a seiliwyd ar ei magwraeth yn Nhrefor ac a ddaeth yn agos i'r brig yng nghystadleuaeth y Fedal Ryddiaith yn Eisteddfod Genedlaethol Sir y Fflint a'r Cyffiniau 2007, a *Gadael Lennon* a gyhoeddwyd yn 2009 ac sydd yn ddilyniant i'r nofel gyntaf.

JANE JONES OWEN
ENILLYDD Y FEDAL RYDDIAETH

Yn bedwerydd allan o bump o blant teulu Cefn Gwyn, Llanuwchllyn, y magwyd Jane a'i chof addysgol cynharaf yw gorymdeithio pan oedd yn bedair oed o hen ysgol pentref Llanuwchllyn dros bont yr afon Ddyfrdwy i ysgol newydd sbon Syr O. M Edwards, a agorwyd ym 1954.

Ni chafodd y pleser o deithio ar y trên o Lanuwchllyn i Ysgol Ramadeg y Merched yn y Bala gan fod Dr Beeching wedi cau'r rheilffordd ym 1962; felly ar fws Dei y teithiai'r plant i un o dair ysgol uwchradd tref y Bala cyn y cyfunwyd y tair ysgol i ffurfio Ysgol Uwchradd Gyfun, sef Ysgol y Berwyn, a agorwyd ym 1964.

Yn 1968, aeth Jane i Goleg Prifysgol Cymru, Bangor, lle graddiodd ymhen tair blynedd gydag Anrhydedd yn y Gymraeg. Yn dilyn ei chwrs ôl-raddedig i gymhwyso fel athrawes, bu'n gweithio fel Llyfrgellydd am gyfnod byr yn Aberystwyth ac yn newyddiadurwraig lawrydd i raglen 'Bore Da' o Fangor. Dechreuodd ar ei gyrfa fel athrawes Gymraeg, Saesneg, ac ychydig o Ffrangeg ac Ysgrythur i oedran uwchradd cyn ailgymhwyso a bu'n athrawes Blynyddoedd Cynnar am gyfnod byr.

Pan benderfynodd y Cyngor Sir gael polisi dwyieithrwydd, newidiodd ei gyrfa a symudodd i'r Wyddgrug i fod yn brif gyfieithydd-olygydd Cyngor Sir Clwyd. Wedyn, pan ad-drefnwyd Llywodraeth Leol ym 1996, fe'i penodwyd yn brif gyfieithydd-olygydd Cyngor Sir Ddinbych a bu'n aelod gweithgar o Gymdeithas Cyfieithwyr Cymru.

Erbyn hyn, mae'n mwynhau ei phedwerydd haf o ymddeoliad ac yn cael cyfle i ddatblygu nifer o ddiddordebau gan gynnwys ysgrifennu creadigol. Enillodd ar gyfieithu drama tair act yn Eisteddfod Genedlaethol Porthmadog; yn ddiweddar, enillodd ar gystadleuaeth y stori ddychan yn Eisteddfod Genedlaethol yr Wyddgrug, ac enillodd ar gasgliad o ddeg stori ficro yn Eisteddfod Genedlaethol y Bala.

Mae gan Jane ferch o'r enw Mari Angharad a dwy wyres o'r enw Ailla a Niamh sy'n ddisgynyddion o dras gymysg Gymreig, Gwyddelig, Albanaidd a Phwylaidd ac sy'n trigo yng Nghernyw ers deuddeng mlynedd.

GLESNI HAF JONES
ENILLYDD Y FEDAL DDRAMA

Ganed Glesni Haf Jones yn yr Wyddgrug yn 1986. Mynychodd Ysgol Gynradd Glanrafon yn yr Wyddgrug, ac yna Ysgol Maes Garmon. Yn dilyn hynny, aeth i Brifysgol Cymru Aberystwyth lle graddiodd gyda chydanrhydedd mewn Cymraeg a Drama. Wedi ennill diploma ym Mhrifysgol Caerdydd, bu'n gweithio am gyfnod yn Adran Olygyddol CBAC yn y brifddinas. Bellach mae'n swyddog ymchwil gyda Beaufort Research, cwmni ymchwil i'r farchnad yng Nghaerdydd, ac yn byw yn Grangetown. Mae hi hefyd wedi ei chymhwyso fel athrawes Gymraeg i Oedolion gyda Phrifysgol Caerdydd.

Er iddi hi fod yn llwyddiannus gydag ysgrifennu drama fer yng nghystadleuaeth Theatr Sherman, Sgript Slam, yn Eisteddfod Wrecsam ddwy flynedd yn ôl, dyma ei hymgais gyntaf ar ysgrifennu drama hir.

IEUAN WYN
ENILLYDD TLWS Y CERDDOR

Ganwyd Ieuan Wyn yn yr Eglwys Newydd, Caerdydd. Ar ôl derbyn ei addysg uwchradd yn ysgolion Plasmawr a Glantaf, symudodd i Fangor i astudio Cerddoriaeth yn y Brifysgol. Wedi hynny, addysgwyd ef ymhellach ar gwrs M.Sc. Peirianneg a Chynhyrchu Cerddoriaeth yn yr Atrium, Prifysgol Morgannwg.

Ers cwblhau ei addysg, mae wedi bod yn gweithio fel recordydd sain i gwmni adnoddau 'Gorilla' yn y brifddinas. Trwy ei waith, mae wedi bod yn ffodus iawn i gael y cyfle i gyfansoddi a threfnu nifer o ganeuon i'w darlledu ar Cyw a Stwnsh ar S4C.

Mae wedi dod yn agos i'r brig droeon yng nghystadleuaeth y Fedal Gyfansoddi yn Eisteddfod yr Urdd. Dros y blynyddoedd, mae Ieuan hefyd wedi cyrraedd rownd derfynol cystadleuaeth Cân i Gymru dair gwaith gan gynnwys ennill y drydedd wobr yn 2008

Mae'n aelod o Gôr Caerdydd ers blynyddoedd a thrwy hynny y cafodd y cyfle cyntaf i drefnu ac ysgrifennu gweithiau corawl. Yn ddiweddar, cafodd gomisiwn i ysgrifennu darn gwreiddiol ar gyfer y côr; mae'r darn 'Caerdydd' bellach i'w glywed ar gryno-ddisg newydd y côr a chafodd ei berfformio gan Aelwyd y Waun Ddyfal yng Nghystadleuaeth Côr Cymru 2013.

Cyflwynir Cadair Eisteddfod Sir Ddinbych a'r Cyffiniau gan Gerallt a Dewi Hughes er cof am eu rhieni, John a Ceridwen Hughes, Uwchaled. Fe'i cynlluniwyd ac fe'i gwnaed gan Dilwyn Jones o Celfi Derw, Maerdy, Corwen

gadno i'r Gyfreth', ac fel 'Hen gamstar ar botshan/ A mishtir ar ddwyn'. Dyma gerdd hyfryd y gellir ei chanu ar fwy nag un alaw, a cherdd sy'n canu wrth ei hadrodd. Dyma awgrym caredig: ychwaneger rhagor o benillion i roi mwy o gig ar yr esgyrn fel bod y portread yn llawnach ac yn fwy byw.

Llaniestyn: 21 pennill ar fesur triban ond heb yr odl gyrch yn y bedwaredd linell. Mae hon yn gerdd a rydd inni ddarlun byw o'r 'llwynog cyfrwys' a fu'n 'dwyn rhyw fanion betha' ac yn dilyn rhyw 'ryfedd yrfa'. Hoffais, er enghraifft, y linellau agoriadol hyn: 'Mae bedd yn Llanelidan/ Lle claddwyd cochyn bychan ...', a'r pennill sy'n cloi'r gerdd:

> Pe bai rhyw galon gynnes/ 'Di 'i roi o'n saff mewn harnes,
> Y cr'adur simpil, hoffus, hy',/ Pwy ŵyr be fyddai'i hanes?

Da hefyd oedd cynnwys triban yn cyfeirio at y modd yr arferai rhieni ddefnyddio enw'r Coch Bach fel rhybudd i blant: 'I'r gwely yn reit handi!/ Jac Llanfor ddaw ar d'ôl di ...' Ar y goben y mae'r acen yn yr enw 'Nantclwyd'. Awgrymaf, felly, fod angen aralleirio trydedd linell un o'r tribannau tua diwedd y gerdd: 'Ger Coed Nantclwyd yn wael ei wedd ...'

Elidan: 'Hen ŵr yn y gornel' mewn tŷ tafarn yn adrodd stori bywyd yr hynod John Jones, Llanfor, wrth ei ffrindiau, mewn 23 pennill, pedair linell. Pob clod i *Elidan* am gyflwyno'i faled mewn dull gwreiddiol fel hyn, gan ddefnyddio arddull naturiol a sgyrsiol, sydd mor gwbl addas. Dyma ddwy linell nodweddiadol o'r mynegiant: 'Ond hogie, 'roedd hwn yn lleidr wrth reddf,/ Yn dwyn fel y cerddai o dan drwyn y ddeddf'. Y mae cydymdeimlad yr awdur tuag at y Coch Bach, megis cydymdeimlad gweddill y cystadleuwyr, yn wir, yn amlwg drwy'r gerdd. Fel hyn y mae'n cloi: 'Yfwn yn harti a chadw mewn co'/ Hen gyfaill y werin fan acw'n y gro'.

Menna Lili: Darlun byw, cynhwysfawr, mewn 15 pennill, 8 llinell, o'r 'bachgen rhyfedd' o Lanfor, y 'Coch' oedd 'beunydd mewn rhyw helynt/ Yn herio'r awdurdodau'n hy'...' Yn yr wythfed pennill, a hynny'n llwyddiannus iawn, cofnodir hanesyn diddorol am ddawn ryfeddol y troseddwr o Feirion i dwyllo'r heddlu:

> Dro arall fe aeth plismyn draw / I'w dŷ, er mwyn ei holi,
> A gweld, mewn cadair wrth y tân / Hen wreigan fach yn chwyrnu;
> Gadawsant lonydd i'r hen wraig, / Gan gau y drws a chilio,
> Heb sylweddoli mai y Coch / Oedd eto wedi'u twyllo.

Rhaid nodi eilwaith mai ar y goben y mae'r aceniad yn yr enw 'Nantclwyd' (pedwaredd linell y pennill cyntaf: 'O Goed Nantclwyd, ger Rhuthun'). Byddwn i hefyd yn defnyddio gair arall yn lle 'clebran' yn chweched linell y pennill olaf: 'Deil pobl y fro i glebran'. 'Siarad' fyddai'n cyfleu'r ystyr orau, oni bai am yr odl. Ond y mae dwy linell olaf y pennill hwn yn glo ardderchog i'r gerdd gyfan, a'r defnydd o'r gair 'carchar' fel delwedd yn gyfoethog o ystyr: 'A'i garchar olaf oedd y gro / Ym mynwent Llanelidan'.

Bob: Cerdd mewn 34 pennill sydd wedi llwyddo i dynnu darlun arbennig o fyw a chynnes o'r 'gŵr bychan main, / Un gwalltgoch gwyllt o Lanfor / A fagwyd gan ei nain'. Dyma linellau agoriadol y faled: 'Dowch blant i'r tŷ, mae'n twllu, / Coch Bach sydd ar ei rownd...' Cyfeirir eto yn y pennill olaf at y rhybudd hwn, ond bellach does dim i'w ofni:

Parhewch hen blant i chware,
Mae'n olau leuad llawn,
Coch Bach sydd yn ei wely,
Bydd pob rhyw 'gêm' yn iawn.

Gwerth y gerdd hon yw'r manylu ar droeon bywyd y Coch Bach, heb fynd yn gatalogaidd. Dyma un enghraifft: 'Dwyn torth wnaeth o Bryn Obwst, / Ger Llanfair Dyffryn Clwyd, / A *methylated spirits* / Yn gwmni iddi'n fwyd!' Y cystadleuydd hwn hefyd yw'r unig un sy'n enwi 'Bateman' fel y gŵr ifanc a saethodd Goch Bach y Bala yn ei goes, ac yntau'n 'gwaedu i farwolaeth', er bod y cystadleuwyr eraill hwythau, ac eithrio *Cochyn*, yn cyfeirio at y digwyddiad trist hwn.

Fflach: Y mae'r faled hon yn agor ac yn cloi gyda'r triban a ganlyn sy'n gymwys iawn yn ein cyflwyno ar unwaith i'r ddwy wedd ar gymeriad a bywyd y 'Cochyn Bach'. Y mae'r gair 'diniweityn' yn llinell olaf y triban, 'ddywedwn i, yr union air i ddisgrifio'r fath berson hynod: 'Yn arwr a dihiryn, / Mor annwyl, ond yn bwdryn. / Yn byw a bod i dorri'r ddeddf / Trwy reddf y diniweityn'. Yn y gerdd ei hun, cyflwynir inni ddarlun byw, cymesur a chryno, o'r lleidr 'trwy reddf' hwn. Dyma un enghraifft o fynegi rhwydd ac uniongyrchol. Dywedir yn y pennill sy'n dilyn y triban agoriadol mai dwyn 'cannwyll ddima' a wnaeth y Coch Bach gyntaf, pan oedd yn 'chwe mlwydd oed'. Yr oedd yn gyd-ddigwyddiad mai 'cannwyll ddima' oedd un o'r ychydig eitemau oedd ganddo pan fu farw, a chyfeirir at hynny gan yr awdur mewn pennill cyfoethog ei ystyr: 'Potel wag a channwyll ddima' / Oedd ei eiddo ar y pryd. / Golau gwan a gwacter ystyr / Fu ei rawd yn hyn o fyd'.

A dyna ni. Saith baled gwerth eu darllen a gwerth gwrando arnynt. Y saith yn haeddu eu cyhoeddi. A dyna y dylid ei wneud wedi ychydig o olygu (twtio'r atalnodi a chywiro mân lithriadau teipio ac orgraff). Dyma bedwar awgrym a phosibilrwydd: eu cyhoeddi yn y Papur Bro, *Pethe Penllyn*, gyda chyfle i wrando ar y baledi'n cael eu cyflwyno ar lafar; eu cyhoeddi mewn cylchgrawn cymwys, megis *Barddas*, *Y Glec*, *Llafar Gwlad*, neu'r *Faner*

Newydd; eu cyhoeddi'n llyfryn. A'r pedwerydd posibilrwydd: ailgyhoeddi cyfrol Ernest Jones ar Goch Bach y Bala a chynnwys y baledi yn yr argraffiad newydd.

Ond pa un o'r baledi sy'n fuddugol y tro hwn? Gallwn yn rhwydd roi'r wobr gyntaf gyda chlod i unrhyw un o'r pump hyn: *Llaniestyn, Elidan, Menna Lili, Bob,* a *Fflach*. Nid hawdd oedd dewis ond dewis sydd raid ac mewn cystadleuaeth ardderchog, gwobrwyer *Fflach*.

Wrth gloi, daliaf ar y cyfle i ailadrodd awgrym a fynegais eisoes rai blynyddoedd yn ôl. Nid er mwyn ennill gwobr ariannol y mae'r mwyafrif yn cystadlu yn yr Eisteddfod Genedlaethol ond er mwyn cael beirniadaeth deg, adeiladol; er mwyn cael eu hysbrydoli; ac er mwyn y clod a'r anrhydedd pe digwydd iddynt ennill. Mewn cystadlaethau lle dyfernir mwy nag un person yn deilwng o'r wobr gyntaf (gan na chaniateir rhannu'r wobr), cwbl briodol, felly, yn fy marn i, fyddai nodi enwau'r personau hynny yng nghyfrol y *Cyfansoddiadau a Beirniadaethau*. Oni fyddai hynny'n ffordd deilwng i'r Eisteddfod fynegi ei gwerthfawrogiad i'r cystadleuwyr a gyflawnodd gamp arbennig, a'r un modd i'w hysbrydoli i ddal ati? Ac onid hyfryd a theilwng, gan hynny, fyddai i ddarllenwyr brwd y *Cyfansoddiadau* eleni gael gwybod pwy yw *Llaniestyn, Elidan, Menna Lili,* a *Bob*? Ond byddaf yn deall onid oes modd gwneud hynny heb i'r pwnc gael ei ystyried yn gyntaf o'r newydd gan Banel Llên Sefydlog Cyngor yr Eisteddfod.

Y Faled

BALED COCH BACH Y BALA

Yn arwr a dihiryn,
Mor annwyl, ond yn bwdryn.
Yn byw a bod i dorri'r ddeddf
Trwy reddf y diniweityn.

Wedi dwyn y gannwyll ddima'
A diflannu nerth ei draed,
Roedd yr ysfa wedi'i phlannu —
Roedd lladrata yn ei waed.
Lleidr fu'r Coch Bach byth wedyn,
Wedi dechrau'n chwe blwydd oed,
A'i gysondeb yn y llysoedd
Gyda'r gorau fu erioed.

Pymtheg swllt a dwy a dima' –
    Dyna ysbail y Coch Bach.
Roedd ei benyd yn chwe blynedd
    Yn y gell heb awyr iach.
Ond fe fethodd Carchar Rhuthun
    Gadw'r Cochyn hwn yn gaeth,
Ac fel awel un awr ginio
    Allan drwy'r drws ffrynt y daeth.
Draw i Lanfor ac i'w gartref
    Aeth y plismyn ar ei ôl,
Ac i ffwrdd â nhw heb 'nabod
    Yr 'hen wreigan' yn ei siôl.

Wedyn ffodd i'r 'Swan' ym Mochdre,
    Ac mewn acen Seisnig gain,
Swancio wnâi fel gŵr bonheddig
    Yn ei het a'i gôt din fain.
Ond fe'i daliwyd yn ei wely –
    Dygwyd ef o flaen ei well.
Cafodd ddedfryd afresymol –
    Pymtheng mlynedd yn y gell.

Wedi cael ei ryddid eto
    Roedd y Cochyn Bach ar frys
I gael annerch yr ynadon
    Neu y Barnwr yn y llys.
Bu'n troseddu ym Mhwllheli
    Ond fe'i daliwyd gyda'r wawr.
Yno yn y Llys Ynadon
    Fe siaradodd am chwe awr.
Ym Miwmares yn y Brawdlys
    Traethai yn angerddol iawn;
Roedd y Barnwr mewn perlewyg,
    Yn rhyfeddu at ei ddawn.

Roedd y dyn bach hwn yn chwedl,
    Oedd o fudd i famau'r fro
I gael trefn ar amser noswyl.
    Gweithiai'r tric yn iawn bob tro.
'Dowch i'r tŷ, mae'n amser gwely.
    Dima', dima', hen blant bach.
Brysiwch, mae Coch Bach y Bala
    Ar eich holau efo'i sach!'

Chysgodd o ddim winc un noson.
Roedd fel afanc yn ei gell,
Wrthi'n tyllu'n fân a buan
Er mwyn ffoi yn ddigon pell.
Fel llygoden fach aeth allan,
Yna dringo i fyny'r wal
Efo'i reffyn dillad gwely
Oedd yn ddigon cry' i'w ddal.

O ben wal hen Garchar Rhuthun
Glaniad esmwyth fu ei ran,
Gan fod tas o wair y dyffryn
Yno, yn yr union fan.

Credai'n siŵr fod ffawd yn gwenu
Wrth ddod 'lawr o ben y das.
Ond i'w dranc yr oedd yn dianc
Gyda'i droed ar dir y plas.

Yng Nghoed Nantclwyd, mab y sgweiar
Roddodd ergyd yn ei goes,
Llifodd gwaed Coch Bach y Bala
Ac fe drengodd yn ei loes.

Potel wag a channwyll ddima'
Oedd ei eiddo ar y pryd.
Golau gwan a gwacter ystyr
Fu ei rawd yn hyn o fyd.

Daliodd i begynnu pobol
Yntau'n pydru yn ei arch.
Cafodd ei gasáu â dirmyg;
Cafodd ei goffáu â pharch;
Ac ym mynwent Llanelidan
Mae ei garreg fedd yn hardd,
Er nad oedd Coch Bach y Bala
Yn bregethwr nac yn fardd.

Yn arwr a dihiryn,
Mor annwyl, ond yn bwdryn.
Yn byw a bod i dorri'r ddeddf
Trwy reddf y diniweityn.

Fflach

Cerdd rydd: Cerdd addas i'w llefaru megis 'Cwm Tawelwch', Gwilym R. Jones

BEIRNIADAETH JOHN GWILYM JONES

Bu hon yn gystadleuaeth lwyddiannus iawn, a chafwyd rhyw rinweddau a chryfderau ym mhob un o'r cerddi. Roeddwn yn ymwybodol fod yn rhaid ystyried nid yn unig ragoriaethau eu barddoniaeth ond hefyd eu haddasrwydd ar gyfer eu cyflwyno ar lafar i gynulleidfa ar lwyfan neu ar y cyfryngau torfol. Dyma sylwadau byr am yr un ar ddeg yn y drefn y daethant i law.

Bryntrillyn: 'Cwm Rhinwedd' yw teitl y darn hwn, a'i leoliad dychmygol yw Hiraethog. Mae'r mydryddu yng nghorff y gerdd yn ddiymdrech ond ceir rhai brychau sillafu ac atalnodi. Byddai'r gerdd yn gryfach pe bai'n llai ansoddeiriol. Ond ei rhagoriaeth yw'r awyrgylch a deimlir drwyddi.

Cwm Hiraeth: Cyferbynnir Cwm Wybrnant 1588 â'r cwm hwnnw heddiw. Gellid dadlau bod disgrifiadau'r rhan gyntaf yn ymylu ar fod yn ystrydebol wrth edrych ar fywyd a diwylliant 'Eden' yr hen gwm ac efallai fod y ddelfryd sydd yn yr ail ran, yng nghwmni'r wyrion, yn rhy ddisgwyliadwy o obeithiol. Ond ceir yma lawer o fannau gafaelgar, a delweddu cofiadwy megis 'treiglo fel gwêr / dros sacramentau'r werin'. Pe gellid cywiro'r mân wallau, byddai hon ymhlith goreuon y gystadleuaeth.

Pentre Galar: Dwy genhedlaeth sydd yma yn ymgiprys â'i gilydd. Mae yma gynildeb mewn deialog, ac ambell ymadrodd cofiadwy megis 'ceiniogau main' yn cyfoethogi'r mynegiant. Y mae rhai llinellau lle mae'r ymresymu'n rhy amwys i'w gyfleu gan adroddwr wrth ei gyflwyno i gynulleidfa. Ond un o rinweddau amlwg y gerdd yw ei bywiogrwydd.

Dyn Eira: Cerdd mewn pum rhan ar y testun, 'Antarctica 1912', ac wedi ei seilio ar daith seithug Scott a'i gymrodyr i Begwn y De. Mae'r gwrthgyferbyniad yn effeithiol: rhwng anturiaeth a gobaith y ras am y pegwn a'r daith yn ôl wedi'r siom o weld bod Roald Amundsen a'i dîm wedi eu curo. Yn y drydedd ran, ceir cyferbynnu celfydd rhwng yr anialwch gwyn a 'byd arall' y cysuron a'r gwres, a roddai gyfle eto i adroddwyr liwio'r cyflwyniad. Mae'r bedwaredd ran yn llym gan boen, a'r rhan olaf yn ddwys gan ymbil, nes arwain at y rhith yn y diweddglo. Dyma gerdd sy'n ei benthyg ei hun i gyflwyniad ar lwyfan o ran cryfder ac eglurder ei mynegiant. Yr unig gysgod o amheuaeth sydd gennyf yw cyfeiriad y gerdd: mae hi'n agor ym mrwdfrydedd y gobaith ac yn dirwyn tuag i lawr i gyfres y poenau, ac angau.

Melys Atgofion: Cwlwm rhwng taid a'i ŵyr yw sail y gerdd, a'i thema yw datblygiad y berthynas a thyfiant y ddau mewn gwahanol ffyrdd. Fel tad-cu fy hun, medrwn ganfod dilysrwydd y profiadau sydd yma. Mae hi'n gerdd swynol ei chynnwys a cheir rhyw hynawsedd cynnes yn y cyd-daro rhwng y ddau. Ond, gwaetha'r modd, o'i chymharu â rhai o'r cerddi eraill, nid oes ynddi gystal cyfleoedd i berfformwyr roi lliw yn y mynegiant.

Rhosyn: Mam bedwar ugain oed yn dioddef gan glefyd Alzheimer neu ddementia sydd yma, a'i chyflwr yn cael ei bortreadu gan ei mab neu ei merch. Mae'r thema'n debyg i'r un sydd ym mhryddest 'Y Glannau', ond gyda thriniaeth wahanol. Mae'r cyfan wedi ei gyfleu'n gynnil a'r delweddu bob amser yn chwaethus ac addas. Yn wahanol i ofynion cystadleuaeth y Goron y llynedd, a'r feirniadaeth fod ynddi ormod o egluro'r sefyllfa, mae cael arweiniad i ddeall trywydd y meddwl yn rhinwedd mewn cerdd a adroddir gerbron cynulleidfa. Crybwyllais ar y copi un neu ddau o fanion i'w hystyried. Ond y mae ynddi fannau a rydd gyfle i adroddwyr liwio mynegiant a chreu awyrgylch – er enghraifft, y mae disgrifio'r adar ar y graig yn rhagorol, gyda'r geiriau 'yn benbleth o blu' a 'Drysfa fyw o gryndod' yn cyfleu penbleth a dryswch y fam yn ei henaint.

Garn Lwyd: Mae clywed cerdd dda ar fesur ac odl bob amser yn dderbyniol gan gynulleidfa. Gallaf ddychmygu'r gerdd hon, 'Fy Nghwm', yn difyrru gwrandawyr, a'i thafodiaith yn ychwanegu at eu mwynhad. Nid yw'r mydryddu'n gyson drwyddi, a chymerir rhyddid gyda'r odl mewn un neu ddau fan. Eto mae ynddi ddelweddu trawiadol, gan greu darlun cartrefol ac effeithiol.

Menna Lili: Cerdd rydd yn llais un o aelodau ifanc teuluoedd Epynt a yrrwyd o'u ffermydd adeg y Rhyfel. Mae'r mynegiant yn ofalus, a'r iaith yn gaboledig. Ond braidd yn gatalogaidd ac oeraidd yw rhestru'r gwrthgyferbyniadau rhwng yr hen fywyd a'r filitariaeth newydd. Mwy effeithiol fuasai canoli ar un neu ddwy o olygfeydd dirdynnol a dwys. Hyd yn oed yn yr un enghraifft sy'n ymgais ar wneud hynny, y fam yn gadael yr allwedd yn nhwll y clo, fe'i disgrifir fel 'truan naïf', gan golli'r dwyster. Mae iaith ac arddull y gerdd yn gynnil ac effeithiol, gydag ambell linell drawiadol o addas.

Iolo: Cerdd am flas yr Hafod a'r tiroedd o'i amgylch yng Ngheredigion, gan olrhain gwahanol gyfnodau ei hanes. Ceir rhai gwendidau yn y mynegiant, a nodwyd y rheini ar y copi, ond y mae yma hefyd ddisgrifiadau y gallai adroddwyr eu trin yn gelfydd i greu darluniau i'r dychymyg. Mewn sawl man, gwelir yn y gerdd ddelweddu meistrolgar, ac mae iddi gyfanrwydd boddhaol.

brith yr oged: Teitl y gerdd hon yw 'Y Gwawrio'. Y mae hi'n gynnil ei harddull ac yn arbennig o gyfoethog ei delweddu. Mewn mannau, mae'n ein hatgoffa o ddarnau agoriadol *Dan y Wenallt,* mewn man arall am *Llyffantod* Huw Lloyd Edwards. Ac eto mae ei thriniaeth yn hollol wahanol ac yn wreiddiol. Beth amdani fel darn i'w adrodd? Y mae ei chyfeiriadaeth ar brydiau'n anodd ei holrhain, megis y cyfeirio at fannau yn chwedl 'Culhwch ac Olwen' neu at farddoniaeth R. S. Thomas. Byddai'n anodd i gynulleidfa ganfod arwyddocâd y llinellau hyn ar y gwrandawiad cyntaf. Ond mae ei barddoniaeth hi'n canu, a gallaf ddychmygu unigolyn neu barti yn creu ohoni berffformiad effeithiol.

Dyddgu: 'Rihyrsal yw Bywyd.' Dyddgu, un o gariadon Dafydd ap Gwilym, sy'n llefaru drwy'r gerdd. Mae'r copi a anfonwyd i'r gystadleuaeth yn brin ei atalnodi nes i'r mynegiant fod yn amwys mewn ambell bennill. Gresyn hefyd am y gwallau diofal mewn sillafu a chystrawen. Ond y mae llawer o'r syniadau'n annisgwyl ac yn bywiogi'r gerdd drwyddi, gan osgoi ystrydebau.

Bu dod i ddyfarniad yn anodd dros ben. Roedd o leiaf chwech ohonynt yn deilwng iawn. O'r rhain yr oedd hi'n agos eithriadol rhwng *Dyn Eira* a *Rhosyn* a *brith yr oged*. Gobeithiaf yn fawr y cyhoeddir cerddi *Dyn Eira* a *Rhosyn* yn fuan, ar gyfer eu defnyddio a'u cyflwyno ar lafar. Ond gwobrwyer *brith yr oged*.

Y Gerdd Rydd

Y GWAWRIO

Seren gynta'r hwyrddydd, Seren ola'r wawr,
Seren y Gweithiwr,
Seren y Cŵn,
yn croesawu a ffarwelio fel pe bai'n berchen y byd.

Rwyt ti yna erioed;
cyn i'r Eryr freuddwydio am bigo'r sêr,
cyn i'r helfa godi o Esgair Oerfel,
cyn cwtero Ca' dan Tŷ,
cyn Elvis,
amser yn stond yn dy lygad
yn sganio pendilio ein byw.

Weli di'r pentre mewn padell o gwm
a'r haul yn ymestyn ei goese dros erchwyn y bore?
Weli di'r llumanau mwg
yn cyhwfan o simneiau'r gwawrio,
y chwyrlïo, hyrddio,
esgus ysgwyd llaw â'r gwynt,
pob swae lyswennaidd yn swyno … swyno
wrth swagro'n benysgafn fry.

Mae'r gwyll ar ffaden-drot
a'r wawr rownd y gornel.
Glywi di serenâd y blewyn coch
yn troi'r lleuad i'w gwâl?
Glywi di'r brain?
Cryfhau eu rhengoedd ma'n nhw
cyn rhyfelganu eu ffordd
at benglog y ddafad na ddihunodd.
Glywi di hiraeth ei hoen
a'r gloddestwyr yn ysu
am ebillio'r breuder?

Clyw grawc y brogaod,
nhw fu'n cropian o'r corsydd i batrymu ein byw
cyn i ddyn fentro ar ei bedwar
i weld … clywed … arogli … creu.

Mae'n doeau'n cyniwair drwy'r eiliadau cyfrin
wrth i'r nos chwythu ei phlwc.

Dacw'r dyn lla'th
yn llwytho'r cyfrinachau i grombil ei gart
â thincial ei boteli'n deffro'r pïod.
Mae Meithgen yn prebliach ei stori
'mhlith y cerrig mân,
yn llyfnhau ei hatgofion
o lathen i lathen
O Weun Ffynnon Tarw i Deifi i'r môr,
ac mae'r gotiar ar y geulan
a'r dwrgwn yn lluesta'n y brwyn –
ma'n nhw'n godwyr bore!

Seren y Cŵn,
glywi di ddoethinebu'r gwdihŵ,
yn gyrru'r cwrci strae i gysgod clawdd
cyn daw fan y post i'w ddangos i'r byd?

Yn y gwlith
mae gwe hen gorynnod
yn rhwydo'r breuddwydion,
mor bert … mor frau … mor berffaith
â'r bore newydd sbon
ac mae'r haul, gan-bwyll-bach
yn mwstro drwy ddwst y ffenestri.

Cyn bo hir
daw'r fuwch-goch-gota i ddisgyn ar law
i ddweud ai glaw, ai hindda,
ac o wrando
cei glywed y meillion yn chwerthin
a grwndi y gwenyn yn mela.

Seren y Cŵn,
ti pia'r eiliad a'r awr.
Rwyt ti yma erioed,
cyn i Cynddylan dincera â'i degan tractor,
cyn i Leika bawennu'r gwagle.

A fory eto
ti fydd berchen y byd.
Bydd y pentre' fel arfer
yn agor ei lygaid
mewn padell o gwm
a chryman o fuwch yn brecwesta'n foddhaus
ar wlith gwawr newydd.

Minnau yn syfrdan;
gronyn o lwch yn iet y clos.

brith yr oged

Cerdd Ddychan: Bancwyr

BEIRNIADAETH GERAINT LØVGREEN

O edrych yn ôl ar hanes diweddar y Brifwyl, mae rhywun yn cael y teimlad nad ydi cystadleuaeth y gerdd ddychan wedi bod yn un llewyrchus iawn ers tro. Yden ni'n brin yng Nghymru o ddychanwyr miniog a chraff? Dw i ddim yn meddwl ein bod ni ond, am ryw reswm, dydi'r gystadleuaeth hon ddim yn llwyddo i'w denu. Mae'n rhaid dweud bod y drefn eisteddfodol yn dipyn o ddirgelwch i lawer nad ydyn nhw'n 'dallt y dalltings', ac wrth sôn am ehangu apêl yr Eisteddfod Genedlaethol, hwyrach y dylid anelu at y miloedd hynny o Gymry Cymraeg sydd heb eu hennill yn hytrach na phoeni gormod am y di-Gymraeg, sydd â chymaint o wyliau eraill yn Saesneg i'w diddanu beth bynnag. 'Fyddai modd denu ymgeiswyr drwy Twitter a Facebook, tybed? Codi'r cwestiwn ydw i.

Siomedig ydi'r gystadleuaeth eto eleni, mae gen i ofn, er bod un ar ddeg wedi rhoi cynnig arni. Ac mae'n flin gen i orfod dweud hyn ond dylai pob cystadleuydd o leiaf ddangos parch at yr unig ŵyl genedlaethol Gymraeg sydd gennym drwy gyflwyno gwaith taclus heb wallau sillafu sylfaenol. Dw i ddim yn burydd o bell ffordd ond mae 'na'r fath beth â safonau. Gellid gwella'r rhan fwyaf o'r cerddi hyn drwy eu rhoi drwy raglen Cysill ar y cyfrifiadur. Os nad ydych chi'n sicr o sillafiad gair, edrychwch mewn geiriadur! Holwch rywun am y gwahaniaeth rhwng 'ei' ac 'eu'! Mae popeth yn iawn yn ei le ond yr Eisteddfod Genedlaethol ydi hon, nid 'steddfod dafarn!

Dyma air am bob un yn y drefn y cefais nhw:

Dyledus wyf: Cyfres hirfaith o gwpledi sydd yma, ambell un yn eitha gwamal, ond rhyw deimlad ffwrdd-â-hi sydd i'r dilyniant, heb ôl llawer o feddwl. Mae gormod o Saesneg diangen yma hefyd – er enghraifft: 'Rych chi'n haeddu pob bonws, *come rain or come shine,*/ Byddwch chi wrth eich desg erbyn *quarter past nine*'. Llawn cyn hawsed fyddai dweud '... boed hindda neu law/ ... erbyn chwarter 'di naw'.

Can punt: Cerdd hir yn odli'n gwpledi. Yng nghanol y gerdd, ceir gweddi ('duw Mamon yw ein harglwydd'), ac wedyn cyflwynir y syniad o agor y 'Banc of Ynys Enlli', cyn mynd ymlaen i barodïo 'Aberdaron' Cynan. Digyswllt ydi'r cyfanwaith a rhy anghynnil i fod yn gerdd ddychan effeithiol.

Bancar y Ddafad Ddu: Mae hon yn gerdd ddychanol iawn sy'n adrodd hanes rheolwr banc di-nod ym 'Mlaenau Do'ddelan' yn cael ei ddyrchafu i fod yn dwyllwr rhyngwladol, gan ddod ag 'achubiaeth ariannol i fanc cyfalafol', a hynny er gwaetha ymchwiliadau 'aelodau bach pwysig' pwyllgor seneddol a 'golygydd pob rhecsyn a'i giwed'. Dyma ddychan deifiol o agwedd y bancwyr. Ond er ei fod gyda'r mwyaf crefftus ei arddull yn y gystadleuaeth, mae dyblu 'n' yn gallu bod yn boen i'r *Bancar* ('arianwyr', 'llinyn', 'gwestiyna'). Efallai hefyd mai 'rhoed y clod' fyddai'n gywirach yn y diwedd. A does dim angen yr ôl-nodyn!

Ora Pro Nobis: Cerdd ddychan ar ffurf cân. Mae'r arddull yn hen ffasiwn ac mae ambell wall o ran gramadeg – 'Mi wyddoch [...] mae ni sy'n llywio'r wlad', 'mor drwm yw'r baich golledus', 'pe telid fonws teilwng' – ac odli: 'rhad / strach' – yn difetha'r cyfanwaith, fel y gwna trefn annaturiol rhai geiriau dan ormes y mydr: 'Cewch hepian ddigon tawel / ar gelfi'r Tŷ brynhawn'. Trueni am hynny achos mae hi'n ymgais dda fel arall.

Tlotyn: Mae'r ymgeisydd hwn wedi gosod tasg iddo'i hun o sicrhau bod llythyren gyntaf pob llinell yn ffurfio gair am i lawr – $ANTAND£R, BARCLAY$, ac ati – ond mae'r dasg wedi ei drechu'n llwyr erbyn y pennill olaf nes gwneud smonach o'i linellau. Ac anghynnil ydi'r dychan.

Tomos bach: Cerdd anghynnil arall, heb fod yn ddychanol, mewn gwirionedd, ond yn fwy o gân 'ddigri', a'r hiwmor braidd yn blentynnaidd.

Sioned: Rhes o ddeunaw o benillion digon symol, heb ddychan yn perthyn iddynt o gwbl. Mae'r odli'n ystrydebol a'r mynegiant yn ddiog. Byddai'n gwneud y tro i gystadleuaeth lefaru dan ddeg oed o bosib.

Barus: Mae hynny o ddychan sydd yma yn ddigon anghynnil, a'r gwallau'n frith – 'mae nghyllid', 'os na caf', 'ar delerai', ac ati ac ati. Mae'n drueni na chymerodd yr ymgeisydd fwy o ofal dros ei waith achos mae gen i deimlad y gallai sgwennu rhywbeth llawer gwell na hyn. Dyma gwpled gogleisiol: 'Pum mil i'r wraig cael [*sic*] triniaeth i wneud ei bron yn fwy, efallai gwell gwneud hynny'n ddeg iddi hi gael gwneud y ddwy'. Ond yn y cwpled nesaf un mae'n ceisio odli 'mis' a 'Swiss'.

Menna Lili: Dyma gerdd reit effeithiol sy'n lambastio'r bancwyr a'r drefn sy'n caniatáu iddyn nhw gymryd taliadau bonws mawr o hyd tra mae'r bobl gyffredin yn cael eu cosbi. Mae'n dweud llawer o wirionedd, a hynny mewn arddull grefftus iawn. Mae 'na ddychan yma i raddau, ond y llinell sy'n crynhoi'r gerdd ydi 'Rwy'n traethu yn huawdl o ben fy mocs sebon'. Ie, gwaetha'r modd, pregeth sydd yma yn hytrach na dychan.

Twm Siôn Bati: Cyfres fer o bump o hen benillion. Dyma'r gorau: 'Os y cedwi bres dan fatras / Byddai'n ddiogel ac yn gynnas / Gwell f'ai 'roi i lob mewn carchar / Nac yng ngofal dwylo bancar'. 'Bydd yn ddiogel' fyddai'r ffurf briodol ar ôl 'os', a 'Nag yng ngofal ...' sy'n gywir, ond mae'n ddigon difyr.

Mae'r trydydd pennill yn gystrawennol ddisynnwyr ond hoffais ambell linell epigramataidd fel yr olaf un, 'Methiant llwyr yw llwyddiant heddiw'.

Sion: Tantro yn erbyn y bancwyr y mae *Sion*, heb boeni'n ormodol am ddychan, heb sôn am fanylion dibwys fel odli.

Does yr un o'r cerddi'n ddi-fai, fel y soniais. Ond mae un ymgais yn sefyll allan o ran dychan a chrefft, ac ymgais *Bancar y Ddafad Ddu* ydi honno. Hi sy'n haeddu'r wobr.

Y Gerdd Ddychan

BANCWYR

Daeth galwad ryw ddiwrnod o du y pencadlys
yn sôn am y panig yn y *city*, a'r creisys –
bysedd blewog y bancars wedi gwagio y *till*,
ac Arsenal 'di colli yn Chelsea, ffaif-nul.
Roeddwn i, ar y pryd, wrthi'n ffidlo'r fantolen
Ym Mlaenau Do'ddelan, fel rheolwr y gangen.
Roedd ambell i ddot wedi'i symud ers llynedd,
(dw i'n dotio ar dwyllo bob dydd, mewn gwirionedd).

Yn amlwg, roedd y boi ar y ffôn yn gyfarwydd
â fy nhalent fel bancar sy'n hoff o ddeud celwydd;
gwahoddwyd fi i gyfarfod yn Llundain, un bora,
ac imi ddod gyda'r *briefcase*, a gwisgo'r siwt ora'.
Y prif gyfarwyddwr, un sâl iawn ei sỳms,
a alwodd y pwyllgor o'r deirectors a'i *chums*;
roedd wedi cael syniad, un gwallgo', 'nôl rhai,
i fynd i'r afael â'r ddyled, a sut i'w lleihau.

Roedd angen cael rhywun, heb fath o gydwybod,
i fynd i ranbarthau lle 'doedd neb yn ei 'nabod,
a cheisio perswadio y doethion, neu eraill,
i fuddsoddi biliyna' ym manc gwag y cyfaill.
Ro'wn i'n ffitio i'r fframwaith yn eitha' di-fai –
fel cyw bwch-dihangol, i dderbyn y bai.
Roedd tocynnau y teithiau wedi'u prynu i gyd
ar gyfer siwrneiau i bedwar ban byd.

Bûm draw yn Chicago, New York a Japan,
yn China a Rio, Sir Fôn, a phob man,
yng nghwmni arianwyr cyfalafol y byd,
i geisio â chael dau ben llinyn ynghyd.
Fe sylwodd cyfrifydd, llawn craffter, o Crete
fod diffygion reit amlwg yn fy malans shît,
ac awgrymodd mai rhai tebyg i mi, yn y bôn,
oedd y rheswm dros helyntion yr *eurozone*.

Fe'm cyhuddodd o dwyll, ac am greu y dirwasgiad
wnaeth yr Eidal a'r Groegwyr yn bancrypt, y b ...*ytheiriad*.
Ond ar yr un gwynt, roedd yntau yn fodlon
ar fy ngallu, fel bancar, i guddio colledion.
Bûm yn ffodus i berswadio ryw Sheik o Arabia
i fenthyca, o'i gyfoeth, ychydig filiyna
i gadw'r Trysorlys, a'r bancwyr rhag suddo
i gors fethdaliadau, rhag i'r ddyled 'na chwyddo.

Pan gyrhaeddais i adre', derbyniais wahoddiad
i ddod â'r manylion o flaen rhyw ymchwiliad,
oedd i'w gynnal yn fuan gan bwyllgor seneddol,
llawn aeloda' bach pwysig, hen griw annymunol.
Fe atebais gwestiyna', fyddai'n anodd i rai,
gan wrthod cyhuddiada' mai fi oedd ar fai
am broblemau ariannol pob gwlad yn y byd,
gan wadu'r honiada' annifyr i gyd.

Daeth y cyfan i derfyn, a neb yn fy nghoelio,
er 'mod i'n ddieuog, mi ge's fy nghroeshoelio.
Ond roedd prif gyfarwyddwr y banc, a'r canghellor
yn fodlon eu byd, fel pob un deirector;
a finna', rheolwr rhyw gangen gefn-gwlad
oedd y rheswm iddynt deimlo ryw fath o ryddhad.
Ac er fy aberthu, anghofiais y gost
pan ddaeth llythyr 'mhen wythnos gan y bos drwy y post.

Ei berswâd a'i demtasiwn erbyn hyn sydd yn fwrn,
i mi dderbyn pum miliwn fel rhan o'r cil-dwrn;
ac fel un sydd yn deilwng, wedi blyffio ers tro,
wleidyddion San Steffan a chynghorwyr y fro,
mae'n rhaid imi bwyso a mesur yn syth –
ni ddaw eto'r fath gyfle imi bluo fy nyth.
Anwybyddaf olygydd pob rhecsyn a'i giwed,
O'r hyn y'm cyhuddir, rwy'n hollol ddiniwed.

Cenfigen sy' tu ôl i ymchwiliad y bygars
i'r llygru sy'n digwydd yng nghylchoedd y bancars.
A'r newyddiadurwyr, y nhw a'u celwydda' –
(ac *mae* storis amdanom yn gwerthu papura').
Ond, yn wir, rhaid cyfadde', mae yn stori ryfeddol,
am achubiaeth ariannol i fanc cyfalafol.
Dechreuodd y cwbl, rhoed y clod am y cyfan,
ar fantolen anonest ym Mlaenau Do'ddelan.

(O.N. Does 'na'r un banc, ac ni fu un erioed, ym Mlaenau Do'ddelan!)

Bancar y Ddafad ddu

Cyfres o chwe limrig: Chwe dyfais fodern

BEIRNIADAETH DEWI PRYSOR

Derbyniwyd un ymgais ar ddeg, ac er bod yma safon, siomedig ar y cyfan oedd y gystadleuaeth.

Heol y Werfa: Chwe limrig campus a chrefftus iawn gan ymgeisydd sy'n meddu ar ddealltwriaeth lawn o ofynion y mesur. Er nad yw'r limrigau'n rhai mor ddoniol â hynny, maent yn sicr yn ymdrin yn grafog a ffraeth â theclynnau megis ffonau symudol a chyfrifiaduron, y 'sat-nav' a'r 'kindl' bondigrybwyll.

Wil: Ymgeisydd arall sy'n deall y grefft. Mae o hefyd yn gwneud defnydd o'r odl fewnol yn y llinell olaf. Nid yw hynny'n hanfodol ond cred rhai ei bod yn cyfoethogi limrig. Dydi'r beirniad hwn ddim yn cytuno, er yn cydnabod y gall fod yn dlws i'r glust. Mae *Wil* yn ymdrin yn grafog a chynnil â'i ddyfeisiadau ac mi chwarddais wrth ddarllen ei ddisgrifiad o'r peiriant eillio, a'r diffyg defnydd o'r torrwr lawnt! Pleser hefyd oedd ei fathiadau o ferfau fel 'tin-dros-benio' – caffaeliad i unrhyw limrigwr o fri! Serch hynny, mae ôl ymdrech ormodol i ffurfio ergyd mewn ambell linell glo.

Lwlw: Braf yw cael croesawu elfennau afieithus limrigau'r ymgeisydd hwn yn ogystal â'i ddewis gwreiddiol o destunau. O'r 'Tegan Rhyw' i 'Fronnau Ffug' ac 'Ymestyniad Gwallt', mae'n arddangos y gallu i feddwl y tu allan i'r bocs, ynghyd â hiwmor sy'n creu darluniau gwirioneddol ddigri wrth ddychanu obsesiwn yr oes fodern gyda harddwch arwynebol. Mae hefyd yn amlwg fod gan yr ymgeisydd glust i rythmau a thrawiadau'r limrig. Dyma ei limrig i 'Bronnau Ffug':

> Fy mronnau oedd lyfn fel bwrdd smwddio,
> Nes cefais, dan gyllell, ailffurfio,
>> Yn herio disgyrchiant
> > Fel jeli y safant,
> Rwyf angen *marquee* fawr i'w cuddio.

Wel Wir: Dyma ymgeisydd arall a aeth ar ôl dyfeisiadau modern gwahanol i'r rhelyw, a hynny gyda hiwmor iach, herfeiddiol a digri dros ben. Fel pob limrigwr gwerth ei halen, mae'r ymgeisydd hefyd yn meddu ar y ddawn i ddychan. Gwna hynny'n glyfar gyda'i limrig i'r peiriant 'Intendo' na all ei gael i weithio, ac yn grafog gyda'i limrig i'r felin wynt nad yw'n troi i greu trydan. Mae'n drueni iddo odli'n anghywir ar un achlysur a hefyd fethu atalnodi'n effeithiol ambell waith – fel y gwelir gyda'r limrig wirioneddol ddigri hon i'r dechnoleg e-bostio:

Daeth e-bost gan eneth o'r Fali,
A llun o'r tatŵ ar ei chefn hi,
Llun dwy eroplên
Yn hedfan yn glên,
Mae'r *runway* mewn lle digon digri.

Neb Arall: Cymysg o ran cywirdeb a safon yw cyfres yr ymgeisydd hwn. Mae yma ddewis annisgwyl o ddyfeisiadau modern a digon o hiwmor gwallgof, heb os. Ond mae yma gloffni herciog ar brydiau yn ogystal ag ambell bennill gydag ergyd wan neu aneglur yn ei gynffon. Mae'r limrig i'r 'Gwrthdrawydd Hadronnau Mawr' yn un o ddau sy'n llifo'n berffaith, ac mae'n dechrau'n addawol iawn, yna'n codi'r hwyliau a'n cael i chwerthin ar ei ddiwedd. Ond buan y pyla'r chwerthin wrth i ni sylweddoli nad ydi o'n gwneud fawr o synnwyr.

Broga: Dyma chwe limrig clyfar, llawn hiwmor iach, iaith goeth a thafodiaith hefyd. Mae yma hefyd wreiddioldeb yn ei ddewis o declynnau megis y 'Trap Gor-yrru', y 'Sganiwr Clustiau Defaid' a'r 'Dychrynwr Adar'. Mae hwn yn limrigwr naturiol a hyderus ond teimlaf fod cynnwys odl fewnol wedi gormesu dros ergyd y gynffon mewn un limrig, a bod *absenoldeb* odl fewnol wedi tanseilio ergyd y limrig olaf un (rwy'n siŵr y byddai 'Duw' wedi gweld yr ochr ddigri!) Ta waeth, dyma un o gampweithiau *Broga*, sef limrig i'r 'Trap Gor-yrru':

Wrth basio y fen un ben bore,
Mynte Dai gan fynd yn darane
'Doedd dim un boi glas
Tu miwn na thu mas',
Daeth nodyn bach cas ymhen tridie.

Sali Mali: Er mai bychain, ar y cyfan, yw'r gwallau niferus, maent yn rhai dadlennol sy'n arddangos gwendidau gramadegol yr ymgeisydd – ac efallai'n arddangos diffyg profiad wrth wau stori eglur o fewn pum llinell. Rwy'n eithaf sicr, fodd bynnag, y daw hogi sylweddol ar grefft *Sali Mali* gydag amser, gan fod yma ddigon o ddoniolwch a chlust naturiol i drawiadau'r limrig.

Menna Lili: Dyma chwe limrig campus ar bob cyfri. Fel gyda limrigau *Broga*, mae yma glasuron heb os nac oni bai, ac mi chwarddais yn uchel droeon wrth eu darllen. Rhaid nodi fy mod yn derbyn mai gydag acen ddeheuol y mae rhaid adrodd y limrig hwn i 'Facebook,' er mwyn i'r odl weithio:

Wrth eistedd yng nghysur fy stydi,
Caf wybod pob peth am fy nheulu;
Caf ddarllen yn ddyddiol
Eu hanes beunyddiol,
Heb orfod mynd ma's i'w hwynebu.

Hwfer: Mae angen i'r ymgeisydd hwn ymgyfarwyddo gyda rhythmau a thrawiadau naturiol y limrig. Byddai gafael ar ystod ehangach o eirfa hefyd yn gymorth iddo ddewis odlau – a fyddai, wedyn, yn ei alluogi i greu llinellau a fyddai'n adrodd stori mewn ffordd eglur a dealladwy, a gorffen gydag ergydion slic a digri. Serch hynny, mae'r delweddau a gyflwyna mewn rhai llinellau yn rhai doniol tu hwnt, ac mae hynny'n sicr yn argoeli'n dda.

Meic: Mae pedwar limrig cyntaf cyfres yr ymgeisydd hwn yn ddigri dros ben. Er gwaethaf enghreifftiau o beidio â dechrau'r stori yn y lle iawn o ran rhediad y limrig, gan achosi cloffni dianghenraid o ganlyniad, mae ynddynt elfennau herfeiddiol sy'n cyfleu delweddau hynod o afieithus, a dyna gryfderau pendant. Cryfderau tebyg sydd i'r limrig olaf ond un, sy'n sôn am y tegan rhyw. Gwaetha'r modd, er i mi groesawu ei strwythur anghonfensiynol, nid yw'r limrig yn gweithio. Felly hefyd gyda'r limrig olaf (i'r teclyn trimio) sydd, er ei swrealaeth odidog, yn anghywir ac yn methu.

Ffowc: Yn grefftus a chyffforddus ei arddull, mae hwn yn limrigwr profiadol. Mae o hefyd yn ffermwr – mae hynny'n amlwg o'i ddewis o destunau (er na allaf fod gant y cant o be'n *union* sydd ganddo dan sylw yn ei limrig olaf!). Maen nhw i gyd yn limrigau penigamp ond gwendid y gyfres ydi y byddai'n gorwedd yn daclusach o dan y teitl 'Newid Byd' yn hytrach na 'Chwe dyfais fodern.' Hyd y gwelaf i, nid yw'r ffaith fod defaid yn wyna mewn sied yn ddyfais a dydi tractor ag arad fawr ddim yn newydd erbyn hyn. Ac efallai fod cneifwyr a '... fagwyd ar ffermydd Awstralia' yn rhai sydyn wrth eu gwaith, ond go brin fod Awstralia yn meddu ar dechnoleg gyfrinachol sy'n eu galluogi i greu robots o gig a gwaed!

Digon hawdd oedd gosod *Heol y Werfa, Wil, Wel Wir, Broga, Lwlw, Menna Lili* a *Ffowc* mewn dosbarth dilys a champus iawn. Anoddach, fodd bynnag, oedd dewis y gorau o'u mysg. Wrth ddewis enillydd, roedd rhaid hollti'r blew teneuaf posib. Mi fyddai *Broga* yn gwthio tua'r brig oni bai am ddwy linell glo a allai fod wedi bod hyd yn oed yn well. Yn gyffredinol, mae *Lwlw* a *Menna Lili* yn gyfartal. Ond tra bo dewis *Lwlw* o destunau, a rhialtwch afieithus y penillion, yn rhoi'r ymgeisydd drwch blewyn o flaen *Menna Lili*, mae'r ymdriniaeth glyfar a chynnil a gaiff testunau *Menna Lili* yn taro'n ôl. I mi, yr unig beth sydd rhwng y ddau ymgeisydd hyn yw cryfder limrig olaf *Menna Lili*. Gall *Lwlw* fod yn falch iawn o fod mor agos ond, y tro hwn, agos yn unig ydyw, gan mai *Menna Lili* sy'n mynd â'r wobr.

Y Gyfres o Limrigau

CHWE DYFAIS FODERN

Google
Fe gŵglais i enw y misus,
Ac i'r sgrin daeth rhyw luniau anweddus;
    Roedd madam yn gweithio
    Mewn parlwr tylino,
Ac roedd hi yn reit adnabyddus.

E-bost
Ro'n i'n teimlo'n rhwystredig a blin,
Roedd fy e-bost i'w weld ar y sgrin,
    Er ceisio yn gyson,
    Ni fedrwn ei anfon –
Ro'n i'n treio f'e-bostio fy hun!

Ffôn Symudol
Fe gollais fy ffôn 'rwythnos dd'wetha,
    Un smart, gyda'r *gadjets* d'weddara,
    Ond fe ffeindiais hi wedyn
Pan ganodd yn sydyn
Yng ngwely Jemeima drws nesa.

Trydar
Mae'r gwcw yn canu'n y gwanwyn,
Ond rw i'n gallu trydar drwy'r flwyddyn;
    Gyda'r ffôn yn fy llaw,
    Boed hindda neu law,
Rwy'n canu fel cana'r aderyn.

Skype
'Na ddyfais ragorol yw sgeipio
I ddyn sydd am wejen yn chwilio!
    Fel wrth brynu creadur,
    Gellwch bwyso a mesur –
Gwneud popeth bron iawn ond ei swmpo.

Facebook
Wrth eistedd yng nghysur fy stydi,
Caf wybod pob peth am fy nheulu;
    Caf ddarllen yn ddyddiol
    Eu hanes beunyddiol,
Heb orfod mynd ma's i'w hwynebu.

Menna Lili

Hir-a-Thoddaid: Gwenllïan

BEIRNIADAETH GWENALLT LLWYD IFAN

Chwe ymgeisydd yn unig a fentrodd i'r gystadleuaeth. Mae hynny'n drueni gan fod y testun yn cynnig cyfle da ar y mesur hwn.

Y Brawd Houdini: Fel yr awgryma'r ffugenw, testun y gerdd hon yw'r canwr Meic Stevens. Hir-a-thoddaid digon taclus ar y cyfan gyda'r '... blerwch mawredd i'w ymwareddiad ...' yn ddigon clyfar. Serch hynny, mae'r geiriau llanw'n amharu ar rediad llyfn y gerdd, megis 'ac y mae hiraeth yn ei gymeriad' yn lle 'ac mae hiraeth ...' Mae'r llinell 'a môr o alar ynghlwm i'r eiliad' yn addawol, er mai '... ynghlwm â'r eiliad' fyddai'n gywir.

Telyn Aur: Y dywysoges Gwenllïan ar ei gwely angau sydd gan y bardd hwn. Mae'n dechrau'n addawol gydag 'Ar ddagrau'r diwedd y mae'n gorweddian/ Â neges waed ar wisg o sidan'. Mae'n gerdd uniongyrchol, ddisgrifiadol sy'n cloi'n gryf gyda'r llinell 'ac ni all awel ddeffro Gwenllïan'.

Taeog: Cwestiwn o gerdd sydd yma. Mae'r ddwy linell agoriadol yn addawol: 'A fu i'th ddyddiau yn faith ddyweddi / Brenin Rhyddid'. Collwyd rhediad yr ystyr wedi hynny. Mae pentyrru geiriau sy'n cynganeddu yn drysu'r darllenydd hwn.

Cwmsêl: Cerdd i Gwenllïan ferch Gruffydd ap Cynan. Mae'r 'Halen a wermod oedd anadl Norman/ yn nychu ei thir, ond fflach ei tharian' yn addawol, ond mae'r enw 'Norman' yn taro fy nghlust fel gair anaddas rywsut. Yn y drydedd linell, mae 'draig' a 'darogan' yn hen drawiad. Serch hynny, mae'r llinell olaf yn codi i dir uwch eto: 'I hanes waedu hyd draeth Cefn Sidan'.

Neb: 'O'i dwyn o'r crud i'r chwerw alltudiaeth'. Lle da i ddechrau ond nid yw'r bardd yn datblygu ei ddelwedd, a thuedda i ganu'n haniaethol wedyn wrth sôn am etifeddiaeth, anwybodaeth, chwaeroliaeth. Nid wyf yn or-hoff o'r arfer o roi ansoddair o flaen enw chwaith, e.e. 'eiddil hunaniaeth'. Mae *Neb* yn gynganeddwr da ond nid yw wedi taro ar syniad digon gwreiddiol i wneud cyfiawnder â'i allu.

Griff: Yn y gerdd hon, Gwenllïan ei hun sy'n siarad, gan annerch y darllenydd:

> 'Sgrifenna bennill uwch fy ngweddillion,
> Sôn na fûm farus na'n fam i feirwon,

Nid oes i linach nad oes olynion
na phlygu gliniau na phla gelynion;
gwell oedd mur o gysuron – rhag pob braw
na gofal deunaw … na gafael dynion.

Neges y bardd yw mai gwell i Gwenllïan oedd cael ei hynysu o'i llinach a'i holyniaeth fel na fedrai ddioddef o'r herwydd. Symbol yw Gwenllïan o Gymru ei hun, wrth gwrs. Mae'r ffaith ei bod wedi marw'n lleian yn golygu nad oedd iddi elynion yn ystod ei bywyd ac na fu'n rhaid iddi foesymgrymu o flaen ei choncwerwyr chwaith. Mae'r 'rhag pob braw' yn adlais o 'rhag pob brad' yn emyn Elfed ac mae'r 'na gofal deunaw … na gafael dynion' yn llwythog o ystyr ac yn awgrymog iawn. Serch hynny, mae'r llinell 'Nid oes i linach nad oes olynion' yn peri trafferth i mi. Ai lluosog 'olynydd' sydd gan y bardd? Os felly, 'olynwyr' fyddai'n gywir. Ynteu 'olyniaeth' sydd ganddo? Mae hyn hefyd yn peri penbleth gan ei fod yn dryllio'r brifodl. Er mai cerdd *Griff* yw'r gryfaf o bell ffordd yn y gystadleuaeth hon, mae'r gwall hwn yn difetha'r gerdd ac ofnaf, felly, fod yn rhaid i mi atal y wobr.

YSGOLORIAETH EMYR FEDDYG

Er cof am Dr Emyr Wyn Jones, Cymrawd yr Eisteddfod

BEIRNIADAETH MAIRWEN PRYS JONES

Gofynnwyd i'r cystadleuwyr gyflwyno darn neu ddarnau o ryddiaith tua 3,000 o eiriau, 'yn waith gwreiddiol a newydd yr awdur'. Bwriad yr ysgoloriaeth, sy'n werth hyd at £1,000, yw galluogi'r awdur buddugol i dderbyn prentisiaeth yng nghwmni mentor profiadol. Derbyniais bedair ymgais, pob un yn gasgliad o dair stori.

Gweld addewid yw gwaith beirniad y gystadleuaeth hon bob blwyddyn, felly nid oeddwn yn disgwyl darllen gwaith gloyw glân, na fyddai angen ei olygu o gwbl. Nid oeddwn yn disgwyl, chwaith, y byddwn yn cael fy modloni'n llwyr gan ymgais nad oedd lawer mwy na 3,000 o eiriau. Codi blas am ragor a wnâi awdur dawnus. Serch hynny, roeddwn yn disgwyl y byddwn yn dod ar draws cymeriadau newydd, diddorol ac y byddwn yn clywed lleisiau newydd, naill ai'r storïwyr eu hunain neu'r cymeriadau a fyddai'n dod yn fyw yn eu gwaith. Roeddwn hefyd wedi disgwyl y byddai ymgeiswyr mewn cystadleuaeth o bwys yn yr Eisteddfod Genedlaethol, cystadleuaeth sydd â hanes anrhydeddus iawn, yn cymryd gofal wrth gyflwyno, ac yn cadw at y rheolau. Gwaetha'r modd, dim ond un o'r pedwar a gadwodd at y 3,000 o eiriau, ac roedd dau o'r ymgeiswyr wedi anwybyddu'r cyfarwyddyd yn llwyr. Roedd annhegwch o'r cychwyn, felly. Beth pe bai'r casgliad a oedd dair gwaith yr hyd a nodwyd wedi rhagori ar y lleill? A fyddai wedi bod yn deg gwobrwyo? Fel mae'n digwydd, ni chododd y broblem honno.

Rhyd yr Eirin: Cafwyd tair stori ddigon gafaelgar, un am unigrwydd mam ar ôl i'w merch adael am y coleg, un arall am bâr ifanc yn methu cenhedlu ond yn dyheu am gael plentyn, a'r un olaf am orfod penderfynu pa gyfeiriad i'w ddilyn mewn bywyd, pa drên i'w ddal pan fo'r dorf y tu ôl i chi'n gwasgu arnoch. Mae agwedd ychydig yn hunangyfiawn i'r stori olaf hon ond ceir cyffyrddiad swrrealaidd digon derbyniol ar y diwedd pan fydd awgrym fod y traethydd yn ei gwylio'i hun fel yr oedd hi flynyddoedd yn ôl. Gwelir ymgais i ddefnyddio llif yr ymwybod fel sail i'r naratif ym mhob stori, sy'n ffordd uniongyrchol iawn o gyflwyno cymeriad i'r darllenydd. Rhaid cyfaddef nad oedd y cymeriadau wedi fy llwyr argyhoeddi ac mae perygl fod yr awdur ar hyn o bryd yn creu straeon allan o syniadau yn hytrach na bod â dealltwriaeth ddofn o gymhelliad ac ymddygiad pobl.

Gelert: Tri phrofiad bore oes wedi eu hadrodd o safbwynt y plentyn ei hun a geir yn y drioleg fach hon gan *Gelert*. Cefais fy swyno gan feddylfryd y plentyn a'i hiwmor. Ac nid hiwmor yr oedolyn o awdur yn manteisio ar ddiniweidrwydd plentyn a welir yma, o na: mae'r ferch fach yn gallu taro'n ôl; mae'n chwim ei thafod ac yn mwynhau jôc. Yn y stori gyntaf, gwnaed defnydd hyfryd o hen bennill am hanes Gelert, cerdd a gyhoeddwyd gyntaf yn 1887 yn y gyfrol *Cerddi'r Eryri*. Mae'r ferch fach yn dwyn perswâd ar ei mam i adrodd y pennill cyfarwydd iddi tra maent yn y beudy, y fam yn godro a'r gwartheg yn gwrando'n astud! Gan fod babi newydd yn y tŷ erbyn hyn, rhy brin o lawer yw'r ymwneud rhwng y fechan a'i mam, ond mae drama fawr Llywelyn a'i gi ffyddlon yn gysur annisgwyl i'r plentyn. Ceir dwy stori arall gyda mwy o hiwmor ynddynt ond gwelir is-gymeriadu cynnil ac effeithiol yn y ddwy. Pwy fydd yn gynulleidfa ar gyfer y straeon? Hyd at ba gam yn ei phrifiant y byddwn yn cael dilyn y ferch fach, ac a fydd profiadau anoddach o'i blaen? Dw i'n edrych ymlaen at gael darllen rhagor ryw ddiwrnod.

Brân: Yn y stori gyntaf, cyflwynir perthynas rhwng pâr priod canol oed sy'n llawn rhwystredigaeth. Diffyg cyfathrebu, unigrwydd, siom: mae'r themâu'n rhai cyfarwydd. Dewisodd yr awdur symud yn ôl ac ymlaen rhwng safbwynt y naill a'r llall, a braidd yn llafurus yw'r dechneg. Clogyrnaidd hefyd yw'r atgofion sy'n cael eu cyflwyno trwy dechnegau amrwd iawn – dŵr yn cylchdroi yn y sinc yn tanio atgof o'r olwyn fawr yn y ffair, er enghraifft. Tila iawn yw thema'r ail stori, a'r cymeriadu'n wan. Ceir pwnc anodd iawn i'w drin yn y stori olaf, sef effaith y clefyd MS ar fywyd nid yn unig y wraig sy'n dioddef ond ar ei gŵr hefyd. Eto, defnyddir dau safbwynt ond dweud a dadansoddi y mae'r ddau yn tueddu i'w wneud. Byddai'r naratif lawer yn well pe bai'r awdur wedi defnyddio mwy o ddeialog. Mae'r ychydig sydd ganddo'n gredadwy ac yn cyfleu'r troedio gofalus a'r tyndra yn effeithiol.

Yerma: Mae tair stori *Yerma*'n llawer rhy hir, pob un ohonynt yn croesi'r 3,000 o eiriau. Yn y stori gyntaf am athrawes sy'n nesáu at ymddeol, mae gorthrwm gorbrysurdeb i'w deimlo'n gryf. Caiff y fenyw ddiwyd, obsesiynol bron, ei llethu gan afiechyd cyn cyrraedd pen y daith. Yn y ddwy 'stori' arall, mae'r awdur yn ceisio ysgrifennu am alar un o ferched y wraig a fu farw ond mae'n cael ei demtio hefyd i greu stori serch, a go anghredadwy yw'r ymwneud rhwng y ddau ifanc, rywsut. Mae'r drydedd stori'n dilyn profiadau'r ferch mewn gwlad dramor, wrth iddi barhau i frwydro yn erbyn galar ingol. Ai dechrau nofel sydd yma? Gwaetha'r modd, defnyddir llawer gormod o ddelweddau sy'n cystadlu â'i gilydd ac yn aml bydd amwysedd a dewis amhriodol o eiriau'n ddigon i ddrysu darllenydd. Beth yw ystyr 'roedd ysbryd absenoldeb yn hofran yno'? Dylid bod wedi tocio llawer ar y deunydd cyn ei gyflwyno.

Gelert yw'r awdur mwyaf addawol ac am ei fod hefyd wedi cadw at ofynion y gystadleuaeth, mae'n llwyr haeddu'r ysgoloriaeth eleni.

RHYDDIAITH

Gwobr Goffa Daniel Owen: Nofel heb ei chyhoeddi gyda llinyn storïol cryf a heb fod yn llai na 50,000 o eiriau

---

BEIRNIADAETH GERAINT V. JONES

Daeth chwe nofel i'r gystadleuaeth eleni, tair ohonynt gan awduron cymharol ddibrofiad, rwy'n tybio, a'r tair arall ac arnynt ôl mwy o sglein ac arbenigedd. Yn y dosbarth cyntaf, sef y goreuon, rwy'n rhestru gweithiau *Seiriol Wyn*, *Ehedydd* a *Garod* ac yn yr ail ddosbarth ymdrechion *Twm Sion Cati*, *Mari Tŷ Capel* a *Magi*.

Twm Sion Cati: 'Bwystfil'. Cystadleuydd ifanc, yn ôl pob argraff, ac un sydd yn y broses o ddysgu'i grefft fel llenor. Mae ei nofel yn dechrau gyda Phrolog ac yna, yn y bennod nesaf, yn neidio'n ôl flwyddyn – a thridiau arall yn syth wedyn! – i ddechrau ar stori plentyn bach bregus ei iechyd sy'n cael ei ladd yn ei wely'r nos gan anifail gwyllt o ryw fath. Gan nad yw pawb yn llyncu tystiolaeth y rhieni, cânt hwythau eu hamau o'r anfadwaith. Deunydd addawol i stori arswyd neu stori dditectif ac mae llawer y gellir ei ganmol yn y gwaith. Serch hynny, byddai'r nofel hon ar ei hennill pe bai'r awdur wedi byw'n hirach efo'i stori ac efo'i gymeriadau cyn dechrau ar yr ysgrifennu o gwbl. O wneud hynny, byddai wedi gallu osgoi'r darnau hir o ddeialog ddi-fudd sy'n britho ambell bennod ac sy'n boddi'r stori mewn cors o siarad, a hynny heb i'r cymeriadau eu hunain gael cyfle i ddatblygu o gwbl. Mae'r plot yn un dyrys, fel y disgwylir mewn nofel o'r *genre* yma, ond mae'n ddryslyd hefyd ar adegau, gwaetha'r modd, a hynny oherwydd diffyg cynllunio digonol ymlaen llaw.

Mari Tŷ Capel: 'Ddoe a Heddiw'n Un'. Cefndir y stori yw hanes boddi pentref Llanwddyn gan gorfforaeth Lerpwl yn 1868, i greu cronfa ddŵr Efyrnwy, a'r modd y mae'r digwyddiad hwnnw'n taflu ei gysgod dros fywyd gweddw ifanc yn Lerpwl heddiw. Mae cynllun y nofel yn un diddorol ac uchelgeisiol wrth i'r awdures neidio'n ôl a blaen rhwng dau gyfnod, i blethu'r presennol a'r gorffennol, a gwneud hynny'n bur llwyddiannus ar y cyfan. Gwelir ôl ymchwil manwl i gefndir y cyfnod cynnar a rhaid cymeradwyo hynny. Gwendidau'r arddull sy'n peri imi feddwl mai awdur amhrofiadol yw *Mari Tŷ Capel*. Yn rhy aml, fe geir gorddefnydd ganddi o gystrawen y frawddeg syml ac o ffurfiau cwmpasog y ferf ac mae'r mynegiant yn y rhannau hynny, trwy fod mor bytiog, yn creu darnau hir o naratif cofnodol sy'n cadw'r stori rhag llifo. Gwelir yr un anghynildeb yn y ddeialog yn ogystal ac mae'r defnydd o Saesneg yn honno yn gwbl ddiangen.

Magi: 'Y Weirglodd Wen'. Mae'r stori'n digwydd ym mlynyddoedd cynnar y ddeunawfed ganrif ac ynddi cawn hanes merch ifanc yn gorfod gadael cartref i weini ar fferm Y Weirglodd Wen. Yn ei blwyddyn gyntaf yno, mae'n dioddef amodau gwaith afresymol ac agwedd haerllug ei meistr ond fe lwydda'n rhyfeddol i wynebu her ei bywyd newydd ac i fagu hyder a phenderfyniad sydd, ymhen amser, yn ennyn edmygedd a chariad mab y fferm. Hen thema, mae'n wir, ond fe lwydda'r awdur i greu darlun credadwy o'r cyfnod, a hynny trwy ddefnydd o ieithwedd addas a chyfeiriadaeth ddifyr at arferion yr oes. Mae'r cymeriadu hefyd yn ganmoladwy, drwodd a thro, oddieithr yn y diweddglo *Hollywoodaidd*, lle mae'r meistr cas yn cael tröedigaeth annisgwyl ac yn diflannu am byth dros y gorwel! Rhaid canmol hefyd y modd y mae'r awdur yn ymateb gyda'i holl synhwyrau i ofynion y stori. Gwendid pennaf y nofel hon eto, fel y ddwy o'i blaen, yw'r anghysondeb yn safon yr arddull, yn enwedig yn y penodau agoriadol lle mae angen gwell graen ar y mynegiant.

Garod: 'Lles Cyffredinol'. Alegori swreal sy'n mynd ati i grynhoi hanes y Ddynoliaeth ac i ddangos fel y mae cenhedloedd y byd yn parhau i chwilio'n ofer am y gwarineb hwnnw a elwir yma yn 'Lles Cyffredinol'. O leiaf, dyna sut y dehonglais i'r nofel hon. Canfas eang iawn, felly, a gwaith heriol gan awdur galluog sydd â gafael dda ar iaith a chystrawen ac sydd â dychymyg anghyffredin, a dweud y lleiaf. Nid fy mod i'n honni am eiliad fy mod wedi gallu dilyn llif meddwl *Garod* bob cam o'r ffordd, ddim hyd yn oed ar yr ail ddarlleniad, ond fe gefais flas ar geisio gwneud hynny am ran helaeth o'r daith. Ond fe drodd yr ymdrech yn syrffed cyn y diwedd, gwaetha'r modd, oherwydd gwendid pennaf y nofel, yn fy marn i, yw ei bod hi'n llawer rhy hir. Fe gaiff 'Lles Cyffredinol' ei chyhoeddi'n fuan, rwy'n tybio, ond wedi'i chwtogi, gobeithio, ac efo teitl mwy ysbrydoledig na hwn, siawns!

Ehedydd: 'Miwsig Moss Morgan'. Mae'r nofel hon, sydd wedi ei lleoli mewn pentref-glan-môr o'r enw Aberberwan, yn troi o gwmpas bywyd gweddw ganol oed o'r enw Bronwen Jenkins. Cymeriad ymylol yn y stori yw'r Moss Morgan a gaiff ei enwi yn y teitl, gŵr di-briod sydd wedi mwydro'i ben efo cerddoriaeth jazz. Ar ôl colli'i fam flwyddyn yn ôl, a heb unrhyw rybudd na rheswm, mae'n symud allan o'i gartref ac yn mynd i fyw mewn ogof uwchlaw'r môr ym mhen pellaf Traeth y Cregyn ac yn marw yno'n fuan iawn wedyn. Y dryswch a'r syndod mwyaf i bobl y pentref, ac i'r darllenydd hefyd, yw pam ei fod wedi gadael ei dŷ a'i gyfoeth i gyd i Bronwen Jenkins a hwythau ond prin wedi adnabod ei gilydd. A beth yw gwerth y 'cyfoeth' y sonnir amdano? Mae hwnnw hefyd yn gwestiwn na cheir ateb iddo. *Ehedydd* yw llenor gorau'r gystadleuaeth hon heb unrhyw amheuaeth. Mae ei harddull goeth a'i dawn i greu cymariaethau trawiadol yn rhywbeth i'w ryfeddu ato ac mae ganddi glust dda i ddeialog. Yn hynny o beth, mae 'Miwsig Moss Morgan' yn sefyll ar ei phen ei hun yn y gystadleuaeth. Mae'n barod i'r wasg ond ei gwendid mawr, yng nghyswllt y gystadleuaeth hon, yw nad oes iddi'r *'llinyn storïol cryf'* y gofynnir yn benodol amdano, a gresyn hynny.

Seiriol Wyn: 'Craciau'. Mae ffracio am nwy ym Môn yn arwain at gyfres o ddaeargrynfeydd sy'n bygwth creu difrod i orsaf niwclear yr Wylfa a Chob Malltraeth, gan beryglu dyfodol yr ynys. Tref Llangefni a'i phobl sy'n dioddef waethaf a cheir dilyn hynt a helynt amrywiaeth o gymeriadau wrth i bob un ohonynt ymateb i'r drychineb yn ei ffordd ei hun. Mae dylanwad ffilmiau teledu'n amlwg yn y modd y caiff y stori hon ei chyflwyno, efo'r awdur fel pe bai'n dibynnu ar ryw gamerâu cudd i wneud y gwaith disgrifio ar ei ran. O ganlyniad, ni chaiff y darllenydd ddarlun cyflawn o ddim un o'r cymeriadau ac mae hynny i'w ofidio, yn enwedig o weld dawn ddisgrifio'r awdur mewn rhannau eraill o'r stori. Anwastad braidd yw safon yr arddull yn ogystal. Tra mae'r ddeialog, drwyddi draw, yn llithrig a naturiol, mae rhannau o'r naratif, ar y llaw arall, yn gyffredin o bytiog weithiau, lle ceir gorddefnydd o frawddegau byrion, un ferf. Serch hynny, mae'r stori'n afaelgar ac wedi'i chynllunio'n ofalus.

Bu gwneud dyfarniad yn anodd. Gan *Garod* y caed y dychymyg mwyaf byw, gan *Ehedydd* y ddawn lenyddol fwyaf graenus a chan *Seiriol Wyn* y stori fwyaf cofiadwy. Ond ochr yn ochr â'r rhinweddau hynny, roedd yn rhaid pwyso a mesur y gwendidau yn ogystal. Y ddwy a ddeuai i'r brig yn fy ngolwg i oedd 'Miwsig Moss Morgan' a 'Craciau' ond roedd gen i f'amheuon hefyd ynglŷn â'r ddwy – diffyg llinyn storïol cryf yn y gyntaf a pheth anghysondeb yn safon yr arddull yn yr ail. A allwn i, felly, argymell teilyngdod? Dyna'r gwewyr. Ond, ar ôl hir bwyso a mesur, fe ddois i'r farn mai nofel *Seiriol Wyn* sy'n dod agosaf at ateb holl ofynion y gystadleuaeth a'i bod hi'n teilyngu Gwobr Goffa Daniel Owen eleni.

BEIRNIADAETH BETHAN M. HUGHES

Dod o hyd i nofel fydd yn apelio at ddarllenwyr, a stori sy'n cynnal eu diddordeb drwyddi, yw nod y gystadleuaeth hon. Roeddwn i'n chwilio am nofel oedd yn llwyddo i greu 'byd' y stori, byd y gallwn ymgolli ynddo, yng nghwmni cymeriadau cyflawn mewn sefyllfaoedd oedd yn argyhoeddi. Yn ogystal, roedd arnaf eisiau darllen nofel newydd a gwreiddiol wedi ei hysgrifennu mewn arddull lefn, hyderus, a chyfoethog sy'n 'dangos' yn hytrach nag yn 'dweud'. Ar ben hyn oll, fel darllenydd, roedd arnaf eisiau nofel fyddai'n cydio ynof, yn rhoi gwefr, yn parhau i fyw yn fy nychymyg wedi i mi orffen darllen; nofel yr oedd arnaf eisiau sgwrsio amdani gyda darllenwyr eraill, neu annog eraill i'w darllen. Mae llunio unrhyw nofel yn gamp ac yn golygu misoedd, os nad blynyddoedd, o waith, a hoffwn ganmol y chwe awdur a ymgeisiodd am lunio nofelau darllenadwy os amrywiol eu safon.

Mari Tŷ Capel: 'Ddoe a Heddiw'n Un'. Nofel sy'n ceisio plethu dau gyfnod mewn amser, gyda dau linyn storïol yn cydredeg, a boddi Llanwddyn yn ganolbwynt i'r stori. Mae rhai darnau sy'n cyffwrdd y darllenydd ond, gwaetha'r modd, mae hon yn nofel ystrydebol, yn null nofelau *genre* rhamant, gyda chymeriadau dau ddimensiwn, cyd-ddigwyddiadau, manylion dibwrpas, a geirfa annaturiol. Collwyd sawl cyfle i ehangu golygfa er mwyn creu tyndra dramatig a datblygu cymeriad. Mae'r pentyrru ffeithiau hanesyddol wedi arwain at nofel ddidactig yn hytrach na nofel hanesyddol. Mae'n frith o ebychnodau diangen, cwestiynau rhethregol a datganiadau, ac yn cynnwys gormod o ddeialog Saesneg. Roedd hefyd ormod o ddweud yn hytrach na dangos, o grynhoi deialog yn hytrach na gadael i'r naratif lifo'n naturiol. Tybiaf mai awdur dibrofiad sydd yma ac fe'i hanogaf i ddarllen rhagor o nofelau hanesyddol er mwyn datblygu sgiliau saernïo plot a chymeriadau.

Magi: 'Y Weirglodd Wen'. Mae'r nofel hanesyddol hon am flwyddyn ym mywyd morwyn fferm yn ystod y ddeunawfed ganrif yn llwyddo i gynnal sylw'r darllenydd, gyda'r stori'n symud yn ei blaen yn rhwydd a naturiol. Datgelwyd nodweddion a chymhellion y cymeriadau'n llyfn trwy gyfrwng y naratif ac mae'r ddeialog yn fywiog a chredadwy. Mae'r cywair iaith yn gymharol ffurfiol i adlewyrchu'r cyfnod, ac mae ambell gyffyrddiad telynegol a disgrifiadol. Mae ôl plotio gofalus gyda sawl llinyn storïol yn cyd-blethu, ac mae'r manylion hanesyddol yn eistedd yn naturiol o fewn y naratif ac yn ei gyfoethogi gan amlaf. Gresyn fod y diweddglo braidd yn swta o gofio manylder a chynildeb gweddill y nofel. Mae'r awdur wedi llwyddo i greu byd y stori, a llunio nofel hanesyddol ddigon derbyniol, os braidd yn gonfensiynol, a fyddai'n apelio at ddarllenwyr.

Garod: 'Lles Cyffredinol'. Nofel wyddonias ddystopig am be' all ddigwydd yn ein dyfodol wedi i ni ddinistrio ein byd trwy newid hinsawdd a rhyfela. Mae'n amlwg fod yma awdur talentog sy'n mwynhau dychan a chwarae gyda geiriau. Mae wedi llwyddo i greu byd hollol newydd ar gyfer ei stori trwy gyfrwng iaith gyfoethog a chyforiog ac mae sawl cyffyrddiad clyfar a difyr. Serch hynny, ar adegau, roedd yr holl enwau, er enghraifft, yn fwrn ar fy mwynhad wrth ddarllen ac yn arafu'r naratif. Nid yw'r llinyn storïol yn cychwyn tan bron hanner ffordd i mewn – treulir yr hanner cyntaf yn gosod y cyd-destun ac yn egluro'r byd diarth hwn. Er ei chlyfrwch a'i gwreiddioldeb, mae'n nofel fydd yn gyfyng ei hapêl i ddarllenwyr. Tybed ai sgwennu ar gyfer ei ddiddanwch ei hun y mae'r awdur yn hytrach nag ar gyfer cynulleidfa o ddarllenwyr? Mae hynny, wrth gwrs, yn ddigon teg a dilys, ond ar gyfer y gystadleuaeth hon, credaf fod apelio at ddarllenwyr 'cyffredin', chwedl Daniel Owen, yn hollbwysig.

Twm Siôn Cati: 'Bwystfil'. Nofel arswyd sy'n ymdrin â llofruddiaeth erchyll plentyn sydd yma gan awdur hyderus sydd wedi creu stori ddramatig lawn tyndra. Ceir cyffyrddiadau amserol am ddulliau'r wasg a hoffais y defnydd o fwletinau newyddion. Dadlennir y plot a chymhellion y cymeriadau'n raddol ac er y cawn yr hanes o safbwynt y prif gymeriad bron yn llwyr, mae digon o awgrymiadau'n cael eu rhoi i ni ddechrau amau ei weithredoedd. Ar adegau, mae'r ysgrifennu'n gynnil, gyda deialog bytiog sy'n symud y plot ymlaen, a thrwyddi mae'r iaith yn fywiog a byrlymus. Mae'r awdur yn sicr yn gallu creu golygfeydd llawn tyndra ac awyrgylch. Serch hynny, mae gwendidau yn y plotio sy'n drysu'r darllenydd ac mae ambell wall yn dod i'r amlwg wrth i'r gronoleg neidio o gwmpas. Mae ailadrodd y prolog ar y diwedd yn torri'r tyndra ac yn gwanhau'r diweddglo.

Seiriol Wyn: 'Craciau'. Canlyniadau brawychus datblygu Ynys Môn yn 'ynys ynni' yw cefndir y nofel hyderus a chrefftus hon. Mae'n stori hollol gyfoes ac wedi ei hysgrifennu mewn arddull rugl, lithrig a chyfoethog. Mae'r cymeriadau'n ddifyr ac amryliw, ac mae'r awdur yn llwyddo i gyfleu cymeriad mewn ychydig o eiriau, yn 'dangos' eu personoliaeth trwy eu geiriau neu ymddygiad. Prin yw'r ddibyniaeth ar ddisgrifiadau corfforol er, weithiau, byddai wedi bod o gymorth i'r darllenydd, ac er i ambell gymeriad ymylu ar fod yn ystrydebol, mae'r awdur yn llwyddo i gynnwys tro annisgwyl i osgoi hynny. Mae'r plot yn aml-linynnol ac yn plethu'n gelfydd. Un o brif gryfderau'r nofel yw gallu'r awdur i newid cywair y naratif a'r ddeialog i gydweddu â'r cymeriadau sydd dan sylw ar y pryd. Tybiaf fod gan yr awdur hwn gefndir mewn sgriptio a llunio deialog – mae'r golygfeydd yn weledol iawn, gyda'r dolenni rhyngddynt yn debyg i arddull drama deledu, ac mae pob pennod yn graddol ddatblygu'r stori o safbwynt y gwahanol gymeriadau. Mae tueedd weithiau i draethu a chofnodi yn hytrach nag adrodd stori, ond dyma nofel hyderus, ddifyr ac amserol y bydd darllenwyr yn siŵr o'i mwynhau.

Ehedydd: 'Miwsig Moss Morgan'. Nofel hudolus, gyfareddol a chyfoethog am effaith annisgwyl gŵr ifanc a'i gerddoriaeth ar ei gymuned, ac ar fywyd un wraig yn arbennig. Dyma awdur crefftus a phrofiadol sy'n creu cymeriadau dwfn, amrywiol a chofiadwy. Mae'r nofel yn llawn pathos a hiwmor ac wedi ei hysgrifennu mewn iaith gwbl hyderus, gyfoethog a llifeiriol. Mae'r cysyniadau am rym cerddoriaeth, ac am ddymuniad yr enaid i hedfan yn rhydd, yn plethu drwy'r stori'n gelfydd. Mae'r penodau byrion yn cadw'r llif i fynd ac mae'r awdur yn datgelu dirgelion yn raddol i gynnal y tyndra a chwilfrydedd y darllenydd. Dro ar ôl tro, parodd i mi ddal fy ngwynt oherwydd ceinder y dweud neu wreiddioldeb y delweddu. Dro arall, byddwn yn chwerthin wrth ddarllen yr elfennau ffars doniol. Mae'r ysgrifennu'n gynnil, yn 'dangos' yn hytrach nag yn 'dweud', yn sicr. Dyma'n ddi-os arddulliwr gorau'r gystadleuaeth a'r un a gosodd fy chwilfrydedd i fwyaf. Gan y nofel hon y cefais y wefr roeddwn yn chwilio amdani ac fe greodd argraff ddofn arnaf – at hon roeddwn yn troi'n ôl amlaf yn fy nychymyg ar ôl ei darllen. Hon yw'r nofel yr hoffwn ei gwobrwyo, ac er nad yw fy nghydfeirniaid yn cytuno gyda mi, hyderaf y bydd hon hefyd yn cael ei chyhoeddi'n fuan iawn.

BEIRNIADAETH GWEN PRITCHARD JONES

Mae'r chwe nofel a ddaeth i law yn ymrannu'n daclus yn ddau ddosbarth. Diffyg profiad llenyddol, efallai, ynghyd â'r angen i ddarllen yn ehangach yn y Gymraeg, oedd yn gwahanu'r ymgeisiau llai llwyddiannus oddi wrth y gweddill. Ond braf oedd cael darllen chwe nofel a oedd, ar y cyfan, o safon ieithyddol dda.

Mari Tŷ Capel: 'Ddoe a Heddiw'n Un'. Fel y gellir tybio o'r teitl, ymdrech sydd yma i gyplysu digwyddiad hanesyddol â stori gyfoes. Hanes Meira, gwraig sy'n colli ei gŵr mewn damwain car o fewn pedair awr ar hugain o genhedlu ei blentyn, yw'r stori gyfoes, a sut mae hi'n ymdopi â'r chwalfa yn ei byd cyfforddus. Ond yn y Rhagair i'r gwaith, dywed yr awdur mai hanes boddi cwm Efyrnwy yw craidd y nofel. Siomedig, felly, oedd gorfod darllen drwy hanner y nofel cyn cael unrhyw gyfeiriad at y digwyddiad hwnnw. Gresyn na fyddai'r awdur wedi gallu cyplysu'r 'ddoe' a'r 'heddiw' mewn modd mwy deheuig: dim ond ambell awgrym a geir fod Meira wedi breuddwydio'r gorffennol, ac mae hynny'n effeithio ar hygrededd y stori. Arwynebol yw'r cymeriadu, er bod mwy o fflach i bobl y gorffennol nag i'r rhai presennol. Mae anghysondebau storïol mewn sawl man, e.e. mae Meira a Dafydd yn priodi ym mis Awst ond yn y bennod nesaf maent yn mynd i ddathlu pen-blwydd eu priodas yn y gwanwyn. Ond gwendid mwyaf y nofel yw'r ailadrodd cyson, gan roi gwybodaeth unwaith yn y naratif ac yn syth wedyn mewn deialog.

Magi: 'Y Weirglodd Wen'. Dyma nofel hanesyddol wedi ei gosod rywbryd yn ystod canol y ddeunawfed ganrif o farnu o'r cyfeiriadau at ysgolion cylchynol Griffith Jones Llanddowror. Stori garu ydyw, gyda digon o droeon trwstan i gadw diddordeb y darllenydd ond mae angen adolygu'r gwaith i gwtogi ar yr ailadrodd sy'n amharu ar rediad y stori. Serch hynny, ceir ambell ddisgrifiad hyfryd a thelynegol. William Jones, y meistr caled, yw cymeriad mwyaf diddorol y nofel ond gwendid yw ei weddnewidiad anesboniadwy ar y diwedd: mae'n ffordd rhy gyfleus i'r awdur allu dod â'r stori i ben. Llwyddir i greu naws y cyfnod a cheir disgrifiadau diddorol o arferion tymhorol cefn gwlad, er nad oedd pob un yn ychwanegu at y stori. O'i golygu'n fanwl, teimlaf y gallai'r nofel hon fod yn bleser i'w darllen.

Twm Siôn Cati: 'Bwystfil'. Mae'r Prolog ar ddechrau'r nofel yn addawol dros ben, gan arwain y darllenydd i ddisgwyl nofel lawn cyffro. Ond mae'r awdur yn colli'r cyfle i gynnal tyndra nofel gyffro drwy roi disgrifiad manwl o'r ffordd y mae'r rhieni, Dafydd a Helen, yn cael cip o gath fawr ddu yn anafu eu babi, Magw, a'r disgrifiad tyner, wedyn, o Dafydd yn darganfod fod ei fab, Pryderi, wedi marw. Ar ben hynny, mae'r heddlu'n derbyn mai achos naturiol sydd i farwolaeth y bachgen, ac felly nid nofel dditectif/ lofruddiaeth sydd yma. Ceir y teimlad mai 'dilyn ei drwyn', fel petai, a wna'r awdur wrth adrodd yr hanes ac nad oedd wedi cynllunio'i stori ymlaen llaw. Mae hyn yn hollol amlwg pan gyrhaeddwn y diweddglo, gan fod ffeithiau diwedd y stori'n gwrthddweud yn gyfan gwbl y ffeithiau a roddir ar y dechrau – pechod anfaddeuol! Unwaith eto, mae angen golygu'r nofel hon yn drylwyr.

Seiriol Wyn: 'Craciau'. Hon yw'r nofel â'r llinyn storïol cryfaf yn y gystadleuaeth, stori sy'n gyfoes ei thema ac yn rhybudd o'r hyn a allai ddigwydd. Mae'n disgrifio tridiau brawychus yn hanes ynys Môn, rywbryd yn y dyfodol agos, pan mae daeargrynfeydd yn dinistrio rhannau o Langefni, a'r darogan am ragor ohonynt a fyddai'n bygwth dinistrio'r ynys gyfan. Yn y bennod gyntaf, cyflwynir naw o gymeriadau mewn naw golygfa wahanol, a'r amser o'r dydd yn cael ei roi fel is-bennawd i bob un. Effaith hyn yw creu adlais o rai rhaglenni teledu megis '24', a thrwyddi draw mae'r nofel yn f'atgoffa o sgript ffilm, gyda'r toriadau sydyn o un olygfa/ cymeriad i'r llall. Deallaf fod hyn yn arddull bwrpasol er mwyn cadw'r tyndra, ond gofidiwn weithiau nad oedd rhagor o gnawd ar yr esgyrn, na cheid ambell frawddeg ddisgrifiadol i greu mwy o naws. Mae hyn yn wir, hefyd, am rai o'r cymeriadau: heb dorri ar y tyndra, gellid creu rhai a fyddai'n fwy dynol ac agos-atoch yn hytrach nag ystrydebau arwynebol.

Garod: 'Lles Cyffredinol'. Braf yw cael nofel ffuglen wyddonol yn y gystadleuaeth, *genre* sy'n cael ei anwybyddu, o bosib, yn y Gymraeg. Mae wedi ei gosod yn y dyfodol pell pan mae'r byd fel yr adwaenwn ni ef wedi diflannu. Mae'r awdur yn llwyddo'n arbennig o dda i greu byd credadwy ond dieithr iawn, a hynny heb unrhyw gam gwag. Mae'r iaith yn darllen yn hyfryd o ffurfiol o gymharu â'r nofelau eraill yn y gystadleuaeth, ac er bod ambell gymal yn darllen braidd yn drwsgl neu'n chwithig, mae hynny, yn fy marn i, yn ychwanegu at y naws arallfydol, yn arbennig felly'r arferiad yn y ddeialog o ddefnyddio teitl ac enw llawn pawb. Yn sicr, bydd hon yn bleser i'w darllen i rai sy'n hoffi ffuglen wyddonol. Fodd bynnag, disgrifio sefyllfaoedd yn y byd dieithr hwnnw a wna pob pennod ac er bod hanes y daith i'r Lles Cyffredinol yn creu mwy o elfen storïol, nid yw'n ddigonol. Pe bai modd i'r awdur ychwanegu elfen storïol gryfach, byddai hon yn chwip o nofel. Ac wedi creu'r fath fyd, pam na fyddai modd cael mwy nag un stori o'r byd hwnnw?

Ehedydd: 'Miwsig Moss Morgan'. Cryfder y nofel hon yw ei chymeriadu, yn arbennig felly y ddwy brif gymeriad, Bronwen a Dafina. Ceir drwyddyn nhw ddarlun bywiog a lliwgar o dref glan y môr rywle yn ne-orllewin Cymru. Mae'r sefyllfaoedd yn real, yr iaith yn fyrlymus ac yn bleser i'w darllen, a'r cymeriadau'n fyw. Erys gwrthrych y teitl, fodd bynnag, yn enigma drwy gydol y nofel. Mae'n ymddangos ar y dechrau, yna'n encilio. Nid tan ei farwolaeth y daw ei bwysigrwydd i'r amlwg, a hynny dros hanner ffordd drwy'r nofel. Gyda chyhoeddi ewyllys Moss y mae'r elfen storïol yn dod i'r amlwg, ond a yw hynny'n rhy hwyr yn y nofel i fod yn llwyddiant? Er cymaint yr hoffais ddarllen gwaith yr awdur, teimlwn nad oedd y llinyn storïol yn gryf iawn, a bod hyd yn oed y nofel fel y mae yn colli ei ffordd am sbel o gwmpas pennod 21 a 22. Pe bai helynt yr ewyllys wedi digwydd ynghynt, byddai'r llinyn storïol yn llawer cryfach.

Mae pob un o'r tair nofel olaf yn haeddu cael eu cyhoeddi a gobeithiaf eu gweld ar silffoedd y siopau llyfrau yn y dyfodol. Ond a oes un yn haeddu ennill y wobr hon? Mae 'Craciau' yn rhagori o ran llinyn storïol, mae 'Lles Cyffredinol' yn rhagori o ran dychymyg a dyfeisgarwch, a 'Miwsig Moss Morgan' yn rhagori o ran cymeriadu a bywiogrwydd afieithus. Roedd y dewis yn un anodd ond wedi ailddarllen y tair, ac o ddal mewn cof ofyniad y gystadleuaeth am nofel gyda llinyn storïol cryf, rwyf yn rhoi'r wobr i *Seiriol Wyn*.

Y Fedal Ryddiaith. Cyfrol o ryddiaith greadigol heb fod dros 40,000 o eiriau: Cwlwm

---

BEIRNIADAETH MENNA BAINES

Daeth deg ymgais i law. Efallai y byddai rhywun wedi disgwyl rhagor o gofio bod y testun yn un caredig o eang ei bosibiliadau. Perthynas rhwng pobl; perthynas rhwng pobl a lleoedd, gan gynnwys bydoedd eraill; perthynas rhwng tir a threftadaeth gwlad; sefyllfaoedd clymog – mae'r cynigion a ddaeth i law yn trafod y pethau hyn i gyd a mwy. Amrywiol yw'r safon. Yn sicr, ceir nifer o awduron dawnus ymhlith y deg ond dim ond mewn dyrnaid bach o'r gweithiau y mae'r grefft yn priodi'n llwyddiannus gyda chynnwys teilwng. Ond gan y goreuon hynny, ceir gwaith gwych os nad gwefreiddiol.

DOSBARTH 2

Sephorah: 'Cwlwm Creulon'. Nofel wedi'i gosod yn Oes Fictoria yw hon, am ganlyniadau trychinebus perthynas nwydwyllt morwyn fferm yn Sir y Fflint gyda gwas ar fferm gyfagos, canlyniadau sy'n effeithio ar ddwy genhedlaeth. Er bod *Sephorah* yn haeddu canmoliaeth am waith ymchwil manwl, ond anymwthgar, i fywyd y cyfnod yn ardal Mostyn ac yng Nghumbria, mae yma wendidau sylfaenol, gan gynnwys stori lawer rhy ddisgwyliadwy, deialog sydd ar brydiau'n annaturiol neu'n ddiangen, a thuedd i oregluro pethau.

Y Gwir: 'Er mwyn i mi gofio ...' Mae plentyn wedi'i lofruddio yn ei gartref a'r hanes yn cael ei ddatgelu i ni drwy gyfrwng cyfweliadau'r heddlu gyda rhieni'r bachgen, ac amryw dystion. Mae'r prif ffocws ar y fam, sy'n methu maddau iddi ei hun am fethu atal ei seicopath o ŵr rhag dilyn ei drywydd gorthrymus i'w ben draw erchyll. Mae tôn fflat, ffeithiol y traethu yn gydnaws â chyfweliad, a llwydda'r awdur yn rhyfeddol, drwy'r dull hwn, i'n tynnu i mewn i fyd teuluol ynysig, abnormal ac i gydymdeimlo i raddau efo'r fam. Ond nid yw'r portread o'r llofrudd, na'r modd y cafodd Sara ei rhwydo mor hawdd ganddo ar ddechrau eu perthynas, yn argyhoeddi cystal.

Piri: 'Torri cwys'. Mae athro canol oed sydd wedi cael llond bol ar ddysgu yn troi at ffermio a hanes y fenter deuluol hon, 'comiwn Tyddyn Bach', a geir yn y nofel hon. Mae yma is-stori hefyd, yn ymwneud â byd arall, un tanddaearol ac ar wahân i'r 'dynolfyd'. At hynny, cyflwynir inni drydydd dimensiwn mewn darnau lle mae Bethan, merch y teulu, yn camu allan o'r naratif i drafod perthynas 'yr awdur' (a gyferchir fel Piri, ar ôl y dramodydd

Pirandello) â'i gymeriadau, gan gwestiynu ei gymhellion. Gwaetha'r modd, nid oedd cymhellion yr awdur go iawn, a phwrpas y tair ffrwd wahanol hyn, yn ddigon eglur i'r darllenydd hwn. Eto, perthyn tynerwch, cynhesrwydd a hiwmor i'r portread o'r teulu ac mae *Piri* yn ysgrifennwr llyfn.

Shani Las: 'Hawyr Bach, Caton Pawb'. Carreg sy'n llefaru yma. Carreg las o'r Preseli yw Shani Las a hanes y fro honno a geir ganddi wrth iddi rannu'r hyn a welodd dros y canrifoedd gyda gwrandäwr, a hynny yn nhafodiaith hynod y rhan hon o'r wlad. Dathlu hanes a harddwch yr ardal a wneir, ac mae pwysigrwydd gwreiddiau a threftadaeth a chwedlau yn themâu canolog. Datgelir mai Shani yw'r garreg y bu ymgais gostus a methiannus, ar droad y mileniwm, i'w symud, dros dir a môr, i Gaersallog er mwyn dathlu cysylltiad honedig cerrig glas y Preseli â'r safle Neolithig. Yn sicr, mae gan yr awdur ddychymyg. Ond mae ei duedd i bentyrru gwybodaeth, a'i awydd i rannu ei genhadaeth frogarol ar bob cyfle posib, yn troi'r gwaith braidd yn unffurf ac undonog.

Caneri: 'Y Prawf'. Stori gwraig o'r enw Millyn a geir yn y nofel ddirgelwch hon. A'i chymar wedi ei gadael, mae Millyn yn chwilio am ystyr newydd i'w bywyd ac yn ei ganfod mewn cerddoriaeth, a hefyd yn ei chyfeillgarwch dwfn â dynes fohemaidd o'r enw Bron. Ond mae salwch difrifol Millyn, a'r driniaeth a gaiff mewn ysbyty, yn arwain at ddigwyddiadau erchyll. Dilynwn hynt a helynt Millyn wrth iddi geisio dod at wraidd y digwyddiadau hyn, gwaith ditectif sy'n ei harwain i labordy sy'n arbrofi ar anifeiliaid mewn dull eithafol o greulon. Er nad yw gafael *Caneri* ar yr iaith lenyddol eto'n gadarn, gall ysgrifennu'n synhwyrus neu'n ddramatig yn ôl y galw. Dyma stori lawn angerdd er bod tuedd tuag at y sentimental a'r siwgwraidd ambell dro.

DOSBARTH 1

Petra: 'Gair i Gwladys'. Nofel ar ffurf llythyrau sydd yma. Mae'r llythyrwraig wedi symud o gefn gwlad Cymru i ddinas yn Lloegr ar ôl cael ei siomi ym myd serch. Ysgrifennu at gyfeilles yn ôl adref y mae (a honno, mae'n ymddangos, yn chwaer i'r llanc a'i siomodd), gan ddweud hanes ei hymdrech i greu bywyd newydd iddi ei hun. Does dim dwywaith am ddawn ysgrifennu *Petra* (er gwaethaf y gorddefnydd o'r frawddeg bwysleisiol), ac fe ymdrinnir yn ddiddorol ag alltudiaeth fel cyflwr dewisol ar ran y llythyrwraig. Y gwendid yw na chawn wybod digon am y bennod yn y gorffennol sydd wrth wraidd y cyfan i'r stori afael fel y dylai.

Alto: 'Nodus'. Mae'r gwaith hwn yn dilyn hynt a helynt nifer o gymeriadau mewn gwahanol rannau o Gymru yn ystod un diwrnod o haf, gan raddol ddatgelu cysylltiadau rhyngddynt. Â'r straeon â ni i leoedd mor wahanol â Rhydyclafdy ac Abertawe, Rhosesmor a Hwlffordd, ond yn yr unigolion, a'r berthynas rhwng gwahanol grwpiau ohonynt, y mae diddordeb yr awdur. Ceir yma droseddwyr, dioddefwyr, milwr newydd ddod adref o Affganistan, pobl yn wynebu salwch, henaint a marwolaeth. Mae yma ddaioni a drygioni, gobaith ac anobaith. Mae *Alto* yn ysgrifennwr medrus iawn, weithiau'n fachog, weithiau'n iasol, weithiau'n dyner. Ceir ef ar ei orau yn y stori am y milwr dychweledig, gyda'i brofiadau erchyll ar faes y gad wedi ei ddilyn bob cam adref i Lŷn: 'Tydi rhyfel ddim yn peidio am fod y milwr adref. Mae rhyfel yn aros. Nid gwlad sy'n mynd i ryfel. Pobl sydd'. Nid yw pob un o'r storïau'n argyhoeddi cystal â'i gilydd, fel pe bai'r awdur wedi creu cynfas rhy fawr iddo'i hun ac yn taenu ei liwiau'n rhy denau. Mae yma hefyd beth blerwch iaith a mynegiant. Ond ar ei orau, dyma waith gafaelgar iawn.

Sidan: 'Gwe o Glymau Sidan'. Casgliad o 59 o ddarnau annibynnol ar ei gilydd sydd yma, y rhan fwyaf yn fyr ond gydag ambell un hirach, gan gynnwys sawl stori fer. Fel *Alto*, mae *Sidan* wedi rhoi enwau lleoedd yng Nghymru – i gyd yn y gogledd y tro hwn – yn benawdau ar bob un o'i ddarnau gan eu gosod yn nhrefn yr wyddor, ond mae mwy o arwyddocâd i'r llefydd eu hunain yng ngwaith *Sidan*. Cyfoes yw trwch y darnau ond gyda sawl taith i'r gorffennol hefyd. Mae'r pynciau'n amrywio'n fawr ac felly hefyd y themâu; mae'r newid cymdeithasol yng nghefn gwlad Cymru a dioddefaint merched dan law dynion yn ddwy thema amlwg. Gall *Sidan* fod yn ffraeth hefyd; chwarddais yn uchel wrth ddarllen y stori (â'r pennawd 'Dinbych') am Kate Roberts yn cael ei holi gan rai o awduresau'r Gymru gyfoes. Yn sicr, dyma ysgrifennwr mwyaf dyfynadwy'r gystadleuaeth. Bodlonaf ar un enghraifft, sef y darlun iasol o lowyr Gresffordd, ddiwrnod y trychineb, yn mynd i gwrdd â'u tynged, 'yn trydar cyn i'w sgerbwd sgrytlyd o gawell blymio'n blyciog tua'r ffas'. Fodd bynnag, dylid bod wedi dewis a dethol y deunydd yn llawer mwy llym; nid pob darn o bell ffordd sy'n talu am ei le. Mae yma duedd i orbwysleisio'r 'wers' ar ddiwedd y darnau, ac mae'r ysgrifennu weithiau'n rhy ffansïol gen i. Nid yw testunoldeb y gwaith yn hollol amlwg chwaith. Ond dyma awdur celfydd a sylwebydd craff ar fywyd.

Disgybl: 'Cwlwm – *Deus Est Machina*'. Dyma'r nofel wyddonias gyntaf imi erioed ei darllen ac yn gwbl groes i'r disgwyl, cefais flas mawr arni. Mae'r nofel wedi'i gosod yn ail hanner y ganrif hon ac yn dweud hanes anturiaethau arwr annhebygol o'r enw Gwern Ionw, archeolegydd sy'n cytuno'n anfoddog i fynd ar daith i'r gofod. Nod y daith yw dysgu am wareiddiad a fu ar y blaned Mawrth a darganfod beth neu bwy a fu'n gyfrifol am ddiflaniad criw o archeolegwyr a fu yno ynghynt ar yr un trywydd. Mae profiadau Gwern yn arwain at weledigaethau apocalyptaidd hunllefus, ac nid yw'r byd fel y mae yn lle mor hwyliog â hynny chwaith o dan reolaeth haearnaidd awdurdodau cydwladol. Pa bynnag fyd yr ydym ynddo, mae dawn dweud yr awdur yn disgleirio. Ceir yma hefyd stori serch gynnil, digonedd o hiwmor ac, yn y portread o Gwern, ryw adnabyddiaeth annwyl o'r natur ddynol. Trueni am y blerwch o ran orgraff ac atalnodi.

Aurora: 'Pan aeth llu i Lychlyn' Fe'm cyfareddwyd gan y nofel fer hon o'r dechrau. Mae wedi'i lleoli yng Nghymru a gwledydd Llychlyn ac yn troi o gwmpas brawd a chwaer ifanc o'r enw Hywel a Nans a'u hanes teuluol. Er mai yn Sir Fynwy y magwyd hwy, treuliodd y ddau ran dda o'u plentyndod yn Llychlyn yn sgîl gwaith eu tad a oedd yn wyddonydd. Mae Hywel, sy'n ddarlithydd hanes, bellach yn byw yn y rhan honno o'r byd ac mae ymchwil Nans, fel hanesydd celf, yn mynd â hithau yno fwyfwy. Ond mae rhywbeth arall yn ei thynnu yno hefyd, sef dirgelwch marwolaeth eu rhieni yn yr Arctig. Ceir ambell awgrym sinistr ac mae cysgod y Rhyfel Oer dros y cyfan, gyda marc cwestiwn uwchben union natur gwaith ymchwil y tad. Daw ymweliad Nans a Hywel ag Athrofa Borealis, lle bu'r tad yn gweithio, â thawelwch meddwl yn hytrach nag ateb i'r dirgelwch. Ac yn wir, nofel sy'n gafael mewn ffordd dawel yw hon yn ei chrynswth, gan droi'n fwyfwy iasol tuag at y diwedd. Trafodir yn ddifyr gwestiynau'n ymwneud â Chymreictod ar y naill law a rhyngwladoldeb ar y llaw arall. Mae'r nofel yn frith o gyfeiriadau at fyd llên a chelf (mae teitl y nofel ei hun yn adleisio syniad sydd i'w gael mewn hen ganu darogan Cymraeg) a hefyd at leoedd, y cyfan er mwyn darlunio'r byd academaidd soffistigedig – neu ffug-soffistigedig – y mae'r cymeriadau'n troi ynddo. Prin fod Nans yn cofleidio'r bywyd hwn a cheir dychan ysgafn ar fyd llên ac ysgolheictod Cymreig a Cheltaidd. Syml ac ymatalgar yw'r arddull; dyma awdur sy'n pwyso a mesur ei eiriau. Yn sail i'r cyfan mae stori deuluol sy'n argyhoeddi.

Y tri awdur y cefais fwyaf o bleser yn eu cwmni yw *Nodus*, *Disgybl* ac *Aurora*. Efallai fy mod yn orfaddeugar o ddiffyg gofal *Disgybl* dros ei destun ond mae ei afael ar yr iaith yn sylfaenol gadarn ac rwyf yn ei osod yn ail ar gyfrif y cyffro o ganfod awdur Cymraeg gwreiddiol ei lais. Am gyfanwaith meistrolgar sy'n cydio yn y dychymyg, rwy'n rhoi *Aurora* ar y brig. Ar yr un pryd gallaf weld y rhinweddau yng ngwaith *Sidan* sydd wedi arwain fy nghydfeirniaid i benderfyniad gwahanol ac rwy'n llongyfarch yr awdur amryddawn hwn ar ei gamp.

BEIRNIADAETH HARRI PARRI

Yr hyn a barodd imi feddwl yn ddyfnach am bethau, y tro hwn, oedd atal y Fedal ym Mro Morgannwg yn 2012. Pwysleisiwyd 'gofynion artistig' y gystadleuaeth ac y dylid disgwyl rhyddiaith 'bur' – er na ddefnyddiwyd y gair, hyd y cofiaf. Cymysgfa fel o'r blaen fu hi: nofelau, llyfr crwydro, llên micro, sgript ac un ffuglen ofod. Ond mae i bob ffurf lenyddol, hyd y gwn i, y posibilrwydd o esgor ar yr artistig. Ond beth am y safon? Yn fy marn i, caed yr eithriadol, y da odiaeth a'r gobeithiol. Ein barn, fel tri beirniad, oedd i eleni fod yn dymor ffrwythlon.

Caneri: 'Y Prawf'. Trafodir themâu oesol: poen, afiechyd a marwolaeth iawnol merch fach (nid o'i gwirfodd) i sicrhau bywyd i un arall. Mae'r prif gymeriad, Millyn, yn athrawes gerdd a pherfformwraig ond fe'i delir gan afiechyd blin ac â'n ddibynnol ar eraill. Mae'r diweddglo'n grwsâd effeithiol yn erbyn cam-drin anifeiliaid ym maes ymchwil meddygol. Ond mae yma fynd ar hyd ac ar led, gwallau iaith pur sylfaenol a brawddegau sy'n aralleiriad llythrennol o'r Saesneg.

Y Gwir: 'Er mwyn i mi gofio ...' Stori dditectif ar ffurf sgript sy'n cynnwys cyfweliadau rhwng tystion, troseddwyr a'r heddlu. Rhwng y cyfweliadau, adroddir stori galed am drais mewn cartref a thad, wedi priodas frysiog, yn troi'n ormeswr ac yn llofruddio'i fab. Ceir darluniau cofiadwy a chreulon ac ymdrech i seicdreiddio cymeriad y tad. Ond mae tuedd i'r gwaith fod yn rhaff o dystiolaethau ac i'r ddeialog fod yn gasgliad o frawddegau yn hytrach na sgwrs.

Piri: 'Torri Cwys'. Wedi marwolaeth 'Anti Glad', modryb i'r tad, penderfynodd teulu o dri symud i ffermio Tyddyn Bach a chadw'r etifeddiaeth i gerdded. Y prif gymeriadau yw Edward, y tad, ei wraig Margaret, a'u merch ysgol, Bethan. O ran y stori ganolog, perthyn i ddoe y mae honno – y 'Ffyrgi bach' yn rhedeg ar TVO a deg erw ar hugain yn ddigon i gynnal teulu. Ond mae 'na stori ddeheuig arall wedi'i gwau i mewn. O dan y pridd, ceir gwlad arall, Podopia – byd dychymyg Bethan. Mae'n nofel dderbyniol pe gellid ei hailbwytho a thynhau'r deunydd. Teimlais fod y cynnwys yn rhagori ar yr arddull. Ai *Piri* oedd *Amos* yn yr un gystadleuaeth yn Eisteddfod Wrecsam a'r Fro?

Sephorah: 'Cwlwm Creulon'. Stori garu o Oes Fictoria – a does dim o'i le ar hynny – gyda themâu awduron y cyfnod hwnnw. Lleolwyd rhan gyntaf y stori ym Mostyn wledig a'r ail ran yn ardal y chwareli yng Nghumbria. Un o'r rhagoriaethau yw disgrifiadau cyfoethog o arferion y cyfnod. Mae'n ysgrifennu'n lân a chywir ond hoffwn pe bai'r ddeialog fymryn yn llai ffurfiol. Y gamp i awdur nofel hanes ydi adrodd stori ddoe, heb ei newid, yn ffrâm meddwl heddiw.

Shani Las: 'Hawyr Bach, Caton Pawb'. Ymgom wir ddiwylliedig rhwng un o feini'r Preselau gyda gwrandäwr. Fe'i hysgrifennwyd â'r 'Gwmrag yn ei gwisg bob dydd' – tafodiaith firain Gogledd Penfro. Sylfaen y gwaith yw'r ymdrech i symud un o'r meini hynafol, 'Shani Las', o'r Preselau i Gaersallog i brofi perthynas bosibl â Chôr y Cewri. I'r awdur, y 'cwlwm' yw'r un annatod rhwng dyn a'i gynefin. Mae yma gyfoeth gwybodaeth am hanes, daeareg, llenyddiaeth a 'Chwmrâg' y fro hyfryd hon, a dychymyg ehedog dros ben. O chwilio am wendidau, hwyrach iddo hamddena'n ormodol ar y daith a gorlwytho'r cart. Ond gwendidau awdur cyfoethog ei ddeunydd yw rhai felly.

Disgybl: 'Cwlwm – *Deus Est Machina*'. Amhosibl crynhoi holl droeon y ffuglen ofod hon, o'r taid, Glyn Ionw, ar y dechrau, yn darganfod 'Llechen' wyrthiol yn Koobi Fora yn Affrica, i'w ŵyr, Gwern, ar ei diwedd, yn syfrdan wedi dychwelyd o deithio'r gofod. Rhwng y ddau gilbost, mae 'na ryfeddod o nofel. O ran cymhlethdod y plot, dydi *The Hitchhiker's Guide to the Galaxy* ddim ynddi. Mae'r is-deitl Lladin sy'n mynd â ni'n ôl at *Ars Poetica* Horace – wedi cyfnewid yr *ex* gwreiddiol am *est* – yn tanlinellu'r athroniaeth. Creodd fyddin o gymeriadau, rhai heb fod yn fawr mwy na rhithiau – 'pobol y cargo' yn y llong ofod 'sy'n gwylio heb siarad' neu'r 'wyneb siarad' gyda'i hanwyldeb mawr – ond eraill yn gig a gwaed. Ceir elfen gref o ddychan a chymariaethau sy'n taro deuddeg. Hwyrach fod ei ddawn ddisgrifio yn rhagori ar y ddeialog. Dyma nofel wahanol a chofiadwy a bydd iddi werthiant da.

Petra: 'Gair i Gwladys'. Stori bwerus am ferch o gefn gwlad, a siomwyd mewn cariad, yn dianc o'i chynefin i fyw bywyd anghynefin mewn tref yn Lloegr. Dial ydi un o'i bwriadau hi wrth ysgrifennu 'Gair i Gwladys' a chael catharsis drwy gofnodi. Mae'r gymhariaeth rhwng y ddau fywyd gwahanol, a'r newid ynddi hithau, yn wythïen gyfoethog. Mae gan *Petra*'r ddawn i greu awyrgylch, disgrifio sefyllfaoedd a chreu cymeriadau cofiadwy. Ond yr hyn a erys, yn fwy na dim arall, ydi'r cyfoeth idiomau, e.e. 'llaw oer fel macrell ffres'. Mae'r gwaith yn llawn fel wy, pob brawddeg yn gweiddi am sylw. Dyna hefyd, efallai, un gwendid; dylid crynhoi a dethol. Mae yma stribed o gylymau, rhai'n cael eu datod ac eraill yn cael eu tynhau. Gosodais 'Gair i Gwladys' yn uchel ar fy rhestr.

O'r dechrau, ystyriais fod tri o fewn cyrraedd y Fedal.

Aurora: 'Pan aeth llu i Lychlyn'. Y cymeriadau canolog yw brawd a chwaer, Anna Sabel a Hywel Enoch. Hanesydd celf yw'r chwaer a hanes modern – gwledydd Llychlyn yn arbennig – yw maes ei brawd. Tua'r tir chwedlonol hwnnw y mae'r stori'n teithio. Yn Llychlyn, eir i seremoni rwysgfawr lle'r anrhydeddir Hywel, ac ymwelir â Llysgenhadaeth Cymru yn y wlad honno. Roedd eu tad, Dai Parry, yn wyddonydd disglair. Ar y diwedd, ceir Hywel a Nans yn teithio i Athrofa Borealis yng nghyffiniau'r Pyramiden i geisio datrys dirgelwch marwolaeth eu rhieni yno. Gogoniant y gwaith i mi yw iddo fy nghario i fydoedd newydd ac i mi gael fy nghyfareddu. Mae i'w gymeriadau niferus – academyddion bron bob un – eu lleisiau eu hunain:

Karin Thorsen, Hanesydd y Gyfraith; Jon Jaeger, ieithydd a cherddor; Syr Gwyn 'felfedaidd'; Nedw 'cusan plîs' o Lanfair Mathafarn Eithaf, archeolegydd; a Grete, ei wraig, a'r hen ŵr, Otto Frederiksen, ysgolhaig ac ieithydd arall. 'Fydd hi ddim yn nofel at ddant pawb. Mae rhyw fath o snobeiddiwch academaidd i'r cynnwys ac i'r ymgomio a geir. Nid tafodiaith Penrhyn Llŷn mohoni! Ond ni ddylai hynny fy rhwystro rhag edmygu'r nofel a'i chanmol. Bydd yn rhaid wrth ychydig gefndir – neu barodrwydd i chwilota – i'w gwerthfawrogi'n llawn. Nid nad oes gwendidau. I mi, mae ymchwil i farwolaeth y rhieni yn atodiad i'r nofel yn hytrach na phenllanw. Weithiau, mae'r ailgylchu gwybodaeth academaidd yn rhoi awyrgylch darlith yn fwy na llenyddiaeth greadigol. Un peth arall, oedd hi'n ofynnol i bupro'r gwaith â chymaint o Saesneg?

Alto: 'Nodus'. Bu'r awdur yn ddigon grasol i egluro i'r beirniaid mai ystyr lythrennol y gair 'nodus' yn Lladin yw 'cwlwm'. Creodd yntau gadwyn o ryddiaith greadigol gyda dolennau – pump a phedwar ugain i gyd – yn amrywio o ran hyd a chynnwys. Yn bennawd i bob dolen, ceir enw man ac amser pob digwyddiad. Italeiddir yr hel meddyliau sy'n digwydd rhwng cymalau ambell sgwrs. Disgrifir sefyllfaoedd dirdynnol gyda sensitifrwydd – megis Sue yn dihoeni yn yr hosbis a diflaniad merch fach ar lan y môr ar brynhawn o haf – ac mae'r gwaith yn gyfoes o ran y cymeriadau a'r themâu. O fewn cyfyngdra math o ficrolenyddiaeth, llwyddodd i greu cyfrol sy'n gasgliad o straeon ac iddi, hefyd, batrwm nofel. Apeliodd y gwaith ataf o'r dechrau am fod iddo wead mor ddiddorol. Oherwydd y fath nifer o gymeriadau a'r myrdd o ddigwyddiadau, cip ar y cymeriadau a geir a phrin gyffwrdd â'r themâu sy'n bosibl. O'r herwydd, gadawyd sawl edefyn heb ei glymu. Pwy oedd y 'wraig anhysbys' yn y Groeslon a phwy, mewn gwirionedd, a gipiodd Nia? Mae yma ddiofalwch ar dro ac ansicrwydd parthed cenedl enw neu dreiglad. Yn achlysurol y ceir ysgrifennu gwir gofiadwy: 'niwl yr haf yn hongian dros y traeth' a'r 'ddaear â'i chefn at yr haul'. Mae *Alto* yn llenor abl a'i arddull yn gyson dderbyniol ond o ran ei ddyfeisgarwch y mae'n rhagori.

Sidan: 'Gwe o Glymau Sidan'. Pan ddechreuais ddarllen, gwyddwn i sicrwydd fod yma lenor gloyw. Cyfansoddodd ddarnau hyfryd o ryddiaith o dan enwau lleoedd a'u gosod yn nhrefn yr wyddor – yn ymestyn o Aberdaron i'r Wyddgrug – ac yn amrywio o ran hyd o ychydig frawddegau i nifer dda o dudalennau. Wrth restru'r cynnwys, fe'i disgrifir fel 'llên micro, stori fer, fer' a 'stori fer'. Mae'r ysgrifennu'n delynegol, yn feiddgar, yn ddychanol – wrth gyfeirio at Sarnau neu'r Wyddgrug, dyweder – ond yn raenus drwy gydol y gwaith. Defnyddir peth o'r dafodiaith leol wrth alw heibio i fannau fel Rhosllannerchrugog neu Benllyn. Ond damhegion a geir yma yn gymaint â straeon gan fod 'na'n aml danlinellu ystyr bellach. Ysgrifenna gyda chefndir a gwybodaeth eang (serch iddo symud Dinas Dinlle i Ben Llŷn!).

Mae'r ymdriniaeth o'r 'Doctor Kate', a honiadau Alan Llwyd amdani, o dan y pennawd 'Dinbych', yn glyfar a chrafog ond yn faith. I mi, yn y cameos byrion – mae Bryncir, Bwlch y Groes a Llyn Cerrig Bach yn enghreifftiau godidog – y mae'r awdur yn gwir daro deuddeg. Pan â i fannau lle mae'r Gymraeg yn brinnach, ceir cryn dipyn o Saesneg – Sealand a Threffynnon yn ddwy enghraifft. Gormod, hwyrach, ar dro. Mae yna fân frychau, ôl brys o bosibl. Yn achos *Sidan*, hyd y gwelaf i, y teitl a roddwyd i'r gwaith sy'n ei wneud yn destunol yn fwy na dim arall. Serch iddo ddilyn trefn yr wyddor wrth grwydro, does fawr ddim undod i'r gyfrol – os oes disgwyl hynny. Ond mae yma lenyddiaeth greadigol a champ fawr iawn arni.

Mae *Aurora* yn llenor mor unigryw fel na allwn gael cymhariaeth. Beirniadaeth ar y beirniad, hwyrach, yw fy mod yn ei osod yn drydydd. O ran eu ffurf, mae 'Gwe o Glymau Sidan' a 'Nodus' yn chwiorydd. Mathau o ffurfiau estynedig, datblygedig, ar lên micro sydd gan y ddau. Hwyrach nad yw *Alto* gystal saer geiriau â *Sidan* ond mae'n well pensaer. Gydag *Alto* y syrthiais i mewn cariad ar y dechrau oherwydd y strwythur a berthyn i'w waith a'i fawr ddyfeisgarwch. Yna, fe'm hargyhoeddwyd nad oedd bod yn gaeth i thema a chreu dilyniant yn un o'r amodau. Felly, os creu rhyddiaith er ei fwyn ei hun yw'r disgwyl, yna *Sidan* piau hi. Ond, chwedl pobl Llŷn, dim ond o 'rom bachigyn'.

BEIRNIADAETH ELFYN PRITCHARD

Nid drwg o beth ambell dro yw mynd yn ôl at hanfodion pethau, a gofyn y cwestiynau sylfaenol, cyn dechrau beirniadu: Beth yw llenyddiaeth a beth yw ei phwrpas? 'Cynnyrch y mae iddo ei ragoroldeb a'i geinder' yw llenyddiaeth meddai *Geiriadur Prifysgol Cymru*, ac yn ôl *Termau Iaith a Llên* (Morgan D. Jones): 'cynnyrch sy'n hawlio sylw a lle arbennig ar dir ei deilyngdod a'i ragoriaeth mewn cynnwys a chrefft'. Ei phwrpas wedyn? A dyma droi at y Dr John Gwilym Jones a ddywedodd mai pwrpas llenyddiaeth yw diddanu, gan ychwanegu fod i ddiddanwch sawl lefel. Yng ngoleuni'r datganiadau hyn yr euthum ati i ystyried y cyfrolau a dderbyniwyd eleni, a chael fy mhlesio ar y cyfan gan safon a chywirdeb y dweud, a chan berthnasedd y cyfrolau i'r testun. Rwyf wedi eu bras rannu'n ddau ddosbarth gan gadw'r ddwy gyfrol a ystyriwn yn orau tan y diwedd.

DOSBARTH 2

Caneri: 'Y Prawf'. Mae Millyn, sy'n diwtor piano, yn dioddef o afiechyd difrifol ac abertha merch ei ffrind ei bywyd er ei mwyn. Marw wna'r fam hefyd o dor calon ond mae Millyn yn goroesi ac yn dial ar y byd meddygol trwy dorri i mewn i labordai arbrofi ar anifeiliaid. Caiff ei rhyddhau'n ddi-gosb, ond mae'n marw mewn amgylchiadau trist. Dyma waith mwyaf gwallus y gystadleuaeth ac y mae'r mynegiant yn drwsgl. Tybiaf mai dysgwr sydd yma wedi creu yn y Saesneg a chyfieithu. Os felly, mae i'w ganmol ond dylai ymarfer ei grefft gyda ffurfiau byrrach cyn mentro ar nofel.

Y Gwir: 'Er mwyn imi gofio'. Trais yn y cartref yw thema'r nofel hon a chafodd gryn effaith arnaf. Mae gan Marc Dafydd, y gŵr, arferiad o glymu cwlwm yn ei hances er mwyn cofio y dylai gosbi ei wraig yn barhaus, gwraig sy'n fethiant yn ei olwg, yn sicr yn ei hymdrech i fagu'r plant, Luc a Mari. Mae dawn ddiamheuol yma i ddarlunio gwewyr a thrais, a cheir darlun da o wallgofrwydd Marc wrth iddo ymosod ar ei fab. Ond mae'n gyfrol anwastad ac nid oes digon o gefndir Marc wedi ei gyflwyno inni ddeall beth sy'n peri iddo ymddwyn fel y gwna. Dylid edrych eto ar ei saernïaeth hefyd a dull yr holi gan y ditectif. Ond y mae posibiliadau ynddi.

Piri : 'Torri Cwys'. Mae athro ysgol yn etifeddu tyddyn ac yn symud yno efo'i wraig a'i ferch, Bethan. Mae'n llawn cynlluniau gan gynnwys trin caeau lle mae gwlad ffantasïol yn gorwedd dan y ddaear, sef Podopia, a'r ferch yn unig sy'n gwybod am ei bodolaeth ac yn cael cyswllt efo'i thrigolion. Hon yw'r wlad a roes fod i'r *I Pod*. Mae cryn ddyfeisgarwch yma a'r sgwrs o dro i dro rhwng yr 'awdur', sef Piri, a Bethan y ferch, yn argyhoeddi. Nid felly'r symud o'r byd real i ffantasi, na chwaith gymeriad y tad, y digwyddodd ei dröedigaeth yn syndod o sydyn. Ond er bod rhai darnau llac a diofal yn y gwaith, mae yma gryn dipyn o ysgrifennu da a doniol, gyda disgrifio celfydd yma a thraw.

Aurora: 'Pan aeth llu i Lychlyn'. Mae Nans, hanesydd celf, yn Llychlyn i gwblhau llyfr ar gelf, i fynd i seremoni i wobrwyo ei brawd Hywel, ac i ddatrys dirgelwch diflaniad rhieni'r ddau. Mae'r iaith ar y cyfan yn lân a'r dweud yn naturiol heb fod yn arbennig. Gwn fod fy nghydfeirniaid yn ei gosod yn uchel yn y gystadleuaeth ac un yn ei barnu'n orau, ond siom a deimlais i bob tro wrth ei darllen, ac ni allaf weld ei rhagoriaethau. Mae hi'n gyfrol sy'n pentyrru'n ddiddiwedd ddiflas gyfeiriadau at bopeth y gŵyr yr awdur amdanynt – enwau lleoedd, geiriau estron, awduron, darnau o gelfyddyd, hanes, daearyddiaeth, dinasoedd, gwestai, a hyd yn oed benodau llyfrau. Y rhan orau yw'r sgwrs rhwng y brawd a'r chwaer am Gymru a'r dadansoddiad eitha' sinigaidd o'r Gymru fodern. Hwyrach, yn wir, mai dychanu sydd yma fywyd y dosbarth breintiedig. Os felly, mae'n rhy ddiniwed o lawer a does dim min i'r dychan.

Disgybl: 'Cwlwm – Deus Est Machina'. Stori wedi ei gosod mewn cyfnod pan mae modd teithio rhwng y planedau yw hon, a rhyfel rhwng y bydoedd a ddarlunnir yma, a hynny gan awdur athrylithgar ond bod ei frwdfrydedd wedi ei arwain at ddiffyg cynildeb a diofalwch mewn sillafu ac orgraff.

Mae'n dechrau'n addawol a'r frawddeg gyntaf: 'Roedd oglau'r nos yn dew wrth i Glyn Ionw gerdded …' yn argoeli'n dda, ac mae llawer o ddweud da yn y gyfrol: 'Holltodd ei gwefusau hithau am eiliad cyn cau fel trap ll'godan drachefn'. Ond ceir hefyd bethau fel: 'A oes ganddo'ch brothsesis neu aelod o'ch corff o darddbwynt clonio?' Mae yma ddeunydd y gellid ei gyhoeddi o ailfeddwl a chydweithio efo golygydd gyda chyllell finiog.

DOSBARTH 1

Shani Las: 'Hawyr Bach, Caton Pawb'. Cyfrol a ysgrifennwyd yn y person cyntaf yw hon, a'r garreg las o'r Preseli y ceisiwyd ei symud i Gôr y Cewri sy'n siarad, yn rhannol yn adrodd ei hanes ac yn rhannol yn ailadrodd chwedlau adnabyddus. Syniad da gan awdur sy'n amlwg yn gwybod faint o'r gloch yw hi yng Nghymru ac sy'n feistr ar y dafodiaith. Ond gosododd dasg anodd iddo'i hun gan fod llwybr yr adrodd chwedlau yn llwybr mor goch o'i fynych droedio erbyn hyn fel bod rhaid cael dweud arbennig i ddal sylw'r darllenydd, ac mae angen mwy na defnyddio tafodiaith i gyflawni hynny. Yn wir, mae tafodiaith mewn traethiad yn creu problemau i ddarllenydd a sut bynnag, onid 'tafod iaith' ydyw, iaith i'w llefaru nid i'w hysgrifennu, dim hyd yn oed yn y person cynta', dim ond mewn deialog? Mae llawer i'w ganmol yn y gyfrol hon ond nid yw'n taro deuddeg.

Petra: 'Gair i Gwladys': Y 'gair' yw stori'r ferch ddienw, fel yr anfonwyd hi at ei ffrind Gwladys i adrodd ei hanes wedi iddi golli ei chariad neu'i phriod. Tybiwn, wrth ddarllen, y byddai'n datgelu beth a ddigwyddodd rhyngddi hi ac Elwyn. Ond erys hynny'n ddirgelwch. Ai ei golli i Gwladys a wnaeth hi, tybed? Nid yw'r gyfrol yn llwyr argyhoeddi na chwaith berthynas y prif gymeriad efo Madge a Calley, ond cawn gyffyrddiadau da iawn o safbwynt arddull, disgrifio a deialog, a cheir ynddi beth dweud cofiadwy: 'Roedd Beti Jos yn bapur bro cyn i neb feddwl am y ffasiwn beth erioed'.

Sephorah: 'Cwlwm Creulon'. Nofel hen ffasiwn ac mae condemnio unrhyw beth felly yn arferiad poblogaidd yn yr oes ôl-fodernaidd hon. Ond nid wyf fi erioed wedi dilyn y duedd honno. Stori gyfnod ydyw ac mae gwirioneddau oesol yn y darlun o forwyn fferm naïf a hogyn sy'n ei defnyddio er mwyn bodloni ei chwant. Mae'r cyfnod wedi ei ymchwilio'n ofalus a'i gyflwyno'n gwbl gredadwy, ac mae'n nofel sy'n gorfodi'r darllenydd i fwrw ymlaen i'w chwblhau. Cefais gryn ddiddanwch o'i darllen, gan ei bod wedi ei hysgrifennu'n dda mewn iaith addas. Ei phrif wendid yw fod rhagweld beth sy'n digwydd mor hawdd; dylai fod ynddi efallai is-thema ac ambell sgwarnog yn croesi'r llwybr er mwyn tynnu sylw'r darllenydd oddi ar drywydd yr anorfod.

Yn fy marn i, y mae dwy gyfrol yn rhagori o ran cynnwys a chrefft ac yn gwbl deilwng o'r Fedal, sef cyfrolau *Alto* a *Sidan*.

Alto: 'Nodus'. Llên micro sydd yma, neu fath o lên micro, a'r ffurf wedi datblygu dan ddwylo awdur medrus. Darlunio diwrnod yn hanes nifer fawr o bobl Cymru mewn gwahanol leoliadau o fewn y wlad y mae'r gyfrol, a'r cyfan, neu'r rhan fwyaf, beth bynnag, yn cordeddu'n gelfydd gydag amrywiaeth mawr o linynnau storïol neu glymau. Mae yma ddweud cynnil, da, awgrymog, annisgwyl ar brydiau: 'Mae hi a'i thrallod yn chwa o awyr iach'; 'Mae Sharon ar ei phen ei hun eto, er bod Siôn yn y tŷ', ac mae saernïaeth bendant a datblygiad i'r rhan fwyaf o'r llinynnau storïol. Mae adeiladwaith brawddegol gofalus yma hefyd, megis y gyfres o bum brawddeg yn hanes Siôn sy'n dechrau efo: 'Tydi rhyfel ddim yn darfod ar ôl i filwr ddyfod adre'. Cyfres sy'n symud o'r unigol i'r lluosog ac yna i'r penodol bersonol – darlun cynnil o wae pob rhyfel. Celfydd iawn. Y mae, fodd bynnag, rannau nad ydynt cystal, a pheth dweud afrosgo sy'n tynnu oddi wrth y gweddill: 'Edrychodd Carys erioed ar Steffan yn yr un modd wedi hynny'. Mae rhai gwallau iaith, hefyd, ond y mae rhinweddau'r gyfrol yn llwyr orbwyso'r gwendidau a byddwn yn hapus iawn i ddyfarnu'r Fedal iddi oni bai bod un arall yn y gystadleuaeth.

Sidan: 'Gwe o Glymau Sidan'. Nodir rhestr y cynnwys fel llên micro, stori fer, fer a stori fer, ac mae'r awdur hwn eto'n datblygu ffurf y llên micro. Yn rhyfeddol o debyg i *Alto*, lleoliadau yw penawdau'r darnau yma hefyd ond yn wahanol i awdur y gyfrol honno, does dim ymgais i gysylltu'r storïau na'r mannau â'i gilydd. Ar y dechrau, tueddwn i feirniadu'r gyfrol am hynny, a gweld ynddi ddiffyg undod gan mai darnau digyswllt sydd ynddi. Ond byddai ei beirniadu am hynny'n feirniadaeth hefyd ar bron bob cyfrol o farddoniaeth a gyhoeddwyd erioed, ac am 'gyfrol o ryddiaith greadigol' ar y testun 'Cwlwm' yn syml y gofynnwyd. Mae pob adran o'r gwaith yn darlunio cwlwm rhwng gwahanol gymeriadau, rhwng cymeriad a'i amgylchiadau neu rhwng cymeriad a'r awdur. Arddangosir dawn ryfeddol a chrefft loyw yn y rhan fwya' o'r darnau hyn. Darllenwch 'Llangwm' i ymdeimlo â gwewyr gwraig mewn priodas anhapus, 'Llaneurgain' i gael darlun cynnil o'r mewnfudo sy'n difa ein cenedl, 'Gresffordd' i gael mynegiant cryno o ddeuoliaeth greulon bywyd, 'Brymbo' am ddarlun o angel pen ffordd a diawl pen pentan. Y mae'r dweud mewn sawl man mor gofiadwy ac yn adlewyrchu gwybodaeth sicr o'r mannau sy'n destun i bob darn: 'I lawr y lôn, tua'r mart a'r ffald na ddaw neb ohoni ...' (Bryncir – lle mae mart), 'Bryntni dynion a'i trodd yn llechen lafar yn fy nghof ...' (Bethesda – ardal y chwareli).

Nid yw llên micro yn hoff ffurf gen i ond does dim lle i ragfarn mewn beirniadaeth lenyddol, ac er y tybiwn y byddai'r straeon byrion yn plesio hyd yn oed yn well, dydyn nhw ddim, gan fod y darllenydd wedi cynefino efo cynildeb y darnau eraill ac yn disgwyl yr un cynildeb yn y straeon. Ond y mae ysgrifennu da yn y rhain hefyd a'r defnydd o ieithwedd rhai o'n hawduron yn y stori am Dr Kate yn glyfar iawn.

O ystyried y ddwy gyfrol, sy mewn sawl ffordd yn debyg i'w gilydd, ac yn agos iawn o ran teilyngdod, *Sidan* sy'n mynd â hi gen i oherwydd peth rhagoriaeth mewn cynnwys a chrefft, ac y mae'n enillydd teilwng iawn o'r Fedal Ryddiaith eleni.

Stori fer heb fod dros 4000 o eiriau: 'Priodas'

BEIRNIADAETH DEREC LLWYD MORGAN

Y rhyfeddod i mi bron bob tro y beirniadaf yn Adran Lenyddol yr Eisteddfod Genedlaethol yw fy mod yn darllen gweithiau gan rai ymgeiswyr sy'n rhoi'r argraff na ddarllenasant odid ddim llenyddiaeth berthnasol yn eu bywyd. Y mae rhai o'r ymgeiswyr yn y gystadleuaeth hon eleni eto yn cyfansoddi megis yn ddigynsail, yn union fel pe nai bai D. J. Williams a Kate Roberts a Pennar Davies a Mihangel Morgan, heb sôn am storïwyr byrion mawr Ewrop ac America, erioed wedi cyhoeddi'r un sill yr oedd yn werth iddynt ei ddarllen. Yn hytrach na dal rhyw agwedd ar y profiad dynol mewn un neu ddau ddigwyddiad, fel y disgwylir i awdur stori fer ei wneud, yr hyn a geir gan *Wil, Dafis, Pererin* a *Blodyn yr Hâf* yw hanes byr bywyd priodasol eu dewis gymeriadau o'r oed cyntaf hyd at naill ai angau neu wahaniad. Gan mor aneglur yw'r adrodd yng ngolygfeydd byrion *Dafis*, nid wyf yn siŵr bob amser pwy-yw-pwy a beth-yw-beth yn ei stori ef, ond y mae'n amlwg yn straeon y tri arall mai priodasau aflwyddiannus sydd ganddynt, mawr odinebu yn stori *Wil* ac yn stori *Blodyn yr Hâf*, a chreulondeb mawr yn stori *Pererin*. Ni ddylai'r gwragedd yn y ddwy stori olaf fod wedi dioddef eu gwŷr gyhyd, ond yn niwedd y naill y mae mwy nag awgrym mai Gwen a saethodd Tom ac yn niwedd y llall cafodd Nan o leiaf loches rhag cernodiau George. Hen ffasiwn o foesol ac anfoesol yw'r storïau hyn i gyd.

Nid stori ond rhywbeth arall a geir gan *Brân*, sef truth athronyddol ar rawd Dyn i ddiddymdra, truth a dry yn y diwedd, pan mae'r gigfran yn ymosod ar yr adroddwr, yn dipyn o nonsens. Yr ymgeisydd hwn, heb os, yw un o ddau Gymreigiwr gorau'r gystadleuaeth, ond amheuaf fod mwy o ddyfodol iddo fel paratöwr gwersi tiwtorial neu fel hebryngwr ar y mynyddoedd nag fel storïwr.

Y ddau a ysgrifennodd storïau byrion yw *Cae Bach* a *Sara*. Yn y naill stori, yn ei unigrwydd wedi i'w wraig ei adael, y mae gŵr canol-oed yn llunio cerdd am y tro cyntaf yn ei fywyd. Yn y man, y mae'n ei hanfon at y wraig ac ymhen misoedd lawer y mae'r wraig yn anfon ato ef gryno ddisg ar yr hon y recordiodd yr alaw a gyfansoddodd hi i'w eiriau ef. Y mae'r cyffyrddiad yn ddigon i ddangos bod rhywfaint o fywyd yn eu perthynas o hyd. Ond yn fy myw ni allaf beidio â meddwl mai yng ngeiriau'r gerdd y mae'r gwir fynegiant i'r tipyn bywyd hwnnw, nid yn y stori a gefais i.

A dyma ddod at stori *Sara*. Dyhead unochrog am briodas sydd yma, yn cael ei fynegi'n rhwydd mewn darn o waith sy'n darlunio cymeriad gweddus a phoenus o ddiniwed. Y mae'r naratif yn cael ei dynnu allan yn gelfydd, mor gelfydd fel y gwerthfawrogir y darlun clo, pan ddeuir ato, am yr hyn ydyw, sef symbol o awydd angerddol Sara am ei dewis ŵr. Gweledigaeth seml, arddull seml. Gwobrwyer *Sara*.

Y Stori Fer

PRIODAS

Siopa

1

Llun 7 Mai

Caws	Garlleg
Iogwrt	Whiskas Temptations (dim *chicken & cheese*)
Ceirch	Ffrâm 20 x 30
Mêl	Powdwr golchi Ecover
Bresych coch	

Mae Sara Wyn mewn cariad â Gruff. Bu mewn cariad â Gruff ers pum mlynedd. Gwaetha'r modd, nid yw'r cariad hwnnw wedi cael ei gydnabod gan neb arall, gan gynnwys Gruff ei hun. Y mae'n ddigon posibl, hyd yn oed, nad yw Gruff yn gwybod dim amdano. Erbyn hyn dyna yw gobaith Sara: bod y negeseuon wedi mynd ar goll. Mae Gruff yn byw yn Llundain, yn ôl pob sôn, lle mae pobl a phethau'n mynd ar goll trwy'r amser. Neu efallai ei bod hi'n defnyddio'r cyfeiriad e-bost anghywir, y rhif symudol anghywir. Dyna'i gobaith. A byddai'n gysur, mewn ffordd, petai'r negeseuon yn bownsio'n ôl, petaen nhw'n cael eu gwrthod gan ryw beiriant yn rhywle. Byddai hynny'n cadarnhau mai amryfusedd oedd y cyfan, rhywbeth amhersonol a dideimlad, a gallai hi ddweud wrthi'i hun, *Pam, o pam, na fues i'n fwy carcus wrth sgrifennu'r manylion i lawr?*

Ond does dim un o'r negeseuon wedi bownsio'n ôl. Aethant ar goll, felly. Dyna'r unig gasgliad y gallai rhywun rhesymol ddod iddo. Dyw hi ddim yn siŵr sut y gall neges fynd ar goll: dirgelwch yw pethau o'r fath i Sara. Ac yn hynny o beth, y mae ei hanwybodaeth hefyd ar fai. Mae popeth ar fai heblaw Gruff ei hun. Oherwydd beth arall sy'n bosibl? Bod Gruff wedi derbyn ei negeseuon? Ei fod e wedi'u darllen a'u deall ac yna penderfynu, yn gwbl oeraidd, nad oedd am eu hateb? Na, allai Gruff byth wneud hynny, ddim ei Gruff hi, y Gruff y mae hi'n ei garu'n fwy na neb arall yn y byd. Gwell o lawer credu ei fod heb weld y negeseuon, bod yna obaith o hyd, ac

124

y daw ateb yfory neu drennydd, pan gaiff gyfle, pan ddaw o hyd i'w ffôn, pan edrycha ar ei e-byst. Ateb yn dweud, *Na, heb weld yr un neges arall, Sara. Dyma'r gyntaf sy wedi cyrraedd fan hyn. Rhyfedd, yntefe? A shwd wyt ti ers llawer dydd?* Rhywbeth fel 'na.

Cariad hysb yw cariad felly. Ond am bum mlynedd, y cariad hysb hwn fu'n gymar i Sara. Darllenai dudalennau problemau'r cylchgronau merched er mwyn deall sut yr oedd trafod dynion bach penstiff, pwdlyd, fel y byddai'n gwybod beth i'w wneud â Gruff pan gamai'n ôl i'w bywyd. Aeth mor bell â rhoi 'Mewn perthynas' ar ei thudalen *Facebook*, gan feddwl na fyddai'n deg ar eraill gogio ei bod hi'n rhydd. Ofnai na fyddai'n deg ar Gruff ei hun, hyd yn oed, er bod hwnnw wedi bod yn fachgen bach digon di-serch, a hithau'n aml yn teimlo fel dweud, *Digon yw digon, Gruff bach*, a dechrau mynd allan gyda rhywun arall.

Am gyfran helaeth o'r pum mlynedd, doedd gan Sara ddim ffordd o ddisgrifio'r cyflwr hwn. Byddai rhywun o'r tu allan wedi sôn amdano, efallai, fel 'cysgod o gariad' neu 'gariad rhithiol' neu 'hunan-dwyll', heb weld dim ond ei ddiffyg sylwedd a'r bwlch diadlam rhwng y ddau unigolyn. Ond ni fyddai hynny wedi gwneud cyfiawnder â'r mater. Yn bendant, ni fyddai Sara wedi derbyn dilysrwydd y disgrifiadau hynny. Yna, darllenodd yn un o'r papurau Sul am ferch naw mlwydd oed yng Ngwlad Groeg a aethai dan y gyllell er mwyn tynnu o'i bola ei gefeilles ei hun: merch fach arall a ddylai fod wedi cael ei geni'r un pryd â'i chwaer ond a drodd yn dwlpyn o groen ac esgyrn. Yr efeilles na fu. Yr efeilles a fu'n agosach iddi na'r un enaid byw. Darllen amdani mewn papur Sul a gwybod ar unwaith mai dyna'n union roedd Gruff iddi. *Fetus infetu. Mannequin* diwerth o gariad.

Er hyn i gyd, dyw Sara ddim yn barod eto – ddim heddiw – i erthylu'r ffetws hwnnw o'i chorff. A dyna pam, ar ôl prynu'r bresych coch a'r ceirch a'r bwydydd eraill – ond nid y powdwr golchi, am fod hwnnw'n drwm a bydd yn haws ei godi ar y ffordd yn ôl at ei char – y mae hi'n taro heibio'r siop grefftau, er mwyn cael golwg ar y fframiau. Does dim angen ffrâm arni a dyw hi ddim yn bwriadu prynu un. Ond nid dyna'r pwynt. Bydd h'n dweud wrth y dyn y tu ôl i'r cownter fod ganddi lun ysgol gartref – un o'r rhai hir a chul yna o'r hen ddyddiau sy'n dangos y disgyblion i gyd yn eu rhesi, yn fyddin o wynebau sgleiniog – a bod eisiau ffrâm 20 x 40 ar ei gyfer. Mae hi'n gwybod nad oes fframiau o'r maint yna ar gael yn y siop a bydd y dyn yn gofyn iddi wedyn a hoffai iddo archebu un, a pha un sydd ganddi mewn golwg? Achos mae cymaint o ddewis. Cymerwch y *Classic Series*, er enghraifft. Dyna'r *Rustic Series*. Neu'r *Antique Royal*. Gŵyr Sara am y rhain i gyd, a mwy, oherwydd mae wedi gwneud ei gwaith cartref. Rhaid iddi fod yn gwsmer credadwy heddiw. Rhaid iddi sôn digon am y fframiau i gyfiawnhau ymestyn y sgwrs a siarad am faterion eraill. 'Na, gwell gen i'r rhai plaen'. Dyna fydd hi'n ei ddweud, a'i ddweud â thipyn o arddeliad hefyd, gan siglo'i phen. Ond bydd hi'n gwenu'n werthfawrogol wedyn pan â'r dyn i fanylu am y mathau o bren sydd ar gael, am y gwahaniaeth rhwng yr onnen a'r pin a'r *composite*. A bydd yn ddigon hawdd dweud wrtho ar y diwedd ei bod hi am ystyried y mater ymhellach a galw'n ôl yfory neu drennydd. 'A chyda llaw …' wedyn. 'Gyda llaw …' wrth iddi droi am y drws.

Edrycha Sara ar ei hadlewyrchiad yn y ffenest, gan bwyso a mesur a yw ei delwedd yn gydnaws â'r pethau eraill yno – yr îsl a'r papur a'r brwsys paent, y Clay Babies i blant, y QuickKutz Kit ar gyfer gwneud cardiau, y glityr a'r sêr i'w rhoi ar y cardiau hynny. Mae hi'n gwisgo'i *jeans* du heddiw, ei chrys llwyd llaes, a'r sandalau Rieker coch a brynodd yn Abertawe. Mae wedi clymu'i gwallt yn ôl a thorchi'i llewys, i ddangos ei bod hi'n barod am dwrn o waith creadigol. Ac mae hyn i gyd yn ddigon derbyniol ganddi. Fydd neb yn edrych ddwywaith.

Ar ôl mynd i mewn i'r siop, mae Sara'n anelu'n syth am y wal bellaf, lle mae'r fframiau'n cael eu harddangos. Gwna hynny heb gymryd sylw o'r dyn y tu ôl i'r cownter oherwydd, petai hi'n edrych arno, byddai yntau'n gofyn, 'Ga' i'ch helpu chi?' a byddai'r cyfan yn digwydd yn rhy glou. O gyrraedd y fframiau, mae'n tynnu un i lawr o'i bachyn, ac yna un arall, ac astudio'r ddwy'n ofalus, i ddangos ei bod hi'n gwybod am y pethau hyn, ei bod hi'n teimlo'n gartrefol ymhlith y pren a'r paent a'r glud. Cymer gip dros ei hysgwydd ac mae hi'n falch o weld bod y dyn y tu ôl i'r cownter yn siarad â rhywun arall erbyn hyn, rhyw grwt ifanc ag wyneb bach llygodlyd, a hwnnw'n gweithio yma hefyd, mae'n debyg, achos mae'n agor bocsys ar y llawr. Mae Sara'n falch nad yw ef yn cymryd dim sylw chwaith. Ac eto, ar yr un pryd, mae hi braidd yn siomedig o weld bod dieithryn wedi gwneud ei wâl yn y lle cysegredig hwn.

Wedi treulio rhai munudau ymhlith y fframiau a chymryd golwg ar y *mobiles* hefyd, gan feddwl efallai y byddai'r cocatîl, gyda'i las a'i goch a'i felyn, yn edrych yn bert yn ei stafell wely, mae Sara'n barod i fynd at y cownter. Mae'n barod i holi, yn benodol, am y fframyn 20 x 40 a chlywed esboniad y dyn, bod angen gwneud un yn arbennig, bod y siop, gwaetha'r modd, yn rhy fach i stocio popeth. Mae'r 'Helô' eisoes yn ffurfio ar ei thafod, mae gwên cwrteisi yn dechrau goleuo'i hwyneb. Mae hi'n difaru, efallai, nad oes cwsmeriaid eraill yn y siop: byddai aros ei thro mewn ciw yn ychwanegu at hygrededd yr olygfa, does dim dwywaith. Byddai clywed pobl eraill yn holi am y peth hwn a'r peth arall, yn trwco ystrydebau am y tywydd, wedi gwneud iddi deimlo'n well. Ond mae hi'n ystyried wedyn mai da o beth yw hynny, at ei gilydd, oherwydd pan ddaw'r sgwrs am y fframiau i ben, a hithau'n troi i fynd, ac wrth droi, yn dweud 'Gyda llaw …', bydd yn haws sefyll yno am sbel, i ymestyn y sgwrs, i ofyn cwestiynau ychwanegol.

Dyw Sara ddim yn siŵr sut y bydd y geiriau hyn yn dod allan. 'Gyda llaw, shwt mae Gruff yn dod ymlaen? Ydych chi wedi clywed 'wrtho fe?' Neu 'Gyda llaw, fe weles i rywun tebyg iawn i Gruff yn cerdded heibio'r ysbyty gynnau fach. Ydy e'n ôl yn Nhrefelin, 'te?' Mae hi wedi ymarfer y ddau gwestiwn droeon yn ei meddwl. Mae hi wedi rhoi cynnig ar amrywiadau eraill hefyd. 'Chi siŵr o fod yn gweld eisie Gruff yn y siop ...' Neu 'Werthodd Gruff ei dŷ e wedyn?' Neu, os bydd hi'n ddigon dewr, 'Fe hales neges ato fe unwaith, ond ...' Ac mae'n gwybod mai cochi wnaiff hi wrth ddweud 'Gruff'.

Wrth godi'i llygaid a chymryd y cam cyntaf tuag at y cownter, mae Sara'n sylwi bod y dyn hŷn yn sibrwd wrth y dyn ifanc, yr un llygodlyd, a bod y ddau'n gwenu wedyn, ac wrth wenu, yn rhyw giledrych arni. Ac efallai nad oes dim o'i le yn hynny. Efallai mai'r cyfan a wêl y ddau yw cwsmer yn disgwyl gwasanaeth. Efallai eu bod nhw'n rhannu jôc, neu'n sôn am ryw dro trwstan yn gynharach yn y dydd. Efallai mai cyd-ddigwyddiad yw'r cyfan. A fyddai dim ots ganddi chwaith petaen nhw'n parhau i edrych arni, petai'r wên yn agor y drws i ryw gyfarchiad bach cyfeillgar. Ond troi'n ôl at ei focsys a wna'r dyn ifanc. Agor rhyw gatalog neu'i gilydd a wna'r dyn hŷn. A does gan Sara ddim ateb i'r wên honno, y wên a dorrwyd yn ei hanner. Dyna pam mae hi'n rhoi'r fframiau'n ôl ar eu bachau a mynd am y drws. Wrth fynd allan, dywed 'Galwa i'n ôl 'to', mewn llais ffwrdd-â-hi, achos mae angen geiriau i lenwi'r bwlch. Ac mae'n gwybod y bydd hi ganwaith gwaeth y tro nesaf.

2

Gwener, 25 Mai

Brocolli	2 sosban
Pysgod	Macynon
Tato	Lemon Sherberts
Menig rwber	Weleda Foot Balm
Cream cleaner	Mouthwash (dim Original)
Floor soap	Ibuprofen
Floss	

Mae Sara'n byw gyda'i mam. Bu'n byw gyda'i mam ers chwe blynedd, ers y diwrnod y bu farw ei thad. Roedd pawb yn credu mai ei mam fyddai'r gyntaf i ildio, yn bennaf ar gyfrif ei hanadlu trwblus. Swniai hwn fel llif bach yn torri pren mewn coedwig bell, yn ôl ac ymlaen, yn ôl ac ymlaen, yn arwydd parhaol o'i breuder. Roedd hi ei hun wedi dweud wrth Sara: 'Bydd rhaid i ti garco fe, cofia ... Ar ôl i fi fynd ... Bydd e'n ffaelu dod i ben wrtho'i hunan', gan ddogni'r geiriau rhwng ei hanadliadau bach herciog.

Ond y tad a aeth gyntaf. Cafodd drawiad ryw brynhawn dydd Sadwrn wrth wylio'r rasys ceffylau ar y teledu, a doedd neb wrth law i roi help iddo na ffonio am ambiwlans. Ac roedd hynny'n anffodus, am mai nyrs oedd Sara ac mae'n bosibl y byddai wedi gallu gwneud gwahaniaeth. Ond roedd hi a'i mam wedi mynd i Abertawe i brynu esgidiau. Pan ddaethant yn ôl, roedd y teclyn teledu'n dal yn ei law a'r ceffylau'n dal i redeg. Symudodd Sara i mewn y noswaith honno.

Roedd Sara'n ddigon bodlon ar y trefniant newydd. Roedd tŷ ei mam yn llawer mwy cyfforddus na'r fflat fach yng nghanol y dre. Caent gwmni ei gilydd gyda'r hwyr hefyd, neu yn y bore, neu bryd bynnag nad oedd Sara ar ddyletswydd yn yr ysbyty. Doedd dim angen iddi goginio ryw lawer chwaith: roedd ei mam yn falch o'r cyfle i ymorol amdani, i gael ei chyw bach melyn yn ôl yn y nyth. Y siopa oedd prif ddyletswydd Sara, am na allai ei mam fentro ymhell o'r tŷ na chario bagiau trwm. Gan amlaf, nid oedd hynny'n fawr o orchwyl. Hoffai'r ddwy yr un bwydydd. Doedd dim angen atgoffa Sara i brynu Glengettie, nid PG Tips; Hobnobs plaen, nid rhai siocled. Darllenent yr *Evening Post* yn ystod yr wythnos, y *Western Mail* ar ddydd Sadwrn a'r *Mail on Sunday* ar ddydd Sul. Casaent *ketchup*, mwstard a *Big Brother*.

Ar adegau, fodd bynnag, byddai Sara'n gorfod prynu ambell eitem yn unswydd i'w mam, ac i'w mam yn unig. Diau fod nifer yr eitemau hynny wedi cynyddu'n ddiweddar: bydd anghenion menyw'n newid wedi iddi groesi'r deg a thrigain. A dyna egluro pam mae Sara wedi rhannu ei rhestr siopa'n ddwy golofn heddiw. Rhaid cael y Weleda Foot Balm i'w rwto i mewn i draed ei mam, am fod croen ei sawdl wedi mynd yn boenus ac yn dechrau cracio. Rhaid cael sosbannau iddi, hefyd – rhai bach alwminiwm – am fod yr hen rai, y rhai a fu ganddi ers iddi briodi, wedi mynd yn rhy drwm.

Ar ôl prynu'r bwyd a'r sosbannau a'r eli traed, a chael tiwben o Liz Earle Hand Repair iddi hi ei hun, fel *treat* bach, mae Sara'n teimlo'n ddigon bodlon ei byd. O edrych ar ei watsh, a gweld bod ganddi hanner awr cyn y bydd ei mam yn ei disgwyl yn ôl gartref, mae'n gadael ei siopa yn y car, yn cerdded i fyny Lôn y Farchnad a throi am y Stryd Fawr. Mae hi'n falch o'r rhyddid yno, ar ôl bod ar y ward trwy'r dydd, ac ar ôl caethiwed gwahanol Safeways. Mae hi'n mwynhau cerdded yn ddibwrpas, gan gymryd cip ar ffenestri'r siopau, heb orfod gwneud dim i blesio neb ond hi ei hun. Tynnir ei sylw, yn arbennig, gan siwt drwser yn Siop Siân ac mae'n ystyried mynd i ofyn a oes un dywyllach i'w chael, oherwydd mae'r un felen yn y ffenest braidd yn llachar. Ond mae'n barnu wedyn fod y defnydd yn rhy denau, hyd yn oed ar gyfer yr adeg yma o'r flwyddyn, ar drothwy'r haf. Ac efallai na fyddai'r llewys yn ei siwtio hi chwaith. Peth od yw cael llewys fel 'na, yn ei meddwl hi, rhai nad ydyn nhw'n fyr nac yn hir, nac yn un peth na'r llall.

Mae Sara'n cerdded heibio Waterstone's a siop deithio Going Places. Yna, yn ffenest Dyer Menswear (a'r enw bob amser yn dod â gwen i'w hwyneb), mae hi'n gweld yr union liw y byddai'n ei ddewis ar gyfer y siwt drwser, petai hynny'n bosibl: lliw rhytgoch, cynnes, hydrefol; lliw digon anarferol i grys dyn. Daw awydd arni i fynd yn ôl i Siop Siân a holi'r ferch yno tybed ydyn nhw'n gwneud siwt drwser yn y lliw yna? Efallai y byddai'n rhaid dod â'r ferch draw i siop Dyer's iddi gael gweld y crys drosti hi ei hun, ac i Sara gael dweud wrthi, 'Dyma fe ... Dyma'r lliw... Oes gyda chi. . . ?' Ond yna mae Sara'n cofio am ei phenderfyniad cynharach, bod y defnydd yn ffenest Siop Siân yn rhy denau, nad yw'r llewys yn un peth na'r llall. A pha ots am y lliw wedyn?

Mae hyn yn peri siom iddi. Mae wedi rhoi ei bryd ar brynu rhywbeth a mwy o sylwedd iddo na'r Liz Earle Hand Repair. Daeth yn weddol agos at y peth hwnnw hefyd, yn ei meddwl hi ei hun, cyn iddo gael ei dynnu o'i gafael, cyn i amgylchiadau gynllwynio yn ei herbyn. Ond nid yw'r siom yn para'n hir. Un dda yw Sara am wneud y gorau o'r gwaethaf. Edrycha eto ar y crys yn y ffenest a sylweddoli nad oes angen iddi golli pleser y lliw hyfryd hwnnw wedi'r cyfan. Nid yw o werth yn y byd iddi hi, ond byddai'n siwtio Gruff i'r dim. Gyda hynny, mae'n anghofio am y siwt drwser ac yn gwneud llun yn ei meddwl o Gruff yn ei grys newydd, yn gwenu arni, yn codi'i law, ac yn troi wedyn i Sara gael gweld pa mor smart yw toriad y cefn hefyd, i werthfawrogi'r ffordd naturiol y mae'r defnydd yn gorwedd ar draws yr ysgwyddau llydan, a'r bleten ddwbl yn eu gwahanu'n dwt. Ac fe ddaw i'r casgliad, o graffu ar y llun yn y meddwl, mai lliw dyn yw hwn yn ei hanfod, nid lliw menyw, a beth a ddaeth drosti i gredu'n wahanol? Oedd, roedd y melyn yn rhy lachar. Ond byddai'r lliw hwn yn llawer rhy drwm, yn llawer rhy briddlyd ar gyfer siwt drwser. Lliw dyn yw hwn. Lliw Gruff.

Mae Sara'n parhau i droi'r ddelwedd hon yn ei meddwl, gan ei hystyried o bob ongl bosibl, oherwydd nid ar chwarae bach y mae prynu crys i ddyn. Mae'n weddol siŵr nad oes gan Gruff grys tebyg yn barod neu, o leiaf, dyw hi ddim yn ei gofio'n gwisgo'r fath grys. Ar yr un pryd, mae llais y tu mewn iddi'n dweud, 'Wel, falle nad oes 'da fe grys tebyg i hwn, ond beth mae hynny'n 'i brofi? Falle bo' fe ddim yn lico'r lliw. Neu, fel arall, falle bo' fe jyst ddim yn lico cryse â phocedi ar y frest'. Oherwydd all Sara ddim cofio gweld Gruff yn gwisgo'r math hwnnw o grys chwaith, crys â dwy boced ar y frest, boed a fo am y lliw. Ydy, mae'n bosibl. A sut mae gwybod?

O fethu rhoi ateb i'w chwestiwn ei hun, mae Sara'n troi'n ôl a cherdded i mewn i Going Places, yn sefyll am funud nes bod un o'r ddau gynorthwyydd yn rhydd, a gofyn wedyn am *brochures* gwyliau ar gyfer yr hydref. 'Yn yr hydref y bydda i'n mynd bob blwyddyn. Pan fydd y tywydd wedi cwlo 'lawr tipyn bach ... A'r ffleits o Gaerdydd, wrth gwrs, am ei bod hi'n ormod o strach mynd i Heathrow … A'r lle arall 'na. Ie, 'na chi. Stanstead. Mae hwnna'n wa'th … A dim y Canaries chwaith', medd Sara, achos buodd hi yno unwaith ac roedd y lle'n anialwch i gyd. Mae'n chwerthin a dweud, 'Bydde'n haws sefyll gartre, sbo'. Ac mae'r cynorthwyydd yn chwerthin hefyd. 'Ie, a tshepach'.

Ar ôl iddi ymadael, a llond cwdyn o *brochures* yn ei llaw, aiff Sara'n ôl i Dyer Menswear. Ac am fod y lle'n wag mae'n cael mynd yn syth at y dyn bach moel a gofyn iddo ymofyn 'un o'r cryse ryst 'na yn y ffenest, plîs'. Pan ddywed hwnnw, '*Medium* neu *large*, madam?', mae Sara'n pendroni am ychydig. '*Medium* neu …?' '*Medium* neu *large*, madam. Dyna i gyd sydd ar ôl, mae arna i ofn. *Medium* neu *large*.'

Mae Sara'n ail-greu'r llun yn ei meddwl. Mae'n ceisio cymharu gwddwg Gruff a'i ysgwyddau, gan dybio, os yw'r ysgwyddau'n llydan, siawns nad yw'r gwddwg yn llydan hefyd. Ond mae'r dyn bach moel yn syllu arni. Mae ei lygaid bach marblis yn crefu am ateb. Aiff y llun ar chwâl. Ac mae Sara'n gwybod bod rhaid iddi ddod i benderfyniad, achos pa fenyw fyddai'n mynd i siop i brynu crys i'w chariad heb wybod ei *neck size*? 'O, *large*, plîs'.

A bydd hynny'n iawn. Bydd Gruff yn cadw'r goler ar agor, fwy na thebyg, a fydd dim ots os yw e ychydig yn fawr. Gwell mynd am y rhy fawr na'r rhy fach. Ie, y rhy fawr bob amser, lle mae dillad yn y cwestiwn. 'Anrheg i'r gŵr, ife?' 'Ie …' Yna, wrth deimlo'r gwres yn ei bochau, mae Sara'n dweud, 'Wel, ddim eto … Diwedd Mehefin mae'r briodas'. Mae'r dyn bach moel yn nodio'i ben a gwenu. 'Llongyfarchiade'. Mae Sara'n gwenu'n ôl. 'Diolch.'

Gartre, mae ei mam yn gofyn i Sara ble mae hi wedi bod ac mae Sara'n dangos yr eli traed iddi a'r sosbannau newydd. Yna aiff â'r crys i'w stafell a'i hongian gyda'r lleill! Ar ochr chwith ei wardrob. Er na fydd hi byth yn rhannu ei rhestr siopa'n dair, y mae yn sicr, ar adegau, yn prynu i dri.

Ac mae'n meddwl wedyn, Oes, mae 'na ddigon o le 'ma 'to. Am sbel.

Sara

Ysgrif heb fod dros 2,000 o eiriau: Ymweld â man arbennig

BEIRNIADAETH JON GOWER

Cafwyd ysgrifau ar amrywiaeth eang o hoff leoedd – atlas annisgwyl, fel petai – gan grwydro o Nant-ddu i Fiji, ac o Ferthyr i Foscow. Roedd hiraeth yn elfen gyffredin, wrth i unigolion edrych yn ôl ar lecyn neu bentref neu ddarn o dir drwy lens ramantus neu niwlog neu drist. Mwynheais grwydro yma a thraw yng nghwmni nifer o'r tywysyddion, ac fe gyflwynwyd ambell ysgrif benigamp. Prif brawf yr ysgrifennu oedd cyfleu hanfod lle, nes bod darllenydd yn gorffen brawddeg olaf yr ysgrif, yn gosod ei sbectol ar y ddesg, a dweud: 'Ie, nawr, dw i hefyd wedi bod yno, dw innau hefyd yn adnabod y lle'.

Dyma sylwadau ar y 27 o ysgrifau a dderbyniwyd, gan nodi unrhyw deitl a roes cystadleuydd ar ei waith.

Y Sipsi: 'Mae'r Llen Wedi Codi'. Awn ar daith 1600 milltir ar hyd yr ail afon fwyaf yn Ewrop, sef y Ddonwy, sy'n croesi pum gwlad wrth iddi lifo o'r Fforest Ddu yn yr Almaen i'r Môr Du yn y dwyrain. Mae'n debyg i sioe sleidiau ar ôl gwyliau, yn llawn ffeithiau diddorol a phrofiadau teithio ar yr afon, gan ymweld â rhai o'r trefi a'r dinasoedd ar ei glannau. Ond, yn y pen draw, nid yw'n mynd ymhell iawn o dan yr wyneb.

Dola: 'Taith i Traws a'r Ysgwrn'. Ymweliad â'r ardal lle magwyd yr awdur, wrth iddo ef neu hi ddychwelyd i ardal Trawsfynydd a'r Ysgwrn. Siom sy'n ei ddisgwyl yn ei filltir sgwâr, wrth iddo weld Stesion Traws wedi colli'i sglein a chanolfan y pentref yn lle difywyd. Ond mae pethau'n gwella o dderbyn croeso gan gyfaill o ffarmwr. Ysgrif syml, glir a gonest.

Porius: 'Ymweld â'r Grisiau Rhufeinig'. Dringo'r grisiau sy'n cysylltu morfa Meirion â gweithfeydd aur, arian a chopr yn y tir uchel Affganistanaidd uwchben Harlech a Llanfair y mae'r awdur hwn. Cawn glywed am gwmni Alexander Korda yn gwneud ffilm yma ddiwedd y 1930au, a thywys criw o blant o Hemel Hempstead i'r ardal, a gweld eu hymateb wrth glywed canu penillion a bwyta bara brith mewn ffermdy ar lethrau'r mynydd. Cameo bach pert o'r uchelfannau.

Llanfaes: Cawn ddarlun o hen furddun, Bryn Ffynnon, ar dir fferm Maen Llwyd a fu'n gartref i'r awdur ers talwm. Daw tristwch eto o weld hen dŷ'n cael ei foderneiddio, neu fwthyn yn troi'n adfail, a chlawdd â'i bwrpas wedi mynd, a'r gerddi'n ddryswch o fieri. Dweud syml ac effeithiol, gyda sawl darn o sgrifennu telynegol, prydferth.

Defi John: Ysgrif am daith gerdded yn ardal Aberdâr, Aberpennar a Merthyr Tudful – rhaffu ffeithiau diddorol am enwau'r ardal a rhestru'r newidiadau di-ri, y capeli'n gwagio a'r Comisiwn Coedwigaeth wedi blancedu'r bryniau gyda choed sitca. Taith hamddenol a difyr drwy gymoedd y De.

NW3: Cefndir Llundeinig sydd i'r ysgrif, a'r awdur yn ymweld â nifer o lefydd. Mae'n galw yng ngorsaf Paddington, dringo i ben Bryn y Briallu a tharo i mewn i Regent's Park. Crybwyllir y ddau gant a hanner o genhedloedd gwahanol sy'n byw o fewn cylch yr M25. Dyma lawlyfr hwylus yn Gymraeg i'r twrist a'r ymwelydd newydd i un o ddinasoedd mawr y byd.

Rhys: Mae naturiaethwr ar grwydr yma, yn ymweld â Moel Famau yn Nyffryn Clwyd, gan gynnig sawl tusw o eiriau prydferth i'r darllenydd wrth restru newidiadau'r tymhorau a'r golygfeydd o'r copa, hyd yn oed yng ngerwinder gaeaf. Dyfynnir darnau priodol o farddoniaeth, hefyd, wrth fynd o gam i gam. Portread byw o natur a'i newidiadau drwy gydol y flwyddyn yn yr uchelfan boblogaidd hon.

Medwyn: Mae'r ysgrif yn agor yn wych, gyda'r gosodiad mai 'Rhai da ydi beirdd am ddweud celwyddau, ac mae ganddynt y ddawn yn amlach na pheidio i wneud i'w celwyddau swnio'n efengyl', cyn symud ymlaen i drafod Cynan yn canu am gapel bach Nanhoron. Ceir cyffyrddiadau godidog ond gallai'r awdur fod wedi ymestyn cwmpas ei ysgrif y tu hwnt i un ymweliad ag un capel.

Aziza: 'Medina Marrakech'. Mae'r awdur yn harneisio ieithwedd briodol i ddisgrifio lle egsotig, sef Marrakesh ym Morocco, gyda'i swynwyr seirff a 'bedlam lliwgar' y *souk* bondigrybwyll. Dyma un o ddisgrifwyr gorau'r gystadleuaeth, sy'n gadael i ni glywed 'twrw'r sgwteri modur sy'n gwibio'n ddiddiwedd rhwng troliau a mulod' a gweld, ar fynyddoedd ysgithrog yr Atlas yn y pellter, y mannau 'ble'r erys esgyrn main o eira'n gwynnu'r copaon pell'.

Gwalch Glas: 'Gwaun y Griafolen'. Dyma awdur â'i wynt yn ei ddwrn wrth ddringo i Waun y Griafolen, tirlun sy'n cael ei gywasgu'n dda i ychydig eiriau – 'gweirglodd y grug, gwastadedd y fawnog a'r ffosydd gloywddu, ymhell o bobman'. Cawn glywed am effaith hir dymor Chernobyl, heb sôn am sut y mae'r 'gwynt yn cribo gwallt y waun'. Darn o 'sgrifennu effeithiol a chlir.

Meiriona: 'Ymweliad ag Abergeirw'. Olrheinir hanes D. J. Williams, Llanbedr, ac efallai fod yr awdur yn canolbwyntio gormod ar y dyn hynod hwn yn hytrach nag ar y llefydd oedd yn bwysig yn ei fywyd, gan greu mwy o ysgrif-bortread nag o ysgrif am ymweliad â man arbennig yn ôl y gofyn.

Llywarch: 'Y Dref Ger y Lli'. Ysgrifennodd am Abergwaun, gan gyflwyno rhai o'r uchafbwyntiau yn hanes y dre, o Laniad y Ffrancod i'r cloc wyth diwrnod mewn ffermdy sy'n cynnig y dystiolaeth fwyaf diddorol o'r hyn a ddigwyddodd ym 1797, sef twll wedi ei ddryllio gan fwled o wn milwr meddw a gredai fod rhywun yn cuddio yno. Portread gwybodus gan rywun sy'n amlwg yn 'nabod y lle'n dda.

Howget: 'Pier Bangor, Haf, 1944'. Ysgrif am y Pier yn ystod yr ansicrwydd ar ddiwedd yr Ail Ryfel Byd, pan welid dyn ag un goes yn plymio i'r dŵr er mwyn llenwi ei fwced â cheiniogau gan y gynulleidfa, a phlant yn pysgota am grancod gyda llinyn gwyrdd wedi ei droelli o gwmpas ffrâm bren. Cerdyn post o lan y môr, yn dangos yn gryno'r ciosg ar y pier a ble mae'r gwylanod yn codi stŵr.

Sabrina: 'Lle Arbennig'. Braidd yn fecanyddol yw'r ysgrif hon, sy'n ein tywys o gwmpas Gardd Fotanegol Genedlaethol Cymru, yn rhestru'r pethau sydd i'w gweld yno, ac yn cynnwys peth o hanes y stad yn y dyddiau a fu. Oherwydd y ffordd y rhestrir atyniadau a gwahanol nodweddion y lle, gellid dweud ei fod fwy fel *brochure* swyddogol yn hytrach nag ysgrif bersonol.

Sula: Dyma ni ar drip merched i Lerpwl, prifddinas gogledd Cymru, gan oedi'n hamddenol yn Oriel Gelf y Walker, siopa'n ddiwyd yn y canolfannau newydd, crwydro i'r dociau ar eu newydd wedd, a chofnodi presenoldeb y Cymry a'r Gymraeg ar enwau strydoedd, megis Penrhyn, Geraint, Rhiwlas a Garth. Mae'r ysgrifennu'n ddigon hwyliog ond tuedda i droi'n rhestr yn hytrach na dadlennu neu ddweud rhywbeth newydd am y lle.

Vesuvius: Dyma ysgrif fwyaf dychmygus y gystadleuaeth, a'r awdur yn ymweld â rhywle mor arbennig fel nad yw am ddatgelu'n union ble mae ei Shangri-la. Yn hollol chwareus, rhydd ambell gliw, ambell garreg filltir, neu hanner cyfarwyddyd ynglŷn â sut i gyrraedd y lle. Ond efallai mai rhith yw'r lle, 'bwlch yn ymagor i'r byd arall,' neu ffordd o gyrraedd Afallon wrth adael yr A40.

Gwyrfai: Ymweld â Rhyd-ddu yn Eryri a wna'r awdur hwn, a thrwy hynny gysylltu'r pentref gydag un o'i enwogion, sef Syr Thomas Parry Williams, a dangos sut roedd y ddau'n anwahanadwy. Ceir yma 'sgrifennu syml ac effeithiol, yn enwedig wrth drafod natur a disgrifio tirlun.

Elizabeth 3: Trafodir hanes Heol-y-Felin, treflan sydd wedi ei llyncu bellach gan Drecynon. Portreadir cymdogaeth glòs lle nad oedd angen cnocio drws ac aros yn barchus am ateb. Dyma gyfle hefyd i gwrdd â rhai o'r cymeriadau, megis Bopa Jones a Bopa Sop, Bopa Sera a Bopa Edna neu glywed am eira mawr 1947. Cofiant byw o gymuned ddiflanedig.

Jystwn: Sonnir am ardal Georgetown, neu 'Jystwn' y tu allan i Ferthyr. Yn ystod plentyndod yr awdur, roedd y lle'n ddifreintiedig, 'ardal y slums', sydd wedi ei chwalu bellach, gan adael dim ond enw ambell stryd megis Stryd Howell a Nantygwenith Street, er bod y rhain wedi cael eu 'crachacheiddio' erbyn hyn. Mae traean yr ysgrif yn sôn am yr enwogion a roes eu henwau i wahanol strydoedd ac mae hynny'n symud ffocws yr ysgrif fymryn bach yn rhy bell oddi wrth bortread o le ac yn troi'n rhestr o fywgraffiadau.

Mab Ifor Bach: Rhaid aros tan ddiwedd y gwaith i ddarganfod enw'r lle dan sylw – pentref dan gysgod tomennydd glo a chanddo le trist mewn hanes, sef Senghennydd. Yma, ganrif yn ôl, collodd nifer fawr o lowyr eu bywydau ac mae'r ysgrif yn rhyw fath o gofeb iddynt hwy, ac i'r trachwant a'u lladdodd.

Yr Eos: 'Y Mudo Olaf'. Nid oes rhamant yn perthyn i'r lleoliad yn yr ysgrif hon, gan ei bod yn disgrifio hosbis yn Wrecsam, a dyddiau olaf mam, yn ystod gaeaf oer. Mae'r ysgrifennu'n gignoeth a gonest, ac mae'r awdur yn nodi'n sylwgar ar y gwahaniaeth rhwng dwylo'r ferch a dwylo'i mam. Dyma deyrnged gynnes heb sentiment, ysgrif onest, gathartig a dirdynnol.

Twmi: 'Peredelkino, Moscow, Rwsia'. Cawn ddarlun o bentref lle'r oedd cartref y bardd a'r nofelydd Boris Pasternak a hynny gan rywun oedd yn arfer teithio'n aml i Foscow yng nghyfnod Breshnev, ac yn deall yr anawsterau o symud o gwmpas a'r peryglon wrth ymweld â llefydd heb ganiatâd. Mae'n ysgrif ysgolheigaidd, fanwl mewn iaith agored a chynnes.

Lili'r Dyffryn: Ymweliad â mynwent sydd yma ond fe dry'n gofiant am blentyndod ac am fagwraeth yn hytrach na glynu at destun y gystadleuaeth. Mae'r penderfyniad i beidio ag enwi'r lle yn dieithrio neu'n drysu'r darllenydd braidd.

Bond: 'Profiad rhyfeddol ar dir cysegredig'. Ymweliad arall â Rwsia, y tro hwn â chapel y Bedyddwyr yn St Petersburg, a'r awdur yn cyrraedd yr addoldy yng nghanol oedfa a chlywed geiriau'r Ffydd mewn iaith estron. Cipolwg difyr ar aelodau dewr yr enwad hwn.

Ferguson: 'Prifysgol Manceinion'. Er bod yr ysgrif yn gryno ac yn cynnig llawer o hanes diddorol, yn y pen draw hanes dyn sydd yma, sef John Owens, arloeswr ym myd addysg a roes ei enw i Owens College, rhagflaenydd Prifysgol Morgannwg. Felly, ysgrif-bortread sydd yma, nid ymweliad â man arbennig.

Gwas-yr-Ynys: 'Lan y Cwm'. Myfyrdod hiraethlon sydd ar ddechrau'r ysgrif hon cyn i'r awdur ganolbwyntio ar un o gymunedau clôs cymoedd De Cymru, ardal yn llawn bwrlwm a chynhesrwydd cymdeithasol, gydag atgofion heulog am blentyndod, cael gyrru trên stêm, nofio mewn cronfeydd dŵr, a physgota am frithyll. Cip sydyn yn ôl ar gyfnod dedwydd.

Morfa Rhuddlan: Taith i Fiji sydd wedi ysbrydoli'r cystadleuydd hwn, sy'n teithio i grombil coedwig enfawr a chwrdd â phentrefwyr tlawd yno, a blasu *kava* a chofio cyfnod o ganibaleiddio. Antur egsotig a adroddwyd yn effeithiol ac yn glir.

Er i mi fwynhau darllen nifer fawr o'r ysgrifau, yn arbennig felly gwaith *Gwalch Glas, Llanfaes, Vesuvius* a *Defi John*, rhaid dewis un – a dyfarnaf y wobr i *Aziza*.

Yr Ysgrif

YMWELD Â MAN ARBENNIG

Medina Marrakech

'Don't you know I'm riding on the Marrakech Express?
It's taking me to Marrakech. All aboard the train ...'

Rydym ni'n gorweddian yn y parlwr, yn smocio ac yn yfed paneidiau o goffi. Treiddia'r harmonïau clòs ac egni'r gitarau trydan yn haerllug drwy'r ffenestri agored a drybowndian oddi ar waliau tai eraill y stryd. Ond beth yw'r ots gennym ni am y cymdogion? Wedi'r cwbl, onid ydy'r hawl gennym i freuddwydio am fynd i Farrakech wyllt, wallgo ar ddiwrnod braf o haf a ninnau'n ifanc a rhydd?

A dyma fi yno.

Dros ddeugain mlynedd yn ddiweddarach, rydw i ym Mecca'r hipis a'r gân yn dal i wrthod gadael i mi fod. Bwytâf fy mrecwast i gyfeiliant anthem Crosby, Stills & Nash sy'n diwn gron yn troelli yn fy mhen fel record feinyl. Todda hugan y blynyddoedd oddi arnaf ac rydw i'n ddeunaw eto

Un o wyth can *riad* hynafol nodweddiadol o'r ddinas gaerog ydy'n llety, sef tŷ trillawr tu-chwith-allan, a adeiladwyd o gwmpas gardd neu gowt ac mae'r lloriau, y muriau teils amryliw a'r gwaith plaster cain yn dangos crefftwaith anghymharol. Eheda aderyn i lawr o lesni'r awyr uwchben a glanio ar ymyl pwll marmor yng nghanol y cowt i yfed. Un o faint a ffurf aderyn y to ydy o ond bod iddo ben llwydlas a chorff crwn, cochlyd. Wedi i ni godi o'r bwrdd, mae'n hopian i fwynhau briwsion o'n platiau cyn hedfan fry i'r wybren glir heibio'r caneri melyn sy'n telori ei rwystredigaeth mewn cawell pren, bychan.

Diolch am gael bod ar goll, meddai'r bardd. Siŵr felly na fu o yng nghanol y bedlam lliwgar yma ble mae mynd ar goll yn rhan anorfod o brofiad ymwelydd. Wrth gamu i labyrinth y *Souk*, teimlaf fel cymeriad yn mentro ar antur i ddirgelwch yr isfyd yn un o nofelau Tolkien. Ac yn wir, poblogir y lonydd culion gan greaduriaid sy'n ymdebygu i *hobbits*. Dynion mewn gwisgoedd llaes o gotwm lliw mwd a chwfl pigfain ar bob pen. Ac wele Gandalf, y dewin, yn dal ac urddasol mewn *jelabah* lwyd yn fy ngwahodd i'w '*very nice shop*' i ddewis pâr o sliperi lledr melyn neu goch neu … Pob pâr yr un steil a llond siop ohonyn nhw. Ond dydw i ddim am brynu sliperi er bod y dewis yn ddi-ben-draw. Gwenaf yn glên, codi fy llaw a dweud 'Na'. Cerddaf ymlaen ond mae Gandalf yn fy nilyn gan ddal i ganmol ei nwyddau. Anwybyddaf ef ac ymhen rhyw bum llath, mae'n troi i gyfarch 'sglyfaeth newydd. Cerddwn heibio'r siop nesaf, sy'n gwerthu sliperi. A'r nesaf. Pwy sy'n prynu'r hoff fagiau lledr, y gwydrau gweini te, y tebotiau disglair neu'r potiau pridd *tagine*? Does yr un siopwr yn poeni'r trigolion lleol sy'n symud yn ddi-sŵn fel rhithiau yn eu dilladau hirion ar hyd yr hen lwybrau.

'*Big Square that way*': geiriau llanciau sydd wedi hen gynefino â thwristiaid ar goll yn nrysfa'r *Souk*. Glyna rhai wrth ein sodlau gan stelcian o'n cwmpas fel hen ddrewdod. '*Where you from? Germany? You English?*'

Trown i'r dde wedi i'r hogiau golli diddordeb a phlymio ymhellach i ddyfnderoedd y *souk* at bwt o siop ble mae *hobbit* hynafol yn gwarchod sacheidiau o sbeisys lliwgar fel pe baent yn drysorau. Cynigiwn dynnu ei lun gan ymestyn darn o arian ato am y fraint. Sylla'n ddifynegiant gan ddangos ceg fantach binc. Pinc hefyd ydi rhai cywion ieir diwrnod oed sy'n trydar mewn bocs. Yng nghanol dau ddwsin o gywion, mae dwy belen o gandi fflos pinc a dau fel pom-poms gleision. Pam lliwio cywion bach pan maen nhw mor ddel yn felyn? Ar y stondin nesaf, wele gawellaid o grwbanod. Hoffwn brynu'r un crwban pitw sy'r un faint â darn pum deg ceiniog a'i ryddhau yn un o barciau'r ddinas. Ond tynnir fy sylw gan wahoddiad i weld '*my brother's shop*' sydd yn gwerthu sgarffiau sidan main ac mewn gweithdy maint cwpwrdd gerllaw, wele'r brawd. Crymffast mwstasiog, sydd at ei benelinoedd mewn padell o hylif oren yn lliwio cenglau sidan amrwd. Gwga'n sarrug arnom wrth weld y camera, ond bodlona toc ar adael i ni gael llun am sigarét a *dirham*. Crogir y clymau gwlybion oren oddi ar glwydi gwiail uwchlaw'r siop i sychu fel sbageti llachar.

Wedi concro'r *souk* a chamu'n fuddugoliaethus i'r heulwen, ymdrochwn ein dau mewn ton o hunanfalchder fel pe baem yn Stanley yn darganfod

Livingstone. Ac ymwrolwn at her nesaf y ddinas: man cyfarfod y meirw, Jma el Fnaa. Yno, un ofn sy'n fy aros. Nadroedd. Ond os arhosaf yn ddigon pell oddi wrth sŵn offerynnau'r swynwyr 'fydd dim problem. Rhwyga'r sain drwynol drwy dwrw'r sgwteri modur sy'n gwibio'n ddiddiwedd rhwng troliau a mulod, cerddwyr a thacsis.

Wrth fwrdd mewn caffi ar y teras 'panoramique', cawn olygfa heb ei hail o sgwâr mawr Marrakech, y fangre eang ble'r arddangoswyd, ar bicellau, bennau'r anffodusion a ddienyddiwyd yma ganrifoedd yn ôl. Ond theatr awyr-agored enfawr ydy'r sgwâr bellach. Fe'i pennwyd gan UNESCO yn Safle Treftadaeth y Byd oblegid ei draddodiadau a'i hynodrwydd diwylliannol a llafar.

Yfwn wydraid o de mintys adfywiol a gwylio'r byd yn mynd heibio. Toc wedi tri'r prynhawn, wele griwiau o ddynion yn gwthio troliau sy'n gwegian dan bwysau polion, fframiau a meinciau hirion. Digwydd y cyffro hwn yn ddi-ffael bob diwetydd yn Jma el Fnaa. Ffitia bob darn metel i'w gilydd fel Meccano enfawr. Ac o fewn munudau, mae toeau plastig yn cysgodi ceginau amrwd; byrddau wedi'u sgwrio ac arwyddion prisiau seigiau'n crogi uwch pob bwyty. Nadredda mwg cant o danau golosg yn hamddenol i'r awyr. Gweddnewidiodd y llafurwyr a fu'n ymlafnio gyda'r strwythurau haearn a throi'n gogyddion mewn ffedogau a chapiau gwynion glân. Uwchlaw'r dwndwr, mae'r swynwyr seirff yn chwythu am y gorau fel Llydäwyr lloerig mewn *fest-noz*. Ymdrechant i gael eu cobras duon, diog i drafferthu i godi eu pennau llydan gerbron cynulleidfa gegrwth. Rhyfedda'r twristiaid at ddewrder gwŷr sy'n medru gwneud i nadroedd ddawnsio.

Tynnir fy sylw gan ferch mewn gwisg biws, symudliw; mwgwd dros ei hwyneb a cholur ei llygaid yn swil, rywiol. Ymgasgla torf o'i chwmpas hi a'i cherddorion wrth iddi ddawnsio'n synhwyrus. Adenydd rhyw aderyn egsotig ydy ei breichiau. Ond arhoswch! Mae rhywbeth o'i le gyda'r corff cul. Does ganddi hi ddim gwasg na chluniau cnawdol. Na bronnau. Dyn ifanc hardd sy'n cuddio'r tu ôl i'r mwgwd a'r twyll yn gogleisio'r gynulleidfa. Dawnsiwr arall ydy'r mwnci bach mewn siwmper biws a chlwt babi. Try din dros ben yn ddel pan dynnir ei dennyn byr. Estyn ei berchennog law bygddu am bres gan y bobl sy'n ddigon gwirion i aros a gwylio. Does dim posib gwneud unrhyw beth ym Marrakech heb dalu amdano: bu'n rhaid talu am stribed o bapur tŷ bach mewn caffi ddoe hyd yn oed!

O ystod cant wyth deg gradd fy ngolygon o'r caffi, gwelaf chwe minarét talsyth, sgwâr. Rŵan mae hi'n bump o'r gloch y prynhawn ac esgyn llais bas cyfoethog *muezzin* mosg Koutoubia i'r entrychion. O ben pella'r sgwâr, cyfyd tenor main o fosg arall. Ac un arall; llafargenir yr un geiriau o bob parth. Mae rhywbeth arallfydol yn y gybolfa ansoniarus sy'n dringo i'r glesni'n datgan mawredd Duw ac yn tystio mai Mohamed ydy ei unig wir broffwyd.

Saif mosg mawr Ben Youssef yn union y drws nesaf i'n *riod* ni a'r *muezzin* yn rhefru 'Allah Akhbar, Ash-hadu anna Muhammadan Rasulullah' gyda thoriad gwawr am bump o'r gloch bob bore. Canwr gwerin fyddai'r datgeinydd plygeiniol hwn pe bai o'n Gymro. Fe'i dychmygaf yn morio 'Moliannwn' mewn 'steddfod! Mae cadernid ac argyhoeddiad y llais hydreiddiol yn gwahodd y ffyddloniaid i weddi ac i ildio, eto heddiw, i ewyllys Allah.

A'r haul yn machlud, dacw'r gwerthwr dŵr mewn gwisg goch, a het wellt liwgar, yn canu ei gloch i ddenu cwsmeriaid i'w libart. Cluda ddau danc dŵr ar ei gefn, ar gyfer brodorion ac ymwelwyr. Ond does neb yn prynu ganddo, druan. 'Photo with water man?' ydy'i gri a dengys res o ddannedd duon yng nghanol ei wên. Saif gyda chriw o Siapaneaid taer, nifer ohonyn nhw'n gwisgo mygydau gwynion i'w hamddiffyn eu hunain rhag llygredd y cerbydau myglyd.

Ymhellach draw, wele gyfarwydd yn nyddu ei chwedlau'n ddeheuig yng nghanol torf astud. Chwifia'i freichiau a neidio fel gwallgofddyn o gwmpas ei gylch a'r dorf yn gaeth yng ngwe ei hudoliaeth. A dacw ornest focsio rhwng dau lefnyn mewn menig cochion gymaint â'u pennau sy'n dyrnu'i gilydd yn ddidrugaredd. Gwaedda'r dorf eu cymeradwyaeth pan geisia'r dyfarnwr mewn cap Man. U. ac anorac werdd wahanu'r brwydrwyr. Cofleidia'r ddau hogyn a daw'r gwffas i ben.

Bodau anweledig ar y cyfan ydy merched Morocco. Mae bron i ddau draean ohonynt yn anllythrennog a nifer yn gadael yr ysgol yn ddeuddeg oed. Ni roddir gwerth ar addysgu merched; maent yn fwy defnyddiol gartref a pha'r un bynnag, cânt briodi'n bymtheg oed. Swil ydy llawer: cysgodion annelwig mewn byd o ddynion. Ond yma ar y sgwâr, cyfarchant ymwelwyr yn hyderus a cheisio'u darbwyllo mewn Saesneg carbwl i gael tatŵ *henna* ar fraich neu law gan liwio blodau neu batrymau ar groen mewn inc brown. Eistedda'r artistiaid *henna*'n dyrrau cysurus, clòs, eu gwisgoedd di-siâp yn gorchuddio'u cyrff. Pechod fyddai i ddilynwyr Islam ddarlunio unrhyw fod dynol nac anifail, er y plethir geiriau o'r 'Qur'an' mewn dyluniadau geometrig, cywrain. Sylwaf mai ychydig o ferched y ddinas sy'n gwisgo fêl i guddio'u hwynebau er bod pob un yn gwisgo *hijab* dros ei phen heblaw pan yw gartref gyda'i theulu.

Oddi tanaf ar ran wag o'r sgwâr rhwng y gwerthwyr orennau a'r nadroedd, gesyd hen wreigan ei stondin gan eistedd ar sach. Does ganddi ddim i'w werthu. Deil ddysgl bren yn ei llaw a gostynga'i phen yn ymarweddiad cardotyn. Ond cerdda'r brodorion a'r ymwelwyr cefnog heibio heb ei chydnabod. Un o dlodion anweledig corneli strydoedd pob dinas. Yn dristach fyth, nid nepell, sodrwyd merch ganol-oed anabl mewn cadair olwyn a neges ar gerdyn yn crogi am ei gwddw. Gadawyd hi i lafoerio'i thrueni; ei dwylo'n chwifio'n ddiymadferth fel gloÿnnod byw uwchben pwt o dun dal arian ar ei gliniau. Erbyn i mi edrych eilwaith i gyfeiriad y wreigan ar y sach, gwelaf fod dau sgwter modur wedi'u parcio, un o'i blaen ac un y tu ôl iddi fel nad oes modd i gerddwyr ei gweld nac felly luchio cardod ati. A chyda nerth sy'n cadarnhau nad ydy hi, mewn gwirionedd, yn fusgrell wedi'r cwbl, cyfyd handlenni blaen y ddau feic trwm yn eu tro a'u halio o'r neilltu. Oni fyddai'n haws iddi hi ei hail-leoli ei hun ychydig oddi wrth y beiciau? Ond dydy hon am ildio'i llecyn na'i siawns ddyddiol i grafu bywoliaeth i neb.

Gwthiwyd y nadroedd yn glymau i fagiau cotwm a'u cloi mewn cistiau; plygwyd yr ambarél sy'n cysgodi'r swynwyr rhag tanbeidrwydd yr haul ac ymaith â'r dynion a'u blychau o beryglon tan fory. Mae'n ddiogel mentro rŵan am sgowt wedi i mi lyncu fy nhrydydd gwydraid o de mintys!

A hithau'n hanner awr wedi pump, mae golau pŵl yr haul yn golchi muriau'r ddinas yn yr un pinc meddal â lliw tywod y Sahara sydd ymhell dros y gorwel tua'r de. Cefnlen y darlun rhyfeddol hwn ydy mynyddoedd ysgithrog yr Atlas Uchel ble'r erys esgyrn main o eira'n gwynnu'r copaon pell. Yn anghydnaws, disgleiria cannoedd o soseri lloeren ar y toeau fflat â'u hwynebau oll tua Mecca, yn union fel y saethau ar ben pob minarét. Fesul un, fel y tywylla'r ddinas, goleuir y ceginau dros-dro gan reseidiau o lampau trydan a llenwir y meinciau gan rengoedd llwglyd yn cythru am ddanteithion sawrus y cogyddion. Llygadaf berchennog un stondin yn amheus: gŵr cydnerth, barfog tebyg i Bluto, gelyn Popeye, yn sefyll o flaen crochenaid agored, enfawr o falwod yn mudferwi. Yfed y trwyth afiach fel cawl y mae'i gwsmeriaid.

Dim diolch.

Ymlaen at y stondin nesaf: '*Come to eat. I have five star Michelin! I Gordon Ramsey!*'

'*Tagine or cous-cous. Wery fresh. Wery nicely prepare*'.

Dynion cellweirus ydy'r gweinwyr a phan wrthodwn eu cynigion yn gwrtais, edrychant ar fy ngŵr yn smala: '*He scrawny. He skinny. Need my good food.*'

Dim heno.

'*Maybe tomorrow?*'

Fory? Debyg iawn.

Aziza

Blog teithio (gwir neu ddychmygol), heb fod dros 1,500 o eiriau

BEIRNIADAETH ELIN HAF DAVIES

Eddie Stobart: 'Trafferth mewn tryciau'. Mwynheais ddarllen y blog yma'n fawr iawn. Llwyddodd yr awdur i gyfleu drama, emosiwn a hwyl wrth fynd ar ei daith, gan rannu gyda'r darllenydd ychydig wybodaeth amdano ef ei hun, ynghyd â'r rheswm dros ymgymryd â thaith mor anturus. Roedd hyn oll yn ychwanegu at fwynhad y darllen. Roeddwn yn falch iawn o ddeall iddo allu cyrraedd pen y daith yn y diwedd! Byddwn wedi bod wrth fy modd yn rhoi'r safle cyntaf i'r cystadleuydd hwn ond gwaetha'r modd, ysgrifennodd dros 700 o eiriau'n fwy na'r gofyn.

ar bedair olwyn: 'Blog teithio'. Difyr iawn oedd darllen y blog hwn a chael tipyn o addysg yr un pryd wrth ddilyn yr awdur ar ei daith. Dangosodd i ni hefyd fod modd cael taith ddifyr yn aml iawn ar garreg ein drws ni ein hunain.

Ciaman: 'Taith feicio trwy Ynysoedd Gorllewin yr Alban'. Braf oedd cael darllen am y daith feicio hon, a chael gwybod mwy am iaith a diwylliant ynysoedd gorllewin yr Alban. Ysgrifennu 'blog' oedd y nod ond teimlwn fod yr ysgrifennu'n glonciog a thrwsgl ar brydiau. At hynny, byddwn wedi mwynhau cael rhagor o wybodaeth am ochr gorfforol y daith feicio, a chael disgrifiadau manwl o'r dirwedd yr oedd yn rhaid mentro ar ei hyd.

Braint ac anrhydedd fu cael bod yn feirniad ar y gystadleuaeth hon; mwynheais y profiad er bod rhaid i mi ddweud y byddwn wedi bod yn falch pe bai rhagor o gystadleuwyr wedi mentro ar y daith. O gofio bod *Eddie Stobart* wedi torri un o reolau'r gystadleuaeth, ni allwn ystyried ei wobrwyo. O ganlyniad, dyfarnaf *ar bedair olwyn* yn fuddugol ac yn haeddu'r wobr.

Y Blog Teithio

DYDD LLUN, 1 HYDREF 2012

Digwydd edrych ar galendr fy nyddiadur echdoe wnes i a sylwi bod heddiw'n Ddiwrnod Cenedlaethol Barddoniaeth. Oes 'na rywbeth wedi'i drefnu yn rhywle? 'Chlywais i ddim sôn am ddim. Beth fedra i ei wneud? Beth am fynd ar daith bersonol o gwmpas rhai o gofebion beirdd gogledd Sir Benfro? Syniad da! Mae'r haul ar ei orau hefyd.

Dyma gychwyn ar bwys Blaenffynnon, cartre'r Prifardd Tomi Evans, ym mhentre' Tegryn. Edrych ar y plac coffa ar wal y tŷ. Arferwn alw i roi tro amdano'n aml. Rwy'n ei weld o hyd yn eistedd wrth y Rayburn. Dyn byr, sbectol drwchus, ei bib yn ei law, a'i wyneb weithiau'n diflannu mewn cwmwl o fwg. Cwmnïwr heb ei fath. Chwarelwr digoleg yn ennill y Gadair yn Eisteddfod Genedlaethol Rhydaman 1970 am ei awdl 'Y Twrch Trwyth'. Dyn diymhongar hefyd. Wedi agor y llythyr yn ei hysbysu am y fuddugoliaeth honno, ei sylw cyntaf wrth ei briod oedd: 'Mae'n biti na fedren nhw anfon y Gadair drwy'r post hefyd!' Ond fe aeth i gael ei gadeirio a chafodd y Gadair anferth le anrhydeddus yn ei gartre' hefyd.

Disgyn dros riw Sbeit i ddyffryn coediog Llanfyrnach a dilyn y ffordd i fynwent capel Glandŵr i gael golwg ar garreg fedd y Prifardd D. J. Davies. Maged ef ar ffarm gyfagos Tŷ-canol, ym Mhentregalar. Bachgen amddifad yn ifanc. Collodd ei dad yn bedair oed a'i fam hefyd yn ei arddegau. Troes ei fryd tua'r weinidogaeth, ei ordeinio'n weinidog Capel Als, Llanelli, a threulio gweddill ei oes yn y dre'. Dyn tal, bonheddig a llais fel utgorn arian. Rwy'n meddwl amdano'n bennaf fel Bardd y Gadair yn Eisteddfod Genedlaethol Aberafan 1932 am ei awdl 'Mam'. Colli'i fam yn ifanc oedd y symbyliad i'w chyfansoddi. Hiraethu amdani ar ddydd ei hangladd a'i gweld yn troi'n un â'r Fam Ddaear ar dir y ffarm yw'r thema. Mae'r Gadair bellach yn eiddo Ysgol y Preseli.

Gyrru i fyny'r rhiw i ucheldir Pentregalar ac aros ar bwys adfeilion tŷ ffarm Y Llety. Yma y ganed y bardd, yr heddychwr a'r comiwnydd T. E. Nicholas. Rwy'n ei gofio'n dweud mewn darlith iddo gael ei eni ar noson stormus ac i'r storm ei ddilyn wedyn ar hyd ei oes. Bu'n weinidog yn y Glais a Llangybi cyn mynd yn ddeintydd yn nhre' Aberystwyth. Cyhoeddodd bymtheg cyfrol o'i farddoniaeth. Ymosod yn ddidrugaredd ar ryfela a chyfalafiaeth oedd byrdwn ei ganu. Fe'i cofiaf yn dod i gapel Seion, Aberystwyth, ar nos Suliau, yn tynnu at ei naw deg oed. Cap ffarmwr am ei ben, tei dici-bo am ei wddf a ffon yn ei law. Galw yn ei gartre' weithiau hefyd a mwynhau gwrando ar ei sylwadau deifiol: 'Mae angen cau pob carchar yn y wlad, codi un aseilam mawr yn eu lle a rhoi'r bobol iawn rhwng y muriau'. Gwleidyddion, wrth gwrs! Hen rebel hyd y diwedd. Rown i yma yn oedfa gwasgaru'i lwch ar ddarn o fynydd yn ymyl ei hen gartre' ar fore oer o Dachwedd. Do, collwyd y llais a ysgydwodd y genedl.

Disgyn drwy'r gulffordd droellog i ymweld â chofeb Waldo Williams ar gyrion pentre' Mynachlog-ddu. Bardd mwya'r Gymraeg? Onid yw *Dail Pren*, ei unig gyfrol o farddoniaeth, yn rhywbeth i'w ryfeddu ati? Braint oedd cael adnabod Waldo. Rhyfeddwn hefyd at addfwynder ei bersonoliaeth a'i hiwmor difalais. Ef oedd ymgeisydd cyntaf Plaid Cymru yn yr Etholiad Cyffredinol yn Sir Benfro. Rhy onest a rhy annwyl i fod yn wleidydd. Dewisodd fynd i garchar ddwywaith hefyd am wrthod talu treth incwm fel protest yn erbyn gorfodaeth filwrol. Cefais alwad annisgwyl i fod yn un o'r archgludwyr yn ei angladd yng nghapel Blaenconin. Nawn hyfryd o Fai ydoedd, yn f'atgoffa o dynerwch ac addfwynder Waldo ei hun. Wrth droi o'r fynwent a gweld y dail yn blaguro ar y coed, ni allwn beidio â meddwl chwaith am gyfoeth *Dail Pren*. Daeth yr awen o rywle:

> Cofio'r llais yn angladd Waldo,
> Rhoi athrylith gwlad mewn amdo,
> Gado'r dail ym mro'u cynefin,
> Mwynder Mai dan bridd Blaenconin.

Symud ymlaen am ddwy filltir i sefyll ar bwys cofeb W. R. Evans wrth fynedfa ffarm Glynsaithmaen. Gwnaeth W. R. enw iddo'i hun drwy ysgrifennu caneuon digri i barti Bois y Frenni i'w canu mewn cyngherddau i geisio codi calonnau pobl yn nyddiau tywyll yr Ail Ryfel Byd. Bardd da hefyd. Bu'n agos at gipio'r Goron a'r Gadair Genedlaethol fwy nag unwaith. Gamster mewn Ymryson y Beirdd. Cofiaf yn dda fynd gyda chyfaill i'w weld yn ei wely yn Ysbyty Llanelli pan oedd dros ei bedwar ugain. Sôn am wledd! Nid oedd pall ar ei gellwair a'i straeon di-ben-draw. Troi'n ôl wrth ddrws y ward ar ein ffordd allan a'i weld yn codi'i law mor hapus â'r gog. Cyn pen tridiau roedd wedi ein gadael – a nifer o gyfrolau difyr ar ei ôl.

Dilyn y ffordd wledig eto wrth odre'r mynyddoedd i bentre' Casmael. Cofeb Dyfed (Evan Rees) yw'r atynfa y tro hwn. Ganed ef ym mwthyn Bwlch Wil, nid nepell o'r pentre', ond fe symudodd y teulu i Aberdâr pan oedd e'n naw mis oed. Taith gerdded o dros 100 milltir a'r fam yn cario'r baban mewn siôl yn ei breichiau'r holl ffordd. Taith pedwar diwrnod a thair noson! Daeth Dyfed yn weinidog gyda'r Methodistiaid, ond gwrthododd bob galwad i fugeilio eglwys. Datblygodd yn fardd cynhyrchiol hefyd gan ennill y Gadair yn yr Eisteddfod Genedlaethol bedair gwaith. Ond uchafbwynt ei yrfa gystadleuol oedd ennill y Gadair yn Eisteddfod Ffair y Byd, Chicago, am ei awdl ddwy fil o linellau ar y testun 'Iesu o Nasareth'. Bu'n Archdderwydd Gorsedd y Beirdd hefyd. Cawsom gyfarfod hyfryd i ddadorchuddio'r gofeb ym 1985 gydag areithiau ac eitemau cerddorol o safon. Ond darnau o'r awdl sy'n mynnu canu yn fy nghof fel yr englyn i Jiwdas:

> Ysig loes i'r Iesu glân – ddyfeisiodd
> Â'i wefusau aflan;
> Gwiriodd dwyll, a gyrrodd dân
> Ei ddygasedd i'w gusan.

Mae'n dal i f'ysgwyd o hyd.

Wedi teithio am ddwy filltir gota eto, rhaid bwrw golwg ar gofeb Barti Ddu ar sgwâr Casnewydd-bach. Na, nid bardd y tro hwn ond môr-leidr! 'Fedra i byth beidio â meddwl am y faled 'Barti Ddu' gan I. D. Hooson sy'n rhoi disgrifiad mor fyw ohono. Ganed ef yn y tŷ gyferbyn â'r gofeb a daeth yn un o fôr-ladron enwoca'r byd. Dywedir iddo ysbeilio dros 400 o longau mewn dwy flynedd a chasglu ffortiwn gwerth £51 miliwn mewn aur yn unig. Lladdwyd ef mewn ysgarmes â llong ryfel o Brydain oddi ar arfordir Guinea a thaflwyd ei gorff i'r tonnau. Dyn crefyddol iawn! Rhaid oedd i fôr-ladron newydd dyngu llw o ffyddlondeb ar y Beibl. Cynhelid oedfaon yn rheolaidd ar y llong ac ni chaniateid i'r criw weithio nac ymosod ar longau eraill ar y Sul. Un cwestiwn. A yw môr-leidr yn haeddu cofeb? Hmm! Un mor anghyffredin â Barti Ddu? 'Fedra i ddim mynd heibio heb ei gofio.

Dilyn y ffordd drwy bentre' Treletert i sgwâr Casmorys a throi ar y dde i gyrraedd Capel Llangloffan. Troi o fyd dychmygol lladd a lladrata'r môr-ladron i dawelwch y cysegr. Dod i gofio dau emynydd. Syllu ar y ddau blac ar wal y capel: un i gofio Joseph Barnes (Gomer) a'r llall i gofio William Lewis, Aber-mawr – dau o blant yr eglwys. Gweinidog a roes ei enw i un o gapeli Abertawe yw'r cyntaf a gwneuthurwr carpedi cain na fentrodd erioed o'i filltir sgwâr yw'r ail. O fasged emynau Gomer y daeth 'O doed dy deyrnas, nefol Dad', un o ffefrynnau cynulleidfaoedd ein capeli o hyd. Ond William Lewis biau un o'm hoff emynau i:

> Pe meddwn aur Periw
> A pherlau'r India bell,
> Mae gronyn bach o ras fy Nuw
> Yn drysor canmil gwell.

A fedrai'r un Cristion ddweud yn amgenach?

Bwrw i gyfeiriad yr arfordir y tro hwn a dilyn y ffordd yn syth i Bwllderi. Codi het wrth gofeb Dewi Emrys. Ef yw f'arwr o hyd. Darllenais lawer am ei yrfa dymhestlog. Cael ei ddiarddel o'r weinidogaeth. Troi'n grwydryn. Cysgu'r nos ar seddau Glannau Tafwys heb ddimai goch yn ei boced. Newyddiadurwr yn Fleet Street wedyn. Ei syched yn faen tramgwydd. Bardd arbennig. Enillodd y Gadair Genedlaethol bedair gwaith a'r Goron unwaith. Rwy'n ei gofio'n pregethu yn ein capel ni pan oeddwn yn rhy ifanc i ddilyn y bregeth. Dyn byr â thrwyn cam. Y tro cyntaf imi weld pregethwr gyda jwg o ddŵr yn y pulpud yn llenwi'i wydryn yn awr ac yn y man wrth bregethu. Ac, o adnabod y diaconiaid, rwy'n siŵr mai dŵr pur ydoedd! Yn ddiweddarach, dysgais y cynganeddion drwy ddefnyddio'i werslyfr *Odl a Chynghanedd* a rhoi cynnig ar adrodd ei gerdd dafodiaith 'Pwllderi' mewn mwy nag un eisteddfod. Dotiais yn llwyr ar ei awdl 200 llinell, 'Yr Alltud'. Rwy'n ei chofio bob gair er na wneuthum unrhyw ymgais i'w dysgu erioed. Â'm llaw ar y gofeb, rwy'n mynd drosti'n ddistaw i mi fy hun: 'Tros lif a'm didol ...' nes cyrraedd y llinell olaf, 'Walia Wyllt yn Walia Wen'.

Tawaf. Rwyf uwch ben fy nigon. A diolch i'r beirdd am eu cwmni agos ar hyd y daith.

ar bedair olwyn

Tair erthygl ar gyfer papur bro, heb fod yn hwy na 500 o eiriau yr un

BEIRNIADAETH RHIANNON PARRY

Sefydlwyd y papurau bro bron i gyd yn ystod saith degau'r ganrif ddiwethaf gan rai a fu'n gefnogwyr cynnar mudiadau megis Cymdeithas yr Iaith ac Adfer. Eu bwriad oedd hybu a diogelu'r iaith Gymraeg, gan y gwyddent mai papurau Saesneg yn unig, erbyn hynny, oedd yn cyrraedd pob aelwyd. Roedd yn arwydd gobeithiol ar y pryd fod cynifer o aelodau cenhedlaeth a oedd yn parhau'n gymharol ifanc mor barod i ysgwyddo'r baich o baratoi papurau bro Cymraeg wrth fyrddau cegin ym mhob rhan o Gymru. Mewn sawl ardal yn y cyfnod hwnnw, hefyd, roedd eisteddfodau bach, cylchwyliau capeli, a chymdeithasau llenyddol yn parhau mewn bri, ac o ganlyniad roedd toreth o erthyglau'n cyrraedd golygyddion y papurau. Mawr fyddai'r trafod ar gynnwys ambell erthygl, a braf oedd derbyn ymatebion ysgrifenedig i'w cyhoeddi yn rhifyn y mis canlynol. Mae adborth o'r fath yn arwydd o lwyddiant.

Erbyn hyn, wn i ddim a yw cynhaeaf y papurau bro mor doreithiog ag y bu. Felly, roeddwn yn falch fod cynifer wedi cystadlu yn y gystadleuaeth hon. Wrth arfarnu'r cynnyrch, yr un oedd fy llinyn mesur ag yng nghyfnod cynnar y papurau bro – a fyddai'r darllenwyr yn bwrw ati i ddarllen yr erthyglau, ac a fyddai'r cynnyrch yn destun trafod? Nid oedd y gystadleuaeth yn gofyn am luniau i gyd-fynd â'r erthyglau ond ychwanegwyd rhai lluniau addas gan nifer o'r cystadleuwyr, a diolch iddynt am hynny.

Cefais bleser wrth ddarllen erthygl pob cystadleuydd, a dysgais lawer am hanes a diwylliant gwahanol ardaloedd, gan ryfeddu at ddawn dweud ambell un. Gair, felly, am yr erthyglau, yn y drefn y'u derbyniwyd:

Draenen: Llwyddodd y cystadleuydd hwn i greu darluniau cofiadwy o Dafarn yr Uplands a'i chwsmeriaid, a hynny gyda dogn go dda o hiwmor. Wrth adrodd hanes ymweliad Cerddorion St Petersburg â Neuadd Brangwyn, dadlenna'i wybodaeth am gerddoriaeth a chyfansoddwyr. Llwyddodd hefyd i ddisgrifio'r daith trên o Fflorens i Lucca yn gryno a chelfydd.

Craig yr Odyn: Tair erthygl ar gyfer *Llais y Dderwent*, sef cyfnodolyn Cylch Dysgwyr Derby. Mae ei fwriad yn glir – trwytho'r Dysgwyr nid yn unig yn yr iaith ond hefyd yn niwylliant a llenyddiaeth Cymru. Llwyddodd i wneud hynny gyda chyffyrddiadau diddorol a dyfeisgar, a hynny mewn arddull sy'n gweddu i'w ddiben. Mae'n feistr ar ei gyfrwng ac y mae ei erthygl 'Platero a Minnau' yn ardderchog.

Y Llew Du: Mae'n amlwg fod y cystadleuydd hwn wrth ei fodd yn ysgrifennu a gŵyr yn burion sut i ennyn diddordeb. Mae cynnwys ei dair erthygl yn ddifyr, a'i allu i ymdrin ag amrywiol destunau, megis hel achau, criced, barddoniaeth a llenyddiaeth, yn dangos gwybodaeth am sawl maes, a meistrolaeth ar yr iaith. Mae'r cyffyrddiadau personol yn ychwanegu at gynnwys yr erthyglau. Mae ei erthygl, *'Atgofion Melys'*, yn glasur.

Tomos: Daeth erthyglau'r cystadleuydd hwn â chwa o awyr iach i'r gystadleuaeth, wrth iddo ymdrin â phynciau cyfoes: 'Melinau Gwynt', 'Melltith y Loteri', 'Y Cyfrifiad'. Dengys ei erthyglau ei fod yntau'n feistr ar yr iaith ac yn abl i ddatblygu ei ddadleuon yn gadarn a diffuant. Mae ei ddarlun gobeithiol o ardal Rhuthun yn 'Y Cyfrifiad' yn galondid i bawb sy'n ymboeni am yr iaith.

Dolen: Gŵyr y cystadleuydd hwn yn union sut i apelio at ei ddarllenwyr, gydag arddull fywiog a hiwmor bachog. Llwyddodd i greu darluniau fydd yn aros yn hir yn y cof ac mae ei adnabyddiaeth o'i fro a'i gariad tuag ati hi a'i chymeriadau yn amlwg. Mae'r tair erthygl yn gytbwys dda. Byddai ei ddarllenwyr, yn sicr, yn medru uniaethu a chydymdeimlo â'r sefyllfaoedd a'r cymeriadau, yn arbennig felly gyda'r rhai a bortreadir yn 'Ffarwelio â Ddoe'.

dim ond y gwir: Dyma gystadleuydd sy'n ysgrifennu'n rhwydd a difyr. Llwyddodd i gynnwys manylion hanesyddol a chwedlonol mewn ffordd syml a dealladwy. Yn wir, mae cryn gamp ar 'Y Landsker a De Sir Benfro yn ein Chwedloniaeth Gynnar'. Ac er ei fod yn ymdrin â maes cwbl wahanol yn ei drydedd erthygl, 'Credwch neu Beidio', gwelir ynddi'r un slicrwydd a chlyfrwch ieithyddol.

Ogwenna: Mae'r tair erthygl yn dilyn yr un trywydd: cyfnod y dogni. Llwyddodd i greu darluniau byw a chynnes a fydd yn siŵr o ddwyn atgofion i bawb a brofodd y cyfnod hwn. Cyn anfon yr erthyglau at olygydd ei phapur bro, byddai'n dda iddi grynhoi'r manylion am y potiau marjarîn, a chanolbwyntio mwy ar ansawdd y marjarîn a'r defnydd a wnaed ohono. Mae ei hiaith yn ystwyth a'i chyffyrddiadau doniol yn ychwanegu llawer at ei chyflwyniad. Byddai lluniau o'r gwrthrychau a'r siopau'n fuddiol.

Gelert: Llwyddodd i gyflwyno llawer o fanylion diddorol mewn dull a fydd yn siŵr o apelio. Mae'n amlwg yn mwynhau dwyn i gof hanesion o'r gorffennol ac y mae'r arferion a groniclir ganddo yn ddogfennau difyr a buddiol i bawb sydd â diddordeb yn hanes diwydiannol Chwarel Dinorwig a'i glasenwau, neu mewn atgofion am gario gwair yn ardal Beddgelert cyn dyfodiad y peiriannau modern. Gwaetha'r modd, mae rhywfaint o ôl ystumio ac ailwampio ar ei waith.

Y Dryw Melyn Cribog: Penderfynodd y cystadleuydd hwn godi pennau ei erthyglau o'r *Cymro*, a da hynny, gan fod yr wythnosolyn hwnnw, sydd wedi sionci'n ddiweddar, yn haeddu pob sylw. Ceffyl, ci a chath yw ei destunau. Mae llawer o wreiddioldeb a hiwmor yn ei gyflwyniad; mae ganddo ddychymyg a dyfeisgarwch. Ychwanegodd luniau hefyd, ac y mae hynny'n gaffaeliad. Mae'n deall gofynion y gystadleuaeth, a'i Gymraeg yn naturiol a chyhyrog. Gresyn am y brychau teipio.

Glyn: Mae'r cystadleuydd hwn yn llwyddo'n gelfydd i gyflwyno manylion hynod o ddiddorol am y cysylltiad rhwng Daisy Jones, Blaenafon, Nantbrenni a Llandygwydd a Cecil Wedgwood, y gwneuthurwr llestri. Mae'r manylion hanesyddol sydd ganddo am amrywiol gymanfaoedd yn ddogfennau o bwys, a'r drydedd erthygl yn cymryd golwg newydd a ffres ar ailgylchu. Mae'n feistr ar ei gyfrwng.

Naomi: Cefais flas eithriadol ar waith Naomi: mwynheais y cyfeiriadau Beiblaidd a'r dywediadau trawiadol. Mae'n amlwg ei bod wedi'i thrwytho yn llenyddiaeth a barddoniaeth ei gwlad, a llwyddodd i ddwyn ar ei gwybodaeth gynhwysfawr. Problemau cymdeithasol yw testunau ei thair erthygl. Gallasai ei hymateb i rai o'r problemau fod yn fwy pendant.

Jystwn: Byddai cyhoeddi gwaith y cystadleuydd hwn ynghyd â lluniau perthnasol o'r gwahanol safleoedd a nodir yn ei dair erthygl yn ddogfen o bwys. Braf oedd darllen gwaith un sydd â chymaint o wybodaeth Feiblaidd, yn ogystal â gwybodaeth fanwl am ddylanwad Diwygiad 1904/05. Yr un yw thema ei dair erthygl: 'helfa gapeli' ym Merthyr Tudful. Mae'n adnabod ei fro ac yn ei gwerthfawrogi, a rhaid edmygu ei ddyhead am i eraill fod o'r un anian.

Titw: O'r cychwyn cyntaf, mae *Titw* yn llwyddo i hoelio sylw'r darllenydd ac i gynnal ei ddiddordeb drwy gydol y tair erthygl. Cyflwynodd fanylion am Draeth Lafan, Bae Penrhyn, a'r Amgueddfa Genedlaethol, ynghyd â chysylltiadau annisgwyl y tri lle. Ei ragoriaeth yw ei allu i gyflwyno hanes lleol a chenedlaethol ynghyd â daearyddiaeth ei wlad mewn dull mor rhwydd a naturiol, gan sicrhau bod ei ddisgrifiadau deallus yn aros yn y cof. Mae graen arbennig ar ei iaith a'i ddweud.

Iolo: Mae'r cystadleuydd hwn yn feistr ar ei gyfrwng – ei Gymraeg yn gadarn a'i arddull yn gryno. Mewn un erthygl, mae'n rhoi inni fanylion diddorol am Lyn Safaddan ac mewn un arall mae'n llwyddo i adrodd hanes Tomi Jones mewn dull sensitif a chofiadwy. Dyma un o'r cystadleuwyr gorau. Gwaetha'r modd, mae ei erthygl olaf yn llawer rhy hir. Byddai'n well pe bai wedi rhannu honno er mwyn ateb gofynion y gystadleuaeth.

Hyfryd Iawn: Llwyddodd y cystadleuydd hwn i greu gwaith gwreiddiol, clyfar, llawn hiwmor. Mae wedi ei drwytho ym marddoniaeth a llenyddiaeth ei wlad, a gall dynnu ar ei wybodaeth yn rhwydd ac effeithiol. Gwnaeth ddefnydd addas o'i dafodiaith ac ymadroddion cofiadwy. Gŵyr sut i ennyn diddordeb ei ddarllenwyr. Cynhwysodd luniau yn ei erthygl gyntaf, 'Cel Du Twm Masiwn'. Hawdd fydd cynnwys lluniau yn y ddwy erthygl arall, hefyd, ar gyfer eu cyhoeddi. Mae'r cystadleuydd hwn yn un y dylai golygydd ei bapur bro fod yn falch iawn ohono.

Siôn: Mae Siôn yn ysgrifennu o'r galon a phleser oedd darllen ei dair erthygl – y gyntaf ar fwrlwm eisteddfodol Penfro, gan gynnwys yr eisteddfod yn Nhŷ Ddewi i rai dros hanner cant oed. Amlygwyd ei wybodaeth amaethyddol yn yr ail erthygl, a'i ddiddordeb byw ym mhynciau'r dydd – ynni, olew, nwy a gwynt – yn y drydedd erthygl. Mae'n haeddu clod am ei ddiffuantrwydd ac am ei falchder yn ei fro.

Diolch eto i bob cystadleuydd. Y tri a'm plesiodd fwyaf yw *Tomos, Dim ond y gwir* a *Titw*. Gwobrwyer *Titw*.

Y Tair Erthygl ar gyfer Papur Bro

A WYDDECH CHI AM GYSYLLTIAD RHWNG TRAETH LAFAN AC ATLANTIS?

Mae'n siŵr fod pawb yn gyfarwydd â hanes dinas goll Atlantis ac am Seithennyn, y gwyliwr diofal, a fu'n gyfrifol am foddi teyrnas Cantre'r Gwaelod rhwng Enlli a Phenfro. Ond wrth deithio tuag at Benmaen-mawr ar hyd ffordd brysur yr A55, tybed faint ohonoch chi sy'n sylweddoli bod teyrnas y brenin Helig hefyd o dan donnau'r môr? Mewn llyfr a gyhoeddwyd yn yr unfed ganrif ar bymtheg, dywedodd Syr John Wynn o Wydir, ei fod wedi gweld olion muriau cerrig ar dywod Traeth Lafan pan fyddai'r môr ar drai, ryw ddwy filltir o'r lan a hanner ffordd rhwng Penmaen-mawr a Phen y Gogarth. Yn ogystal â'r dystiolaeth hon, mae pysgotwyr o'r ardal wedi honni iddyn nhw weld llinellau syth o gerrig a chreigiau o dan y dŵr; llinellau a allai'n hawdd iawn fod yn adfeilion waliau. Ond beth a wyddom am Dyno Helig?

Yn ôl y chwedl, roedd merch y brenin Helig ap Glannog am briodi bachgen tlawd a thrywanodd hwnnw garcharor rhyfel i gael ei eurdorch a oedd yn symbol o statws uchel yn y dyddiau hynny. Heb un, doedd gan y bachgen ddim gobaith o ddod yn ŵr i'r dywysoges Gwendud. Croesawyd Tathal a'r eurdorch yn llawen gan Helig a dechreuwyd trefnu'r briodas.

Cyfaddefodd Tathal wrth ei ddyweddi ei fod o wedi llofruddio dyn er mwyn ennill ei dorch aur. Yn ei dychryn, gorchmynnodd Gwendud i'w chariad gladdu corff y carcharor ar fyrder. Ar y mynydd, wrth dorri bedd, rhuodd llais annaearol o'r cymylau yn bygwth dial ar Dathal a Gwendud yn amser eu hwyrion a'u gorwyrion.

Aeth hanner canrif a mwy heibio a Thathal a Gwendud wedi bod yn frenin a brenhines mawr eu parch ar Dyno Helig. Trefnwyd dathlu gyda gwledd a gwahoddwyd telynor dall o Fangor Is-Coed i ddifyrru'r gwesteion ond rhybuddiodd ei was i gadw golwg manwl ar seler y llys brenhinol. Pe gwelai'r gwas bod dŵr digon dwfn i bysgod nofio ynddo yn llifo i mewn i'r seler, yna roedd trychineb ar fin digwydd. Rhoddwyd teyrngedau i Gwendud a Thathal a chanmolwyd eu plant, eu hwyrion o'u gorwyrion. Cafodd trigolion Tyno Helig flwyddyn lwyddiannus arall. Yng nghanol y dathlu, rhuthrodd gwas y telynor o'r seler gan weiddi bod dŵr yn codi yn y seler a bod haig o bysgod yn nofio ynddo. Gwaeddodd y telynor: 'Daeth y Dial! Rhaid i bawb ffoi tua'r mynydd! Mae Tyno Helig yn boddi!'. Ond doedd neb yn gwrando ar floeddiadau'r hen ddyn a'i was. Rasiodd y ddau tua'r tir yn erbyn llanw cyflym y môr a chyrraedd y traeth yn ddiogel. Erbyn trannoeth, doedd dim sôn am neb arall o Lys Helig nac o'r ffermydd na'r bythynnod.

Mae'n ddigon posib mai cof gwerin hynafol am lefelau'r môr yn codi'n raddol ar ddiwedd yr Oes Iâ ddeng mil o flynyddoedd yn ôl ydy chwedlau o'r fath a barn yr ysgolhaig Rachel Bromwich ydy mai amrywiadau ar yr un digwyddiad hanesyddol ydy'r ddwy chwedl Gymreig fwyaf cyfarwydd.

*   *   *

A WYDDECH CHI AM GYSYLLTIAD RHWNG
BAE PENRHYN A'R AMERICANWR EWROPEAIDD CYNTAF?

Gŵyr pawb mai Christopher Columbus oedd y dyn Ewropeaidd cyntaf i lanio ar dir Gogledd America yn 1485, ond ers canrifoedd mae traddodiad Cymreig fod Madog, un o feibion anghyfreithlon y Tywysog Owain Gwynedd, wedi hwylio o Gymru a glanio yn America dri chan mlynedd o flaen Columbus.

Yn ôl y chwedl, pan fu Owain farw, bu ymladd ffyrnig am diroedd rhwng ei feibion Rhun, Hywel a'u plant a phenderfynodd Madog a'i frawd, Rhirid, ddianc i Iwerddon. Hwyliodd llynges fechan o gychod ('tair ar ddeg' oedd awgrym Ceiriog yn ei gerdd) o lannau'r Afon Ganol, sef un o brif nentydd Afon Conwy, yn y flwyddyn 1170. Hen enw'r ardal rhwng Llandrillo yn Rhos a Bae Penrhyn oedd Aber Cerrig ac yng nghyfnod Madog roedd llongau o faint sylweddol yn medru glanio a hwylio ar hyd y llednant hon. Gellir gweld rhannau o'r Afon Ganol yn llifo drwy gwrs golff Llandrillo yn Rhos hyd heddiw ac mae'r tiroedd corsiog gyferbyn yn brawf pellach fod isafon go sylweddol wedi llifo dros y tiroedd hyn mewn canrifoedd a fu. Rai blynyddoedd yn ôl, datgelodd haneswyr fod olion hen gei carreg yng ngardd y tŷ agosaf at y cwrs golff ar Ffordd Glan y Môr – a'i bod yn bosibl mai oddi yma yr hwyliodd Maelog.

Ymhen hir a hwyr, glaniodd llongau Madog nid yn Iwerddon ond ar draethau llawer mwy gorllewinol lle chwythwyd y llongau. Yno roedd tiroedd breision a hinsawdd dymherus; trigolion cyfeillgar a chanddynt groen coch-frown. Ymgartrefodd y Cymry gyda'r brodorion heddychlon.

Sut, felly, y gwyddom hynny? Dywed traddodiad bod Madog wedi dychwelyd i Gymru i gyrchu aelodau o'i deulu i'r cyfandir perffaith a phan hwyliodd eilwaith, ni chlywyd dim amdano ef na'i fintai fyth wedyn. A lwyddodd Madog i ddychwelyd i'r wlad newydd drachefn ac ymsefydlu yno?

Erbyn Oes Elizabeth I, roedd cryn fri ar y chwedl am Fadog; efallai mewn ymgais i dynnu blewyn o drwyn y Sbaenwyr; llwyddiant Columbus ac anturwyr mordwyol Ewropeaidd eraill. Erbyn hynny, deuai hanesion o'r Taleithiau Americanaidd am lwyth o Indiaid brodorol gyda gwallt golau, llygaid glas ac yn siarad Cymraeg – y rhain oedd llwyth y Mandan a drigai yng Ngogledd Dakota.

Syniad Iolo Morganwg oedd darganfod y gwir am yr honiadau hyn a threfnodd daith i Ogledd America yn 1795. Roedd tirfesurydd ifanc o'r enw John Evans o'r Waunfawr i fynd gydag ef er mwyn mapio llwybr yr afon Missouri. Yn y diwedd, dim ond John Evans aeth ac wedi anturiaethau enbyd gyda llwythau o frodorion ffyrnig a'i garcharu am ysbio yn St Louis, cyrhaeddodd fröydd y Mandan heddychlon. Arloesodd drwy fapio 1,800 milltir o'r afon Missouri. Er mawr siom, doedden nhw ddim yn siarad Cymraeg ond doedd eu hiaith chwaith ddim yn debyg i ieithoedd brodorol eraill a physgotent o gwryglau crynion ac nid o ganŵod culion.

Wyddom ni ddim a oes unrhyw wirionedd yn y chwedl am Madog na'i 'antur enbyd' ond erys traddodiad yn yr Unol Daleithiau am dywysog Cymreig o'r enw Madog a laniodd ym Mae Mobile, Alabama. Yn wir, codwyd carreg goffa ar y traeth yno i 'Prince Madoc'.

*   *   *

A WYDDECH CHI AM GYSYLLTIAD RHWNG DARLUN SYDD YNYR AMGUEDDFA GENEDLAETHOL A BUDAPEST?

Un o brif drysorau Amgueddfa Genedlaethol Cymru ydy darlun olew sy'n mesur pedair troedfedd wrth bump gan yr artist Cymreig Thomas Jones, a aned yn fab i dirfeddiannwr cefnog o Sir Faesyfed ym 1742. Darlun ydyw o fardd gorffwyll mewn gwisg garpiog, â'i farf a'i wallt yn wyn a gwyllt. Ychwanegir at yr awyrgylch rhamantaidd derwyddol drwy roi i'r bardd delyn fechan. Saif ar ymyl clogwyn serth lle y tyf derwen gnotiog ac ymhell o dano llifa afon frochus. Er bod ei gorff yn gwyro tua'r dibyn, try i edrych o'r tu ôl iddo ar fynyddoedd ysgithrog, ar gromlech hynafol ac ar gelanedd ei gyd-feirdd. Darlun o anobaith pur.

Enw'r darlun ydy 'The Bard', un o nifer o'r un enw a seiliwyd ar gerdd a gyfansoddwyd yn 1755 gan y bardd Saesneg Thomas Grey. Ceir paentiad gan John Martin, artist o Loegr, ar yr un testun sy'n dyddio o 1817. Yn y llun hwnnw, gwelir yn glir mai Castell Conwy sydd yn y cefndir. Ond yr un ydy trueni'r bardd unig, y clogwyn a chyrff marw gweddill y beirdd.

151

Mae Grey'n crybwyll yn ei gerdd fod y bardd olaf yn sefyll uwchben afon Conwy, ac felly a ydy hi'n deg tybio mai Cromlech Neolithig Maen y Bardd ger Rowen ydy'r meini yn y llun ac nid rhyw Gôr y Cewri o beth fel yr awgrymir gan haneswyr celf?

Mae hynny'n ddigon diddorol ynddo'i hun ond pan ychwanegir y ffaith fod cerdd bwysicaf gwlad Hwngari, baled a luniwyd gan János Arany ym 1855 ar yr un testun, 'The bards of Wales', mae'n rhaid gofyn pam na wyddom ni sy'n byw yng Nghymru fawr am y traddodiad hwn am farw bardd olaf Cymru? Propaganda gwleidyddol yn erbyn gorthrwm brenhinoedd Habsburg oedd seilio cerdd ar ddioddefaint gwleidyddol cenedl ddarostyngedig arall i'r bardd János Arany a gall bob plentyn ysgol adrodd y gerdd Hwngaraidd hon ar ei hyd er mai tranc beirdd Cymru ydy ei thestun. Yn ddiweddar, cyfansoddwyd symffoni â'r gerdd yn ganolbwynt iddi gan Karl Jenkins gyda'r geiriau Cymraeg gan Twm Morys.

Ond rhaid dychwelyd i'r 13g, marwolaeth Llywelyn ein Llyw Olaf ac ymgais Edward I i feddiannu cenedl y Cymry. Datblygwyd concwest Edward yn ymgyrch fwriadol i sathru ar hunaniaeth y Cymry a'i dinistrio, a throi'r Cymry'n llwyr ddarostyngedig i goron Lloegr. Nid yn unig y cododd Edward gylch o gestyll amddiffynnol o gwmpas Gwynedd ond aethpwyd â'n trysorau cenedlaethol i Lundain, gan gynnwys y Groes Naid a fu am ganrifoedd yn symbol o sofraniaeth y Cymry. Daethai Cymru'n ddim ond darn arall o dir i Edward ei feddiannu a'i reoli.

Yn eironig ddigon, mae'n bosib fod yr ymgais hon at hil-laddiad wedi atgyfnerthu yn hytrach na gwanhau'r ymdeimlad o genedligrwydd ymhlith Cymry'r Oesoedd Canol ac, yn sicr, 'fyddai'r chwedl am farwolaeth y bardd olaf ddim yn un y byddai'r Cymry am ei gweld yn mynd ar led. Wedi'r cwbl, onid gan y beirdd yr oedd yr arf grymusaf – eu hiaith?

Titw

BEIRNIADAETH SIONED DAVIES

Dyma'r tro cyntaf i'r Eisteddfod ofyn am stori 'feiddgar'. Bûm yn pendroni am hir ynghylch union ystyr yr ansoddair yn y cyd-destun hwn. Diau fod gofyn i'r awdur fod yn barod i fentro ac i feddwl y tu allan i'r bocs, bydded hynny o safbwynt cynnwys neu efallai arddull a chrefft y stori. Yr hyn a ddisgwylir yma yw stori sy'n gwthio'r ffiniau, stori sy'n herio unrhyw ragdybiaethau (er onid dyna'r nod wrth ysgrifennu unrhyw stori werth chweil?). Siomedig, felly, oedd derbyn chwe stori a oedd, ar y cyfan, yn weddol draddodiadol eu naws.

Heblaw bod yn 'feiddgar', yn unol â gofynion unrhyw stori lwyddiannus, disgwylir plot cryf, ysgrifennu cynnil (dim mwy na 5,000 o eiriau) ynghyd â Chymraeg graenus. Amrywiol, ar y cyfan, oedd y cynnyrch.

Walford: 'Y Ffeit Fowr'. Fel yr awgryma'r teitl, stori mewn tafodiaith a geir yma. A dyma gryfder yr awdur gan fod y cyfan wedi ei fynegi mewn tafodiaith gyhyrog gyda sylw manwl iawn i'r elfen ieithyddol (ar draul y stori efallai): 'Weti iddynt gyrradd y darn bech cyntaf o wyrddni, dododd y ciloc i lawr am funad. Ond 'rodd hwn yn un clefar iawn, a'r minydd weti truddo i miwn i'w fola'. Cawn wybod pwy yw pwy ar y dechrau cyn troi at y prif ddigwyddiad, sef 'ffeit' rhwng dau geiliog neu yn hytrach 'dou giloc'. Cawn yn y stori ddarlun hyfryd o'r gymdeithas glòs yn un o gymoedd De Cymru, yng nghyfnod y 'Magic Lantern' a'r 'wireless'. Mae'r awdur yn sicr yn fentrus yn ei ddefnydd o dafodiaith ond, gwaetha'r modd, nid yw'r stori'n cyffroi.

Y Gorlan Wen: 'Erica'. Hanes perthynas rhwng milfeddyg o Gymro, Tom Huws, ac Almaenes ifanc, Erica, sydd yma. Mae'r stori'n agor yn yr Almaen, yn ystod yr Ail Ryfel Byd, a Tom yn gweithredu fel *saboteur*. Datblyga perthynas rhyngddo a'r ferch fach, Erica, a'i mam sy'n wraig weddw. Rydym yn neidio wedyn i 1945 ac i Eryri lle mae Erica'n ailgyfarfod â Tom ar ddamwain. Ac yntau'n ddigon hen i fod yn daid iddi, mae perthynas garwriaethol yn datblygu rhyngddynt ac Erica'n sylweddoli o'r diwedd pwy ydyw. Stori gariad, gymhleth sydd yma felly. Gwaetha'r modd, mae gan yr awdur ffordd bell i fynd cyn y gellir ei ystyried o ddifrif. Mae yma lawer iawn gormod o gyd-ddigwyddiadau, mae'r ddeialog yn anystwyth a'r iaith drwyddi draw yn wallus.

Yr Hydd Gwyn: 'Gwesty Gwelw'. Rhaid cyfaddef nad yw'r teitl na'r stori'n cydio. Rhyw fath o stori arswyd sydd yma wrth i athro ysgol benderfynu galw am swper yn y dafarn leol. Yno, fe'i cyhuddir gan ryw Monsieur barfog canol-oed o ddarllen ei lythyr caru a myn eu bod yn ymladd i'r pen

– â phistolau – ond llwydda'r athro i ddianc gyda chymorth y cogydd. Y nod, mae'n amlwg, yw creu tyndra a chodi ofn ond nid oes yma unrhyw ddyfnder. Mae'r arddull yn glogyrnaidd a diffyg cynildeb drwyddi draw.

Siwan: 'Rhith'. Hanes Goronwy sydd yma, dyn unig, cymhleth a gafodd ei fwlio pan oedd yn ifanc am ei fod yn hoyw. Mae'n gaeth i'r cyfrifiadur a chanddo obsesiwn â byd rhithiol y gemau ar-lein. Mae'n blogio, yn trydar, yn defnyddio *facebook* ond nid oes unrhyw un byth yn cysylltu ag ef. Mae'n edrych am berthynas ar www.pishyn.com ar ôl i'w bartner ei adael am iddo 'golli gafael yn llwyr ar realiti', yn edrych am swydd ar ôl gorfod ymadael yn ddisymwth â'i gwrs gradd mewn cyfrifiadureg, a hynny oherwydd salwch meddwl. Erbyn diwedd y stori, mae'r gwahaniaeth rhwng realiti a rhith wedi diflannu er rhaid imi gyfaddef nad wyf yn llwyr ddeall ergyd y llinellau olaf. Ceir yma ysgrifennu cyhyrog ac amrywiaeth eang yn y dweud, o naratif yn y trydydd person i flogio yn y person cyntaf, o ddeialogau effeithiol i ddarnau disgrifiadol synhwyrus. Llwydda'r awdur i ennyn ein cydymdeimlad tuag at Goronwy ac i roi darlun inni o ddyn nad yw'n byw bellach yn y byd go iawn. Stori gymhleth yw hon, efallai'n rhy gymhleth ac yn rhy gynnil ar brydiau, ond wedi ei llunio'n gelfydd.

Gwyliwr: 'Cadair Ifan Goch'. Stori sy'n troi o gwmpas sbïo a'r byd gwleidyddol yw hon. Y flwyddyn yw 2024 – mae Angharad Mair yn AC dros y Blaid, Eluned Morgan yn Brif Weinidog Cymru, Yr Alban yn wlad annibynnol. Mae Cai a'i bartner yn gweithredu dros fudiad sydd am weld annibyniaeth i Gymru; deuant wyneb yn wyneb â hen ffrind ysgol sydd yn gweithio i'r Gwasanaethau Cudd gyda chanlyniadau trychinebus. Ceir agoriad pwerus i'r stori wrth i'r awdur ddisgrifio dyn yn cael ei saethu'n farw. Ond gweddol ystrydebol yw'r gweddill er bod y tro yng nghynffon y stori ar y diwedd yn annisgwyl.

Boi Drws Nesa: 'Haka Penclippin'. Dyma stori sy'n cydio o'r dechrau gan blannu ar unwaith hedyn o amheuaeth ym meddwl y darllenydd ynglŷn â chymhellion y prif gymeriad, Cledwyn Rhygyfarch Huws o fferm Penclippin. Cawn ddisgrifiad gafaelgar, byrlymus o'r hen Gledwyn yn ei holl fudreddi ych-a-fi – ecsentrig go iawn sydd, rhaid cyfaddef, yn tueddu i wneud i stumog rywun droi. Gyda'i obsesiwn ynglŷn â'i fam, fe'n hatgoffir yn gynnil o Norman Bates yn *Psycho* Alfred Hitchcock. Llwyddir i gynnal tyndra drwy gydol y stori ac i greu awyrgylch fygythiol, arswydus ar y diwedd. Stori sy'n peri braw a dychryn yw hon, stori sydd heb amheuaeth yn feiddgar ei chynnwys. Ceir yma gyfuniad o'r sinistr a'r grotesg a fydd yn sicr o anesmwytho'r darllenydd. Adroddir y cyfan yn nhafodiaith Sir Benfro a'r eirfa'n odidog o gyfoethog.

Nid oes unrhyw amheuaeth nad *Boi Drws Nesa* sy'n haeddu'r wobr am gyfansoddi stori feiddgar a fydd yn aros yn y cof am hir.

Y Stori Feiddgar

HAKA PENCLIPPIN

Safai pedwar pâr o wellingtons amrywiol eu gwedd wrth ddrws y cyntedd. I ddieithryn, awgrymai hynny fod pedwar person yn byw yno neu, os oedd e' neu hi'n hirben, bod yna ymwelwyr neu ymwelydd, fel fe neu hi, wedi galw heibio, ac wedi cydymffurfio â'r ddefod arferol o dynnu wellingtons bawlyd cyn croesi rhiniog tŷ ffarm.

Ond y gwir amdani oedd nad oedd neb ond Cledwyn Rhygyfarch Huws yn byw ym Mhenclippin a doedd neb fyth yn galw heibio.

Roedd ganddo wellingtons at bob gorchwyl; wellingtons yn gagle i gyd i'w gwisgo oddeutu'r clos; wellingtons oedd yn gillwn ond yn gwneud y tro ar ben tractor i fynd 'lawr i'r pentre; wellingtons gwyrdd, nad oedden nhw wedi'u golchi, i fynd i'r mart ac ambell acsion, a wellingtons newy' sbon i fynd i ambell angladd, er mai sefyll o hirbell oddi wrth y galarwyr yn ymyl y fynwent a wnâi gan amlaf.

Yn y gegin, bochiai Cledwyn ddarn o afu amrwd gyda'r fath ffyrnigrwydd nes bod ei weflau'n diferu o waed. Roedd y dwylo blewog anferth yn hen gyfarwydd â chyflawni gwaith cyllell a fforc. Cyfuniad o sŵn rhochian mochyn ac ysgyrnygu ci a ddeuai o'i enau wrth iddo dreulio'i frecwast. Eisoes llyncodd ddau wy amrwd ar ei dalcen. Doedd y paratoadau yng nghegin Penclippin y bore hwn yn ddim gwahanol i unrhyw fore Llun arall.

Wrth sychu ei swche ar hyd llawes ei got, ebychodd Cledwyn Rhygyfarch yn gras wrth amenio'r darlunie o ragolygon y diwrnod a wibiai trwy ei feddwl. Mwmialai'n herfeiddiol wrth rag-weld rhyw letchwithdod neu'i gilydd. Chwarddodd yn uchel, os nad yn ynfyd, wrth ei ddychmygu ei hun yn ennill y llaw uchaf. Gwyddai y byddai'n siŵr o ddathlu buddugoliaeth cyn y disgynnai'r gwlith.

'C'mon, c'mon, c'mon', siantiodd fel petai'n annog catrawd o filwyr i faes y gad gan daro'i droed dde ddi-wellington droeon ar y llawr. Byddai'n perfformio 'Haka Penclippin' bob bore Llun. Honno oedd ei ryfelgri. Pan fydde'n ei pherfformio yn ei chyfanrwydd, fe ddawnsiai ryw jig fach o amgylch bord y gegin ryw ddwywaith neu dair gan newid cyfeiriad yn sydyn i ychwanegu at yr hwyl.

Bryd arall, adroddai ribidirês o rigyme a hen benillion, a ddysgodd gan ei dad-cu, i gyfeiliant crythor dychmygol wrth sefyll ar gader. 'Bric a bric y bricen, pwy sy wedi rhechen?,/ Ti'r hen fochyn, cer di mas, te', a 'Shoni moni bric y moni,/ Cwt y gath yn lle gardison', fyddai'n eu morio drosodd a throsodd. Ac yna gwaedd fowr ar y diwedd, 'copish porfa amdani bois, ni whare yw byw ch'wel'. Byddai wedi neidio i ben y ford oni bai y bydde'i ben yn taro'r nenfwd os nad yn taro'r cysgod lamp yn jibiders deilchion. Ni fedrai sefyll yn ei hyd ar ben y bwrdd er mwyn chwifio'i freichie fel melin wynt i fynd i ysbryd y darn. Ond calliodd y bore hwn.

Drachtiodd yn helaeth o'r can cwrw sinsir cyn ei daflu at y pentwr gweigion eraill yn y bocs cardbord yn y gornel. Pecialad uchel wedyn nes dychryn hyd yn oed y corynnod uwchben yr hyn a oedd yn weddill o'r llenni carpiog a'r chwilod a guddiai yn rhafle'r carpedi.

Rhyw adlais o eirie'i fam: 'Gwna di'n siŵr fod popeth yn gymen, 'machgen i' a'i hysgogodd i osod rhyw fath o drefen ar y ford. Golygai hynny symud y poteli picls, shytni, bitrwt, bresych coch a sos coch yn un rhes. Fe'u haildrefnodd yn ôl eu maint. Credai Cledwyn mewn cadw dewis o ddeunydd ar y bwrdd ar gyfer llenwi ei dafellau bras o fara menyn yn ôl fel y bydde'i hwylie.

Astudiodd gyflwr wyneb y llien bwrdd gan sugno'i wefuse. 'Hm, hm,' meddai'n ddwys fel petai'n ceisio dyfalu ble i symud ei frenin du rhag cael ei gornelu fel y gwnâi'n aml yn nyddie whare draffts cyfnod plentyndod yng nghwmni ei dad-cu. Doedd yna ddim tad yn lletya ym Mhenclippin. Y gelyn y tro hwn oedd y briwsionach o'r torthe y bu'n eu sleisho a'u hanshan. Roedd rhai ohonyn nhw'n gryste celyd. Penderfynodd eu trin fel marblis a'u niclo i gyfeiriad bocs cardbord y tunie cwrw sinsir. Un, dau, tri, pedwar, pump, chwech, saith. Syrthio'n fyr fu hynt y mwyafrif. Tynnodd ei fraich gyfan ar draws y ford er mwyn sgubo'r mân friwsion i'r llawr. Roedd y dasg wedi ei chwblhau.

Cydiodd mewn capan oddi ar fraich y gadair a'i osod ar ei ben gyda'r pig yn isel dros ei dalcen a'i gefn yn uchel ar ei gorun. Doedd dim angen y cwafars o syllu mewn drych ar gyfer gorchwyl a wnaed ganwaith a mwy yn gwbl reddfol. Doedd hi ddim o bwys ganddo p'un ai oedd y cnwd o wallt brith yn ishte'n esmwyth o dan fargod y capan beth bynnag. Shwlshal fu ei wallt eriôd. Doedd yna ddim crib na brws gwallt yn gyfleus ym Mhenclippin. Safodd yn stond ar ganol y stafell gan ymgrymu i gyfeiriad y llun o'i fam ar y silff ben tân. Rhyfeddai fel y bydde'i hwyneb yn dal i newid o wg i wên yn ôl fel y tarai'r houl trwy'r ffenest. Cododd fysedd ei law at arlais ei dalcen mewn cyfarchiad. Cofiai am y tro hwnnw y bu'n ei ddwrdio ar ôl ei ddal yn torri coese broga â siswrn. Ni ddeallai pam na fydde'n canmol ei glyfrwch yn dal y broga yn y lle cynta. Synnwyr cyffredin oedd torri ei goese, gwlei, rhag ei fod yn jengyd. Cofiai hefyd amdani'n ei gymell 'i ffeindio rhyw lodes fach nawr fydde'n help iddo gadw Penclippin yn loyw ryw ddydd'. Ie, rhyw fenyw â ffedog neu frat bach glân amdani yn gwasgu'r dorth i'w bronne wrth ei sleisho oedd ganddo mewn golwg. Bydde gallu i gario bêls gwair a bwcedi lla'th o help 'fyd. 'A whilo whilber,' meddyliai. Ond roedd honno wedi profi'n dasg anoddach.

'Synno chi'n gwbod nawr, Mam, falle taw heddi yw'r diwrnod. Bant â'r cart; mart Aberteifi amdani, gwlei. Ffwl sbîd ffwl pelt tra bo'r cols yn boeth nawr, yn dyfe. Miwn â'r gwair tra bo'r houl yn sheino, Mam'.

Agorodd ddrâr y seld er mwyn cydio yn y llyfr siec a dwrned o arian sychion. Roedd y garden banc yn ei boced yn barod. Dyna lle y byddai'n ei chadw beunydd. Roedd wedi canfod ei bod yn handi i lanhau o dan ei ewinedd ac i grafu pridd oddi ar gefen rhaw neu fforch. Da oedd dyfeisiade'r banc, meddyliai. 'Iwsffwl, iwsffwl ch'wel', oedd ei ddyfarniad wrth gydnabod pan welen nhw'r defnydd a wnâi ohoni. Anelodd am y drws a'r pâr o wellingtons gwyrdd lleiaf brwnt. Doedd dim angen cloi'r drws. Doedd neb wedi galw heibio ers i walch yn y pentref ddarbwyllo'r ficer newydd i roi gwaedd er mwyn dwyn perswâd ar Cledwyn Rhygyfarch i gydio yng ngorchwyl y clochydd i olynu ei dad. Fu'r ficer fawr o dro cyn synhwyro'i fod wedi taro ar gneuen wag. Clindarddach fydde'r clyche yn hytrach na gwahodd y ffyddloniaid i'r gwasanaethe. Wrth iddo groesi'r clos, cyfarthai'r geist magu yn un gerddorfa aflafar o gyfeiriad y ddau lowty. Doedd dim taw arnyn nhw. Fe'u hanwybyddodd am y tro. Rhyntyn nhw a'u maldod oedd ei ddyfarniad.

Dringodd Cledwyn i ben y Ffergi Fach a'i thanio ar y cynnig cyntaf. Pydrodd arni ar hyd y feidir mewn cwmwl o fwg wrth i'r treiler bregus hercian o bant i bant. Credai ei fod yn y Grand Prix yn mynd o amgylch Silverstone am y deugeinfed tro. Gwnâi synau i'r perwyl hwnnw wrth fynd rownd y troeon a hanner trasho'r cloddie'r un pryd. 'TVO, TVO, fawr o dro', brygowthai. Wedi cyrraedd y ffordd fowr a tharanu trwy bentref Boncath, pa ots gan Cledwyn os oedd lorïe Mansel Davies yn ei oddiweddyd gyda'r gyrwyr yn canu eu cyrn yn ddiamynedd. Ymfalchïai mai fe oedd yn llywio'r llif trafnidiaeth ar hyd Bridell a Phen-y-bryn. Pwy oedden nhw, wir, i'w watwar?

Safai'n dalsyth yn ei got odro felen gyda'r capan yn cwato'r aelie trwchus yna. Fe'u codai fry bob hyn a hyn i gyfarch cydnabod, boed ddychmygol neu wirioneddol. Roedd coler ei grys wedi rhaflo a gwelid cnawd ei benelinoedd trwy lewys ei got. Ond pa ots? Roedd Penclippin yn mynd amdani, gwlei. Bryd arall, chwifiai ei freichie gan fygwth celanedd neu amau diweirdeb a glendid ach ambell yrrwr sgaprwth. 'Be sy'n bod arnoch chi'r jiawled? Synno chi'n sylweddoli 'mod i ddim wedi cael fy medyddio yn Rhygyfarch am sbort. O, naddo. Hen wncwl yn y gweithfeydd, yn dyfe. Cyfansoddwr emyn-done. Odyn, odyn, chwiliwch chi amdanyn nhw yn y caniedyddion a'u dyblu nhw ar y galerïe 'na. 'O, Adda, dyro awel, a honno'n awel gref, i godi'r postyn canol, ryw lathed tua'r nef. Ie, wir, emyn rhif strôc twll a grôt. Wan hyndred-and-ffor.'

Chlywai neb mohono uwchben y dwndwr wrth iddo roi pabwyr i'r Ffergi Fach o bryd i'w gilydd. Bryd arall, arafai'n bwrpasol wrth nesáu at gorneli er mwyn gweld faint o dagfa y medrai ei achosi o'i ôl. Pan deimlai fod ambell ganiad corn yn fwy sionc na hirwyntog, teimlai fod y gyrwyr yn gwerthfawrogi ei stans ac yn rhannu ei awyddfryd. 'Ie, ie, bois. I ni ar yr hewl. Hedfan daear peil o beints. Ma' Edward H nôl ar yr hewl. Yn y Fro, yn y fro, yn y fro. Rociwch hi, bois. Ar fynydd Gelli Wastad smo nhw'n becso mo'r dam. Nadyn, gwlei. Mart Aberteifi amdani.'

Pwy fedrai warafun iddo ei eiliad o anfarwoldeb wrth ail-fyw dyddie'r macynon gwddf coch a'r denims glas chwarter canrif yn ôl? Oedd, oedd, roedd e wedi bod yn ein plith sha Ffostrasol a Blaendyffryn ffor'na. Onid oedd e wedi bod yn ei chanol hi'n hongian oddi ar ymyl y llofft yn Neuadd Fictoria Llambed? Bydde'n gwmint o atyniad â'r grŵp ei hun pan wydde'r whilgryts fod 'Penclippin' yn debyg o berfformio'i gampe. 'Ie, ie, fi yw'r boi 'na ar "Torri Gwynt" ch'wel. Ellwch chi weud honna ar telefision nawr. Dewi Pws, Dewi Pws, yn dyfe. Dom da, dom da. Carthu'r glowty gered,' gwaeddai i'r gwynt gan ddangos ei ddannedd na fydde fe fyth yn eu glanhau dim ond eu rhwto â darn o bren collen ar ei brifiant siwrne siawns. Chwifiai'r pastwn draenen ddu, nad âi i unman hebddo, wrth i'r genfaint o gerbyde fynd a dod heibio.

Parciodd y tractor a'r treiler, yn ôl ei arfer, ger colfen fawr ym Mhentwd. Petai'n prynu sached o flawd neu ddrwm o hylif cyn troi sha thre, byddai'n debygol o'i gario ar ei war, yr hanner milltir o'r mart at y Ffergi a'r cart, wedi'u parcio'n ddigon pell o'r lorïe a'r Daihatsus yn lle rhoi cyfle i'r ffarmwrs wneud rhagor o sbort am ei ben heb ishe. Wrth gyrraedd y llocie, gwelai ambell gydnabod yn troi cefn i bwyso ar y rheilie yn hytrach na'i wynebu a chyfarch gwell. Doedd dim yn anarferol yn hynny. Wrth ymestyn am ddarn o ddeilen troed yr ebol o'i boced er mwyn cnoi cil, fe welodd ei bod hi Martha Mwnt draw pen draw. Byddai ganddo dipyn o waith cylchynu cyn ei chyrraedd i ddal pen rheswm. Doedd e ddim yn siŵr a oedd e am ei gweld, beth bynnag. Hwyrach mai ei hosgoi fydde ore.

'Shw ma fe Penclippin heddi?' medde rhywun yn ddi-ffrwt wrth gerdded heibio heb ddishgwl ateb.

'Weles i mo ti yn y Gymanfa Ganu neithiwr', medde llais bigitlyd arall nad oedd am oedi i gael ateb.

'Gwerthu neu brynu, Cled Bach?' holai rhywun arall nad oedd yn fwriad ganddo i gynnal sgwrs.

'Whilo am dreisiad, Huws Bach?' medde llais arall gan chwerthin yn goeglyd. Pecialad uchel oedd ymateb Cledwyn Rhygyfarch.

Hysiodd rhyw borthmon bâr o fustych ar hyd y sodren heibio iddo. Bu bron iddyn nhw ei daro wrth iddyn nhw lithro ar hyd y biswail. Hwrnad dawel oedd ymateb Cledwyn.

'Ie, wyt ti'n gwerthu heddi, Penclipps? Wes tags 'da ti ar y creadiried 'na nawr?' medde llais lletchwith arall. Doedd hwrnad Cled ddim mor dawel y tro hwn. Gwyddai fod yr ymholiad yn gyfeiriad at y drafferth a gafodd pan ddaeth gwŷr y Weinyddiaeth heibio i archwilio'i wartheg. Doedd y gwaith papur ddim yn gyflawn. Ni wyddai faint yn union o greaduriaid oedd ganddo. Daethpwyd o hyd i nifer yn byw'n wyllt yn yr allt. Roedd nifer o loi gwryw anferth yn dal i sugno eu mame. Doedden nhw ddim wedi eu sbaddu ac wedi tyfu y tu hwnt i hynny mwyach. Ildiodd sawl milfeddyg y dasg o geisio'u corlannu ac o leiaf sbaddu'r rhai lleiaf. Wel, pan mae teirw ifenc yn neidio dros ben iete tuag atoch o bob cyfeiriad, ma' gofyn bod yn garcus, gwlei. Dyfarniad un milfeddyg oedd 'y bydde'n saffach bod yn filwr yn Affganistan na threulio dwarnod ar glos Penclippin'.

Tra oedd wedi ymgolli yn helyntion yr annibendod hwnnw, daeth rhyw foi ar ei draws yn dal clamp o feicroffon yn dweud ei fod yn gweithio i'r BBC ac am wybod beth oedd ei farn am bris llwdn neu ffowls neu rywbeth neu'i gilydd. Roedd hwn o leiaf am gynnal sgwrs ac roedd Cledwyn wedi ei weld yn stablad o gwmpas o'r blaen. 'Gwrandwch 'ma, BiBiSi, no gwd. Radio Ceredigion, no gwd. Radio Cwmcwats, feri gwd', oedd byrdwn ei ymateb wrth i'r gwron gilio i chwilio am brae arall. Gwyddai Cledwyn Rhygyfarch sut i gael gwared â chacwn o newyddiadurwr heb fawr o drafferth. Doedden nhw ddim yn mynd i'w ddal e yn yr un magal.

Pwyso ar reilie'r llocie oedd y cam nesaf gan swmpo'r bustych a'r ŵyn bob hyn a hyn. Medrai o leiaf roi'r argraff fod ganddo waled lawn a'i fod am gynnig am greadur pe na bai ond i godi'r pris. Fe wydde'r arwerthwyr mai doeth oedd peidio â chymryd gormod o sylw o'i fosiwns. Yn wir, prin y bydde'r un ffarmwr gwerth ei halen am weld anifail y bu'n ei besgi yn gorfod dibynnu ar borfa brin Penclippin. Drwy gydol hyn i gyd, taenai ambell giledrychiad o gwmpas y mart gan rwnsial iddo'i hun. Cadwai Martha Mwnt o fewn ei orwelion o dan y cap stabal. Gwyliai ei symudiade fel curyll ar ben post. O'r diwedd, daeth yn ddigon agos iddo fedru gweld y blewiach ar ei chern a chael ei ddrysu gan y llyged croes yna.

Rhyw dawelwch beichus fu rhyngddynt pan sylweddolodd y ddau eu bod yn seso ar ei gilydd. Rhyw syne unsillafog a wnâi'r tro yn hytrach na'r ymgomio agoriadol arferol. Mae'n debyg fod ambell ebychiad a syne gyddfol yn iaith ynddi'i hun rhwng ffermwyr sy wedi arfer bod yng nghwmni anifeiliaid. O'r diwedd, mentrodd Martha. 'Torred o foch bach 'to ... ishe cael eu gwared ... ma'n nhw yn y pic-yp. Yr hwch wedi b'yta tri, a'r credidwyn 'chan, myn yffarn i. Neb ishe magu perchyll t'wel. Dim arian ynddi ... dim sybsidis ffor'ny. Pwy sy ishe bacwn cartre ... eh? Sneb ishe halltu mochyn heddi. Ma'n nhw siŵr o fod yn werth swllt neu ddou, Huws. Beth amdani?' medde Martha yn ei llais main, crintachlyd.

'Hm, hm. Swllt yr un falle, swllt yr un falle. Hm, hm', mwmialai Cledwyn Rhygyfarch wrth fynd trwy rigmarôl taro bargen.

'Dewch nawr, wir. Fe ddwâi draw â nhw i Benclippin. Gall e dewhau nhw. Ma' digon o swil moch dag e, siŵr o fod. Eh? Gallan nhw dwrio'r weun, gwlei. Beth amdani? Pum punt yr un ac fe gewch chi nhw', mentrodd Martha wasgu wrth ganfod gwendid gan blygu i seso arno trwy reilie'r lloc.

'Hanner ffordd, hanner ffordd a dim mwy. Sofrenni'n brin dyddie 'ma. Hm, hm. Dim ...'

Torrodd Martha ar ei draws. 'Iawn, Huws, dwy bunt a wheugain yr un amdani. Dim mwy a dim llai. Pris teg, pris teg', meddai gan boeri ar gledr ei llaw a tharo'i llaw ar y rheilen.

Aeth 'Huws' i moyn ei wala o tships ynghyd â'r gymysgfa ryfedda' o winwns, sosejis, wye a bacwn. 'Arllwyswch y cwbl', oedd ei orchymyn wrth i'r porthiant gael ei rofio ar ei blât. Doedd yna ddim bripsyn ar ôl na'r un dafn o saim ar y plât erbyn iddo gyflawni'r orchest o draflyncu'r wledd. Pecialad neu ddwy o werthfawrogiad o berfeddion ei fola i'r gogyddes wedyn wrth ordro ail ddishgled o de. Sychodd ei wefle yn llawes ei got a chymryd cip sydyn ar y cwsmeried eraill yng nghaffi'r mart. Gwneud eu gore i beidio â chydnabod presenoldeb mei nabs oedden nhw. Arweiniodd hynny at becialad uwch nag arfer ynghyd â rhech yn diasbedain rhynt y byrdde. Gwyddai ei bod yn bryd iddo adael pan synhwyrodd nad oedd y drewdod aflan yn cael ei werthfawrogi.

Penderfynodd Cledwyn Rhygyfarch fod gorchwylion y dydd wedi'u cyflawni. Troi sha thre oedd raid. Aeth i gyrchu ei ddwy sached o fwyd cŵn a'u cario ar ei ysgwydde fel petai'n Dwm Carnabwth gyda sioncrwydd yn ei gerddediad. Yr un perfformans a gafwyd ar y ffordd adre wrth iddo ddannod ambell gath neu gi anwes am groesi o'i flaen. Gwnâi hynny'n bennaf mewn rhwystredigaeth na fu'n ddigon clou i wasgu'r un ohonyn nhw'n tshwps fflat o dan yr olwynion. Ond gwyddai fod yna ddydd Llun arall i ddod.

Erbyn iddo ddiffodd injan y Ffergi Fach ar y clos, clywai sŵn pwlffacan y pic-yp yn dod ar hyd y feidir. Oedodd Martha Mwnt wrth y domen o fyllt, hen drapie cwningod a haearn sgrap o bob math fel petai mewn penbleth ble fydde'n hwylus i barcio er mwyn dadlwytho'r perchyll.

'Gall neb ddweud nad yw Clcdwyn Rhygyfarch yn barod i fystyn i'w boced yn yr un acsion yn y cyffinie i helpu'r achos ch'wel,' medde gŵr y ffarm gan wherthin yn gras wrth edrych i gyfeiriad y twmbwriach. Amneidiodd ar yr ymwelydd i feco'r pic-yp nôl yn erbyn drws y glowty bach.

'Af fi i whilo sypyn o wellt nawr,' medde'n ddramatig. Am ennyd teithiodd ysgryd o groen gwydde ar hyd meingefn Martha Mwnt. Synhwyrodd fod crawcian y brain fry yn y coed castan yn cyhoeddi cyflafan. Roedd yr hin yn fwrnaidd. Erbyn iddo ddychwelyd yn cario belen o wellt wedi llwydo, roedd Martha'n barod i ddatglymu'r rhwyd er mwyn trosglwyddo'r moch bach i'w cartre' newydd. Estynnodd gledr ei llaw i gyfeiriad Cledwyn. 'Saith o foch – dwy bunt ar bymtheg a wheugain,' oedd y gorchymyn.

'O, ie, ie, ewch chi i'r tŷ nawr at Mam. Mam sy'n gofalu am y llyfr siec. Fe ddelia i gyda'r jawlied bach 'ma. Ie, ma' Mam yn siŵr o'ch talu chi ch'wel … o, ie, cofiwch dynnu'r wellingtons wrth y drws,' medde'n gymysg ag ochenaid o'r wherthiniad gwneud yna eto.

Pan aeth Martha o'r golwg, bwriodd Cledwyn ati i gario'r moch fesul dau gerfydd eu coese ôl i'r glowty. Roedd naws trwste yn yr aer. Croesodd Martha'r clos. Tynnodd ei sgidie wrth y drws. Cnociodd ac agor y drws yr un pryd. 'Oes 'ma bobol?' gwaeddodd yn hyderus. Wrth daflu sbec ar hyd y cyntedd a'r gegin, nad oedd ei ddrws wedi'i gau, synhwyrodd nad oedd yna fawr o dystiolaeth o bresenoldeb 'Mam' yn unman. Awgrymai'r gwynt hen, llawn llwydni, nad oedd yna ffenest wedi'i hagor ers tro i geisio rhoi ychydig o naws y gwanwyn i'r lle. Pryd cafodd y lle ei gynhesu ddiwethaf, holodd ei hun. Doedd haden gŵydd ddim wedi'i defnyddio chwaith i gymhennu'r lle na chasglu'r dwst. Llenwid y ffermdy â naws dyddie ddoe os nad echdoe.

'Huws yn llawn drygioni 'to', meddyliodd, wrth droi ar ei sawdl am y drws. Doedd 'Mam' ddim yno go iawn. Fe'i tarodd yn sydyn fod 'Huws', yn ôl pob tebyg, heb lwyr ddygymod â'r ffaith ei fod wedi hen gladdu ei fam. Tebyg ei fod yn cynnal sgyrsie â hi byth a beunydd er mwyn ei gysuro'i hun fod yna bresenoldeb heblaw amdano'i hun ym Mhenclippin.

161

Wrth groesi'r clos, clywodd Martha sŵn gwichian a sgrechen diasbedain. Doedd hynny ddim wedi'i distyrbio'n ormodol. Wedi'r cyfan, mochyn yw mochyn. Ond moelodd ei chlustie o glywed cyfarth afreolus haid o gŵn. Anelodd am y glowty. Agorodd gil y drws.

'... pump ... chwech ... saith', chwarddodd Cledwyn Rhygyfarch Huws yn uchel orffwyll wrth blannu'r gyllell yng ngyddfe'r perchyll oedd yn hongian o drawst tra neidiai'r cŵn esgyrnog ymysg ei gilydd. Troes i wynebu'r drws yn laddar o waed. Dechreuodd ddawnsio 'Haka Penclippin' gan dynnu Martha i'w arffed a hithe'n sgrechen mor ansoniarus â'r perchyll a glywsai eiliade ynghynt.

'Croeso i Benclippin', ffrwydrodd Cledwyn. Cydiodd yn Martha ag un llaw a chwifio'r gyllell a ddiferai o waed uwch ei phen cyn ei gorfodi i ddawnsio jig o orfoledd.

Boi Drws Nesa

Darn newyddiadurol heb fod dros 1,000 o eiriau ar unrhyw ornest ym myd chwaraeon (gwir neu ddychymygol)

BEIRNIADAETH DYLAN JONES

Mae unrhyw ddarn newyddiadurol cyflawn ar ornest ym myd chwaraeon yn gorfod cynnwys y canlynol: manylion am yr hyn a ddigwyddodd; disgrifiadau o'r hyn a ddigwyddodd; dadansoddiad ac ymateb i'r hyn a ddigwyddodd. Dyna'r braslun, ond i lunio erthygl ddiddorol mae angen tipyn o liw a chyffro i ddal sylw'r darllenydd. Dydi glynu'n haearnaidd at ffeithiau ddim yn ddigon, gellir cael y rheini o gyfrifiadur, dim ond o'r pen a'r galon y ceir erthygl.

Daeth deuddeg darn i law a dyma air neu ddau am bob un yn y drefn y rhestrwyd nhw gan Swyddfa'r Eisteddfod.

Enillydd arall: 'Cymro'n gyntaf – er gwaethaf tactegau'r Saeson'. Erthygl ydi hon am Ras yr Wyddfa ym 1998 a'r tro cyntaf i Gymro ennill er gwaetha tactegau amheus y Saeson. Cawn lawer o fanylion ynglŷn â phwy oedd yn cystadlu a sut y digwyddodd pethau'n gronolegol yn ystod y ras. Ond prin braidd ydi'r disgrifiadau, yn enwedig pan mae'r enillydd lleol, Colin Jones, yn croesi'r llinell derfyn.

Orinoco: 'Milton Keynes Dons 2 – 1 AFC Wimbledon'. Mae'r newyddiadurwr hwn yn canolbwyntio ar y gêm gynta' erioed i gael ei chwarae rhwng MK Dons ac AFC Wimbledon, a hynny yn Ail Rownd Cwpan Cymdeithas Bêl-droed Lloegr ym mis Rhagfyr 2012. Mae gelyniaeth chwerw rhwng y ddau glwb ar ôl i'r Gymdeithas Bêl-droed ganiatáu i berchnogion Clwb Pêl-droed Wimbledon drawsblannu'r clwb i dref Milton Keynes yn 2002. Yn y darn, ceir sôn am y drwgdeimlad yn ystod y dyddiau cyn y gêm a'r hyn a ddigwyddodd yn ystod yr ornest. Erthygl ddigon derbyniol ond heb fod mor gofiadwy â Crazy Gang Wimbledon yr 1980au.

Gohebydd Cynffig: 'Pencampwyr 1797 Bando Bro Morgannwg'. Aethpwyd â ni'n ôl i ddiwedd y ddeunawfed ganrif i frwydr Bando ym Mro Morgannwg rhwng plwyf y Pil a Margam ar draeth Cynffig. Gêm debyg i hoci oedd yn boblogaidd ymysg y werin bobl oedd Bando. Mae'r darn newyddiadurol yn rhoi cefndir yr ornest gyda thinc o 'C'mon Midffild!' ar adegau! Yna, wrth i'r 'Chwarae Droi'n Chwerw', fel y canodd y grŵp Bando, mae'r gohebydd yn llwyddo i drosglwyddo cyffro'r gêm i'r darllenydd, cyn cloi'n gynnil. Ymdrech dda iawn a lwyddodd i greu awyrgylch y cyfnod a mynd â ni oddi wrth yr ystrydebol.

Y Golwr: 'Hawlio Pwynt Wnaeth Villa'. Adroddiad am gêm ddi-sgôr rhwng Everton ac Aston Villa ym Mharc Goodison. Ceir dechrau bachog i'r darn drwy gysylltu'r gair Lladin 'nil' sydd yn arwyddair Clwb Pêl-droed Everton â'r sgôr terfynol. Mae'r cyfan wedi cael ei blethu'n gywrain rhwng ymateb rheolwr Everton ar y dechrau a geiriau rheolwr Villa ar y diwedd. Mae yma gymysgedd o ffeithiau, o ddadansoddi, yn ogystal â hiwmor – er enghraifft, 'byddai'n well i Hetinga fod wedi treulio'r pnawn yn siopa yn Lewis's!' Yn union fel golwyr y gêm, cafodd *Y Golwr* hwn hwyl dda iawn arni.

Cae'r Delyn: 'Glasinfryn Swifts 5 – 2 Llanllechid Swifts'. Cawn hanes gornest bêl-droed yn Ail Adran Cynghrair Arfordir Gogledd Cymru ym 1911. Hanes diddorol iawn am ddau glwb lleol yn 'ymladd' am y bencampwriaeth. Gan i helynt godi, bu'n rhaid ailchwarae'r gêm ac mae'r gohebydd yn olrhain yr hanes yn dda. Fodd bynnag, mae cael ffeithiau'n bwysig mewn darn newyddiadurol ond, gwaetha'r modd, ni chafwyd enw'r sgoriwr yn y gêm gyntaf; yn wir, wnaeth y gohebydd ddim crybwyll enw unrhyw chwaraewr yn y gêm honno er iddo wneud hynny'n fanwl wrth drafod yr ail gêm.

Pen y Berth: 'Rhedegfeydd Caergybi'. Cofnod hanesyddol sydd gan y cystadleuydd hwn hefyd o ddigwyddiadau yng Nghaergybi ym 1858. Sonnir am y tensiynau rhwng pobl y capel ac uchelwyr ynglŷn â chynnal diwrnod o chwaraeon i werin y fro. Mae'r hanes yn cael ei groniclo'n ddeheuig ond efallai'i fod yn fwy o gofnod hanesyddol nag o ddarn newyddiadurol.

Sgŵbi: 'Trydedd Rownd Cwpan FA Lloegr, 4 Ionawr 1992'. Cawn baragraff cyntaf gafaelgar ac adroddiad manwl am y gêm fythgofiadwy honno rhwng Dafydd a Goliath. Ceir cyffyrddiadau bach da – er enghraifft, wrth ddisgrifio'r gôl a unionodd y sgôr: '… roedd gan Wrecsam gic rydd mewn lle peryglus. A dyna pan benderfynodd Mickey Thomas ymyrryd mewn hanes, rhwygo sgript y gêm hon a bron â rhwygo'r rhwyd â tharan o ergyd droed chwith heibio i David Seaman'. Trueni na chafwyd rhagor o ddisgrifiadau tebyg.

Lenox Lewis: 'Dwy Ddraig yn Chwythu Tân'. Darn dychmygol ydi hwn am ddau Gymro'n ymladd am Bencampwriaeth Bocsio Pwysau Trwm Prydain: Glan Marciano o Lanfair ym Muallt yn erbyn Ali Johnson o'r Rhondda. Gan ei fod yn ddarn dychmygol, mae'r awdur wedi gallu defnyddio'i ddychymyg a sôn am gefndir lliwgar y ddau focsiwr. Roedd yr ysgrifennu'n ffraeth ac yn ddifyr ac, yn sicr, roedd ymysg goreuon y gystadleuaeth ond, gwaetha'r modd, er y gwreiddioldeb a'r englyn i gloi'r erthygl, dim ond cefndir yr ornest sydd yma. Roeddwn yn teimlo fod *Lenox Lewis*, yn wahanol i'r bocsiwr o'r un enw, wedi methu cyflawni ei lawn botensial. Hen dro.

Iolo: 'Cymru yn erbyn Lloegr, Mawrth 16eg, 2013'. Adroddiad am uchafbwynt y tymor rygbi yng Nghymru yn 2013. Rhoddir cofnod manwl o'r diwrnod ac eir â ni gam wrth gam o'r edrych ymlaen eiddgar, i'r gêm gofiadwy, i'r dathlu diderfyn. Fel y dywed: 'O'r holl gemau fu rhwng y ddwy wlad yn ystod y blynyddoedd diwethaf, 'fedra i ddim meddwl am un a daniodd y dychymyg yn fwy na'r gêm a chwaraewyd yn Stadiwm y Mileniwm ar Fawrth yr unfed ar bymtheg eleni'. Yn y darn, roedd y cofnodi ffeithiau'n ddi-fai ond roeddwn yn siomedig braidd na lwyddodd y gêm i danio dychymyg y gohebydd yn ei ysgrifennu.

Menna Lili: 'Yr Ornest rhwng Tommy Farr a Joe Louis'. Eir â ni'n ôl i 1937 i'r ornest focsio yn Efrog Newydd am Bencampwriaeth Pwysau Trwm y Byd rhwng Tommy Farr o Donypandy a'r Pencampwr Byd o Alabama, Joe Louis. Mae'r gohebydd yn llwyddo i danlinellu pwysigrwydd yr ornest a'i harwyddocâd yma yng Nghymru, yn enwedig yng nghymoedd y De. Ceir disgrifiad manwl o'r ornest ei hun yn yr Yankee Stadium gerbron torf o ddeng mil ar hugain. Serch hynny, byddai dyfyniadau gan y ddau focsiwr wedi ychwanegu at y darn, yn fwy efallai nag adrodd hanes Farr a Louis a'r hyn a wnaethant yn ystod y blynyddoedd wedi'r ornest honno.

Norton's Coin: 'Arwr Aintree'. Darn newyddiadurol yn rhoi hanes y joci o dde Sir Gâr, Jack Anthony, a'i lwyddiant yn Aintree. Braidd yn ddi-fflach ydi dechrau'r erthygl ond mae'n gwella wrth roi hanes Jack yn ennill ras y Grand National ar gefn Glenside ym 1911. Tueddiad sydd yma i restru ffeithiau ond, fel Glenside, mae *Norton's Coin* hefyd yn gorffen yn gryf trwy roi peltan i gwrs rasio Ffos Las am beidio â chydnabod Jack Anthony yn unrhyw fan ar y cwrs 'ac yntau a'i deulu wedi cyfrannu mor helaeth i'r byd rasio ceffylau yn ystod hanner cynta'r ugeinfed ganrif'.

Borth y Gest: 'Becky James yn ennill pencampwriaeth beicio y byd yn Minsk'. Mae'r teitl yn dweud y cyfan ac yn yr erthygl rhoddir cig ar yr asgwrn neu wynt yn y teiars! Sôn y mae'r gohebydd am lwyddiant Becky James ym Minsk wedi'r siom o beidio â chael ei chynnwys yng ngharfan wibio tîm Prydain yn y Gemau Olympaidd. Ceir cofnod manwl o bob ras a sut y llwyddodd Becky i gipio pedair medal aur.

Dyna'r cystadleuwyr ond pwy a enillodd yr ornest hon? Roedd hi rhwng dau yn y diwedd, *Y Golwr* a *Gohebydd Mynydd Cynffig*. Ar ôl hir bendroni, penderfynais mai *Y Golwr* sy'n fuddugol oherwydd iddo gyflawni pob un o'r gofynion i ffurfio erthygl newyddiadurol gyflawn.

Y Darn Newyddiadurol

HAWLIO PWYNT WNAETH VILLA

Nil Satis Nisi Optimum – o'i gyfieithu, 'Dim ond y gorau wna'r tro'. Dyna arwyddair Clwb Pêl-droed Everton, ond ar bnawn Sadwrn sych, ond oer, yng nghanol Ionawr, ar Barc Goodison, roedd y gorau ar goll a golygai'r *Nil* rywbeth hollol wahanol. Ar ddechrau'r gêm, teimlai cefnogwyr y tîm cartref yn ffyddiog o fuddugoliaeth o gofio safle isel Aston Villa yn y gynghrair, ond nid felly y bu. Awr a hanner yn ddiweddarach, gyda'r dyfarnwr cynorthwyol yn dynodi pedwar munud ychwanegol ar ddiwedd y naw deg munud diflas blaenorol, roedd ochneidio'r cefnogwyr i'w glywed ar hyd Scotland Road. Dywedodd David Moyes, rheolwr y tîm cartref, 'Rwy'n siomedig iawn ar y cyfan, er bod y canlyniad yn un teg ar y diwrnod, ond roedd hon yn gêm y disgwylid i ni ei hennill. Roedd y perfformiad drwyddo draw yn un gwael ac nid o'r safon sy'n dderbyniol i'r clwb na'r cefnogwyr'.

Bu chwarter awr cyntaf y gêm yn ddigon bywiog, dim arwydd o'r diflastod pur oedd i ddilyn. Gorfu Felliani golwr y Villa, Guzan, i arbed wrth waelod ei bostyn chwith; yna, ymhen deuddeg munud, peniad nerthol Osman yn crafu'r trawst. Roedd cyflymder Benteke a N'Zogbia yn poeni amddiffyn y tîm cartref. Roedd Howard yn ddigon da i gadw cic mul Benteke allan o'i gôl wrth i hwnnw yn ei dro droi Hetinga y tu chwithig allan. Daeth yn amlwg yn fuan y byddai'n well i Hetinga fod wedi treulio'r pnawn yn siopa yn Lewis's. Roedd chwarae'r tîm cartref yn araf a llafurus, ac amharodd Jon Moss y dyfarnwr, ar lif y chwarae wrth iddo atal y gêm am resymau digon gwamal ar adegau. Wedi hanner awr, serch hynny, roedd yn llygaid ei le i ddangos cerdyn melyn i Vlaar, capten yr ymwelwyr, wedi i hwnnw rychu Osman o'r cefn, gan roi cic rydd i Everton. Siomedig oedd ymgais Steven Pienaar with iddo daro'r bêl ymhell dros y trawst. Bum munud cyn yr egwyl, carlamodd Weinmann, asgellwr y tîm o'r Canolbarth, i lawr yr asgell chwith gan anelu am y blwch cosbi â'i lygaid ar gefn y rhwyd ond, yn hwyr iawn, dynododd y llumanwr fod y chwaraewr yn camsefyll – un arall o benderfyniadau dyrys a wnaeth y swyddogion yn ystod y gêm. Ym mhen arall y cae roedd cryfder Anichebe yn rhoi trafferthion i amddiffynfa Aston Villa, ond nid oedd ei ymdrechion yn ddigon da i drafferthu'r golwr.

Chwaraewyd y rhan fwyaf o'r hanner cyntaf yng nghanol y cae, gyda chamgymeriadau a diffyg pasio cywir y ddau dîm yn britho'r chwarae. Rhyddhad oedd clywed chwiban Moss yn dynodi hanner amser. Roedd yn amlwg fod gan y ddau reolwr waith caled o'u blaenau yn ystod yr egwyl i geisio ysbrydoli dau dîm a oedd heb argyhoeddi yn yr hanner cyntaf.

Ar ddechrau'r ail hanner, daeth chwaraewr newydd Villa i'r maes. Arwyddwyd y Ffrancwr, Yacouba Sylla, yn ystod yr wythnos a mawr oedd yr edrych ymlaen at ei weld. Bu ar y cae am gwta bum munud cyn ennyn llid y dyfarnwr gyda thacl front ar Osman, a chafodd ei gerdyn melyn cyntaf yn yr Uwch Gynghrair. Nid oedd cic rydd Baines o'i safon arferol a chliriwyd y bygythiad yn hawdd gan Barker. Cafodd Benteke gyfle euraidd i'r ymwelwyr yn fuan wedyn ond roedd Distin, a gafodd hanner cyntaf sigledig, yn sicr ei dacl i atal yr ymosodwr. Fel yn yr hanner cyntaf, cyffredin iawn oedd patrwm y chwarae yn yr ail hanner. Gwelwyd y ddau dîm yn gwneud newidiadau i geisio torri'r ddadl ond fel yr âi'r gêm yn ei blaen, dirywiodd y safon. Daeth Jelavic ar y cae yn lle Anichebe ar yr awr ond prin iawn fu ei gyfraniad; mae diffyg hyder yn amlwg iawn yn chwarae'r gŵr o Groatia a sgoriodd goliau allweddol y tymor diwethaf. Gydag Everton yn y pumed safle a Villa'n ymladd am eu heinioes yn y gwaelodion, ar dystiolaeth safon y chwarae prin oedd y gwahaniaeth rhwng y ddau dîm.

Tyfodd hyder Clark a Baker, amddiffynnwyr Villa, fel yr âi'r gêm yn ei blaen wrth iddynt ffrwyno pob un o ymosodiadau'r tîm cartref. Tyfu hefyd wnaeth anniddigrwydd y dorf o 34,702, wrth ddangos eu teimladau'n glir pan gafodd Pienaar ei eilyddio a Mirallas yn dod ymlaen yn ei le. Roedd Pienaar wedi ymdrechu'n deg ond heb help gan y chwaraewyr yn y llinell flaen, roedd o fel un yn llefain yn yr anialwch am y rhan fwyaf o'r gêm. Bu methiant cynnar Mirallas, a oedd yn chwarae'i ail gêm wedi anaf, i ddarganfod Jelavic gyda hwnnw mewn safle addawol o ddim help i ennyn brawdgarwch y dorf tuag ato. Tynnwyd Delph o ganol y cae gan yr ymwelwyr, pan anfonwyd Agbonlahor ymlaen i chwilio am y gôl allweddol, ond mygwyd unrhyw ymosodiad o du Villa gan Jagielka a Distin yn yr amddiffyn. Pan gafodd Vlaar ymgais hwyr, ond gwan, ar y gôl, roedd mwyafrif cefnogwyr y Villa'n agosáu at drafffordd yr M62. Teimlai Paul Lambert, rheolwr y Villa, y gallai pethau fod wedi bod yn wahanol. 'Cawsom ddigon o gyfleoedd i ennill y gêm', meddai, 'roedd ein hymosodwyr yn gyflymach nag amddiffyn Everton, a chyda mwy o lwc o flaen y gôl, gallasai pwynt boddhaol fod wedi troi'n dri haeddiannol'.

Ymadawodd nifer fawr o gefnogwyr Everton pan ddangoswyd yr arwydd pedwar munud o amser ychwanegol, a lleisiwyd eu hanfodlonrwydd wrth i'w harwyr ollwng pwyntiau pwysig ar eu tomen eu hunain unwaith yn rhagor. Dangosodd y gêm hon yn glir fod angen ymestyn am y llyfr siec yn Everton, a hynny ar fyrder, i sicrhau sgoriwr goliau cyson. Heb chwaraewr o'r math yma, afraid yw dechrau breuddwydio am chwarae yng nghystadlaethau Ewrop y tymor nesaf. Y gri o'r terasau ar ddiwedd y gêm oedd: 'Annwyl Moyes, arwydda Lionel Messi'. Dim goliau, ond pwynt gwerthfawr i Aston Villa yn eu brwydr i aros yn yr Uwch Gynghrair.

Y Golwr

BEIRNIADAETH DYFAN ROBERTS

Tri yn unig oedd yn y ras. Disgwyliwn ragor, a dweud y gwir, o feddwl bod cymaint o bethau crafog i'w dweud am yr hen wlad fach yma, heb sôn am y byd mawr – o fabi Wils a Cet i gig ceffyl mewn byrgars. Ydan ni'n beryg o'n cymryd ein hunain ormod o ddifri'n ddiweddar, tybed? Ddychanwyr, dowch allan o dan eich cerrig, wir ddyn!

Fel Madog Lygadog yn *Y Cymro*, chwilio'r oeddwn am rywun â rhywbeth i'w ddweud ond, yn bwysicach, am rywun a allai godi gwên wrth ei ddweud o. Difyrrwch, nid pregeth bocs sebon. Ac mi gawsom ni hynny i raddau gan y tri. Diddorol oedd dyfalu personoliaeth, oed a chefndir drwy'r gyfres o farnau (neu ragfarnau) a gyflwynwyd. Roedd ambell un, efallai, yn mynd ymlaen gormod – pytiau oedd eu heisio, nid erthyglau na sbîtsh Gŵyl Ddewi.

Mae'n eitha' anodd gwahaniaethu rhwng y tri, gydag ambell stori dda gan bob un ohonyn nhw, ond rhai darnau braidd yn big hefyd. Hoffais gŵyn *Wil o'r Mynydd* am orfodaeth Cyngor Gwynedd i wasgu tuniau cyn eu rhoi yn y bocsys ailgylchu, gan beri difrod i slipars ambell hen wreigan; *Menna Lili* hithau â'i darn am sylwadau Mike Phillips, mewnwr Cymru, ar Radio Cymru ar ôl y fuddugoliaeth yn erbyn Lloegr a'i ffordd goeth o fynegi ei awydd i'w 'sendo nhw'n ôl dros y … *bridge*'! Ond am gysondeb, clyfrwch, a thân gwirioneddol yn ei fol, gwobrwyer '*Rhen Ddyrnwr*.

Y Pymtheg o Bytiau Crafog

Inglish am byth
Efallai'i bod yn stori ystrydebol bellach, ond mae'n berffaith wir, a meddwl yr o'n i y dylwn eich rhybuddio eto, rhag ofn i chi gael yr un profiad. Bob tro y mae Jên 'cw a finna'n mynd am dro i ryw bentre' bach del, dros y ffin yn Lloegr, ac yn mynd i mewn i dafarn, siop neu gaffi yno, mae pawb yn troi i siarad Saesneg cyn gynted ag yr awn ni drwy'r drws. *Ignorant*, 'ta be'?

Gwell Cymro, Cymro oddi cartref?
Biti na fasa fy rhieni i wedi 'medyddio gydag enw urddasol Cymraeg, fel Guto, Iolo, Huw neu Aled, neu atodi rhyw *ap* yn y canol. Biti mawr. Trueni

hefyd na fasa mami a dadi wedi fy nhrwytho inna' mewn cenedlaetholdeb Cymreig. Efallai y b'aswn i wedyn wedi cael swydd gyfforddus gyda'r cyfrynga' Prydeinig, a chael fy mherswadio i siarad Saesneg fel 'tai gen i lond ceg o datws poeth, ac efallai cowtowio i'r Frenhines pan fydd yn dathlu ei chanmlwyddiant. A chael magu 'mhlant i dyfu i fyny'n Saeson bychain, gydag enwau Saesneg bach neis. A chael dod adre, a throi'n ôl at yr heniaith rŵan ac yn y man, pan ddeuai'r cyfle imi lenwi 'mhocedi wrth gyflwyno rhaglenni Cymraeg, y tu hwnt i allu'r meidrolion cynhenid. Ond fel'na mae hi. Rhaid i rai fel fi a Jeremy, Casey a Timothy fodloni ar aros yma i geisio rhygnu 'mlaen i gynnal yr hyn sydd ar ôl o Gymreictod yma yn y Llan. Diolch i ddiffyg gweledigaeth mami a dadi, yntê.

Di(f)m Rio
Ia, mynd yn ôl i ddilyn gyrfa fel dyn glo ddyla rheolwr tîm pêl-droed cenedlaethol Cymru, Yntê, Chris Coleman?

Bwa, 'ta be?
Glywsoch chi hanes Iolo Williams yn disgrifio bwa garreg dros Afon Cynfal yn 'Stiniog, fel 'arch', yn un o'i gyfresi crwydrol ar S4C? Ia, dyna chi, *arch* Saesneg oedd o'n 'i olygu, wrth gwrs. Wedi rhoi'r Geiriadur yn y *coffin* wyt ti, Iolo?

Iaith heb waith
Mae trigolion rhai cymunedau yn Nyffryn Conwy yn poeni'n arw am sefyllfa'r iaith frodorol yno. Yn dilyn canlyniada' Cyfrifiad 2011, mae'r hen iaith Gymraeg goman 'na ar gynnydd mewn ambell le yn y Litl Ingland ar y *Costa Geriatrica*. Wir yr!

Euog, meilords
Bethan Jenkins druan yn cael ei diarddel o Blaid Cymru wedi iddi gael ei chosbi am yfed a gyrru. Rhagrith 'ta be'? Beth am i'r Blaid ddiarddel rhai o'i hoelion wyth am droseddau llawer gwaeth yn llygaid gwir genedlaetholwyr. Megis anghofio am annibyniaeth ac egwyddorion sylfaenol, heddychol y blaid, ac am ganiatáu aelodau blaenllaw i lordio i lawr coridorau'r drefn Brydeinig, a *Wiglo* cynffonna' i'r Cwîn. *Arglwydd* mawr, be' nesa', deudwch: Dafydd Êl – sori, y Barwn Elis-Thomas – yn sgwennu bywgraffiad o Mrs Windsor, ac Elfin Lloyd, *MP*. yn ymuno â'r Roial Welch Ffiwsiliârs, cangen Affganistan?

Wafflo
Wyddoch chi fod 'na fath o fwyd parod wedi ei enwi ar ôl rhaglen a gyflwynir ar Radio Cymru bob bore. *Waffles Daf a Caryl* maen nhw'n cael eu galw. Diflas ar y diawl ydi'r rheiny hefyd … yn llawn o ddim byd.

Talu'n ôl mae'u teulu nhw

Oes 'na rywbeth yn y ddamcaniaeth gan ambell hen undebwr fod cynllwyn bwriadol wedi bod ar y gweill gan y rhai mewn awdurdod ers rhai blynyddoedd i danseilio a thlodi'r ardaloedd radical gynt yng Nghymru? Ystyriwch hanes Merthyr Tudful, Tredegar, Y Rhondda a threfi a phentrefi cymoedd y de. Ystyriwch ardaloedd dosbarth gweithiol y gogledd, megis Bethesda, Dyffryn Nantlle, Blaenau Ffestiniog, Corris ac ardaloedd y chwareli llechi i gyd. Er i'r bröydd hyn gyfrannu'n helaeth tuag at economi Prydain am flynyddoedd gyda'u cynhyrchion, mae amser talu'n ôl wedi mynd heibio ers tro, a'r cymunedau'n gwegian o effeithiau diweithdra a diboblogi. Nid talu'n ôl, lygad am lygad, am fod yn bigyn yn ochr y sefydliad Prydeinig cyfalafol, dw i'n ei olygu, chwaith.

Brits y tywysogion ...

Blwyddyn gron wedi mynd heibio ers dathliadau'r jiwbilî a'r olympics, Andy Murray yn ennill y Grand Slam, a'r datganiad fod Prins William a Kate, ei fodan, am gael cyw bach; blwyddyn gyfa', a mwy o chwifio'r iwnion jac orfoleddus. Rhyfedd sut mae newyddion fel hyn, a biliyna' o fuddsoddiada' yn Llundain, yn codi ysbryd y werin-bobl mewn cyfnod uffernol o ddirwasgiad, yntê?

Achan, achan

Wrth wrando ar Dai Jones yn traethu'n amaethyddol ar un o'i raglenni ychydig yn ôl, rown i'n ofni i wylwyr Iddewig ei riportio fo i'r res releshions bord, ac ynta'n ynganu 'Jiw, Jiw' bob yn ail frawddeg ...

Er cau, er cof

A hithau'n flwyddyn yn arwain at ganmlwyddiant dechrau'r rhyfel mwyaf erchyll yn hanes dynoliaeth, mae pob math o weithgareddau'n cael eu cynllunio drwy'r wlad i sicrhau na fyddwn yn anghofio aberth y milwyr a gollwyd. Ond, yn amlwg, nid yw aelodau Bwrdd Iechyd Betsi Cadwaladr wedi clywed am y cynlluniau hynny. Yn eu hanwybodaeth a'u diffyg parch, bu i'r criw unllygeidiog hyn benderfynu cau rhai o ysbytai cymunedol Gogledd Cymru, yn eu mysg Ysbyty Coffa Blaenau Ffestiniog. Ie, ysbyty *coffa*, a godwyd er cof am y cannoedd o fechgyn ifainc y fro a laddwyd yn y Rhyfel Mawr, 1914-18. Mae galw'n lleol i osod cofeb arall ochr yn ochr â chofeb i'r colledigion, gydag enw pob un o aelodau pwyllgor y Bwrdd Iechyd a wnaeth y penderfyniad gwarthus hwnnw wedi ei gerfio arni. I sicrhau ein disgynyddion nad â'u henwau hwythau'n angof, chwaith.

Rhag ofn

Aeth y pryderon di-sail am ddiwedd y byd heibio unwaith eto, fel y gwnaeth yr ofnau am effeithiau'r mileniwm byg, o barchus goffadwriaeth. Pa ffŵl sy'n cychwyn y fath ffolineb, deudwch, a pha ffyliaid sy'n gwrando?

Mae'r straeon gwirion yma'n ddigon i godi arswyd ar y rhai penwan yn y gymdeithas sy'n diodde' obsesiyna' hurt fel hyn. Rhyw baranoia ydi o. Gyda llaw, wyddoch chi am rywun sydd eisio prynu deg tunnell o datws a phum can tun bins, yn rhad? Dewch draw i'r byncar acw, cyn diwedd y byd nesa', ar fyrder, plîs.

Ceffyla' diflas

Yn dilyn yr helynt am gynhwysion rhai o brydau parod ar silffoedd ein harchfarchnadoedd, mi fetia' i bumpunt y byddai lot o facwyr ceffyla' yn y dre 'ma'n cymeradwyo gwneud corn biff allan o rai o'r blydi mulod 'dan ni'n eu bacio bob dydd. O ddifri; *ods-on*.

Cadw mewn cof

Gwaith rhagorol a wnaed gan archeolegwyr Lloegr, wrth ddarganfod corff un o'u cyn-frenhinoedd, Rhisiart y Trydydd, dan goncrid a tharmac maes parcio yng Nghaerlŷr. Da hefyd yw'r newyddion y bydd y corff yn cael ei roddi i orffwys mewn man cysegredig, o barch, yntê? Tybed a welwn ni Cadw yn gwneud ymdrechion i ddarganfod cyrff rhai o dywysogion Cymru, a laddwyd gan y Saeson, ryw ddiwrnod? Ond byddai chwilio am eu gweddillion yn dasg go anodd, dybiwn i, a phennau'r creaduriaid wedi eu torri ymaith, a'r cyrff wedi'u chwarteru gan y gelyn creulon.

Hen Joe

Glywsoch chi hon? Economegwyr yr Undeb Ewropeaidd yn pryderu am hygrededd gwleidyddiaeth yr Eidal, yn dilyn yr etholiad cyffredinol yno yn ddiweddar. Pobl y wlad wedi ethol comedïwr, heb fath o bolisïau call yn perthyn iddo, Beppe Grub, ac ailethol y clown randi hwnnw, Silvio Berlusconi, yn aelodau seneddol. Wn i ddim pam yr oedd y wasg a'r cyfryngau Prydeinig yn gwneud môr a mynydd o'r newyddion chwaith. Diawcs, mae'r syrcas fawr 'na yn Llundain a elwir yn San Steffan, a'r Pantomeim Seneddol yng Nghaerdydd, yn llawn o glowns a chomidians a etholwyd gan rai gwirionach ... Ia, glywsoch chi honna ... gennych chi a fi.

'Rhen Ddyrnwr

BEIRNIADAETH SIÂN MELANGELL DAFYDD

Cefais siom wedi agor yr amlen o Swyddfa'r Eisteddfod a chael mai dim ond tri a ddewisodd ymgymryd â her y gystadleuaeth hon. Pam hynny, tybed? Beth am edrych ar y *genre* yn gyntaf. Tri darn o ryddiaith gweddol gwta (heb fod yn 'llên micro' fel y cyfryw), oddeutu 1,000 o eiriau'r un ar gyfartaledd, yn ymateb i ffotograffau gan Geoff Charles. Yn ddiddorol, roedd her debyg wedi ei gosod y llynedd yn Eisteddfod Bro Morgannwg – y tro hwnnw gofynnwyd am wyth darn o lên micro yn ymateb i unrhyw waith celf. Dim ond pump a roddodd gynnig arni. Rhaid gofyn beth sy'n wrthun yn y math yma o dasg: yr hyd ynteu'r her o ymateb yn greadigol i ddarn o waith celf.

I ychwanegu at y siom, rhaid cyfaddef fy mod hefyd wedi rhyfeddu o weld nad oedd mwy wedi eu cyfareddu gan y posibiliadau o ymateb i waith Geoff Charles. Wrth gymryd cipolwg ar y *Rhestr Testunau* ar gyfer yr Eisteddfod eleni, meddyliais ar f'union fod y gystadleuaeth hon yn un y gallwn i fy hun gael blas go iawn arni. Roeddwn wedi anghofio'n llwyr fy mod wedi cytuno i feirniadu! Edrychwn ymlaen at wledd o gyfraniadau, ond mae'n rhaid gofyn pam mai dim ond tri a aeth ati i ysgrifennu?

Gyda chystadleuaeth o'i math, mae'n annhebygol fod gan ymgeiswyr waith addas yn gorwedd yn segur mewn drôr, wrth gwrs. Ac yn wahanol i'r gystadleuaeth llên micro y llynedd, gofynnwyd am ymateb, nid i *unrhyw* waith celf ond i dri ffotograff gan artist penodol. Efallai fod hynny wedi cyfyngu ar y nifer o gystadleuwyr oedd â digon o amser ac o ddiddordeb yng ngwaith un artist. Gobeithiwn, felly, ganfod gwir awydd gan y tri ymgeisydd, ac y byddai hynny i'w weld yn eu gwaith. Ni chefais fy siomi yn hynny o beth.

Mae defnyddio llun neu ddarn o waith celf fel ysgogiad i ysgrifennu wedi bod yn gêm gan athrawon ysgrifennu creadigol ers cryn amser. Nid yw hynny'n golygu ei bod yn dasg hawdd. I'r gwrthwyneb, yn arbennig wrth ystyried lluniau Geoff Charles, efallai, gan fod naratif yn y lluniau eisoes. Mor hawdd fyddai dweud y stori sydd ar yr wyneb. Trois at yr ymgeision, felly, gan chwilio am fwy na dim ond ail-ddweud y stori a welir yn y lluniau.

Wrth ymateb i gelf ddogfennol fel hyn, mae dau bosibilrwydd o ran *genre* ysgrifennu: ffuglen neu ryddiaith ffeithiol greadigol. Mae Llenyddiaeth Cymru eisoes wedi rhannu cystadleuaeth Llyfr y Flwyddyn yn dair rhan – yn rhannol, fe dybir, er mwyn hwyluso'r beirniadu gan fod cymharu gweithiau o *genre* gwahanol gyda'i gilydd yn anodd, os nad yn annheg weithiau.

Eleni, derbyniwyd un cais ffuglennol (gan *Pentax*) a dau ffeithiol greadigol (gan *Bugail Aberdyfi* a *Bron y Garth*) – neu dyna'r argraff a geir o'u naws! Dyma droi at dasg hynod anodd felly.

Pentax: Dewisodd ffotograffau â chymeriadau cryf; lluniau llai adnabyddus, efallai, na rhai o luniau enwog Geoff Charles o ddigwyddiadau hanesyddol-bwysig ac roedd hynny'n chwa o awyr iach. Mae ffresni hefyd yng nghreadigrwydd unigryw *Pentax* wrth iddo ymdrin â'r lluniau. Ceir amrywiaeth o ddyfeisiau yn y tri darn: rhoi llais i gymeriad y llun ('Ffair Dolgellau'), cyfarch neu gyfeirio'n uniongyrchol at y llun ('Hetiau'), a'r trydydd darn, 'Mefus', yn bedwar testun llên micro fel cameos sy'n amlygu sut y mae pob un ohonom yn 'darllen' llun yn wahanol.

Er bod ôl brysio ambell dro o ran atalnodi a chywirdeb, mae'r llais yn gyson ac yn hyderus. Wrth drafod 'Ffair Dolgellau', ceir arddull syml, heb or-ddisgrifio. Rydym ym myd cymeriad y stori o'r cychwyn cyntaf. Mae'r tro yn y gynffon yn llwyddiannus hefyd – nid yw'n tynnu sylw ato'i hun fel dyfais ffals ond yn hytrach yn dangos bod awdur direidus y tu ôl i'r gwaith. Mae hiwmor cynnil yn yr ymateb i 'Hetiau' ac fe hoffais yn arbennig y 'llun' yn nisgrifiad yr ail baragraff, sy'n gweithio fel *clin d'oeil* i ffotograffau mwy gwleidyddol Geoff Charles o brotestiadau. Wrth ymdrin â 'Mefus', ceir oriel o luniau a chymeriadau o bob oedran. Tybed ai Elwyn yn ail ddarn llên micro 'Mefus' yw'r un Elwyn ag a geir yn 'Ffair Dolgellau'? Amwys a chyfrwys.

Bugail Aberdyfi: Mae'r ymateb i 'Heli yn y Gwaed' yn dechrau gyda'r geiriau a ganlyn: 'Cewyllwr o ben draw Sir Fôn ydy Hywel Jones y llun, cewyllwr sy'n amlwg yn brofiadol ac yn feistr ar ei grefft'. Profiadol, hefyd, yw awdur y tri darn. Ymateb i'r llun fel llun a wna'r cystadleuydd ym mhob achos, a hynny ag awdurdod am yr hyn sy'n cael ei gofnodi yn y llun hwnnw. Ar brydiau, mae cywair y rhyddiaith ychydig yn fflat ond, er hynny, mae ambell fflach yn torri ar draws – er enghraifft, hanesyn a deialog fyrlymus: "Mecryll! Mecryll, ffres o'r môr – cefna' fel ffarmwrs, bolia' fel tafarnwrs. Mecryll! Mecryll ffres o'r môr!" Cri gwerthwyr penwaig oedd hynny, mewn gwirionedd, ond fe'i defnyddir am ei bod yn swnio'n ddigri. Tua diwedd 'Heli yn y Gwaed', cawn enghraifft o'r creadigol yn y ffeithiol: 'Ond gwn mai'r unig gawell bellach ydi cawell y llun ...' Hoffwn pe bai *Bugail Aberdyfi* wedi defnyddio'r llinell hon i gloi ei ymateb, heb fynd ymlaen. Mae amwysedd a chydbwysedd y llinell yn braf i'w darllen – llun fel cawell sgwâr yn caethiwo eiliadyn o amser neu, ar y llaw arall, yn llythrennol, fod Geoff Charles wedi tynnu llun hen gewyll pysgota nas gwelir mwyach. Mae ymhelaethiad yr awdur a'i esboniad o'r trosiad yn siomedig fel diweddglo.

Yn 'Gwaed yn dewach na Dŵr', â'r awdur ar ôl trywydd personol eto, gan esbonio'i gysylltiad ef â'r llun. Mae'r cryfderau hyn yn debyg i 'Heli yn y Gwaed': mae *Bugail Aberdyfi* yn gyhyrog ei iaith, yn darparu cyfoeth o hanesion a chyfrinachau'r gwir 'y tu ôl i'r arwyneb'. R. S. Thomas a dyrnaid o 'Glacier Mints'! Pwy feddyliai? Ond, dyma'r darn cryfaf o'r tri gan fod *Bugail Aberdyfi* yn fwy hyderus o ran posibiliadau'r creadigol yn y *genre* ffeithiol greadigol. Yn ei drydydd ymateb, 'Gwaed y Gad', hoffwn pe bai'r awdur wedi defnyddio'i ddawn o wau hanesion i ymdrin â mwy na dim ond y personol, er bod y darn hwn yn taro deuddeg ac yn bleser ei ddarllen o ran yr wybodaeth ffeithiol a rennir. Hwn yw'r gwannaf o'r tri ymateb gan *Bugail Aberdyfi*. Cawn wybod beth a ddigwyddodd a pham mae dynes yn gorwedd ar y llawr yn llun 'Pont Trefechan, Chwefror 3ydd, 1963' ond mae neges wleidyddol, er mor bwysig ac amserol, yn tagu ychydig ar greadigrwydd yr awdur hwn ac ni cheir ynddo glyfrwch ei ddau ymateb arall.

Bron y Garth: Fel *Bugail Aberdyfi*, mae *Bron y Garth* wedi mynd ar drywydd anorchfygol y gyfrinach y tu ôl i'r du a gwyn yn y llun. Yn y llun: 'Billy Meredith yn rhoi cychwyn i gêm bêl-droed yn Nyffryn Ceiriog', rydym yn disgyn i mewn i'r stori yn ei llawn ffrwd o'r dechrau, gyda 'Digwydd oedi yn ddiamcan braidd, un gwyliau ysgol ym mhentref bychan Bron y Garth, i fyny ar ysgwydd goediog Dyffryn Ceidiog, sy'n estyn i gyfeiriad Western Rhyn a Chroesoswallt'. Gwneir defnydd da o ddeialog, o ailadrodd rhythmig ond, ar y cyfan, disgrifio beth sydd yn y llun a wneir. Mae ymdrech ar y diwedd i ddarparu cwlwm taclus ond mae hyn yn taro fel dyfais ffwr-bwt ar frys, yn anffodus. Diolch fod rhywun wedi ymateb i 'Rwy'n edrych dros y bryniau pell', sef y llun eiconig o Carneddog a'i wraig Catrin yn gadael eu cartref ym 1945. Heb os, hwn yw'r llun y mae sawl un ohonom yn meddwl amdano wrth gofio am waith Geoff Charles, yn rhannol am ei fod ar glawr *Cymru Geoff Charles: Hanner Canrif o Fywyd Cymru mewn Llun a Gair*. Mae'r awdur wedi cael hwyl wrth blymio i fyd y llun hwn. Cawn ddisgrifiad hyfryd o Carneddog a Catrin fel 'dwy ddyfynnod yn agor paragraff clo stori eu bywyd' (er mai *dau* ddyfynnod fydden nhw), yn ogystal â datblygiad *Bron y Garth* o'r trosiad yng ngweddill y paragraff. Hoffwn weld yr awdur yn mentro mwy ac yn ysgrifennu mwy fel hyn, ond mae fel pe bai'n cael traed oer ac yn dod â'r darllenydd yn ôl at fyd y llun ar ddiwedd y testun.

Beth a all eiliad tynnu ffotograff ei wneud os nad ennyn chwilfrydedd am yr eiliadau cyn ac ar ôl i'r ffotograffydd bwyso'r botwm a thynnu llun? Dyma sydd gan *Bron y Garth* yn ei ymateb i 'Gosod posteri ar Swyddfa Bost Aberystwyth'. Llwydda i osgoi'r disgrifiadol yn weddol chwim, gan roi golau ar fywyd dynes sydd yn y llun ar hap a damwain – hynny yw, nid hi oedd testun bwriadol Geoff Charles. Mae'r dargyfeiriad hwn wedi ei ysgrifennu'n deimladwy ac ni allwn ond edmygu a chynhesu at yr Alwen 'druan' hon yn y cameo. Eto, hoffwn weld mwy o hyder gan y cystadleuydd wrth archwilio posibiliadau naratif creadigol y stori hon yn hytrach na dod yn ôl at lyffethair y llun a dyfyniad gan lenor arall. Mae Alwen, y nyrs wrth reddf, yn gymaint mwy atyniadol fel testun hanesyn nag awdurdod llenor arall.

Ni ddarparodd *Bron y Garth* gopïau o'r lluniau a bu'n rhaid chwilio amdanynt. Wedi dweud hynny, nid oedd gofyn ar yr ymgeisydd i ddarparu mwy nag enw'r llun ac, wrth ddarllen y darnau, rwyf wedi ystyried hefyd a yw'r testun yn sefyll ar ei ben ei hun fel darn difyr i'w ddarllen heb gael y llun wrth law. Yn eironig, er bod *Bron y Garth* yn disgrifio'r hyn a welir yn y lluniau yn fwy na'r ddau ymgeisydd arall, nid yw'r darnau'n gweithio heb i'r llun fod wrth law.

Nid mater o ddewis rhwng dau *genre* yw hi, felly, ond dewis y llenor sy'n dangos gallu storïol, p'un ai a yw'r stori honno'n dod o'r dychymyg ynteu o'r byd go iawn. Mae'r tri llenor yn haeddu canmoliaeth am fy nghyfareddu â'u dychymyg ar brydiau ac â'u gwybodaeth arbenigol ar adegau eraill. *Pentax* sydd yn serennu er hynny. Mae'r awdur, fel y ddynes yn llun yr 'Hetiau' sy'n cuddio o dan sawl het, wedi dangos posibiliadau eang ei drawsnewid ei hun, gan gyflwyno tri darn sy'n dangos ei ystwythder fel awdur. Gall newid cywair a chyflwyno arddangosfa storïol sy'n mynd â ffotograffiaeth Geoff Charles i fyd na all ond geiriau ei wneud. Dyfarnaf *Pentax*, felly, yn fuddugol.

Yr Ymateb i Dri Ffotograff

FFAIR DOLGELLAU

Mi dyfis i fyny i fod yn un o'r dynion da. A nhw sy'n ennill bob tro. Yn y diwedd. Dyna ddudodd Mam.

'Ty'd, Elwyn. 'Ti wedi saethu pob dyn drwg a phob Indian a phob êlien bach gwyrdd erbyn hyn. Mae'n amser i ni fynd adra'.

Ac mi aethon ni adra. Hi a fi. Dim ond ni'n dau. Ac am fy mod i wedi bod yn hogyn da mi ges i lond mŵg o goco cyn mynd i 'ngwely. Doedd hi heb ei gymysgu'n iawn ac mi oedd yna dipyn o'r powdr brown a'r siwgr yn dal yn un lwmp hyll yng ngwaelod y mŵg. A doedd hi ddim wedi dod â llwy i mi. Ond wnes i ddim dweud dim byd.

Does 'na ddim iws cwyno am betha. Waeth i mi heb â chwyno am y petha sy'n mynd o'i le yn y swyddfa. Ond weithia dw i'n dychmygu bod gen i wn sy'n saethu pelydrau glas a phiws a 'mod i'n ei anelu fo at Mr Oarman. Fel arfer, dw i'n ei saethu fo'n syth yn ei dalcen, a thro arall dw i'n saethu yn ei gefn – yn slei, pan mae o ar y ffôn efo rhywun pwysig. Weithia dw i'n ei saethu hi hefyd, Mrs Oarman, Sally Oarman. Ond ddim yn aml. Dw i a Mrs Oarman yn dallt ein gilydd. Am bump o'r gloch ar y dot, mae hi'n diffodd ei chyfrifiadur ac yn dweud 'Dyna ni, Elwyn. Amser i ni fynd adra'.

Dw i'n gwbod y bysa fo'n licio i mi aros a dal ati i weithio tan chwech fel mae o'n 'neud. Ond dw i a Mrs Oarman yn gadael yr adeg honno efo'n gilydd. Dan ni ddim yn mynd adra efo'n gilydd, wrth gwrs. Dw i'n byw yn tŷ Mam ac mae Mrs Oarman yn byw efo Mr Oarman. Ond mi ydan ni'n cerdded efo'n gilydd am ddeng munud. Weithia, mae'r ddau ohonan ni'n stopio yn siop Spar i brynu rhwbath i de. Doeddwn i ddim yn gorfod stopio pan oedd Mam yn fyw. Yr adag honno mi oeddwn i'n esgus bod Mam angen rhywbeth os oedd Mrs Oarman yn mynd i'r siop. A rŵan dw i'n prynu rhwbath hawdd i'w goginio i mi fy hun. Mae 'na bei bysgod wedi'i rhewi dw i'n 'i licio. A dw i'n cael edrych arni hi'n gwasgu torth ar y silff i weld ai bara ddoe 'di o. Mae Sally'n licio cael torth ffres. Dw i ddim yn ei galw hi'n Sally, wrth gwrs, dim ond yn ddistaw bach wrtha fi'n hun fel'na weithia. Ddoe, mi 'nath Beth, sy'n gweithio yn Spar, wenu wrth i ni ddod trwy'r drws. 'Dow, Sally ac Elwyn', medda hi. 'Mae'n rhaid ei bod hi'n bump o'r gloch'. Ac mi oeddwn i'n teimlo'n gynnas braf trwy'r gyda'r nos. Sally ac Elwyn. Sally ac Elwyn.

Doedd y gwn ges i yn y ffair ddim yn lladd neb, wrth gwrs. Dw i ddim yn wirion. Mi oeddwn i'n gwbod pan oeddwn i'n bedair oed nad oedd o'n gallu lladd pobl go iawn, er ei fod o'n gneud sŵn da. Ond mae o'n dal gen i. Dw i'n ei gadw fo i fyny grisia yn fy nrôr sana. Tydi o ddim yn clecian mor uchel erbyn hyn. Dyna pam 'mod i wedi bod yn meddwl ers sbel y dylwn i gael un newydd. Mi oeddwn i wedi bwriadu prynu un yn ffair llynedd, ond wnes i ddim. Dim ond pum punt oeddwn i wedi mynd efo fi, rhag i mi wario gormod ar sothach, ac mi oeddwn i wedi prynu *hot dog* a lliain sychu llestri newydd ac erbyn i mi gyrraedd y stondin gynnau doedd gen i ddim digon o bres ar ôl.

Ond ddoe, mi oedd hi'n ddiwrnod ffair eto. Ac mi 'nes i ddechra o ben arall y stryd a phrynu gwn peth cynta. Roedd hi'n anodd dewis. Roedd pob un yn fwy na'r hen wn ac yn clecian yn llawer uwch. Mi wnes i ddewis un oedd yn poeri gwreichion melyn o'i flaen pan oedd o'n cael ei danio. Roedd hi'n beth da 'mod i wedi ei guddio fo o dan fy nghôt cyn i mi weld Mr Oarman wrth y stondin india roc. Neu mi fydda fo wedi dallt, yn bydda, a fysa fo ddim isio fi yn y swyddfa tasa fo wedi dallt. Mae o'n wn da. Dw i wedi bod yn ei danio fo rŵan a gwrando ar y clecian ac edrych ar y gwreichion. Ond dw i ddim mor simpil â meddwl y gwneith o ladd person go iawn. Dyna pam mae rhaid i mi fynd â mwrthwl lwmp efo fi fory hefyd. A digon o bres i brynu dwy bei bysgod.

HETIAU

Gobeithio nad honna ddewisodd hi. Mi ddylai het wneud i chi wenu. Gwenu am eich bod yn edrych yn wirion neu am eich bod yn edrych yn rhywiol; gwenu am eich bod yn edrych yn hollol wahanol i bawb arall, neu wenu am fod eich adlewyrchiad yn y drych yn eich atgoffa o rywun.

Dw i ddim yn ddynas hetiau, ond mae gen i hetiau. Mae gen i saith, os dw i'n cael cyfri tri chap gwlân. Ac mae hyd yn oed rhoi cap gwlân am fy mhen yn fy newid. Yr un pinc ydi'r gorau o'r capiau gweu, gan fod fy nghariad yn ei hoffi. Mae yna lun ohonom mewn protest, pawb yn fach, fach mewn torf yn hyderus am bnawn pan fydd y byd yn mynd i newid oherwydd ein sloganau. Ac mae posib gweld fy nghap pinc, ac wedyn dw i'n gwbod mai fo ydi'r pen tywyll wrth fy ochr, a'n bod ni wedi bod yno efo'n gilydd yn trio newid pethau. Ond falla mai malu awyr oedd y siaradwyr oedd yn ein hannerch. Cyboli. Dim byd ond rhethreg. Siarad trwy'u hetiau.

Mae yna gyswllt rhwng hetiau a gwallgofrwydd. *Mad as a hatter* ydi Saeson gwallgof, a lloerig oedd yr *Hatter* yn storïau Alice, yn gaeth am byth i Amser Te oherwydd ei fod wedi llofruddio amser. Roedd gwneuthurwyr hetiau yn y 18fed ganrif a'r 19eg ganrif yn cael eu gwenwyno gan yr arian byw a ddefnyddid i gynhyrchu'r ffelt ar gyfer gwneud hetiau. Roedd y gwenwyn yn effeithio ar eu hymddygiad, yn achosi dementia cynnar i bob pwrpas. A thair canrif a mwy yn ddiweddarach, 'dan ni'n dal i alw rhywun hurt yn hen het wirion.

Nid hen het wirion yw'r wraig mewn oed sydd wedi dod â mwy o hetiau at y bwrdd. Mae hi'n ddynas sy'n gwbod hyn i gyd a mwy. Mae hi'n gwybod sut y gall yr het iawn eich newid, sut mae posib cuddio o dani a'i defnyddio fel tarian neu fel lluman. Mae gen i het felly, het ffwr, un ddu a chantel llydan. Does dim posib ei gwisgo a bod yn swil a distaw, mae'n gorfodi hyder, yn denu sylw. Mae hi rhy fawr i'w gwthio i fag os dw i'n ailfeddwl. Fe allaf ei thynnu a gafael ynddi. Ond hyd yn oed wedyn mae hi yno, yn dweud wrth bawb fy mod i'n wahanol. Neu fy mod i isio bod yn wahanol. Y diwrnod hwnnw.

Mae pobl yn edrych ar ddynas sy'n gwisgo het. Mae'r dyn yn y drych yn edrych ar hon, yn edrych arni heb wenu. Mae yntau'n gobeithio y bydd hi'n dewis het arall, het fydd yn gwneud iddi hi wenu a chwerthin a cherdded allan o'r siop yn dalsyth. Het fydd yn ei atgoffa o rywun arall amser maith yn ôl, rhywun a newidiodd ddarn bychan o'i fyd.

MEFUS

(Pedwar darn o lên micro)

Dw i'n gwbod hanes y mefus. Sut aeth Annie â llond bocs ohonynt i Del pan oedd hi'n sâl? A sut mai byw efo Del fuodd hi wedyn? Dwy hen ferch – un yn garddio a'r llall yn gwnïo. Fi a Lisa oedd yr unig rai oedd yn deall pam y gwariodd Del ffortiwn ar fefus i'r te cynhebrwng ddechrau Ionawr. Ond wnaeth yr un o'r ddwy ohonom esbonio dim wrth neb, dim ond eu b'yta'n farus nes bod ein gwefusau'n goch â sudd.

*   *   *

Hwn oedd y bocs olaf. Roedd hi wedi ei guddio yn y llwyn lafant y tu ôl i'r stondin oedd ganddi yn y ffair haf.

'Hwda, Elwyn', medda hi wrth y bachgen bach penfelyn. 'Waeth ti gael y rhain na 'mod i'n eu cario nhw adra. Gad un neu ddau ar ôl i dy dad. Roedd o'n hoff iawn o fefus ers talwm'. Ac fe wyddai Elwyn a hithau a thad Elwyn y byddai'n gwneud 'run peth y flwyddyn wedyn.

*   *   *

Cymerodd ei hwyres y mefus oddi arni, tynnu'r dail oddi arnynt bob yn un ac yna, wedi gwneud hynny, eu gollwng i mewn i'r jwg trydan ffasiwn newydd. Ychwanegodd siwgr a llaeth a llond llwy o hufen iâ. Gosododd y caead ar y jwg a gwthio'r botwm. Dewiswyd gwydryn tal a gwelltyn pinc.

'Triwch o, Nain'.

'Diod yr angylion' maen nhw'n ei alw hyd heddiw, er mai dim ond atgof o'r nefoedd ydi o bellach.

*　　*　　*

Gweithred o ffydd ar ei rhan oedd prynu'r bocsys. Pum mil ohonynt, rhai gwynion â phatrwm o sgwariau bychan gwyn a choch. Ac er mai dod yn fflat oedan nhw o'r ffatri, roeddan nhw'n cymryd tipyn o le yn y gegin.

'Be ddiawl ti'n 'neud rŵan, ddynas?'

Ond mi 'steddodd efo hi am oriau un gyda'r nos yn eu plygu'n flychau hirsgwar. Pob un ohonynt yn llawn cariad canol oed, a blas hwnnw rywsut yn treiddio i'r mefus ac yn eu gwneud yn felysach.

Pentax

Ymdriniaeth â 50 o eiriau tafodieithol o un ardal benodol

BEIRNIADAETH GORONWY WYNNE

Derbyniwyd deuddeg cynnig, ac ar y cyfan cefais flas ar eu darllen. Pleser oedd derbyn cynigion o ryw ddeg ardal wahanol, wedi eu rhannu'n weddol gyfartal rhwng gogledd a de.

Mae tair elfen mewn tafodiaith, sef geiriau arbennig, cystrawen arbennig ac ynganiad arbennig, a gobeithiwn y byddai'r cystadleuwyr yn ymwybodol o hynny – ond nid felly y bu bob tro. Hefyd, roedd dehongliad y cystadleuwyr o'r gair 'ymdriniaeth' yn gwahaniaethu'n fawr, gyda'r cynigion yn amrywio o 73 tudalen i lawr i ddwy, heb sôn am y gwahanol ffyrdd o wynebu'r dasg.

Yn union fel y mae ychydig o halen yn rhoi blas ar fwyd, felly hefyd y mae ychydig o dafodiaith yn rhoi blas ar iaith, ac er gwaethaf y dirywiad amlwg mewn Cymraeg llafar heddiw, braf oedd gweld bod y tafodieithoedd yn fyw ac yn iach mewn mwy nag un ardal, a bod cariad yr ymgeiswyr at Gymraeg eu bro i'w weld yn glir. Dyma air am bob un, yn y drefn y derbyniais hwy.

Alsen: Trafodir 'Y Wenhwyseg', sef tafodiaith y de-ddwyrain, yn enwedig cymoedd diwydiannol a blaendiroedd hen siroedd Morgannwg a Mynwy, rhwng Blaenafon a Chwm Tawe. Ceir rhagarweiniad byr, ond defnyddiol, yn amlinellu rhai o nodweddion y dafodiaith ynghyd â'r talfyriadau a ddefnyddir.

Pan ddown at y rhestr geiriau, gwelwn ar unwaith fod yma grefftwr wrth ei waith. Y mae'r dewis o eiriau'n profi ei fod yn hollol gyfarwydd â'i faes, a chawn ein tywys trwy lwybrau dirgel tafodiaith liwgar a chymhleth. Ar gyfer pob gair, rhoddir y rhan ymadrodd; y ffurf luosog (pan fo'n berthnasol); y tarddiad; ambell sylw am ddosbarthiad y gair, ynghyd â sylwadau ynglŷn â'r defnydd a wneir ohono yn y dafodiaith. Mae hyn i gyd yn gosod safon arbennig i'r gwaith ac yn dangos ôl llafur a pharatoi manwl. Hoffais yn fawr yr enghreifftiau niferus o'r gair ar waith yn y dafodiaith. Yn aml, cawn argraffiadau personol yr awdur ynglŷn â'r defnydd a wneir o'r gair – heddiw ac yn y gorffennol – ac yna nifer o ddyfyniadau o waith beirdd a llenorion yr ardal, dwsin neu fwy ohonynt, i ddangos gwahanol ystyron y gair dan sylw. Dyma gryfder pennaf yr awdur. Mae ganddo wybodaeth drylwyr o'i faes ac mae'n amlwg yn gallu galw i gof nifer helaeth o enghreifftiau perthnasol. Dyma un enghraifft o'r terfyniad *-ws*, o waith J. J. Williams: 'Wetws a ddim,' meddai. 'Fe driws wêd rhwpath, ond fe ddath rhwpath idd 'i wddwg a, a fe dacws. Fe gitshws yn dyn yn y'm llaw i, ac yn lle mynd ymla'n, fel arfadd, fe drows 'nôl, ac fe a'th sha thre at Ann'. Dyma ymgais arbennig o dda gan un sy'n feistr ar y dafodiaith.

180

Maesincla: 50 o eiriau o ardal Caernarfon a gafwyd. Nid oes cyflwyniad na rhagymadrodd, dim ond rhestr foel o eiriau, gyda'r ystyr, neu'r ffurf safonol yn dilyn, e.e. *niwc* – ceiniog; *llerfith* – llefrith; *wsnos* – wythnos. Ar ddiwedd y rhestr, ceir ychydig o frawddegau'n trafod rhai geiriau digon 'coch', ac er bod un neu ddwy o'r storïau'n ddigon doniol, go brin bod ymgais *Maesincla* yn cyrraedd y safon a ddisgwylir.

Rybelwr Bach: 'Chwara â geiria'r chwarelwr'. Tafodiaith 'Stiniog a geirfa'r chwarelwyr yw'r maes, a chyflwynir y gwaith ar ffurf ysgrif neu draethawd, gyda'r geiriau wedi eu plethu i mewn i'r cyflwyniad. Gwelwn o'r dechrau ei fod yn hollol gyfarwydd â'r dafodiaith ac yn meddwl y byd ohoni. Dywed: 'bu cyfraniad gweithwyr y diwydiant llechi yn y fro tuag at gyfoethogi'r iaith Gymraeg dros y blynyddoedd yn amhrisiadwy'. Rhoddir sylw arbennig i'r termau a ddefnyddid wrth chwarelydda, '... termau a yngenid yn nhafodiaith braf 'Stiniog, gyda phwyslais ar yr "a", o gymharu â Chymraeg gweddill Sir Feirionnydd. Dydd *Merchar* a dydd *Gwenar* oedd dau *ddwrnod* o'r *wsnos* yn y chwaral, *a chlwad* y corn gwaith fyddai'r *chwarelwrs*'. Mae *Rybelwr Bach* yn ymadroddi'n dda ac yn gwau geiriau'r dafodiaith i mewn i'w ysgrif yn ddigon naturiol, geiriau fel *crawia, celc* a *stolpyn*. Mae dau wendid amlwg yn y gwaith, sef tuedd i fod yn ailadroddus (nodais o leiaf ddeuddeg enghraifft o'r `a' agored, e.e. *tybad; pena; calad*) ac, yn ail, gormod o bwyslais ar ynganiad yn hytrach na thrafod geiriau arbennig y dafodiaith. Eto i gyd, roedd hwn yn gynnig digon teg, a'r awdur yn falch o dystio bod 'y termau a'r dafodiaith arbennig sy'n perthyn i'w dinasyddion' i'w clywed o hyd ar strydoedd y Blaenau.

Mwrwg: Disgrifir y gwaith fel `Tafodiaith Gwŷr-y-Fe', sef yr ardal sy'n ymestyn o dref Llanelli heibio i bentrefi Felin Foel, Dafen, Llwynhendy, Binea, Y Bryn a Llangennech, sef ardal de-ddwyrain Sir Gaerfyrddin. Ceir rhagymadrodd hynod o ddiddorol cyn dod at y rhestr ei hun. Apelia'n daer am barhad ein tafodieithoedd a chyflwyna'r dafodiaith arbennig hon mewn Cymraeg graenus, lliwgar. Yna cyflwynir y rhestr geiriau yn nhrefn yr wyddor, a hynny'n daclus gywir a gofalus. Ar gyfer pob gair. rhoddir y rhan ymadrodd, ynghyd â'r lluosog (pan fo'n berthnasol) a'i ystyr(on). Cyfeirir at yr erthyglau yn *Geiriadur Prifysgol Cymru* sy'n trafod tarddiad y gair, ac unrhyw sylwadau ynglŷn â'i ddosbarthiad. Yna rhydd *Mwrwg* ei sylwadau'i hun ar yr elfennau hyn, gyda brawddeg i ddangos sut y defnyddir y gair yn y dafodiaith. Mae'r dewis o eiriau'n ddoeth a diddorol. Credaf fod ambell un yn weddol gyfarwydd y tu allan i'r ardal dan sylw, geiriau fel *mandrel, obiti, a wado*, ond y mae'r rhan fwyaf yn llawer mwy cyfyngedig eu dosbarthiad, megis *ffronc* (buarth o flaen twlc mochyn), *manwl* (hardd yn ei fanylion), *pewcan* (taflu cilolwg) a *swrddanu* (dioddef gan ddeliriwm). Dewisir ambell air i ddangos ynganiad arbennig, megis *dysen* (dwsin) a *cyrn(h)oi* (crynhoi). Dro arall, cawn air sydd â sawl ystyr iddo, e.e. *hala* a all olygu (a) treulio amser, neu (b) gwario arian, neu (c) anfon neges. Hefyd, nid oes gan *Mwrwg* ofn ychwanegu at yr wybodaeth sydd yn *GPC*, fel yn achos y gair *incil*. Yn ôl *GPC*, ystyr y gair yw 'llinyn mesur' ond i *Mwrwg* 'math o dâp cul i gryfhau ymyl gwisg' ydyw. Dyma ymgais lwyddiannus, effeithiol lawn.

Caron: Fel un a fagwyd yn Llangeitho, Canolbarth Ceredigion yw cynefin *Caron*, er ei fod bellach yn byw yn Aberystwyth. Yn ei ragymadrodd, gofidia am y dirywiad yn nifer y siaradwyr Cymraeg a phwysleisa'r angen i ddiogelu'r tafodieithoedd. Yn y gwaith hwn, eglura'i fod yn dilyn arddull *Geiriadur Prifysgol Cymru* ar gyfer ei restr geiriau, gan nodi'r tarddiad (pan fo'n bosibl), y rhan ymadrodd, y diffiniad ac enghreifftiau o'r gair ar lafar, ac yn ysgrifenedig os oes cofnod. Rhoddir map o'r ardal a rhestr gynhwysfawr o'r byrfoddau a ddefnyddir, gyda llyfryddiaeth fanwl ar y diwedd. Mae yma hanner cant o eiriau diddorol – rhai'n weddol gyfarwydd, megis *deche*, *gwirion* (diniwed), *mosiwns* a *rhaflo*, tra bo eraill yn bur anghyfarwydd (i mi, beth bynnag!), *cyhudd* (cysgod), *comhopo* (ceryddu), *hinddanu* (codi'n braf) a *rhacabobis* (gwyllt heb fawr o reolaeth). Defnyddir enghreifftiau o'r gair ar waith – llawer ohonynt o *GPC*, a ffynonellau eraill, yn ogystal â rhai o brofiad yr awdur ei hun, sy'n mynegi'r ystyr(on) yn effeithiol. Weithiau, ceir enghreifftiau o'r gorffennol pell, ganrifoedd yn ôl ambell dro, a all fod o ddiddordeb i'r arbenigwr. Hoffais y ffordd y mae *Caron* yn ychwanegu at, neu'n anghytuno â, *GPC* ambell waith. Mae Cymraeg y cystadleuydd hwn yn safonol a graenus; dim and ychydig iawn o lithriadau a welais, a'r rheini'n ddim ond manion. Dyma ymdriniaeth feistrolgar o'r dafodiaith, yn dangos ôl llafur caled. Mae'n amlwg fod *Caron* yn dra chyfarwydd â manylion a chyfrinachau geiriadura. Teimlaf weithiau ei fod wedi gor-fanylu, nes bod y llu byrfoddau'n llesteirio rhediad y gwaith, ond mae'r ymgais yn haeddu canmoliaeth uchel.

Nant Pasgan: 'Yn neuar yr hen bobol / Pasa? … Pasa d'eud!'. Dyma'r ymgais hwyaf yn y gystadleuaeth. Fel pob cynnig arall, hanner cant o eiriau a drafodir, ond mae'r gwaith yn ymestyn i 73 tudalen. Yr ardal yw Ardudwy Uwch-Artro yng ngogledd-orllewin yr hen Sir Feirionnydd, ac yn fwyaf arbennig, plwyf Llandecwyn. Ar yr olwg gyntaf, gwelir bod yma ymgais i gyflwyno'r gwaith mewn adrannau trefnus, a cheir diolchiadau; byrfoddau; ymdriniaeth o'r hyn yw tafodiaith; y diriogaeth; y rhestr geiriau; a mynegai. Ond Ow! o edrych yn fanylach, daw llu o wendidau i'r golwg. Mae'r rhestr byrfoddau'n anghyflawn a'r iaith yn llac ac yn wallus iawn ar brydiau (e.e. mae'n anodd derbyn 'dydy o heb fod yn eich synnu'; 'yn fwy nag dim byd' a llawer mwy. Does dim lle i iaith garbwl, sathredig mewn cystadleuaeth fel hon. Hefyd, mae llawer gormod o gamgymeriadau teipio, a gor-hoffedd o ebychnodau! Mae'r mapiau a'r darluniau'n dderbyniol ond mae tuedd i or-fanylu ar bethau ymylol – e.e. cymerir saith tudalen i drafod yr enw 'Lenthryd'. Mae *Nant Pasgan* wedi casglu nifer o eiriau diddorol i'w trafod ond mae'r iaith a'r cyflwyniad yn llac a braidd yn ddi-drefn. Mae angen llawer o waith tacluso a chaboli.

Ponco-Bronco-Piciololao: Penderfynodd y cystadleuydd hwn roi'r teitl a ganlyn i'w ymgais: 'Tafodiaith Cymbiadeli, Rhanbarth Iwsedyt – 666 yn y Gymru Rydd (hyn i gyd ymhen naw can mlynedd)'. Dichon ei fod wedi mwynhau tynnu coes y beirniad ond go brin y gellir ei ystyried yn rhan o'r gystadleuaeth. Y mae cynnwys yr ymgais yn rhyfedd ac ofnadwy – 'geiriau' megis *nacoilicadis; swdigwshswd, ycraga a gilifela*. Gobeithiaf ei fod wedi cael hwyl wrth eu llunio ond ni thybiaf ei fod am i mi golli ryw lawer o gwsg yn eu cylch! Rhaid iddo roi cynnig arall ar y gystadleuaeth ymhen naw can mlynedd.

Merch y Mynydd: Dywedir wrthym fod y rhestr yn canolbwyntio ar ardal Brynaman, er bod rhai o'r geiriau i'w clywed hefyd mewn ardaloedd cyfagos, megis Cwm Tawe a Chwm Gwendraeth. Ar ôl dwy frawddeg o gyflwyniad, dim ond rhestr foel o eiriau a'u hystyron sydd yma. Ni cheir fawr ddim enghreifftiau o'r geiriau ar waith mewn brawddegau, nac ychwaith unrhyw ymdriniaeth o'u tarddiad. Mae'r dewis o eiriau'n eithaf diddorol, e.e. *colfen* – coeden; *damshil* – sathru; *oifad* – nofio. Gresyn na fyddai *Merch y Mynydd* wedi dehongli'r gair `ymdriniaeth' yn amgenach.

Penrhyn: Llanbrynmair, ym Maldwyn, yw'r ardal y tro hwn, a chyflwynir y gwaith ar ffurf ysgrif yn hytrach na rhestr. Mae amryw o fan frychau yma ac acw ond, ar y cyfan, mae'r iaith yn naturiol, a'r geiriau tafodieithol (mewn print trwm) yn gorwedd yn esmwyth o fewn yr ysgrif. Gwraig o Ddyffryn Ogwen sy'n ysgrifennu ac yn egluro ei bod hi a'r teulu wedi symud i Lanbrynmair dros ddeugain mlynedd yn ôl, a'r hyn a gawn yw ymateb un a fagwyd yn ardal y chwareli yn Sir Gaernarfon wrth iddi ddod yn gyfarwydd â'r dafodiaith newydd ym mwynder Maldwyn. Sylwodd yn fuan fod dylanwad y Saesneg yn drwm yn yr ardal, wrth i'r plant sôn am *gleimio* coed a *swimio* yn yr afon. Sonia am un wraig a fyddai'n haeru ei bod yn Gymraes i'r carn yn dweud ei bod am fynd i *Chester* i gael *new rigout* am ei bod wedi cael '*invitation* i fynd i *wedding Easter* nesaf'. Gofynnaf i mi fy hun pa bryd y mae talpiau o un iaith yn troi'n dafodiaith yn y llall. Mae'r dewis o eiriau'n ddiddorol, llawer ohonynt yn weddol gyfarwydd (i mi, beth bynnag), e.e. *cog* (bachgen) a *lodes* (geneth); *clen* (tlws, hardd, braf); a *shetin* (gwrych). Ond roedd nifer o eiriau newydd hefyd, e.e. *stingoedd* (drain a mieri); *bacsio* (gwneud lle'n fwdlyd) a *picret* (haearn o flaen y tân i ddal y lludw). I rywun wedi byw mewn un ardal ar hyd ei oes, gall fod weithiau'n anodd sylweddoli pa eiriau cyfarwydd sy'n dafodieithol ac felly'n llai cyfarwydd i rywun o ardal arall. Yn hyn o beth, mae gan *Penrhyn* fantais glir a phwysleisia hynny'n gyson drwy'r ysgrif. Popeth yn iawn. Ond ambell dro try hynny'n ailadroddus, gyda thuedd i drafod tafodiaith

Dyffryn Ogwen ar draul un Llanbrynmair! Ar ddiwedd y gwaith, ceir rhestr o'r geiriau y cyfeirir atynt, yn nhrefn yr wyddor, gyda'u hystyron. Gwaetha'r modd, mae'r rhestr ystyron yn dod i ben yn sydyn ymhell cyn y diwedd. Methu gorffen cyn y dyddiad cau, tybed? Dyma gynnig diddorol a hynod ddarllenadwy. Ar wahân i'r beiau a nodwyd, byddai'n uchel yn y gystadleuaeth.

Jo: Geiriau ardal Uwchaled yn Sir Conwy (yr hen Sir Ddinbych) a drafodir. Cyflwynir rhestr ddiddorol o eiriau yn ôl eu rhannau ymadrodd – berfau, ansoddeiriau, ac ati. Ar ôl pob gair, rhoddir yr ystyr, weithiau mewn un gair 'safonol', dro arall mewn brawddeg neu ddwy, ac yna, fel rheol, enghraifft o'r gair ar waith. Dyma enghraifft neu ddwy: *gloywi*: tynnu'r dŵr oddi ar lysiau wedi eu berwi ('Gloywa'r tatws, maen nhw'n hen barod'); *gwardio*: swatio i lawr ar ei gwrcwd; cuddio rhag rhywun ('Mae yne rywun yn gwardio'r ochr draw i'r gwrych acw'). Mae *Jo* wedi sylweddoli hefyd y gall gair tafodieithol fod â mwy nag un ystyr, e.e. *garw*: (a) wrth gyfeirio at y tywydd ('Mae hi'n arw'); (b) wrth gyfeirio at fedrusrwydd rhywun ('Ew, mae hi'n un arw – wedi cael marciau llawn wrth gyfeilio'); (c) wrth gyfeirio at fod yn dynn gyda phres neu wrth roi menyn ar frechdan ('Hen ddynes arw ydi hi'). Y mae Cymraeg *Jo* yn ddigon graenus a naturiol, gyda blas cefn gwlad ar y dweud. Gwaetha'r modd, ceir nifer o eiriau heb frawddegau llafar i egluro'u hystyr. Nid oes gair o gyflwyniad i'r gwaith, nac ychwaith fawr ddim am darddiad y geiriau. Hoffwn pe bai wedi ystyried y gwahaniaeth rhwng geiriau arbennig ac ynganiad arbennig. Ar y cyfan, mae'r cystadleuydd hwn wedi dewis ei restr yn dda ond hoffwn gael mwy o gnawd ar yr esgyrn.

Meira: Dyma restr o eiriau tafodieithol o dde Ceredigion (Plwyf Penbryn a'r cyffiniau) wedi eu cyflwyno'n daclus yn nhrefn yr wyddor. Ceir brawddeg neu ddwy i egluro ystyr pob gair, ac yna (ond nid bob tro) enghraifft o'r gair ar waith. Mae'n amlwg fod *Meira* yn hollol gyfarwydd â thafodiaith yr ardal a gall fanylu'n ddiddorol ar yr ystyr. Dyma enghraifft: '*hwthu*: Yn cael ei ynganu fel hyn, am *chwythu*, ond hefyd, mewn ystyr arall, yn cael ei ddefnyddio pan fydd rhywun yn pwdu am rywbeth neu "gweld y whith", e.e. Roedd e wedi hwthu am na chas ei ddewis'. Mae'r rhestr yn un effeithiol ac yn cynnig i ni flas go dda o dafodiaith yr ardal, gyda geiriau fel *bilgen; clatsh; cwnsela; gofini; llefeleth; sigwdo* a *stablan*. Mae ymgais *Meira* yn debyg ar sawl ystyr i un *Jo*. Yma eto, does dim cyflwyniad, a dim ond dyfalu a wneir am darddiad amryw byd o'r geiriau. Byddai wedi talu ar ei ganfed i'r ddau ymgyfarwyddo â *Geiriadur Prifysgol Cymru*. Unwaith eto, ymgais dda ond yn tueddu i foddi yn ymyl y lan.

Walter Pantybarlat: Canolbwyntia'r ymdriniaeth hon ar ardal `yng nghanol yr hen sir Aberteifi, yn benodol, plwyfi Llanwennog a Llandysul'. Cawn ddau baragraff o gyflwyniad grymus mewn Cymraeg gloyw. Diolcha'r awdur iddo gael ei godi yng nghanol gwerinwyr 'na chafodd eu "dominyddu" gan "Gwmrag tŷ-glass" yr academyddion'. Chwarae teg iddo! Yna, cawn eiriau'r dafodiaith, ynghyd â sylwadau ar bob un. Nid rhestr o nodweddion gramadegol yn ôl patrwm *GPC* a geir y tro hwn ond erthygl fer o ryw gant o eiriau ar bob gair, yn trafod yr ystyr a'r ynganiad. Y fferm a bywyd yr amaethwr yw cynefin y cystadleuydd ac mae'n hollol gartrefol yn dyfynnu dywediadau ac idiomau cefn gwlad. Mae'n cyflwyno cefndir y dafodiaith yn lliwgar a diddorol. Dyma sut y mae'n trin y gair *deir*: 'Gellid meddwl mai llygriad o "taer" yw "deir", gan fod y gair hwnnw o fewn dim i'w ddisgrifio'n gywir. Golyga "araf" yn ôl y geiriadur ond dydi hynny ddim yn hollol gywir chwaith. Ar lafar, golyga waith araf a dwys sy'n gofyn am ddycnwch a thipyn o fôn braich i'w gwblhau. "Jobyn deir" fyddai torri ceffyl i mewn i'w farchogaeth, neu agor ffos â chaib a rhaw ac, yn bendant, aredig ag aradr ungwys yn oes y ceffyl. Cyfeiria'r Prifardd John Roderick Rees at "arddu'n ddiddig a deir" yn un o'i delynegion. Er iddo dreulio'i oes ym Mhenuwch, hanai ei deulu o blwyf Llanarth sy'n ffinio â'r ardal hon ac mae'n arddel yr un eirfa bron yn ei weithiau amaethyddol eu naws'. Mae Cymraeg *Walter Pantybarlat* yn raenus ar y cyfan er bod ychydig o fan frychau yma ac acw, yn arbennig gyda'r atalnodi. Hefyd, byddai'n well osgoi defnyddio geiriau tafodieithol yng nghanol y rhannau esboniadol. Wrth ddarllen ymlaen drwy'r gwaith, cefais flas ar y dweud, ac awydd pori ymhellach. Dyma ymdriniaeth fywiog a diddorol.

Mewn cystadleuaeth dda iawn y mae pedwar yn rhagori sef, yn nhrefn yr wyddor: *Alsen, Caron, Mwrwg* a *Walter Pantybarlat*. Byddwn yn falch o allu gwobrwyo unrhyw un o'r pedwar. Diolch i bawb am gystadlu. O drwch blewyn, *Alsen* sy'n mynd â hi.

Yr Ymdriniaeth â 50 o Eiriau Tafodieithol

Y Wenhwyseg
(sef tafodiaith y de-ddwyrain, yn enwedig cymoedd diwydiannol a blaendiroedd hen siroedd Morgannwg a Mynwy rhwng Blaenafon a Chwm Tawe).

Nid ymgais sydd yma i gyfleu seineg y Wenhwyseg. Ni ddynodir 'yr a fain', er enghraifft, sy'n nodweddu'r dafodiaith, ac eithrio pan fo'r awdur ei hun yn ceisio cyfleu hynny gyda'r symbol 'ä' neu 'æ'. Yn yr un modd, ni sillefir geiriau yn ôl eu hynganiad bob tro, oni bai fod yr awdur yn nodi hynny. Sylwer yn y dyfyniadau ar nifer o nodweddion eraill y dafodiaith megis y calediad *d>t* (oedran > oetran), *g>c* (llygaid > llycid), *b>p* (gwybod > gwpod), ac yn y blaen; mae pertrwydd unigryw'r Wenhwyseg yn deillio, i raddau, o'r nodweddion hyn.

Defnyddir ffurfiau talfyredig termau gramadegol fel a geir yn *Geiriadur Prifysgol Cymru*, gan gynnwys *a.* (ansoddair), *ardd.* (arddodiad), *bf.* (berf), *cys.* (cysylltiad), *cyw.* (cywasgiad), *e.* (enw), *eb.* (enw benywaidd), *eg.* (enw gwrywaidd), *ell.* (enw lluosog), *gorch.* (ffurf orchmynnol), *ll.* (lluosog), *un.* (unigol).

*   *   *

acha, *ardd.*, 'ar', 'ar gefn' (o 'ar uchaf'). Ystyr amhendant sydd i 'acha', a'r un berthynas sydd rhyngddo ac 'ar' a geir rhwng 'mewn' ac 'yn', e.e. Ma' fa acha bord (Y mae ar fwrdd); Ma' fa ar y ford (Y mae ar y bwrdd); clywir hefyd: 'acha ceffyl' ('ar gefn ceffyl'), ac 'acha wewc' ('ar osgo', 'yn wyrgam').

Nid ymunai chwaith â'r meddwon, ond credai y dylai pob dyn gonest gael 'sioncen fach acha nos Satwn'.
> J. J. Williams, 'Achub Wil Rees', yn *Straeon y Gilfach Ddu* (1931)

Fydda pethach ddim mor shimpil
 Pe bysa fa'n rhywun mwy,
Ond ma'n anodd ca'l hers a cheffyl
 Acha hanner coron y plwy.
> J. J. Williams, 'Yr Anglodd', yn *Y Lloer a Cherddi Eraill* (1936)

Beth wyt ti well o wpod dy Feibl inseid-owt, a gwpod y ffordd i neud englynion, os na alli di ddangos 'm bach o afel acha ca ffwtbol.
> Islwyn Williams, 'Cap Wil Tomos,'
> yn *Cap Wil Tomos a Storïau Eraill* (1946)

Ond dyma fora ffein a dyco'r Cwmydd
Mor lasad ag y buon os tro byd,
Yn dyrnged acha wewc i'r Eiron Lêdi
Wna'th gaead lawr y gwitha bron i gyd.

Meic Stephens, 'Cân yr Henwr', yn *Taliesin* (141, Nadolig 2010)

bidir, *a.* (o 'budr'), 'da', 'anghyffredin', 'hynod'. 'Brwnt' yw gair y
Deheubarth am 'budr' y Gogledd.

Bachan bidir yw Dai, 'tawn i byth o'r fan.

J. J. Williams, 'Dai', yn *Y Lloer a Cherddi Eraill* (1936)

'Bachan bidir yw Crad,' cytunodd Shinc. Golygai 'budr' rywbeth go
wahanol yn iaith William Jones ond teimlai'n reddfol fod rhyw gamdeall
yn rhywle.

T. Rowland Hughes, *William Jones* (1944)

Ie, bachan budur oedd Dai!

D. J. Williams, 'Yn Ffâs y Glo', *Yn Chwech ar Hugain Oed* (1959)

Bompridd, enw lle, sef Pontypridd. *Cymh*: Dŵlish (Dowlais), Y Cefan
(Cefncoedycymer), Byrdêr (Aberdare), Braman (Aberaman), Bedda
(Beddau), Gelligêr (Gelligaer), Penclôdd (Penclawdd), Mynwa (Mynwy),
Brocwr (Aberogwr), Pen-cê (Glynebwy), Decar (Tredegar), Cendl (Beaufort),
Tynrotyn (Twynyrodyn), Penrhewl (Heolgerrig), Rapar (Abertyleri),
Pomffân (Y Bont-faen), Tonyrefil (Tonyrefail), Llwytgôd (Llwydcoed).

brachga, *bf.*, 'marchogaeth' (o 'brochgáu')

Ma fa'n brachga acha cefan ceffyl.

Geriadur Gwenhwyseg: Gwefan Cymru-Catalonia

bwa'r drindod, *eg.*, 'enfys'. Ceir amryw o enwau am 'enfys' yn y Gymraeg.
Mae'r enghraifft hon o'r de-ddwyrain yn dyddio o *Llyfr yr Homiliau*, Edward
James (1569?-1610?), brodor o Sir Forgannwg a ddyrchafwyd yn Ganghellor
Llandaf ym 1606; gw. *Cydymaith i Lenyddiaeth Cymru* (1992).

Mae Pontypridd yn hynod,
Hi haedda sawl rhyfeddod,
Un bwa'n uno gwlad wrth wlad
O draw, fel bwa drindod.
Triban am bont William Edwards

Ma' bwa'r drindod yn benditho'r glas
  uwchben yr Hewl, ma'r glaw yn sychu'n lân,
ac ma'r ddinas ar fin symud yn 'i blân.

Meic Stephens, 'Cawod', yn *Taliesin* (136, Gwanwyn 2009)

camfflabats, *ell.*, gair teg am rannau preifat merch neu fenyw. Ni wyddys i sicrwydd beth yw tarddiad y gair. 'Jini Jon' yw'r enw priodol wrth siarad â merch fach.

> Wi wedi gweld camfflabats Cheryl!
>
> Mihangel Morgan, *Pan Oeddwn Fachgen* (2002)

> A phan, tan gudd y pabwyr ger Llyn-cert,
> Dangosai'n ewn, am loshin streip neu ddwy,
> Ei chamfflabats a'i tethi pigfain-pert
> Yr ôn i yno gyta'r horsins mwy ...
>
> Meic Stephens, 'Linda', yn *Cofnodion* (2012)

cewc, *eg.*, 'ciledrychiad', 'golwg', 'meddwl' (bnth. S., '*keek*', '*to peep*').

> Fu gyta fi ddim llawar o gewc arnot ti ddar wyt ti yn sgriblo yn y *Darian*, ond ma dy waldod di yr wythnos ddwetha yn profi i fi fod rwm to let yn dy glopa di, a ta gora gyd pwy mor gyntad a'i di ala dy holidays i Benybont.
>
> 'Fachan Ifanc', sef Myfyr Wyn (William Williams), 'Llythyra' Newydd', yn *Tarian y Gweithiwr* (1896), lle'r ymddangosai cyfres o lythyrau dychanol wedi'u hysgrifennu yn y Wenhwyseg gan yr un awdur

crambo, *eg.*, 'llanc yn ei arddegau'. Geiriau eraill am ddyn ifanc yw 'whilgrot' a 'gŵr-ne'-gwas'.

> Llosgwyd y sied rai blynyddo'dd yn ôl gan grambos yr ardal.
>
> Meic Stephens, *Cofnodion* (2012)

crwt, crwtyn, crotyn, *eg.* (*ll.* 'crots', 'cryts'), 'bachgen' neu 'laslanc' (weithiau mewn ystyr ddiraddiol). 'Ar lafar yn gyffredin yn y Deau a hefyd mewn rhannau o'r Gogledd' (*Geiriadur Prifysgol Cymru*). Clywir yr ymadrodd '*a crot of a boy*' ymhlith siaradwyr Saesneg Blaenau'r Cymoedd.

> Wel miwn un ffordd, mâ'n fendith ta crots sy gen't-ti. Beth yw oetran Billy nawr, fe fydd yn ddicon hen i ddechra gwitho cyn hir?
>
> D. T. Davies, *Ble Ma Fa?* (1913)

> 'Wy'i ddim yn cofio'r lle fel 'na, wrth gwrs, achos 'on i'n llanc yn dod yma, ond 'odd 'r hen Ddaniel Rees, arweinydd y Côr Meibion pan ddetho i yma, yn arfer dala brithyll 'da'i ddwylo wrth y Bont 'co pan odd a'n grwt. Ond 'na fe, y bobol sy'n 'neud y lle, ontefa?
>
> T. Rowland Hughes, *William Jones* (1944)

> Twm, cymer gâr o'r crotyn 'ma; mae e wedi cal 'm bach o shoc. Chi'r crots, cerwch 'mlân.
>
> Islwyn Williams, 'Er Mwyn yr Hen Amser Gynt',
> yn *Cap Wil Tomos a Storïau Eraill* (1946)

188

Rwy'n gwbod dy fod di'n grwt bach eitha da; ond 'does dim digon o whishgers arnat ti, 'to!

D. J. Williams, 'Yn Ffâs y Glo', *Yn Chwech ar Hugain Oed* (1959)

I grwt o goliar yn mentro allan am y tro cyntaf, a holl ddirgelwch a chyfaredd y pwll glo yn aros i'w ddarganfod, 'roedd y darn hwn o'r byd y'i cawsai ei hun ynddo yn rhyfeddod yn wir.

Rhydwen Williams, *Amser i Wylo* (1986)

Nid sarhad arnat ti a'th debyg/ Yw fod crots yn pisho i'r pownd.

Dafydd Rowlands, 'Y Pentref Hwn', yn *Sobers a Fi* (1995)

'Chi'n meddwl bydd 'na fechgyn 'da nhw, syr? Wa'th do's dim llawer o grots 'run o'd â ni ym Mhantglas, neg o's, syr?' meddai Jaco.

Mihangel Morgan, *Pantglas* (2011)

Roedd yn colli amser 'da fe'n barod, a'r crwt yn hoffi treulio oriau gyda Wil drws nesa'.

Jon Gower, *Y Storïwr* (2011)

Cwm-sgwt, enw lle, llysenw ar unrhyw ardal ddi-raen. 'Yn ôl William Thomas (Glanffrwd) yn *Plwyf Llanwynno* (1888), cyfeiriai'n wreiddiol at y tir o amgylch Pwllhywel, fferm rhwng Pontypridd ac Ynys-y-bwl, a orweithiwyd ac a anrheithiwyd gan ymchwilwyr glo. Fe'i defnyddir weithiau am le diffaith neu anghysbell.' (*Cydymaith i Lenyddiaeth Cymru*, 1992). Erbyn hyn, mae rhywbeth doniol yn perthyn i'r enw, o bosibl oherwydd poblogrwydd cartŵn yn y *South Wales Echo* yn ystod y blynyddoedd rhwng y ddau Ryfel Byd. Fel capten Clwb Pêl-droed Cwm-sgwt, arweiniai Dai Lossin dîm a oedd yn cynnwys Ianto Full Pelt, Dai Small Coal a Billy Bara Caws. Roedd Dai'n adnabyddus am ei sylwadau tafodieithol bachog ar fyd chwaraeon Cymru, fel Mr Picton yn 'C'mon, Midffîld!' yn ddiweddarach.

cwnnu, *bf.*, 'codi', 'magu', 'dyrchafu' (o 'cychwynnu'). Mae'r hen ystyr, sef 'estyn cymorth i gymdogion' (*cymh.* 'cymhortha' yn y Gogledd), wedi darfu yn y Deau.

> Tri pheth sy'n cwnnu 'nghalon,
> Bod gen i arian ddicon,
> Cael wybran 'af yn deg uwch ben
> A chusan Gwen lliw'r 'inon.
>
> Triban

Morgan, cwn! Mae bron â bod yn ddeg o'r gloch!

Lewis Davies, *Y Geilwad Bach* (1929)

Cwnna o'r ffordd a cher at y ford, / A golch y dishcla 'na'n wyn.

O. Madog Williams, 'Diwrnod Golchi' yn *Cerddi'r Ddrycin* (1936)

Pan briotson nhw gynta, wy'n cofio, cwnnu ffowls ôdd i ddiléit e.

Islwyn Williams, 'Anap', yn *Cap Wil Tomos a Storïau Eraill* (1946)

Fydd yno ddim yn digwydd ond torri a chwnnu glo ...

William Williams, 'Morgannwg', *Cerddi Crwys* (Cyf. II, 1956)

Rwyt ti'n cwnnu ac yn mynd i'r ystafell ymolchi i gael diferyn o ddŵr o'r.

Mihangel Morgan, *Pan Oeddwn Fachgen* (2002)

Yn Nhrefforest ca's Mam ei chwnnu ac ni symudws fyth o'r pentref.

Meic Stephens, *Cofnodion* (2012)

cwpla, *bf.*, 'gorffen', 'dibennu', 'cyflawni' (o 'cwblhau').

Ond, mam! Fe fydda i yma drwy'r dydd cyn cwpla i, os wy yn mynd i ga'l hanes pobun gennych chi.

Lewis Davies, *Y Geilwad Bach* (1929)

Cwplwch y whara, fechgyn,
    Dotwch y bêl 'na 'lawr;
Cliriwch yr hewl am dicyn,
    Byddwch yn ddishtaw 'nawr.

J. J. Williams, 'Yr Anglodd', yn *Y Lloer a Cherddi Eraill* (1936)

'Pwll Glo 'di cwpla, 'chi'n gweld,' eglurodd Twm.
'Stop tap ers blwyddyn,' ategodd ei gyfaill.
'Wedi be' ddwetsoch chi?' gofynnodd William Jones.
'Cwpla, stopo, cau. Y ddau bwll, Nymbar Wan a'r Pwll Bach. Y Pwll Bach 'di cwpla ers dwy flynadd.'

T. Rowland Hughes, *William Jones* (1944)

Ôdd Wil yn whare i Abertawe ymhell cyn cwpla yn yr *University* – wel, ŷ chi'n cofio cystel â finne, wrth gwrs.

Islwyn Williams, 'Cap Wil Tomos',
yn *Cap Wil Tomos a Storïau Eraill* (1946)

Ac yna, i gwpla popeth, am ddeg o'r gloch y noswaeth cyn 'ny, odd Tomos John i hunan wedi cyrradd ar lif yn hollol ddi-rybudd, yn bace ac yn barseli i gyd.

Islwyn Williams, 'Ar Fore Dydd Nadolig',
yn *Storïau a Phortreadau* (1954)

O'r Bimad Giatrawd ni adawyd 'mond
'i fat pêl-faes – nid ôdd 'i angan, sbo,
wrth i 'Omer gwpla 'i Odysi
ar y tra'th sha Omaha, Normandi.

Meic Stephens, ''Omer', yn *Taliesin* (126, Gaeaf 2005)

Dêr! Ebychiad. Modd i osgoi enw'r Hollalluog, fel 'Daro!' a 'Drato!', yn nodweddiadol o'r de-ddwyrain; clywir 'Ew!' hefyd.

Menyw styrn ôdd hi, yn egwyddor o'i phen idd'i thrâd, a mynd i gwrdde'r wthnos yn gyson. Ond dêr, ôdd hi'n gul!

Islwyn Williams, 'Cap Wil Tomos' yn *Cap Wil Tomos* (1946)

Dêr, ges i waith i ddiall a,
  Rwy Gwmr'eg dwfwn a 'wnnw yn i lwnc i gyd! ...
Dêr, fel ma pethach weti altro!

Dyfnallt Morgan, *Y Llen* (1953)

Dêr, 'na gosbedicath an'yfartal / Am fod yn llythrennog o ddimofal.

Meic Stephens, 'Bwtsh Mordecai', yn *Taliesin* (126, Gaeaf 2005)

dillad diwetydd, *e.,* dillad a wisgir gyda'r nos ar ôl gwaith.Ymadrodd sy'n nodweddu cymoedd y de-ddwyrain. Byddai gweithwyr yn y diwydiannau trymion megis y pyllau glo a'r gweithfeydd haearn yn cyrraedd adref ar 'ddiwedd y dydd' (er bod 'diwetydd' yn gallu golygu 'prynhawn') yn frwnt ac yn foddfa o chwys; rhaid oedd newid o'u dillad gwaith, fel arfer cyn bwyta ac yn bendant cyn cymdeithasu. Yr oedd mwfflar wen yn ddilledyn dwetydd bob coliar.

A'r llall ydoedd Wil John Hughes, y ddol fach berta o grwt a welsoch chi erioed mewn 'dillad diwetydd'.

D. J. Williams, 'Yn Ffâs y Glo',
Yn Chwech ar Hugain Oed (1959)

Dirdishefoni! ebychiad (o 'Duw, deisyfwn ni!').

'Dirdishefoni,' meddai yn y gwaith trannoeth, 'beth sydd ar y whilgrots 'ma?'

J. J. Williams, 'Buddugoliaeth Dafydd John',
yn *Straeon y Gilfach Ddu* (1931)

On' dirdishéfoni! Fe dwmlws pawb yr un bodd'æd
Pan aeth Wiliam Jois i'r crocbren am 'i ychel fræd.

Meic Stephens, 'Bwci-bo', yn *Taliesin* (126, Gaeaf 2005)

dishgwl, *bf.*, 'edrych' (o 'disgwyl'). Yn y de-ddwyrain, defnyddir 'erfyn' i olygu *'to expect'*; 'ma' hi'n erfyn' (mae hi'n disgwyl plentyn).

Dishgwlwch yn y ngwyneb i, Simon Morris – ble'r ŷch-chi'n meddwl mâ-fa nawr?

D. T. Davies, *Ble Ma Fa?* (1913)

Pidwch bod yn rhy galad arno, boys, am nad yw yn gallu dishgwl ar betha fel yr ych chi.

J. O. Francis, *Deufor-Gyfarfod* (cfd. o *Change*, 1929)

Na, gad fi llonydd, Dai. Gad fi fod, nawr, shgwl. Mai'r bois yn dod nawr.

Islwyn Williams, 'Anap', yn *Cap Wil Tomos a Storïau Eraill* (1946)

O'dd ych tad a Dora'n dishgwl mor drist – ofynnes i i'n nhw: Pwy sy wedi dwgyd ych *porridge* chi'ch dou 'te?

'Pobol y Cwm', yn Robyn Lêwis, *Blas ar Iaith Cwmderi* (1993)

Cera i datrus dy ben, ferch, yn lle fod a'n dishgwl fel llwyn o ithin.

Allan James, *Diwylliant Gwerin Morgannwg* (2002)

Ar ôl gw'itho'r 'whith am dipyn wi'n blino. Wedi 'ny wi'n troi'r lliced i ddishgwl ar yr engan.

Mihangel Morgan, *Pantglas* (2011)

Elcawawcs, enw lle dychmygol, gair a ddefnyddir i ateb plentyn neu gymydog sy'n gofyn, 'Ble 'ti'n mynd?' Nid oes esboniad am darddiad y gair gan y tafodieithegwyr.

Ewa, Owa, Ywa, *e.* anwes a pharch am 'ewythr' (*cymh.* 'Bopa' am 'modryb'). 'Ar lafar yn y Gogledd gynt ... ac o hyd ym Morgannwg,' (*Geiriadur Prifysgol Cymru*)

Rôdd Owa Defi newy' dderbyn teligram
'ta neces fod y mæb yn sæff yn Singapôr.

Meic Stephens, 'R'wpath o'i le', yn *Taliesin* (126, Gaeaf 2005)

ffrenshibol, *a.*, 'cyfeillgar', 'agos atoch'

Ac ro'dd trefi fel Porth, Treherbert, Tonypandy a Glynrhedynog yn llefydd mor brysur, a'u pobol mor frenshibol a swynllyd, yr ô'n i'n dopi arnynt.

Meic Stephens, *Cofnodion* (2012)

giwga, *eb.*, 'sturmant' (*cymh.* 'biwbo'). Cyfeirir at rywun sy'n swnllyd neu sy'n siarad yn undonog fel 'giwga'.

gwynt Senghenydd, *eg.* Clywir yr ymadrodd yn y Rhondda lle mae'n dynodi gwynt y dwyrain (*cymh.* 'gwynt traed y meirw'). Un o'r trychinebau gwaethaf yn hanes y diwydiant glo ym Mhrydain oedd Tanchwa Senghennydd. Ar 14 Hydref 1913, lladdwyd 439 o ddynion gan danchwa ym Mhwll Lancaster, Glofa'r Universal, yn Senghennydd, pentref ger Caerffili, Morgannwg. Honnir gan rai fod y ffurfafen uwchben Senghennydd wedi troi'n goch adeg y ddamwain, er bod y tân o dan ddaear yn gyfan gwbl. Y gred yng nghymoedd diwydiannol Morgannwg oedd fod gwynt oer o'r dwyrain yn argoel o ryw drychineb.

> Ma'r awyr reit 'i wala'n yfflin cliriach
> A'r lluwch ar wynt Seng'ennydd sopyn llai.
>> Meic Stephens, 'Cân yr Henwr', yn *Taliesin* (141, Nadolig 2010)

Heisht!, *gorch.,* 'byddwch yn dawel! (bnth. S. '*hush!*'). Mae'r orgraff '-ei-' yn gamarweiniol (fel y nodir gan Mary Wiliam) oherwydd 'yisht!' yw'r ynganiad yn y Wenhwyseg. Ar ben hynny, mae'r 'h' yn dawel yn y dafodiaith hon fel arfer er bod 'eisht!' yn troi'n 'heisht!' os na cheir ymateb – yr 'h' yn cael ei defnyddio er mwyn pwyslais. Mae'r 'h' yn tueddu i gael ei gollwng gan siaradwyr Saesneg y Blaenau, megis Aneurin Bevan, neu ei defnyddio'n anghywir, fel yn yr enghraifft a roddir gan Mary Wiliam yn *Blas ar Iaith Blaenau'r Cymoedd* (1990): 'I started work at the hage of fourteen, working with my huncle. My helder brother was also undergroun'. Yr unig gwyn oedd gan Thomas Jones yn erbyn ei ysgolfeistri oedd iddynt beidio â'i ddysgu i ddefnyddio 'h' yn gywir (gw. *Rhymney Memories*, 1939). Sylw John Griffith, awdur *Y Wenhwyseg* (1902), oedd 'Use very uncertain and capricious … The liberty taken with the aspirate in Gwent and Morgannwg may be due to the long prevalence in the district of the English of Tennyson's "Churchwarden": "An' saw by the Graäce o' the Lord, Mr Harry, I ham wot I ham"'

> Odi, miwn International o bob – haisht!
>> Islwyn Williams, *Cap Wil Tomos: drama un act* (1951)

ishta, ishat, *ardd., cys.,* 'fel', 'megis', 'tebyg i' (*cyw.* o 'yr un sut â')

> Ond mi licswn i, Mari, tä-fä hannar
> Mor serchus gyda fi trw'r dydd,
> 'Lle cintach a chonan ishta hwter Pwll Mawr
> A'i wep ishta Shôn Cyffas Ffydd.
>> O. Madog Williams, 'Nefoedd Tad-cu', yn *Cerddi'r Ddrycin* (1936)

Mistras Dan Sali: Llysenw generig a roddir ar fenyw dra-awdurdodol sy'n ceisio trefnu pawb a phopeth yn y gymdogaeth.

Cystal gweud bod 'yn cymdocion call
yn bur ddihitans o giamatach Mistras Dan Sali.
Meic Stephens, 'Bwci-bo', yn *Taliesin* (126, Gaeaf 2005)

mosgini, ymadrodd (*cyw.* o 'nid oes ots gennyf fi').

mynta, *bf.*, yn y trydydd person un. – 'dywedodd', 'ebe', 'meddai'.

'Shoni,' mynta Dai yn syttan, 'Wy ti'n darllan yr *Ecco*, spo, a yn gwpod
diccyn a anas y ryfal 'ma.'
William Williams (Glynfab), *Ni'n Dou* (1918)

nêt, *a.*, 'buddiol', 'da'. Dyma air tra defnyddiol ym mhob sefyllfa, bron.

Ar awgrym yr arweinydd, fe'i gwahoddwyd ymhen amser i ymuno â'r côr,
'Wath ma llaish nêt gita fa, ta fe'n gwpod beth i nithur ag e.'
J. J. Williams, 'Achub Wil Rees', yn *Y Tyst* (25 Rhagfyr 1930)

'Ond yffarn dan, ma'r bachan yn Gomiwnist, w!'
'Comiwnist!'
'Mr Rogers!'
'Odi, ond 'i fod a'n moyn rhoi Cristnogath yng nghanol y sistem. Y sistem
yn un nêt, medda' fa, yn reit-i-wala, ond bod isha cariad brawdol drwyddi
hi.'
T. Rowland Hughes, *William Jones* (1944)

Hyh! 'Na jobyn nêt iddo fe ar fore International — gwyngalchu siling y
sgyleri, myn yffryd i!
Islwyn Williams, *Cap Wil Tomos: drama un act* (1951)

nishad, *eg.*, 'hances poced' (o hen air Saesneg, '*nycette*').

Dan bach, shwd wyt ti'n t'imlo?
O, weddol fach, medde Dan — Hei, clyw nawr, dod y nishad 'na h'ibo,
wnei di? Wy i ddim wedi cal 'y ngladdu 'to.
Islwyn Williams, 'Anap', yn *Cap Wil Tomos a Storïau Eraill* (1946)

Ond ar y bora tyngedfennol hwn,
Nid ar y byd a'i glema ma' dy fryd
Wrth sychu'th dalcen gyta nishad goch
A thrin y gwifra byw fel gwinwydd pêr.
Meic Stephens, 'Cawod', yn *Taliesin* (136, Gwanwyn 2009)

Wel, o'n i'n dishgwl yn 'y mag am nished er mwyn sychu 'ddi pan 'eth yr
holl le yn ddu bitsh ac o'dd na rw drwmped yn canu.
Mihangel Morgan, 'Y Gwir yn Erbyn y Byd',
yn *Kate Roberts a'r Ystlum* (2012)

partin, *eg.*, 'seidin' (bnth. S. *'parting'*). Rhan o reilffordd ond un a redai am ychydig wrth ochr y brif lein, lle cadwyd tryciau a threnau segur neu gerbydau yr oedd angen eu trwsio. Roedd y fath draciau o dan ddaear hefyd, i adael i'r dramiau fynd heibio.

O ni'n doi yn ishta ar y partin dwpwl, yn ddwy-a-naw, ym mwll y Winsor, diwetydd dydd Gwenar, Dai a finna.

William Williams (Glynfab), Ni'n Dou (1918)

Tair dram wag yn rhyteg ar wyllt pan ôdd e'n gwitho acha partin dwpl, a'i ddala fe.

Islwyn Williams, 'Anap', yn Cap Wil Tomos a Storïau Eraill (1946)

Wap, un bora, a'r locos weti mynd,
  Dæth stefan 'n ôl i'r partin unwith 'to.

Meic Stephens, "Omer', yn Taliesin (126, Gaeaf, 2005)

patshys, *egll.* (bnth. S. *'patches'*). Yr hen ddull o godi glo brig oedd gweithio 'patshys', sef darnau o dir lle gorweddai'r glo yn weddol agos at yr wyneb. Ar hyd ffordd y Blaenau, gwelir o hyd dwmpathau o laswellt a glo mân o danynt. Yn ystod Streic Fawr 1926 a streic 1984, fe ailagorwyd y patshys gan ddynion yr ardal, yn anghyfreithlon, er mwyn cyrraedd y glo i'w werthu a'i losgi. Mae'r ymadrodd, 'Wela'i di rownd y patshys' wedi goroesi i olygu 'Wela'i di rywbryd'.

piwr digynnig, *a.*, 'eithaf da', 'ardderchog', 'eithriadol', 'parchus'.

'Rw i'n lico'r hen grwtyn, ma'n rhaid gwêd y gwir,
  Ma fa'n biwr ddigynnig, os yw e yn ffôl.

J. J. Williams, 'Dai', yn Y Lloer a Cherddi Eraill (1936)

Dynon bach piwr digynnig sydd yn byw yn Fferm Tŷ Maen.

Allan James, Diwylliant Gwerin Morgannwg (2002)

Menyw biwr ddigynnig yw Jeanie Rees
Sy' wedi ce'l 'i siâr o hapsi'r byd.

Meic Stephens, 'Jeanie Rees', yn Taliesin (141, Nadolig 2010)

reit 'i wala, *a.*, 'iawn', 'eithaf cywir', 'yn sicr ddigon'.

Ma' Glamorgan yn mynd i ennill reit i wala.

Islwyn Williams, 'Y Blaenor', yn Cap Wil Tomos a Storïau Eraill (1946)

Ma' fe'n rhoi fy nghynnig i yn y cysgod, reit 'i-wala.

Robyn Léwis, Blas ar Iaith Cwmderi (1993)

O'n ni'n dwy reit ein gwala, ond o'dd Mr Clemerca yn dishgwl 'lawr 'i drwyn arnon ni yn eitha ces.

Mihangel Morgan, 'Y Gwir yn erbyn y Byd',
yn *Kate Roberts a'r Ystlum* (2012)

rodni, llysenw ar ddyn ag enw drwg iddo, 'segurwr', 'dihiryn'. Ni wyddys i sicrwydd beth yw tarddiad y gair ond awgrymir gan rai ei fod yn dod o 'rhoddni', ffurf gynnar ar 'Rhondda' (Rhoddni > Rhoddnei > Rhoddne), sef 'afon swnllyd', efallai – gw. Hywel Wyn Owen a Richard Morgan, *Dictionary of the Place-names of Wales* (2007). Dyma lysenw trigolion Caerdydd a'r Fro ar bobl y Cymoedd sydd wedi ei fabwysiadu gan bobl y Blaenau eu hunain; gelwir y trên olaf lan y Cwm yn 'Rodney'. Dyddia'r gair o ddiwedd y 19eg ganrif ac erbyn hyn fe'i clywir trwy Gymru benbaladr.

I feddwl, bachan, fod y rodni brwnt, ar ôl canu 'da ni am flynydde yn gallu neud rhwpeth fel hyn!

Islwyn Williams, 'Y Cysurwr', yn *Cap Wil Tomos a Storïau Eraill* (1946)

Ma'n gas gen'i ddod lan o Gaerdydd ar y train ola', ma hwnnw'n wastod yn llawn rodnis.

Ceinwen H. Thomas, *Tafodiaith Nantgarw* (1993)

Ma'r Swffragets yn gorymdeitho
lan Hewl y Brotyr Llwydion, o dan
'u baner enfawr â'r Ddraig Goch arni,
gan anwybyddu gwawd y rodnis sliw.

Meic Stephens, 'Cawod', yn *Taliesin* (136, Gwanwyn 2009)

sachabwndi, *a.*, 'anniben ei wisg' (o 'sach' + 'bwndel')

'En foi sachabwndi
'fuws Glyn y Clinca ariôd, yn tinnu a drago shag 'Ewl y Bwndi.

Meic Stephebns, 'Sturm und Drang', yn *Taliesin* (126, Gaeaf 2005)

sbrachi, *a.*, 'dim yn ddigon dda', 'dim cystal â'r disgwyl'. 'Gair pwysig yn y dafodiaith ond un na welais erioed mewn geiriadur' – Mary Wiliam yn *Blas ar Iaith Blaenau'r Cymoedd* (1990). Clywir y gair, gyda'r un ystyr, ymhlith trigolion uniaith Saesneg rhai o gymoedd y de-ddwyrain.

On' wrth i'r Dŵtshi ddychra pwno ar 'i ddrwm
pendryfynws r'wun binstreip bo' pob Brachi
'n goffod mynd sha thre'n di-ôd: 'na 'en sgêm sbrachi,
gweton ni, i 'ala nw'n ôl, â chalon drom ...

Meic Stephens, 'Gresyn', yn *Taliesin* (126, Gaeaf 2005)

'Na chi dân sbrachi,' meddai Cati er mwyn eu dihuno.

Mihangel Morgan, *Pantglas* (2011)

sgwd, *eg.*, 'rhaeadr', 'ffrwd y felin', 'llifddor'. Digwydd y gair mewn amryw o enwau lleoedd, e.e. Sgwd Einion Gam, Nedd Uchaf, Morgannwg, a Sgwd yr Eira, Ystradfellte, Brycheiniog.

Dyna ein gair ni am raiadr. Nid oedd hen frodorion Morganwg yn gwybod beth oedd rhaiadr cyn darllen englynion Dewi Wyn o Eifion.
Wmffra Huws, yn *Tarian y Gweithiwr* (23 Mawrth 1899)

shew, *eb.*, 'llawer' (bnth. S. 'show').

Ma shew o son wedi bod am gal Relwe newydd i Byrdar o Gardydd, trw'r Canal; ond ar ol ymladd yn galad am amsar hir, ma'r cyfan wedi mynd yn fflat.
Myfyr Wyn (William Williams), 'Llythyra Newydd',
yn *Tarian y Gweithiwr* (1878)

Ma fa'n scolar lled dda, ac yn darllan shew.
J. J. Williams, 'Dai', yn *Y Lloer a Cherddi Eraill* (1936)

Mae 'shew' yn dost 'da'r ffliw yn Nhroedyrhiw
Ac ystyr 'shew' mae'n debyg ydyw 'criw';
Mae 'cwpal piwr' yn Clytach
A 'lawar' yn Shir Gâr,
Mae 'bagad' yn Llangamarch
A mae 'lot' yn Aberdar:
Mae 'shew' yn dost 'da'r ffliw yn Nhroedyrhiw.
Yr ymadrodd yng Nghaerdydd yw 'quite a few';
Mae 'amryw' yn y Bala
Yn teimlo'n sal i wala,
A mae 'shew' yn dost 'da'r ffliw yn Nhroedyrhiw.
Ifor Rees, 'Y Ffliw', yn *Peidiwch â Son!* (1973)

shiffad, *egb.*, 'eiliad', 'amser byr iawn' (bnth. S. '*jiffy*')

Dyna hannar y gwaith wedi'i nithur miwn bythtu shiffad.
J. J. Williams, 'Wat Huws A. C.', yn *Straeon y Gilfach Ddu* (1931)

Y shiffad nesaf, ac er syndod, wir,
I'r ddau ohonoch – cwpwl deche iawn – ...
Meic Stephens, 'Cawod', yn *Taliesin* (136, Gwanwyn 2009)

shini, *a.*, 'hanner meddw'.

O dro i dro, pan o'dd yn shini ac yn ffaelu cerdded i lawr yr hewl yn ddiogel, bu raid imi ei gwrdd wrth y safle bws ar dop Meadow Street a'i fforddi ef i'n tŷ ni.

Meic Stephens, *Cofnodion* (2012)

shipons, *ell.*, 'winwns', y math a elwir yn *'spring onions'* neu *'jibbons'* yn y Deau.

> Ac wrth i Mr Green wimlid lan o'i werddon
> yn slo fach, yn slo fach, weti'i garlantu
> 'da shipons, cidnabêns a letis, jinifflŵars
> a blota Mihangel, rymáir a shifis ac afans …
> > Meic Stephens, 'Y Gŵr Gwyrdd', yn *Taliesin* (141, Nadolig 2010)

shoni cap shitan, *eg.*, 'titw tomos las' (*Cyanistes caeruleus*). Cyfeiria'r enw at ben yr aderyn sy'n ymddangos mor llyfn â sidan.

tocyns, *egll.*, 'arian mân' (bnth. S. *'tokens'*). Credir i'r gair darddu o arfer y meistri haearn, e.e. yn Nowlais, i dalu'r gweithwyr mewn *tokens*, nid arian parod, ac yn eu gorfodi i'w defnyddio i 'drwco' am fwyd a nwyddau yn y siop a berthynai i'r cwmni. Un o amcanion y gweithwyr yn ystod Terfysg Merthyr Tudful (1831) oedd cael gwared o'r *truck shops* bondigrybwyll.

> 'S odd 'da fi gwpwl o docins yn fy mhoced, i Barry Island elwn i am wthnos yn lle aros yn y twll 'ma.
> > T. Rowland Hughes, *William Jones* (1944)

tre, *eb.*, 'cartref'. Yn yr Hen Gymraeg, 'fferm' oedd ystyr 'tref' ac yn y de-ddwyrain mae'r gair wedi cadw peth o'i ystyr gwreiddiol, e.e. mae 'sha thre' yn golygu 'tua chartref'.

> Py shwd mae'r plant? Y rhai sy' yn nhre.
> > T. C. Evans (Cadrawd), *Ymgom rhwng dau ffarmwr* (1888)

> Ond fe ddath yr amsar i fi i ddechra gwitho, ac O! dyna'r amsar y gwelas i mam mewn trwpwl. Y fi yn becan am gal mynd i witho gyta 'nhad, er mwyn cal arian y pai, i roi i mam, a gall'swn i ddim a godda i weld mam yn colli dagra pan fysa 'nhad yn dod sha thre ar ddydd Satwn y pai, heb hannar dicon o arian i dalu'r siop.
> > John Davies (Pen Dar), 'Atgofion Hen Löwr', yn *Straeon ac Ysgrifau Buddugol yn Eisteddfod Castell Nedd 1934* (1935)

> O mawredd! Paid llef'in, w't i'n ala i'n hurt –/ Daw mami sha thre ma's law.
> > O. Madog Williams, 'Rhyfedddod a Bery', yn *Cerddi'r Ddrycin* (1936)

> Gwed y gwir nawr, Cassie! Ti odd yn began ise dod sha thre 'da fi!
> > Rhydwen Williams, *Amser i Wylo* (1986)

> A dyna fe'n starto'r car a chi'ch dou ar eich ffordd sha thre unwaith eto.
> > Mihangel Morgan, *Pan Oeddwn Fachgen* (2002)

tyla, *eg.*, *topograffig*, 'tir serth' neu 'ochr bryn'. Ceir y gair mewn enwau lleoedd ym mhob rhan o Flaenau Morgannwg, e.e. Tyla Robert ger Aberdâr a Tyla Coch yn y Rhondda.

Mae'r tyla hwn yn ddyfal
A minna'n wan fy ana'l,
Ym mhob o gam mi ddof i'r lan
A 'nghariad dan 'y nghesal.
                                    Triban

Mi wela' ffarm Glyncoli,
Glyn-moch ac Abergorci,
Y Tyla-coch a'r Tyla-du
A thalcen tŷ Pengelli.
                                    Triban

Ma'r cutan coch yn cwiro ar y Tyla/ A'r betw ar y Bwllfa yn ddi-fai.
         Meic Stephens, 'Cân yr Henwr', yn *Taliesin* (141, Nadolig 2010)

wath, *cys.* ac *ardd.*, 'oherwydd', 'achos'.

   Wyt titha a finna'n gwpod rwpath am 'yn,
Wath dyw'n plant ni ddim yn wilia'r 'en iaith, otyn nhw?
                                    Dyfnallt Morgan, 'Y Llen' (1953)

Mae dy galon yn suddo, wath rwyt ti'n gwybod beth sy'n dod, on'd wyt?
                     Mihangel Morgan, *Pan Oeddwn Fachgen* (2002)

whalu whaldod, *bf.*, 'malu awyr', 'siarad ffo_lineb' ('walu' o 'malu', *cymh.* walu ist, malu'r berem, 'waldod' o 'maldod'); ymadrodd ag ystyr tebyg yw 'whalu ffrwmwndws'.

Paid â whalu whaldod w, beth fydda Dai'n nithur man hyn?
         J. J. Williams, 'Y Crwydryn', yn *Straeon y Gilfach Ddu* (1931)

O gwn bo fi'n whalu whaldod/ a gwa'd yw gwa'd, a dyna i gyd.
             Meic Stephens, 'Bastard', yn *Taliesin* 138, Gaeaf 2009)

wilia, *bf.*, 'siarad' (o 'chwedleua'). 'Adrodd chwedl neu stori' yw ystyr ymddangosiadol y berfenw 'chwedleua' i'r rhan fwyaf ohonom heddiw, ond dyma air arferol llenyddiaeth Cymraeg Canol am "siarad". Fe'i ceid, hefyd, ym Meibl 1588 (e.e. yn Genesis 45.15, dywedir am frodyr Joseff, "ei frodyr a chwedleuasant ag ef". Mae'n amlwg nad oedd "chwedleua" yn gwbl dderbyniol yn y cyd-destun hwn oherwydd newidiwyd yr adnod yn "ei frodyr a ymddiddanasant ag ef" ar gyfer y fersiwn diwygiedig. Erbyn

199

y cyfieithiad newydd, aethai "ymddiddan" hefyd yn annerbyniol a'r hyn a gawn yn awr yw "cafodd ei frodyr sgwrs ag ef". Er gwaethaf y newid yn statws cymharol "chwedleua" yn yr iaith safonol, cedwir ffurfiau arno yn fyw yn y tafodieithoedd: "wilia" yw ffurf Morgannwg a "loia" a ddywedir yng Ngheredigion" (Beth Thomas a Peter Wynn Thomas, *Cymraeg, Cymrág, Cymrêg*. . . (1989)

> Sorry, Miss. 'Wy ddim yn dyall be' chi'n wilia'm bothtu-fa.
> > Idwal Jones, 'Hen Iaith y Cymro', yn *Cerddi Digri Newydd* (1937)

> Ifan, wy'i wedi gweud o'r blân: gore gyd pwy lia yr agori di dy ben pan bo' ni'n wilia am ffwtbol!
> > Islwyn Williams, *Cap Wil Tomos : y ddrama* (1951)

> Be ti'n wilia, bachan! Ma'r arian yn Senghennydd yn well o beth gythrel nag yn Nant-y-moel!
> > Rhydwen Williams, *Amser i Wylo* (1986)

> Mae teulu dy fam i gyd yn wilia Cwmrêg bob amser – gwahanol i rai o deulu dy dad.
> > Mihangel Morgan, *Pan Oeddwn Fachgen* (2002)

-ws, terfyniad i ferf yn y trydydd *un.*, amser gorffennol, fel sydd yn y ffurf 'dechreuws'. Yn y Wenhwyseg, mae berfau cyffredin yn ffurfio'r trydydd person unigol yn yr amser gorffennol gyda'r terfyniad *-ws*; y ffurf gynharach oedd *-wys*, fel sydd yn 'Ac ef a gychwynnwys y nos honno o Aberth' (*Pedair Cainc y Mabinogi*); clywir hyd heddiw ffurfiau fel 'rhows', 'trows', 'gwetws', ac yn y blaen.

> Yn awr y cwnnws i'r nen – 'i phastwn,
> > A ffustws 'i gefen;
> Cnocws, tolcws y talcen, –
> > Pan waeddws, baeddws 'i ben.
> > > Wiliam Phylip o Hendrefechan, 'Gwraig o Went a Gurai'i Gŵr'

> Fy nghariad a nodws i wylad y nos,
> > Fy nghariad a wedws, do, lawer gair cro's,
> Fy nghariad a nodws i edrych yn llon,
> Fy nghariad a dorrws 'y nghalon i, bron.
> > > Traddodiadol

> 'Wetws a ddim,' meddai. 'Fe driws wêd rhwpath, ond fe ddath rhwpath idd 'i wddwg a, a fe dacws. Fe gitshws yn dyn yn y'm llaw i, ac yn lle mynd ymla'n, fel arfadd, fe drows 'nôl, ac fe a'th sha thre at Ann.'
> > J. J. Williams, 'Achub Wil Rees', yn *Y Tyst* (25 Rhagfyr 1930)

Wel, os do fe! Fe gollws Ifan 'i liw bob tamed.

Islwyn Williams, *Cap Wil Tomos : y ddrama* (1951)

Wedi'r oedi e redws – nerth ei draed,
 Ond wrth dro mi gwmpws;
Ac ar rywun mi grïws
 'Ohoi! Gwd boi, stopa'r bws!'

Wil Dyfan, 'Pedwar ws, un bws a'r boi',
yn *Yr Awen Ysgafn* (gol. Urien Wiiiam, 1966)

Fe ddigwyddws ryw ddeugen mlynedd yn ôl.

Dafydd Rowlands, 'I Eic', yn *Sobers a Fi* (1995)

'Grynda,' meddai'r hen fenyw, 'yn y pentre 'ma ces i 'ngeni a 'nghwnnu.
Yma priotws i, yma macws i dri o blant ac yma claddws i 'ngŵr a dou o'r
plant 'na.'

Mihangel Morgan, *Pantglas* (2011)

Un bore, ac yntau'n gweithio yn yr awyr agored, fe dda'th i hemo â glaw a
dechreuws y ffos lenwi a'r lluched i fygwth y gwifrai byw.

Meic Stephens, *Cofnodion* (2012)

Y Ledar Ddu – enw lle, sef mynwent helaeth Y Llethr Ddu, ger Trealaw,
Cwm Rhondda.

Own i jist colli ana'l yn dilyn yr hérs
 Wrth fynd lan i'r hen Ledar Ddu,
A diaich! Dyna rwydd y claddson ni, hêd,
 A dyna gloi y dethon ni'n ôl i'r tŷ.

O. Madog Williams, 'Anglodd Bob', yn *Cerddi'r Ddrycin* (1936)

ys cetyn, *ardd.+ eg*, 'ers tro byd'

Cwnnwch hi'n esmwth, fechgyn,
 Un wannedd odd hi ariod;
Ond 'welas i neb er ys cetyn
 Yn llawar mwy smart ar 'i throd.

J. J. Williams, 'Magdalen', yn *Y Lloer a Cherddi Eraill* (1936)

Gofyn beth oedd ar eich meddwl chi: mae'ch te chi'n oeri a'r ddysgyl yn
eich llaw chi ers cetyn.

T. J. Morgan, 'Dau Frawd', yn *Taliesin* (2, Nadolig 1961)
ac yn *Amryw Flawd* (1966)

Alsen

Casgliad o hyd at 10 o Groeseiriau

BEIRNIADAETH LEN JONES

Dyma ychydig eiriau am y tri a fentrodd i'r gystadleuaeth, a hynny yn y drefn y rhestrwyd hwy gan Swyddfa'r Eisteddfod.

Acer o Sir: Lluniodd bum croesair confensiynol ac maent wedi eu cyflwyno'n ddestlus. Ar y cyfan, mae'r pump yn wastad eu safon o safbwynt yr her a osodwyd. Natur gryptig sydd i'r cliwiau, a datrys anagramau yw'r her gan amlaf, efallai'n ormodol felly. Mae'r cliwiau o ansawdd da ac mae rhai'n apelio ataf, e.e. 'Profiad addysgol – yr hyn a weuir gan Mr Thomas y bardd' (*Gwers*); 'Pen Salome yn ymddangos ar ddiwedd drama ddryslyd ... rywle yn yr India' (*Madras*). Eto, teimlaf ei fod yn gwanio peth pan ddefnyddia eiriau sydd ag acen grom neu ddidolnod ar lythrennau yn y cliw ond yn diystyru hynny yn yr ateb. Dyma enghraifft: 'Mae ôl ci yn y to yn creu tyllau' (*Tolcio*). At hyn, anffodus, yn fy marn i, yw defnyddio gair Saesneg, sydd yr un sillafiad â gair Cymraeg o ystyr gwahanol, mewn ambell gliw – 'pair'/ 'bore'/ 'punt'/ 'tail'. Mae ambell gliw'n rhy hawdd, e.e. 'Yn bartner dilys i hufen Wimbledon!' (*Mefus*). Pan geir geiriau megis 'Nolan', 'Onanydd' a 'Viagra' yn ymddangos fel atebion, a'r cliwiau ar eu cyfer heb fod yn rhai teilwng, dengys y cystadleuydd inni ei fod wedi'i gael ei hun mewn cornel ambell dro. Gwn yn iawn am y profiad.

Magïen: Cafwyd deg croesair amrywiol iawn eu harddull gan *Magïen* ac mae ansawdd ei gliwiau a'r math o her y mae'n ei gosod yn nodweddion amlwg o'r gwaith. Mae'r ddau groesair cyntaf (Croesair Cyflym a Chroesair Cryptig) yn rhai confensiynol er nad yw'r her yn y croesair cryptig yn neilltuol o uchel. Mae gweddill y croeseiriau'n greadigaethau gwahanol iawn, o natur thematig, a gallaf ddychmygu fod *Magïen* wedi cael llawer o hwyl wrth eu llunio. Yn wir, mae ei ddyfeisgarwch yn drawiadol. Dyma, er enghraifft, ei ganllawiau ar gyfer y 'Croesair El-fennol': 'Mae pob ateb yn cynnwys o leiaf un 'l'. Mae'r llythrennau hynny ar y grid yn barod. Eich camp chi yw datrys y cliwiau ac yna penderfynu ble i osod pob ateb'. Erbyn inni ddod at Groeseiriau 9 a 10, y rhai a elwir ganddo'n 'Goleddfol' a 'Trysor', mae'r gridiau hefyd yn anghonfensiynol. Yn 'Goleddfol', mae pob ateb yn mynd i'r dde, naill ai at i fyny neu i lawr. Yn 'Trysor', mae cyfeiriadedd, neu bwyntiau'r cwmpawd, yn greiddiol i leoliad yr atebion. Drwyddi draw, ffeithiol eu naws yw crynswth helaeth y cliwiau; y brif gamp, felly, yw lleoli'r atebion yn y mannau cywir ar y grid. Y cwestiwn a ofynnwn i mi fy hun oedd: Ydy pob un o'r creadigaethau hyn yn dal eu tir fel 'croeseiriau'?

Crychydd: Lluniodd hwn hefyd ddeg croesair ond anelodd hwy at 'rai sy'n mentro arni'. Rhagflaenir pob un o'r chwe chroesair cyntaf gan ganllawiau pwrpasol, sydd yn egluro'r gwahaniaeth rhwng y mathau o gliwiau cryptig, h.y. rhai sydd â'u nodweddion yn anagramau, cuddeiriau, blaen-lythrennau, aralleiriau neu fyrfoddau. At hyn, ceir tri chroesair sydd â dwy set o atebion iddynt (cyflym a chryptig). Mae'r gwaith yn hynod drefnus ac yn tystio i ddealltwriaeth lawn yr ymgeisydd o nodweddion cliwiau ar gyfer y ddau fath mwyaf cyffredin o groesair. Dyma hyfforddiant effeithiol, felly, ar gyfer y dibrofiad (ac ar gyfer y beirniad, hefyd, mae'n debyg).

Cystadleuaeth ddiddorol oedd hon, gyda nodweddion i'w canmol yng ngwaith y tri ymgeisydd. Oherwydd ei ddawn a'i ddyfeisgarwch, a hynny'n ei alluogi i ymestyn ffiniau'r croesair ac i amrywio ei ddulliau o herio'r datryswr, dyfarnaf *Magïen* yn fuddugol.

Cystadleuaeth i rai sydd wedi byw yn y Wladfa ar hyd eu hoes ac yn dal i fyw yn yr Ariannin: 'Y pedwar tymor yn y Wladfa' (heb fod yn llai na 1,500 o eiriau) ar ffurf traethawd, cyfres o negeseuon e-bost neu flog

---

BEIRNIADAETH NANS ROWLANDS

Dwy ymgais yn unig a ddaeth i law eleni, nifer siomedig o gofio cystal ymateb a gafwyd y llynedd. Erfyniaf ar athrawon i annog ac arwain eu myfyrwyr at y profiad o gystadlu. Beth am osod y testun yn waith cartref neu'n bwnc trafod mewn gwers. Er prinned y nifer, mwynheais ddarllen gwaith y ddau gystadleuydd ac roedd gan y ddau eu rhagoriaethau.

Andes: Cyflwynodd waith yn gymen ar gyfrifiadur. Ceir yma ragarweiniad hir a chynllun sy'n trafod ffiniau daearyddol a diwylliannol y Wladfa cyn iddo benderfynu plethu atgofion plentyndod gyda'r presennol. Mae'r arddull braidd yn bregethwrol yn yr adran hon ac mae tuedd i bendilio'n ôl a blaen rhwng dau gyfnod. Mae dwy gerdd wedi eu cynnwys, 'Ni ddaw ddoe yn ôl' a 'Poplys Ebrill', y ddwy wedi eu cyflwyno i Eisteddfod y Wladfa ac Eisteddfod Trevelin yn 2009. Wedi eu llusgo i mewn i'r cynllun y mae'r rhain ac nid ydynt yn llifo'n rhwydd fel rhan o'r traethawd. Pan dry'r cystadleuydd at atgofion plentyndod, daw'r holl waith yn fyw. Ceir disgrifiadau o arwyddion natur tymhorol, bywyd caled yr Andes, marchogaeth am awr i'r ysgol a her y gaeaf i rieni lle mae un ar ddeg o blant dan yr unto. Ceir hanesion doniol am y cwrcyn melyn a'i gariad, y gath felyngoch ddu, a helyntion y diwrnod lladd mochyn. Mudodd y cystadleuydd i'r dyffryn yn bedair ar ddeg oed a phrofi tymhorau gwahanol ac ofn parhaus y llifogydd. Mae llawer o anwyldeb, ffraethineb a naturioldeb ym mynegiant ail ran y gwaith. Y gwendid mwyaf yw crwydro oddi ar y testun er i'r cynllun dechreuol fod yn hirfaith. Cydnabu hyn yn ei frawddeg glo: 'Mi ydw i bron wedi sathru'r fframwaith a gynigiais ar y dechrau'.

Vivaldi: Ffugenw sy'n cyfeirio at 'Y Pedwar Tymor' o waith y cyfansoddwr Vivaldi. Mae'r gwaith hwn wedi ei rannu'n drefnus yn bedair rhan dan bennawd y pedwar tymor sy'n dechrau gyda'r gaeaf – tymor y glaw, niwl, rhew ac eira. Disgrifir bywyd yn y wlad yn ystod y gaeaf a'r newid yn yr hinsawdd yn ddiweddar. Mae bywyd yn esmwythach ar bobl y Wladfa erbyn hyn ac nid yw'r tymhorau'n cael cymaint o effaith ar fywyd pob dydd. Y gwanwyn yw hoff dymor beirdd a cherddorion a'r tymor sy'n codi ysbryd, tymor dyfodiad blodau ac adar. Ceir yma goelion gwladfaol megis 'rhaid pasio mis Awst o ran afiechyd y gaeaf' ac 'mae Medi'n cymryd benthyg pythefnos o Awst'. Yr haf yw tymor prysurdeb, dyddiau ar lan y môr, gwyliau hir y plant, y Nadolig a'r gwledda. Yr hydref yw hoff dymor *Vivaldi* – tymor jamio'r holl ffrwythau, torri'r gwenith a'r ceirch. Ymfuda'r adar a gwerthir anifeiliaid y fferm. Ceir disgrifiadau cynnil, hudolus o liwiau'r hydref a chwymp y dail. Saernïwyd y gwaith hwn yn gelfydd. Llwyddodd *Vivaldi* i gadw cydbwysedd rhwng y disgrifiadol, y ffeithiol a'r atgofion bach o'r oes o'r blaen. Cefais wir flas ar ei waith.

Dyfarnaf y wobr gyntaf o £120 i *Vivaldi* ac £80 i *Andes*. Llongyfarchiadau gwresog i'r ddau ymgeisydd. Ceisiwch ddylanwadu ar eraill.

Y Traethawd

Y PEDWAR TYMOR YN Y WLADFA

Y Gaeaf

Glaw, niwl, rhew, eira. Dyddia' byrion, tywyll, yr haul yn bell ac yn wan, nosweithiau hir … Dyna sut y mae pawb yn meddwl amdano pan soniwn am y gaeaf. Pawb ond y rhai sydd yn medru teithio am wylia' i wlad bell yn y gogledd. Mae teithio wedi dod mor hawdd a phoblogaidd yn yr oes yma fel bod pobl yn gallu hedfan i Brasil neu i'r Caribî yng nghanol ein gaeaf ni, ac yna mwynhau traeth a môr cynnes, dillad ysgafn a bwyd lliwgar.

Ond ar ffarm yn y wlad rydan ni wedi byw. Felly, rhaid oedd paratoi ar gyfer y gaeaf: gofalu am ddigon o goed tân; gwair a grawn i'r anifeiliaid; popeth i'r tŷ ar gyfer bwyd maethlon; dillad i'r teulu, bwtsias da, sanau gwlân, *poncho*; cap cynnes i arbed y clustia' rhag cael poen clust a chrio yn y nos. Byddai'n rhaid cofio am ffisig at y peswch, *aspirin*, *Vick Vaporub*, gwahanol fathau o eli, oel i'r lamp, canhwyllau, a llawer o bethau eraill gan fod y dre ymhell a'r llwybrau'n ddrwg, a'r gaeaf yn hir ambell flwyddyn. Ond roedd ein teulu bach ni reit ddiogel a llawen drwy'r cwbl – ar nosweithiau clyd tra oedd y glaw'n pistyllio ar y to. Felly'r oedd hi pan oeddwn i'n magu'r plant, neu ymhellach fyth yn ôl pan oeddwn i'n blentyn. Pe bai'n bwrw eira, roedd rhaid agor llwybrau efo'r gribin i nôl coed tân, rhoi bwyd i'r ieir, a'r dynion yn cychwyn ar gefn ceffyl i weld y defaid.

Ond nid fel'na y mae hi erbyn hyn. Mae'r tywydd wedi newid trwy'r byd. Dydi'r gaeaf ddim fel yr oedd o. Does dim cymaint o eira'n disgyn ac felly eithriad ydi hi i anifeiliaid gael eu mygu o dano. Ac o ganlyniad i'r ffaith fod llai o eira, nid oes cymaint o ddŵr yn yr afonydd, y nentydd a'r ffynhonnau.

Yn y dre, mae'r gaeaf yn wahanol i'r hyn ydyw yn y wlad, gan fod y ceir yn gyson yn gwasgu'r eira nes ei fod yn caledu a rhewi, ac felly'n beryglus i gerdded drosto ac mae sawl un yn llithro a syrthio ar ei hyd (ac yn ffodus na fydd wedi torri asgwrn).

Mae trwch o eira ar y mynydd yn atyniad i'r rhai sydd yn hoff o sgïo ac maent yn dod yn lluoedd yma mewn dillad lliwgar ffasiynol. Mae hynny'n dda i ddiwydiant twristiaeth y dre. Dydi pobl gyffredin ddim yn gallu fforddio adloniant o'r fath – trafferth yn fwy na dim ydi'r eira iddyn nhw. Yn y dre hefyd, mae nwy ymhob tŷ ac felly mae'r tymheredd yn cadw'n gynnes a gwastad ddydd a nos ac mae hynny wedi gwella bywyd pobl yn llwyr.

Mae golwg hyfryd ar yr ardd os bydd eira ysgafn wedi disgyn ar y coed. Mae'n rhaid cofio cadw briwsion yn y cysgod i'r adar bach – maen nhw'n edrych yn oer a digalon.

Mae'r tai yn y dre â'u *shutters* ar y ffenestri i'w cau pan ddaw'r nos; yn y bore rhaid disgwyl iddi fod yn ddigon golau y tu allan i'w hagor. Ond yn sydyn ryw fore, rydan ni'n ystyried fod modd agor y *shutters* yn gynt … ac felly o ddydd i ddydd. Dyma'r arwydd cyntaf fod y gwanwyn wrth y trothwy. Rhyfeddol drefn Rhagluniaeth!

Y Gwanwyn

I'r gwanwyn, yn fwy nag i'r tymhorau eraill, y mae beirdd a chantorion wedi canu ar hyd yr oesoedd.

Dywedwyd mai dyma'r tymor sydd yn dechrau troi'r rhod, mai dyma'r amser pan mae pawb mewn cariad, yn llawen wrth ddod allan i'r haul o'r gaeaf oer, tywyll. Y gwir yw nad yw'r gwanwyn yn braf bob amser. Yn ein gwlad ni, mae'n ddiarhebol dweud 'rhaid pasio mis Awst' (*hay que pasar agosto*) fel sicrwydd y byddwn yn ddiogel wedyn rhag afiechydon y gaeaf. Ond roedd hen gymdoges annwyl i mi yn fy mhlentyndod, Siân Fach, yn arfer dweud 'Gwylia di efo mis Medi, achos mae Medi'n cymryd benthyg pythefnos o Awst'. Digon gwir, gan fod y gwynt yn oer iawn ac yn rhewi'n aml yn y nos nes y bydd hi'n fis Tachwedd. Ond mae gweld prysurdeb y ffermwyr yn codi ysbryd – aredig a hau, sŵn y tractor, a gobaith newydd am flwyddyn lwyddiannus.

Daw'r blodau cynnar i'r golwg, blodau bach yr eira a'r cennin Pedr, ac mae'r coed ffrwythau'n blodeuo. Mae coeden afalau neu geirios yn gwmwl o flodau gwyn a phinc yn olygfa wirioneddol hardd, yn enwedig os bydd gwenyn yn sïo o gwmpas. Mae'r adar yn trydar ac yn prysur baratoi eu nythod. Daw'r rhai a oedd wedi ymfudo yn ôl. Mae'r gornchwiglen yn twtio chydig ar ei nyth, bron yn yr un fan â'r llynedd, nad yw ddim mwy na phant bach yng nghanol gwellt a cherrig mân. A dywed y rhai sy'n gwybod fod y wennol yn dod yn ôl i'r union nyth lle'i ganwyd y llynedd, o dan y bargod. Rhyfeddol! Adar eraill a ddaw'n ôl yw'r adar-pig-hir – teulu'r gylfinir, yn swnllyd iawn o ben y coed uchel, fel pe bai i gyhoeddi eu bod nhw yma eto, i eni a magu eu cywion, a bwyta'u siâr o bryfed. Mae'r ŵyn bach a'r lloi'n britho'r caeau, a gofal y ffarmwr yn fawr amdanynt, rhag y llwynog a'r adar ysglyfaethus. Ers talwm, a ninnau'n blant, adeg o brinder oedd y gwanwyn ar y ffarm. Doedd dim math o lysiau na ffrwythau'n dod o'r gogledd fel y gallai'r teulu eu prynu, ac roedd ein tatws a moron bron â gorffen a hefyd yr afalau. Lwcus fod mam wedi gofalu sychu afalau ag eisin ar gyfer yr amser tlawd yma. Doedd yr un yn barod yn yr ardd.

Roeddem yn casglu berw'r dŵr neu ddail tyner dant y llew i wneud salad – a dyna flasus oeddent efo cig rhost. Arferai'r mamau ferwi dail poethion yn y gwanwyn a rhoi'r trwyth i'r teulu i'w yfed bob bore 'i buro'r gwaed'. Meddyginiaeth yr oedd yr hen Gymry wedi dod ag ef efo nhw o'r Hen Wlad oedd hwn, mae'n siŵr,

Mae llawer o waith i'w wneud yn y gwanwyn. Gan ei bod hi'n gynhesach, bydd pawb yn agor ffenestri a glanhau gwydrau, awyru'r tai a chypyrddau dillad ar ôl trymder y gaeaf. Y tu allan, mae angen tocio a chwynnu gan fod popeth yn tyfu'n gyflym iawn y tymor yma. Ac, felly, â'r tywydd braf, a'r dydd yn hirach, heb i ni sylwi bron, byddwn wedi treulio amser rhamantus iawn.

Yr Haf

'O na byddai'n haf o hyd' – llais hyfryd Aled Wyn Davies yn canu. Dyma ddymuniad y rhai sydd yn hoffi tywydd poeth, boreau braf, dillad ysgafn a bywyd allan yn yr awyr agored. Yn yr haf, mae ymwelwyr yn heidio yma i'r mynyddoedd a'r llynnoedd sydd o'n cwmpas. Felly hefyd i lan y môr. Mae gan ein gwlad arfordir eang iawn a digonedd o drefi ar ei hyd wedi eu haddasu ar gyfer y miloedd sydd yno'n ymdrochi yn y môr a'u crasu eu hunain ar y tywod poeth. Ond pobl y mynyddoedd a'r coedwigoedd ydan ni, gwell gennym eistedd neu orwedd ar lan afon fyrlymus yng nghysgod coed. Ac er bod dŵr ein llynnoedd yn oer, mae pawb yn ymdrochi ynddyn nhw. Mae teuluoedd yn gwersylla o'u cwmpas am ddyddiau i ymlacio ar ôl misoedd o waith a straen.

Perygl mawr yr haf yn ein hardaloedd ni yw tân y goedwig, sydd weithiau'n para am ddyddiau neu wythnosau ac yn difetha'r amgylchedd er i'r dynion tân fod yno'n gweithio'n galed yn y gwres i geisio'i drechu.

Mae awyrennau'n hedfan drosto a gollwng dŵr dros y tân, ond ni allant wneud hynny os bydd gwynt. Glaw'n unig sydd yn ei ddiffodd. Mae tân yn y goedwig yn gadael golygfa druenus ar ei ôl, llethrau'r mynydd yn ddu a moel, a thrwch o ludw a llwch dan draed.

Ar y ffarm, dyma'r amser i dorri a gwneud peli gwair a'u cario dan do neu eu gorchuddio i'w cadw'n sych at y gaeaf. Amser diddyfnu'r ŵyn a'u rhoi mewn cae da â digon o ddŵr ynddo. Amser pan fydd prynwyr hyrddod yn dod i'w nôl a thalu amdanynt. Amser gwerthu hen ddefaid. Amser cynaeafu'r ffrwythau cynnar – rhai ohonynt, fel mafon a mefus, yn aeddfedu bob dydd ac angen eu casglu'n ddyddiol. Wedyn gwneud jam efo nhw, ac yna eu potelu neu eu rhewi, i wneud tarten i rai o'r teulu sydd yn cael pen-blwydd yn y gaeaf.

Bydd yr ysgolion wedi cau a'r plant yn cael rhyw ddau fis o wyliau, a'r rhieni'n dyfeisio beth i'w wneud i'w cadw'n hapus. Mae'r haf yn gyfnod prysur a dydi hi ddim yn hawdd i ffarmwr a'i deulu gael gwyliau ar lan y môr.

Yn nhymor yr haf y digwydd y Nadolig. Bydd rhai athrawesau wedi gwahodd y plant at ei gilydd rai wythnosau yng nghynt i ddysgu carolau a stori'r geni iddynt. Bydd y capel wedi'i addurno'n hyfryd a choeden lawn teganau yn y gornel. Ar ôl cyngerdd byr, daw Santa Clôs, siŵr o fod, gan beri llawenydd mawr. Yn y cartrefi, bydd y dathlu wedi digwydd y noson cynt efo'r teulu, nain a taid, plant ac wyrion, perthnasau a ffrindiau pawb wedi darparu'r bwyd gorau, bwyd oer, cyw iâr neu fochyn bach, salad o bob math, gan gynnwys salad ffrwythau a hufen iâ. Anrhegion i bawb a gwydraid o siampên ganol nos i ddymuno Nadolig Llawen i bawb!

Yr Hydref

Ym mis Mawrth, mae'r hydref yn dechrau yn ein gwlad ni. Erbyn hynny, mae'r dydd wedi byrhau a'r nos yn hirach. Bydd y plant wedi bod yn yr ysgolion ers rhai wythnosau a phrysurdeb blwyddyn arall yn ei anterth i'r athrawesau.

Bydd ffrwythau fel afalau, gellyg a chwinsis wedi aeddfedu ac yn barod i'w casglu, a'u jamio neu eu cadw dros y gaeaf mewn lle ffres a thywyll. Bydd y ffermwyr sydd wedi hau gwenith, ceirch neu ryw rawn arall yn ei dorri a'i ddyrnu efo peiriannau modern, mawr. Mae popeth wedi newid o fewn cenhedlaeth – does dim sôn am y 'dyrnod dyrnu' a oedd mor arbennig mewn oes a fu pan oedd angen llawer iawn o ddynion i wneud y gwaith. Mor hyfryd yw gweld cae aeddfed melyn yn sïo yn y gwynt – mae'n rhoi rhyw deimlad o lawnder, sicrwydd o ddefnydd bwyd i ddyn ac anifail dros y tywydd caled, oer sydd o'n blaenau. Gyda'r rhew cyntaf, bydd dail y coed yn dechrau newid eu lliw, ac yna'n syrthio'n garped ysgafn ar y llawr. Yn ein hardal fynyddig ni, mae'r llethrau'n troi'n felyn, oren, coch a brown, gan fod yno goedwig drwchus gynhenid. Dyna olygfa fendigedig, gydag ambell goeden fytholwyrdd yma ac acw yn eu canol! Ac felly'r coed poplys uchel o gwmpas y tai, yn ennill mwy o liw aur bob nos efo'r rhew. Rwy'n cofio, pan oeddwn i'n ifanc, glywed y mamau'n sôn bod pobl yn fwy tebygol o gael iselder ysbryd efo 'cwymp y dail'. Tybed a oes sail i'r gred hon?

Gallaf ddweud bod rhywbeth hudolus yn y tymor yma. Dyddiau tawel, tyner, yr awyr yn ysgafn, a dim gwynt, a natur o'n cwmpas yn newid ei gwedd bob dydd. Bydd yr adar, sy'n ymfudo, fel y cornchwiglod, y gwenoliaid, ac eraill, yn cychwyn i ffwrdd heb i ni sylwi bron.

Ar y ffarm ddefaid, dyma'r adeg y bydd cwsmeriaid yr hyrddod yn dod i'w llwytho a thalu amdanynt. Bydd yr ŵyn wedi eu diddyfnu ers rhai wythnosau a chânt ofal arbennig mewn cae â digon o ddŵr ynddo. A bydd yr hyrddod sydd wedi eu dethol i fynd i'r arddangosfa yr haf nesaf yn cael eu rhoi dan do. Felly'r lloi sydd erbyn hyn yn fawr a thew ac yn barod i gael eu gwerthu. Bydd yr ieir druan yn colli eu plu ac O! yn stopio dodwy am rai wythnosau tra mae'r cywion yn prysur dyfu ac yn bwyta'n ddi-stop. Rhaid mwynhau a manteisio i'r eithaf ar y tymor yma, gan fod tywydd oer a thywyll o'n blaenau.

A dyma fy hoff amser o'r flwyddyn.

Vivaldi

ADRAN DRAMA

Y Fedal Ddrama

er cof am Urien William

Cyfansoddi drama lwyfan heb unrhyw gyfyngiad o ran hyd

BEIRNIADAETH MARED SWAIN A GERAINT LEWIS

A hithau'n 2013, difyr oedd canfod bod 13 wedi cystadlu am y Fedal Ddrama eleni. Er ei fod yn rhif anlwcus i rai, nid dyna ydoedd yn achos y gystadleuaeth hon. Pleser yw gallu dweud bod y safon ar y cyfan yn uchel, gydag o leiaf dair o'r dramâu wedi eu hystyried o ddifri' i gipio'r Fedal. Ymhlith y dramâu, roedd ôl gwaith cymeriadu a deialog dda a sawl pwnc diddorol yn dod i'r amlwg, ond roedd rhai pynciau heb eu datblygu'n theatrig. Ar y cyfan, roedd llawer o *drafod* ar draul *dangos* yn y dramâu. Er y gall sawl un o'r ysgrifenwyr ymfalchïo yn eu gwaith, gallent fod wedi bod yn fwy uchelgeisiol, yn enwedig o ran ffurf. Wedi dweud hynny, roedd y mwyafrif â rhyw ymwybyddiaeth o'r theatr fel ffurf unigryw, a braf oedd darllen dramâu llwyfan ar y cyfan yn hytrach na dramâu teledu neu radio. Dyma sylwadau ar y tair drama ar ddeg yn y drefn y darllenwyd hwy.

Gwawr: 'Darluniau o'r Bwlch'. Drama'n dilyn hanes Eileen a Trefor Beasley – pwnc hanesyddol diddorol iawn ac ôl gwaith ymchwil ar y cyflwyniad. Roedd enghreifftiau o ddeialog grefftus yma ac ymdrech glodwiw i ymdrin â phwnc a digwyddiadau pwysig yn ein hanes. Serch hynny, doedd fawr o ddatblygiad dramatig yn y darn a dim digon o ddyfnder i'r cymeriadau. Collwyd cyfle i archwilio pwy oedd Eileen a Trefor Beasley mewn sefyllfaoedd llai ffurfiol, a sut berthynas oedd ganddynt fel pobol. Nid hawdd hynny, efallai, wrth drin a thrafod pobol go iawn. Efallai fod parch yr ysgrifennwr at y pwnc a'r bobl go iawn yn creu rhwystr wrth geisio dramateiddio digwyddiadau gwir.

Twm Sgwarnog: 'Pethe Bach'. Galar teulu a ffrindiau am fam ifanc yn colli brwydr gyda chancr yw canolbwynt y ddrama hon. Pwnc anodd iawn i ymdrin ag ef heb fynd yn ystrydebol ond llwyddodd yr awdur i ymdrin â chymhlethdod emosiynol galar mewn modd hynod o sensitif. Roedd yma ddeallusrwydd o ffurf theatrig a defnydd da o hiwmor. Gwelwyd ôl techneg dweud stori'n gelfydd ac roedd penderfyniad *Twm Sgwarnog* i beidio â dangos y fam yn un doeth. Efallai fod angen chwynnu ychydig ar rai cymeriadau, a golygfeydd, ond braf oedd gweld darn oedd yn theatrig iawn o ran ffurf. Defnyddiwyd defodau syml, fel pryd bwyd, pysgota a dawns Nos Sadwrn, yn ogystal â gweithle (lladd-dy) yn effeithiol. Cafwyd diweddglo credadwy a theimladwy, gan osgoi llithro i fagl melodrama, ac roedd yr awgrymiadau ynghylch dawns a lluniau sepia 3D yn effeithiol a chynnil ac yn dangos ymwybyddiaeth gref o botensial y ffurf. O'i hailweithio ryw ychydig, teimlwn y byddai hon yn ddrama werth ei gweld.

Isla Nueva: 'Difa'. Hon oedd yr unig ddrama lle y bu cryn anghydweld rhwng y beirniaid. Mae hyn yn rhwym o ddigwydd o bryd i'w gilydd gan mai barn oddrychol a chwaeth bersonol sydd, yn y pen draw, ynghlwm wrth unrhyw feirniadaeth. Roedd un beirniad, Geraint Lewis, o'r farn fod gan y dramodydd hwn lais hyderus, gwreiddiol. Olrhain hanes cyfieithydd, Oswald Pritchard, wrth iddo ymylu ar glogwyn gwallgofrwydd a wneir yn y ddrama (fel yn hanes ei gydymaith Ibsenaidd, Oswald Alving, yn wir). Wrth iddo golli'i swydd a phoeni'n ddirfawr am golli cariad ei wraig, Mona, mae'n ymweld â seiciatrydd benywaidd, Dr King. Ym marn y beirniad yma, roedd cryn ofal y tu ôl i saernïaeth y ddrama glyfar hon. Gwelwyd bod ambell aria bwrpasol wedi ei dethol yn ofalus i'w chwarae ar adegau tyngedfennol, ac awgrymiadau cynnil i'w gweld ar daflunydd drwy ffenestri'r set, er enghraifft. Teimlai hefyd fod y prif gymeriad, Oswald, yn her amheuthun i unrhyw actor, wrth iddo bendilio o un emosiwn i'r llall, a gwneud sylwadau bachog, difyr am ein byd ni heddiw – a hynny mewn iaith rywiog, gref. Roedd y beirniad hwn yn berffaith fodlon ystyried rhoi'r Fedal i *Isla Nueva*. Ond, ac mae'n 'ond' mawr, rhaid cael undod barn, neu o leiaf lefel foddhaol o gytuno, i wobrwyo. Teg dweud na chafodd 'Difa' yr un effaith ar y beirniad arall, Mared Swain, a deimlai fod yma lawer o ailadrodd nad oedd yn symud y stori yn ei blaen. Anodd oedd cydymdeimlo â'r prif gymeriad, Oswald, a oedd yn llawn safbwyntiau a dywediadau ystrydebol. Roedd dawn creu deialog a gweledigaeth theatrig yn perthyn i'r darn ond teimlai'r un beirniad y byddai angen llawer o waith datblygu ar y ddrama hon. Felly, cafwyd clod mawr gan un beirniad i waith *Isla Nueva* ac ymateb llai brwdfrydig gan y llall.

Famau dwi: 'Dŵr Mawr Dyfn'. Merch ifanc o'r enw Tryweryn yw prif gymeriad y ddrama hon. Mae hi newydd ladd ei hun ac yn cael atgofion ac yn ailymweld â chymeriadau a digwyddiadau o'i bywyd. Mae'r profiadau hyn yn cynnwys perthynas losgach gyda'i thad pan oedd yn ferch ifanc. Er bod hwn yn bwnc dwys iawn, dawn y dramodydd hwn yw ymdrin ag ef mewn ffordd hwyliog. Cawn wybod yn y pen draw fod y prif gymeriad wedi colli babi a'i gladdu yn y Llyn. Defnyddir delwedd y Llyn yn grefftus trwy gydol y ddrama ac roedd yr elfen ddelweddol, agos-fytholegol, hon yn rhywbeth llawn potensial y gellid bod wedi ei ddatblygu ymhellach hyd yn oed. Roedd y defnydd o gomedi i ymdrin â'r themâu'n rhoi ongl ffres i stori sydd yn y bôn yn un Gymreig iawn. Wedi dweud hynny, roedd angen miniogi'r hiwmor ar brydiau ond gellid gwneud hynny'n hawdd o'i ailweithio. Mae'r ddrama hefyd yn trin pwnc amserol iawn, sef y rhwyg personol o allfudo o Gymru a'r hyn sy'n ein clymu wrth y wlad. Tryweryn a'i ffrind, Cadi Wyn, sy'n cynrychioli'r to ifanc sydd am droi eu cefnau ar draddodiadau fel y capel a'r iaith. Ar y llaw arall, cawn gymeriad y Fam, sy'n cynrychioli'r elfennau hyn i'w heithaf peryglus. Mae ganddi hi ei thrasiedi bersonol parthed ei mam ei hun yn ogystal, a chawn ymdeimlad o ryw gylch dieflig yn y Dŵr Dyfn. Mae gan y dramodydd ddawn ysgrifennu a phob clod iddo am ddefnyddio ffurf theatrig i gyfathrebu teimladau ac emosiynau mewn ffordd mor gyffrous.

Dai Bando: 'Monstyrs!'. Gwelwn yn y ddrama hon gynfilwr yn ceisio dod i delerau â phrofiadau erchyll rhyfel ac yn brwydro gyda'r lleisiau yn ei ben sy'n atgof dyddiol o'r hyn y bu drwyddo. Dyma bwnc difrifol, pwysig ynghylch sut y mae cymdeithas yn ymdrin â chynfilwyr a sut y mae unigolion yn ailymuno â chymdeithas wedi rhyfel. Ond, gwaetha'r modd, roedd diffyg datblygiad yn y ddrama. Er bod y prif gymeriad wedi ei lywio'n gadarn, cafwyd teimlad cryf y gallai'r awdur fynd ati i ddatblygu'r cymeriadau eraill lawer mwy. Roedd ôl ymchwil ynglŷn â manylion bywyd y fyddin ond awgrymwn fod cyfle yma wrth ailweithio i fod yn fwy hyderus ac i fentro mwy gyda ffurf theatrig y darn.

Esyllt: 'Cariad Cudd'. Drama'n ymdrin â dyn a dynes yn cael affêr yw hon, wedi ei gosod rhwng 1926 a 1938. Mae'n stori garu afaelgar, gyda defnydd da o iaith ac ymwybyddiaeth o gyfnod y darn. Ceir yma gymeriadau credadwy, a braf oedd gweld annibyniaeth cymeriad Mary yn disgleirio drwy rwystredigaethau cymdeithasol y cyfnod. Er hynny, teimlem fod y stori'n un eithaf ystrydebol a bod popeth yn digwydd lawer yn rhy hawdd, gan olygu nad oedd llawer o ddrama yn y darn. Unwaith eto, efallai am fod y ddrama hon wedi ei seilio ar bobl go iawn, teimlid rhyw rwystredigaeth nad oedd y gwaith wedi gwir wireddu ei botensial dramatig.

Neli: 'Y Ferch, y Ledis a'r Fenyw'. Plas Newydd, ger Llangollen, ydy'r lleoliad i'r ddrama ogleisiol hon, a hynny ym 1790. Hanes y *Ladies of Llangollen* enwog, sef Eleanor (Lady Butler) a Sarah/ Sally Ponsonby, sy'n gefndir i'r chwarae. Mae'r dyddiad yn un arwyddocaol, gyda chythrwfl y Chwyldro Ffrengig yn fyw iawn a chyfeiriadau penodol at yr awdur dylanwadol Rousseau. Yng ngeiriau Molly, merch yr Esgob Winchester, sy'n aros ym Mhlas Newydd, mae 'Newid mawr, er gwell ... cael gwared ar annhegwch, tlodi mawr'. Gwaetha'r modd, nid ydym yn cyrraedd y geiriau hyn tan dudalen 34. Teimlid ei bod yn cymryd llawer rhy hir i fynd at galon y ddrama, sef y cyfeillgarwch sy'n blodeuo rhwng Molly a Cadi, y forwyn newydd, ac effaith hynny ar berthynas y ddwy arall. Roeddem o'r farn fod angen gweithio cryn dipyn ar strwythur y ddrama. Dylid penderfynu stori pwy ydy hi go iawn, gan fod y naws fonheddig, er wedi ei chreu'n dda, yn medru bod yn ddiflas o undonog. Awgrymir y dylid mynd ar ôl barn Cadi fwy a'i gwneud hi'n fwy angerddol ynghylch y newid byd sydd ar droed, lle mae 'dynion i gyd yn cael eu geni'n gyfartal'. Roedd y diweddglo, gyda Cadi'n canu i gyfeiliant y delyn a'r *Marseillaise* â llyfr Rousseau yn ei llaw, yn effeithiol. Gyda mwy o ffocws, gellid gweld y ddrama hon yn hawdd yn cael ei pherfformio ar ffurf *promenade* ym Mhlas Newydd, mewn ffordd debyg i gynhyrchiad diweddar y Theatr Genedlaethol, 'Tir Sir Gâr', yn yr amgueddfa sirol yn Abergwili.

Derwen: 'Siglo'r crud'. Codir pwnc diddorol ac amserol, sef effaith allfudo ar gymunedau gwledig – ar Geredigion yn benodol yn yr achos hwn. Hoffwyd yr elfen ryngwladol i gymeriad Anwen, y fam sydd wedi dychwelyd i barti teuluol a hithau wedi byw mewn gwledydd fel Brasil ac India. Rhoddai hynny ogwydd ffres i'w chymeriad wrth iddi ddychwelyd i fro ei mebyd. Yn raddol, datblygir themâu eraill wrth i ni sylweddoli bod Anwen wedi colli babi tri mis oed tra oedd yn yr India. Y profiad trist hwnnw sydd wedi llywio perthynas Anwen a'i theulu, yn enwedig â'i mam, Beti, perthynas sydd wedi ei suro. Er bod y themâu gwaelodol yn rhai difyr, ni theimlwyd eu bod wedi eu datblygu'n llawn, gydag ôl brys ar yr ysgrifennu, yn enwedig tua diwedd y ddrama. Roedd hefyd angen datblygu'r berthynas rhwng y cymeriadau â mwy o ddyfnder. Efallai mai oherwydd diffyg ymddiried yn y gynulleidfa yr oedd tueddiad i egluro'n ormodol, a hynny'n esgor ar *caricatures* o gymeriadau yn hytrach na phobl o gig a gwaed.

Jac: 'Tudalen ar goll'. Mewn siop lyfrau y gosodwyd y ddrama, wrth i awdur ddod i gynnal sesiwn arwyddo'i lyfr diweddaraf. Mae'r sefyllfa'n cyflym droi'n swrealaidd wrth i'r cymeriad ddod yn rhan o'i fywgraffiad ei hun – y dudalen wag. Er bod y syniad yn un difyr iawn, gyda synnwyr o gomedi'n perthyn i'r darn, roedd hon yn fwy fel sgets na drama fer. Mae yma ddawn ysgrifennu comedi ond roedd llawer o ailadrodd, yn enwedig yn ystod rhan gynta'r ddrama. Efallai y gellid gweithio ar ddatblygu'r cymeriadau a meddwl ynglŷn â sut i osgoi'r ergyd glo os am ddatblygu hon ymhellach, ond roedd hi'n ymdrech ganmoladwy ac, ar brydiau, yn amlygu dawn i ysgrifennu comedi da.

Adlais o hen wrthryfel: 'Ma' Adolf a Dêf yn y Penlan Fawr'. Drama fer wedi'i lleoli yn nhafarn y Penlan Fawr ym Mhwllheli, lle y gwelir llun ar y wal o Adolf Hitler gyda David Lloyd George yn y Berchtesgaden ym 1936. Dau gymeriad y ddrama ydy Adolf ei hun a Dêf, sef Lloyd George. Er nad yw'r syniad o gyfuno cymeriadau hanesyddol mewn cyd-destun od yn arbennig o wreiddiol (meddylier am *Insignificance* Terry Johnson, er enghraifft), mae'r ymdriniaeth yma'n ffraeth ac apelgar. Codir ambell bwynt digon difyr ac mae'r persbectif hanesyddol ar gyfraniad y ddau'n codi pwyntiau diddorol. Yng nghyd-destun marwolaeth ddiweddar Margaret Thatcher, mae sylwadau fel 'Dynion sy'n pennu tynged gwledydd, nid barn y bobl' yn taro tant amserol. Ceir ambell sylw digon bachog am Gymru a'i diffygion yn ogystal. Prif wendid y ddrama yw ei diffyg defnydd o botensial theatr fel cyfrwng. Yn ei ffurf bresennol, gallai weithio lawn cystal, os nad yn well, ar y radio. Ymdrech glodwiw, serch hynny, gyda min deallusol difyr i'r dadansoddi hanesyddol.

Cenhinen Ddu: 'Ar Gefn Fy Nhadcu'. Y peth gorau ynglŷn â'r ddrama hon yw tafodiaith rywiog Cwm Aman, gan gynnwys ambell derm doniol a oedd yn anghyfarwydd i ni, fel 'claddu'r ffirad', er enghraifft, a olyga gael gwared â chynnwys y bwced tŷ bach drwy ei gladdu yn yr ardd, mae'n debyg. Gwaetha'r modd, drama ystrydebol sydd yma, gyda rhyw ymgais ddigon tila i fod yn ddychanol. Mae'r prif gymeriad, Ifor, wedi byw dan gysgod ei dad-cu annwyl, y Parch Isaac Jones, a oedd yn llenor arloesol na werthfawrogwyd mohono yn ystod ei oes. Anogir Ifor gan ei fam i fentro mewn cystadleuaeth i ganfod 'stori fwyaf dramatig Cymru'. Defnyddia un o hen straeon ei dad-cu ac mae'n llwyddo i ennill y gystadleuaeth. Rhaid mynychu'r seremoni wobrwyo yn fyw ar y rhaglen 'Dramâu a Pheintiau', a chawn ymdrech wan i brocio'r byd cyfryngol. Ceir nifer o wendidau sylfaenol yn y rhan hon o'r ddrama, gan ymylu ar fod yn ffars erbyn y diwedd ond, gwaetha'r modd, heb y ddisgyblaeth sy'n hollol angenrheidiol i lwyddo â'r ffurf anodd honno. Efallai y byddai'r stori hon yn gweithio'n well fel nofel tafod-yn-y-boch.

Tanygraig: 'Unwaith Eto yng Nghymru Annwyl'. Sefyllfa ddigon diddorol, sef gŵr, Dewi, am ddychwelyd o Lundain i gael swydd yn athro yn ei hen ysgol gynradd yng Nghymru ond ei wraig, Miriam, am aros yn Lloegr. Gwaetha'r modd, mae'r ddeialog yn or-ffurfiol ac anystwyth. Cawn lawer gormod o egluro ac mae diffyg cynildeb affwysol. Mae addewid i'r elfennau nepotistaidd 'nôl yng Nghymru ond mae'r ymdriniaeth yn llawer rhy hen ffasiwn – er enghraifft, gwisgir dici-bo i fynd i'r Con Club yng Nghaerdydd er mwyn creu argraff ar y Cyfarwyddwr Addysg! Yn y pen draw, mae Dewi am roi rhybudd ei fod yn rhoi'r gorau i'w swydd yn Llundain, yn y gobaith o gael gwaith fel glöwr! Os yw'r dramodydd am ddatblygu'r ddrama hon ymhellach, yna dylid ei gosod hi yng nghanol y ganrif ddiwethaf, a gwneud hynny'n hollol glir.

Hogyn Stiniog: 'Babi Mam'. Drama fer iawn (ugain tudalen), am berthynas mab, Merfyn, â'i fam. Mae Merfyn yn cael ei fwlio yn ei waith mewn lladd-dy gan y dyn a briododd ei gyn-gariad, Sioned. Mae Mam yn dioddef o glefyd Alzheimers. Yn amlwg, felly, mae Merfyn yn ddyn dan straen aruthrol. Dyn peryglus. Awgrymwn y dylai'r ffocws fod, efallai, yn fwy ar sut y mae dyn fel Merfyn yn medru troi'n *serial killer*, gan ddatblygu'r elfen o gyd-ddibyniaeth ar ei fam yn fwy os rhywbeth. Mae'r sefyllfa'i hun yn addawol ond, gwaetha'r modd, mae'r elfennau o felodrama, yn ei ffurf bresennol, yn gwneud yr ymgais yn hollol anghredadwy ar adegau. Mae angen llawer mwy o feddwl a chynllunio cyn rhoi pen ar bapur er mwyn cael y dyfnder cymeriad sydd ei angen i wir brofi gwefr theatrig.

Ar ôl trafod y tair drama ar ddeg, a chyfri'r pwyntiau a roesom iddynt ar y cyd, rydym yn gytûn bod *Twm Sgwarnog, Isla Nueva* a *Famau dwi* yn cyrraedd y brig. Rydym yn falch iawn o ddatgan bod y tair yma'n llawn addewid a mawr obeithiwn yr â'r dramodwyr yn eu blaenau i'w datblygu ymhellach, gyda'r gobaith o'u gweld ar lwyfan maes o law. Ond mae'n bleser gan y ddau ohonom ddatgan, yn hollol gytûn, mai *Famau dwi* sy'n llawn deilyngu'r Fedal Ddrama eleni.

Cyfansoddi drama fer rhwng 20 a 50 munud o hyd ar gyfer cwmni drama ar y thema 'Gwrthdaro'.

BEIRNIADAETH ALED JONES WILLIAMS A BRYN FÔN.

Dyma, yn wir, oedd cystadleuaeth siomedig. Hwyrach fod y beirniaid ar fai yn disgwyl clywed rhyw lais newydd na chlywyd ef erioed o'r blaen, ond dyna'r gobaith bob tro. Y flwyddyn nesa, efallai! Yr hyn a'n synnai oedd parodrwydd y cystadleuwyr i setlo am y disgwyliadwy a'r ystrydebol. Nid nad oedd yma ddoniau amlwg, ambell ddelwedd theatrig drawiadol, clust i glywed a chofnodi tafodiaith. Beth a ddigwyddai wedyn oedd yr anhawster, y cynnwys oedd yn siomedig. Gair i gall: pan ddowch o hyd i ddelwedd – y syniad canolog hwnnw y mae'n rhaid i bob dramodydd wrtho – gadewch iddi eplesu a ffrwtian yn eich dychymyg am hydion fel y bydd y llun yn tyfu ac yn aeddfedu yn eich crebwyll; y cymeriadau'n dechrau dweud eu geiriau eu hunain, nid yr hyn yr ydach chi am iddynt ei ddweud a'r ddelwedd rywsut yn tynnu oddi amdani gan ei datgan ei hun yn ei llawnder. Peidiwch chi â'i dadwisgo! Y peth olaf y mae dramodydd yn ei wneud yw ysgrifennu. Gwrando y mae'n gyntaf oll a byw efo'r ddelwedd am gyfnod amhenodol. Y feirniadaeth fwyaf ar gynhyrchion y gystadleuaeth hon yw'r diffyg gwrando amlwg ar y delweddau a'r cymeriadau cyn dechrau ysgrifennu. Dyma ychydig o sylwadau am yr un cyfansoddiad ar ddeg.

Ga' i ŵy plîs: 'Môr'. Efallai mai dyma'r gorau o'r cwbl. Mae'r ddelwedd o'r cwch yng nghanol yr anialwch yn un gref a'r stori ar y cyfan yn cael ei datgelu'n ddigon difyr a chynnil. Ond yn y bôn, copi ydyw o sawl drama 'adsŵrd' arall. Mae'n teimlo'n eildwym. Nid oes amheuaeth gennym nad oes yma ddramodydd o allu ond rhaid iddo dorri'n rhydd o afael Mr Wil Sam Beckett (ac eraill) a chanfod ei lais ei hun. Pan ddigwydd hynny, bydd yma ddramodydd tan gamp.

Fflwff: 'Cyfaill Tri Choes'. Tynnwr coes y gystadleuaeth, fel *Herbert* yng nghystadlaethau barddoniaeth yr Eisteddfod ers talwm. Mae'n anodd peidio â meddwl hynny! Ond efallai ei fod o ddifri – ac y bydd rhaid i gwmni drama ddod o hyd i un o'r cymeriadau allweddol, sef Fflwff, 'doli cath ar dennyn, un fflwffiog a choes flaen yn eisiau'.

Iago: 'Lloeren'. Ffars hen ffasiwn yn ymwneud â lloeren yn glanio mewn gardd gefn. Yn y man, fe ddaw'r 'bomb disposal'. Cymeriadau ystrydebol iawn sydd yma, megis y fam yng nghyfraith fyddar, ac mae gormod o lawer o'r ddrama'n digwydd oddi ar y llwyfan. Ond mae gan *Iago* glust dda ar gyfer deialog a daw pethau llawer gwell ganddo, mi gredwn.

Gwenni: 'Ghetto'. Drama wleidyddol, Orwelaidd bron – enghraifft dda iawn o'r diffyg myfyrio hir ac angenrheidiol ar ddelwedd a thema cyn dechrau ysgrifennu. Pe bai hynny wedi digwydd, byddai yma ddrama lawer gwell a chryfach. Drafft cynta – os hynny – yw hon.

Gwern: 'Ffiniau'. Meim di-eiriau, heblaw am ambell ebwch o gegau 'Nig','Nog' a 'Dag'. Mae'r syniad yn un da ond nid oes unrhyw ddatblygiad yma. Sgets fer ydi hon yn y bôn er bod nifer o ddudalennau o gyfarwyddiadau. Fe fyddai'r 'digwydd' drosodd mewn chwinciad.

Gwasg Gee: 'Y Llinell Olaf'. Monolog hir gyda rhywfaint o ddeialog cwbl annisgwyl tua'r diwedd nad yw'n perthyn i'r hyn a'i rhagflaena. Ysgrifennu blêr iawn a gafwyd, yn llawn o gamgymeriadau. Ond teimlwn fod yma lais dilys sy'n ceisio dyfod o hyd iddo'i hun. Mae'n llawn dicter gonest. Ei dasg fydd camu'n ôl a chanfod gwrthrychedd. O wneud hynny, medr ganfod ei ddrama yng nghanol y rhefru. Y myfyrdod 'na eto!

Melito: 'Wrth Dorri Gair'. Drama gefn llwyfan ac ynddi elfen gref o 'Saer Doliau' a 'Panto' Gwenlyn Parry . Yma eto, nid yw *Melito* wedi gadael i bethau aeddfedu cyn iddo ddechrau ysgrifennu. Mae yma ddeialog ddigon derbyniol a thyndra ar adegau. Gwantan braidd yw'r diweddglo. Ond y mae yma ddawn bendant.

Promethiws: 'O'r Dom i'r Llaid'. Drama wleidyddol yw hon. Mae'r sgript yn ddigon addawol ar y cyfan a hynny'n bennaf oherwydd y tro difyr ar y diwedd. Dylai *Promethiws* ailymweld â hon yn y man. Medr ddechrau drwy newid y teitl.

Morgi: 'I Ddod'. Down o hyd i Lil a Jo mewn gwlâu sengl. Drama swreal gyda deialog brysur a haniaethol. Ceisir cloriannu perthynas a pha mor fregus yw'r ffin rhwng parhau neu orffen. Teimlwn fod llawer mwy i'w ganfod yn y ddrama hon na'r hyn sydd i lawr ar y papur ar hyn o bryd. Yr ysgerbwd sydd yma. Pe bai *Morgi* wedi gwrando mwy ar Lil a Jo, byddai wedi canfod tipyn o'r cig – a chyfoethogi ei ddrama yn y broses.

Dime Goch: 'Pwy Sy'n Talu'. Drama neuadd bentref ddigon difyr. Ffars hen ffasiwn iawn ydyw gyda chymeriadau disgwyliadwy, fel y tad-cu ffwndrus a'r ddynes drws nesaf ddigywilydd.

Celyn: 'Brwydr Dewi'. Hanes Donald Trump a'i gynlluniau i godi gwesty a chwrs golff yn yr Alban wedi'i ail-leoli yng Nghymru sydd yma. Ymgais deg ar y cyfan er bod y ddeialog braidd yn drwsgl ar adegau a'r diwedd yn rhy ffwrdd-â-hi.

Wedi ystyried popeth, teimlwn na allwn wobrwyo'r un o'r cynigion.

Cyfansoddi drama (cystadleuaeth arbennig rai dan 25 oed)

BEIRNIADAETH IOLA YNYR

Gwaetha'r modd, dim ond un sgript a dderbyniwyd. Cafwyd cyfres o olygfeydd gan *Meri Jên* yn edrych ar ddirywiad iechyd meddwl Elen. Cyflwynir amrywiaeth o gymeriadau a neidir trwy amser a lleoliadau. Yn ganolog i'r ddrama, mae strwythur gêm 'Monopoly' sydd yn gonfensiwn theatrig effeithiol. Fodd bynnag, er bod y deialogi'n naturiol iawn, mae yma ddiffyg adnabyddiaeth a sensitifrwydd o ddwyster a chymhlethdod iechyd meddwl. Mae'r portread o'r meddyg yn frawychus o naïf ac nid yw cymeriadu Elen ei hun yn ennyn fawr ddim cydymdeimlad. Nid oes yma gynildeb nac is-destun i annog y gynulleidfa i ddehongli drostynt eu hunain. Mae'r golygfeydd yn rhy bytiog i gael gafael arnyn nhw ac nid oes uchafbwynt gwirioneddol i'r diweddglo.

Nid oes teilyngdod ond byddwn yn annog *Meri Jên* i barhau i ysgrifennu gan fod ganddi ymdeimlad cryf o naws theatrig ond mae angen iddi ysgrifennu am fyd y mae'n gwbl gyfarwydd ag o er mwyn argyhoeddi cynulleidfa.

Trosi un o'r canlynol i'r Gymraeg: *Shadow of a Boy*, Owen; *Permanent Way*, Hare; *Woman in Mind*, Ayckbourn

BEIRNIADAETH BETSAN POWYS

Beth amser yn ôl, fe es ati i drosi drama o'r Almaeneg i'r Gymraeg a dysgu bod trosi'n llawer iawn mwy o hwyl na chyfieithu slafaidd. Mae cyfle i fentro, sleifio i 'sgidiau'r awdur a bod fymryn yn herfeiddiol. Mae trosi'n her ac yn un a apeliodd at saith cystadleuydd i gyd.

Mae'r tair drama osodedig yn gwbl wahanol. Dod â'r sgwrs yn fyw rhwng bachgen bach amddifad, ei fam-gu a'i ffrind ffug-hyderus, Katie, yw'r gamp yn nrama Gary Owen, *Shadow of a Boy*. Cyfres o ddatganiadau, cyfweliadau a phytiau o dystiolaeth yw'r *Permanent Way*, yn dweud hanes preifateiddio'r rheilffyrdd ar ddechrau'r naw degau. Pontio yma ac acw y mae David Hare, gan adael i eiriau'r cymeriadau a'r dogfennau go iawn greu'r ddrama. Ond *Woman in Mind* gan Alan Ayckbourn oedd dewis y mwyafrif; daeth pedwar trosiad i law, gan *Elin*, *Gwen*, *Robin goch* a *Fozzie*. Mae iaith a chwarae â geiriau yn gwbl ganolog i stori Susan, y wraig sy'n dianc o'r byd llwydaidd go iawn i fyd rhithiol, a llachar, a chyn diwedd y ddrama'n syrthio'n glewt rhwng y ddau. Y triciau a'r camddeall geiriol sy'n mynd â ni o'r naill fyd i'r llall.

Does yr un ymgais sâl yn eu plith, ond trosiad *Elin*, 'Rhwng Dau Fyd', yw'r lleiaf mentrus. O'r dechrau'n deg, mae'n osgoi'r her o drosi is-deitl y fersiwn Saesneg: 'December Bee' (neu 'Remember Me' fel y mae cymeriad yn y ddrama yn ei gamglywed). Mae'r cystadleuwyr eraill yn rhoi cynnig arni: 'Afiach o Bry', medd *Gwen* yn lle "Gofiwch chi fi"; 'Lle Mae 'Mhanad i?' yn hytrach na 'Be' amdana i?', medd *Robin goch*, a *Fozzie*'n creu delwedd o 'Nofio'r Lli' (yn lle Cofia fi?, efallai) yn ei drosiad ef. Osgoi'r her o greu delwedd a wna *Elin*, a drwodd a thro mae'n methu cyfleu clyfrwch geiriol a chyflythrennu bwriadol Ayckbourn. Cawn beth cyfieithu llythrennol hefyd: dyw 'gwelw a diddorol' ddim yn tycio fel trosiad o 'pale and interesting', a siawns nad yw cael gwared â'r cyfeiriad at yr hanesydd A. J. P Taylor, fel y gwnaeth ambell un, a rhoi John Bwlch Llan yn ei le, yn gweithio lawer iawn gwell mewn trosiad i'r Gymraeg? Ewch amdani'r tro nesa', *Elin*!

Mae *Gwen* yn mentro mwy yn 'Rhwng Dau Feddwl' ac yn deall ei phethau wrth osod Susan a'i byd bregus yn blwmp ac yn blaen yn y Gogledd – mae'r cyfeiriadau at Sir Fôn, Corris Isaf ac Esgairgeiliog yn gweithio i'r dim, Caiff hwyl arni hefyd gyda 'paldaruo' – gair *Gwen*, ac un da yw e hefyd – pan yw deufyd Susan yn cau amdani. 'Cawl llwdwn gybôl' a glyw Susan yn lle 'Sawl blwyddyn yn ôl', a 'Dw i'n cofio mor amal' yng nglyw Susan yw

219

'Dyn Cofi annormal'. Mae'n drosiad da ond yn anffodus i *Gwen*, mae dau arall sy'n achub y blaen arni, sef 'Dynes i'w Chofio' gan *Robin goch*, a 'Gwall Gof' gan *Fozzie*. Dyma lle mae bywyd Susan druan, a'r gystadleuaeth, yn dod yn fyw.

Nid yn unig y mae'r ddeialog yn llifo ond mae'r chwarae geiriol yn sobor o glyfar ac eto, rywsut, yn caniatáu i ddyn glywed adlais o'r ddrama wreiddiol. Yn sydyn, mae'r ddau deulu'n rhai Cymreig a Chymraeg – y gyfeiriadaeth yn fyw o sôn am Dudley (y cogydd) i'r henaduriaeth. Wfft i *Observer* y gwreiddiol, *Barn* neu *Y Cymro* a gawn ni gan y cystadleuwyr yma. Yn nhrosiad *Fozzie*, Gogs yw'r hen deulu traddodiadol, llwydaidd, a theulu breuddwydion Susan yn Hwntws hyderus. Mae'n gweithio i'r dim. Dyw ymgais *Robin goch* i droi Wil yn feddyg o'r De ddim yn taro deuddeg, i 'nghlyw i beth bynnag. 'Fyddai dyn sy'n dweud 'eniwe' hefyd yn dweud 'lly' ar yr un gwynt? Ymgais *Fozzie* yw'r orau – yn byrlymu, yn ddeifiol ac yn glyfar tu hwnt. Pe bai Alan Ayckborn yn Gymro, dw i'n siŵr y byddai'n gwerthfawrogi'r trosiad o 'Past India' yn 'Draw, draw yn Tsiena', fel y gwnes i!

Crannog oedd yr unig un a aeth ati i drosi *The Permanent Way* – 'Y Ffordd Sefydlog'. Y broblem i feirniaid yw mai'r hyn sydd yma yw cyfieithiad cywir, agos-ati o ddrama sydd ynddi'i hun yn ymgais i adlewyrchu'n gywir gasgliad o ddatganiadau a chyfweliadau. Rhoi tystiolaeth ar gof a chadw y mae David Hare – golygu'n sgilgar, yn hytrach na chreu o'r newydd. Mae llai o gyfle gan *Crannog* na rhai o'r cystadleuwyr eraill, efallai, i wthio'r ffiniau, a mwynhau. Mae'n cyfieithu'n bur gywir ond heb fod yn afaelgar rywsut, a dyw e ddim yn llwyddiannus bob tro. Dydy 'Am beth ma' hynna?', er enghraifft, ddim yn cyfleu, i mi, 'What's that about?'

Ac felly, mae dau ar ôl, y ddau'n cyfieithu *Shadow of a Boy* – 'Cysgod Bachgen', medd *Maigret*, 'Cysgod y Crwt', medd *R2D2*. Y gamp i'r rhain oedd cyfleu'r sgwrs rhwng Luke, y bachgen deng mlwydd oed, ei fam-gu gapelgar, a'r hollwybodus, fregus Katie.

Ys gwn i ai dysgwr neu rywun sydd wrthi'n magu hyder yn y Gymraeg yw *Maigret*? Mae'n trosi'n gywir, yn ofalus, bron yn or-gywir weithiau. Prin y byddai Katie / Catrin yn ynganu'r geiriau 'Rwy'n barnu y gallet gyrraedd cyntedd y tŷ o'r fan hon'. Mae'n gyfieithiad glân dros ben ond dydy teithi naturiol y sgwrs ddim yn dod yn fyw, fel yn y gwreiddiol.

Yn nwylo *R2D2*, mae hi'n stori wahanol. Dyma drosiad cywrain, sy'n mynd â dyn ar ei ben i gegin 'myngu' ac i fyd y bachgen bach sy'n ysu am ddihangfa, ac eto'n closio at y cyfarwydd – 'y crinc o grwtyn / Sy'n byw 'da'i fyngu boncyrs'. Dyw hi ddim wastad yn hawdd cyfleu tafodiaith ond eto, mae *R2D2* yn llwyddo'n rhyfeddol gyda'i 'ta'm bach' a'i 'Spo's' a'r ddynes annuwiol sydd 'yn rial shecen'. Mae'n gyson, yn gredadwy ac mewn mannau'n hardd ryfeddol. Y perlau i mi yw areithiau byrion Mamgu, sy'n cofio'r haul mewn dafnau glaw, 'digon i 'neud i ti weld dege o fwa'r ach bach ta ble o't ti'n troi'. Dyw'r gwaith ddim heb ei fai. Mi fyddwn i'n edrych o'r newydd ar yr ymgais i gyfleu'r chwarae geiriol *'Foxglove'* / 'Bysedd y cŵn' – ond mae'n drosiad ardderchog.

Dw i'n ymwybodol 'mod i'n rhannu'r ganmoliaeth yn gyfartal rhwng dau, sef *Fozzie* ac R2D2 ac eto does dim modd rhannu'r wobr. Ar ôl ystyried yn hir, felly, dw i'n annog *Fozzie* i lwyfannu 'Gwall Gof' gyda'r un hyder a hwyl ag sydd ar waith yn ei drosiad. Dw i'n rhoi 'ngair y bydda i yn y gynulleidfa'n cymeradwyo. Ond i *R2D2* y mae'r wobr o £400 yn mynd, gyda diolch am waith mor gynnil ac enillgar.

Cyfansoddi dwy fonolog gyferbyniol heb fod yn hwy na 4 munud yr un

BEIRNIADAETH CEFIN ROBERTS

Derbyniais ugain o fonologau amrywiol iawn eu safon gan ddeg awdur. Gwaetha'r modd, roedd hyd yn oed yr awduron cryfaf yn y gystadleuaeth wedi cael llawer gwell hwyl ar un o'u monologau tra oedd y cynnig arall dipyn gwannach. Prin iawn oedd y cyfarwyddiadau llwyfan a gafwyd a thueddai ambell gynnig i fod yn debycach i ysgrif bortread nag i fonolog. Doeddwn i ddim yn teimlo fod yr awduron wedi rhoi digon o sylw i'r elfen weladwy yn eu gwaith ac ni chafwyd nemor ddim awgrymiadau am gerddoriaeth, gwisg, goleuo na set yn y rhan helaethaf o'r sgriptiau. Fy awgrym pennaf i'r awduron i gyd yw eu bod yn darllen eu gwaith yn uchel er mwyn iddynt glywed lle mae'r mynegi'n glogyrnaidd a lle mae angen rhoi mymryn mwy o sylw i'r rhythmau. Rhannaf y cynigion yn ddau ddosbarth.

YR AIL DDOSBARTH

Siani: Dwy fonolog mewn arddull hynod hen ffasiwn ac er bod yma ymgais at ddoniolwch, roedd cybolfa o themâu eitha' difrifol yn rhan o'r testun hefyd. Doedd yr ysgafnder ddim bob amser yn plethu gyda themâu megis erthylu ac unigrwydd, ac mae angen mwy o sensitifrwydd bellach wrth drin a thrafod cymeriadau megis meddygon croenddu ar lwyfan. Er bod yma lawer o anwyldeb, mae angen ailddrafftio tipyn mwy ar fonologau naturiolaidd fel hyn i ddod â'r cymeriadau'n fyw a llif yr ymsoni'n fwy credadwy.

Robat Llywelyn: Fel nifer o'r cystadleuwyr eraill, mae'r ymgeisydd hwn yn ysgrifennu mewn arddull naturiolaidd ac ysgafn. Gwaetha'r modd, mae yntau'n trafod themâu dwys megis cancr, henaint a mwrdwr ac felly mae'r arddull ffwrdd-â-hi yn gwneud i'r cyfan swnio'n ystrydebol ac arwynebol. Mae angen llawer iawn mwy o ddyfeisgarwch wrth fynd i'r afael â phynciau o'r fath i wneud cyfiawnder â'r testun dan sylw.

Elspeth: Ysgrif bortread yn hel atgofion am ei thaid yw cynnig cyntaf *Elspeth*, heb arlliw o arddull monolog yn y gwaith. Mae'r ail ymgais, 'Teimlo', yn adrodd meddyliau merch ifanc yn cerdded tuag at yr allor i briodi ac yn cael amheuon dwys, fymryn yn nes ati. Gwaetha'r modd, mae'r gwaith yn frith o wallau iaith ac mae angen ailddrafftio cryn dipyn i gael y llif angenrheidiol i'w throi'n fonolog effeithiol.

Merch o'r bryniau: Dwy araith sydd yn ymddangos fel pe baen nhw wedi eu llunio ar gyfer cystadleuaeth y llefaru digri flynyddoedd maith yn ôl. Does dim dyfnder i'r cymeriadau ac mae'r ddwy fonolog yn llawer rhy debyg i'w gilydd i greu cyfanwaith theatrig ac i ateb gofynion y gystadleuaeth. Arwynebol iawn yw'r gwaith hwn a llawer gormod o hiwmor tŷ bach yn perthyn iddo.

DOSBARTH CYNTAF

Morgan: Mae'r fonolog gyntaf yn pendilio rhwng y naturiolaidd a'r abswrd a'r canlyniad yw fod y cyfanwaith yn teimlo'n herciog ar y glust. Byddai'r awdur wedi elwa o glywed ei waith yn cael ei ddarllen yn uchel i'w gynorthwyo i gysoni a llyfnhau. Ond mae 'na lawer o ddyfeisgarwch yn y gwaith hefyd wrth ddarlunio tad sy'n stryffaglio i wneud synnwyr o'i fywyd cymhleth. Gallai'r arddull anwadal fod yn fwriadol, i geisio darlunio cyflwr meddwl y tad, ond mae angen mwy o gymoni i wneud i'r dyfeisgarwch hwnnw weithio'n iawn. Clyfrwch mwyaf yr ymgeisydd hwn oedd plethu'r ddwy fonolog drwy adrodd stori'r 'mab afradlon' yn ei ail ymgais. Roedd hyn yn ddyfais effeithiol tu hwnt. Trueni nad oedd digon o gysondeb safon yn y gwaith.

Declan: Mae yma addewid pendant ac mae 'Arwr – William' yn fonolog drawiadol iawn. Er ei bod fymryn yn fyr, defnyddir rhythmau gwreiddiol a dyfeisgar i greu darlun brawychus o gyflwr meddwl milwr ifanc. Nid yw'r ail fonolog, 'Glynwen', yn cyrraedd yr un safon ac mae'r diweddglo fymryn yn swta, ond mae'n werth mynd ati i weithio ar y ddwy ymdrech yma i finiogi a mireinio'r cyfanwaith.

Sioni Hoe: Milwr mewn cadair olwyn yn bwrw ei deimladau tywyllaf o'i atgofion a'i hunllefau ar ôl bod yn brwydro am gyfnod yn Affganistan sydd yma. Mae ambell ddarlun gan Llew, y bachgen sy'n adrodd y stori, yn eithriadol effeithiol ac yn gafael yn y syth. Dyma'r orau o ddigon o'r ddwy fonolog a dderbyniwyd. Teimlwn fod cymeriad Maggie Lou, yn yr ail fonolog, yn haeddu mwy nag araith fer i wneud cyfiawnder â chymhlethdod ei chymeriad a'i stori.

Llawr y Dyffryn: Mae awdur eitha' profiadol yma ac mae llif y ddwy araith yn naturiol a chredadwy o safbwynt arddull a mynegiant. Mae Edward, y cymeriad trigain oed, yn adrodd y fonolog agoriadol wrth ei wraig. Cawsai ganlyniadau negyddol gan ei niwrolegydd ac mae ei ffrind, Iwan, yn ei 'berswadio, yn ei ffordd amrwd ei hun' i fynd i'r Swistir i gael 'llwybr ymwarad'. Ond er bod y mynegiant yn lled naturiol, nid oedd hon yn fonolog gwbl gredadwy bob amser. Mewn sawl man, fe deimlwn y byddai'r wraig wedi mynnu rhoi ei phig i mewn wrth i Edward fynegi ei deimladau. Fe'i cefais hi'n anodd iawn derbyn y byddai'r wraig wedi bod mor dawedog tra oedd ei gŵr yn dweud wrthi ei fod yn bwriadu dod â'r cyfan i ben. Iwan, ei ffrind, yw'r cymeriad yn yr ail fonolog, ac mae honno wedi ei gosod yn y flwyddyn 2025 lle mae'r 'hawl i farw wedi troi'n ddyletswydd i farw'. Mae ganddo, felly, thema ddyrys iawn i'w chyflwyno yn yr ail fonolog ond ni theimlais ei fod wedi gweithio'n ddigon dygn ar 'lais' yr ail gymeriad. Roedd y gystadleuaeth yn gofyn am ddwy fonolog gyferbyniol ac er bod y ddau gymeriad yn mynegi teimladau tra gwahanol, roedd arddull siarad y ddau yn hynod o debyg. Serch hynny, o'u hailddrafftio, credaf fod yma botensial am ddwy fonolog effeithiol.

Crumble Cyffredin: Er symled y cymeriadau, mwynheais y ddwy fonolog yma. Trueni na fyddai'r awdur wedi amseru'r gwaith gan y teimlaf fod y ddwy araith braidd yn fyr i'r hyn a ganiateid yn y gystadleuaeth. Roedd ganddo/ ganddi ddigon o gyfle i gynnig mwy o gefndir i'r berthynas a fu rhwng y ddau gymeriad sy'n adrodd y monologau. Ond roedd gan y cystadleuydd arddull naturiol a rhythmau difyr a oedd yn sylfaen gadarn i'r ddwy fonolog. Roedd symbolaeth yr afal yn gynnil ac yn effeithiol. Teimlid y gallai fod wedi mentro cynnig mymryn rhagor o ffrwyth yn y gymysgedd.

Pedro: Cystadleuydd addawol iawn, yn cyflwyno dwy fonolog mewn arddull hynod o ddifyr. Gwaetha'r modd, mae diffyg gofal yn yr ymgais ac mae'n amlwg nad aeth ati i fireinio a chywiro'r gwallau sy'n britho'r gwaith; does gan yr un o'r cymeriadau enwau hyd yn oed. Ni chafwyd gwybodaeth gefndir chwaith na chyfarwyddiadau llwyfan, ac roedd gwir angen hynny wrth gyflwyno cymeriadau mor ddyrys a difyr. Gallai fod wedi codi i frig y gystadleuaeth pe bai wedi tacluso, manylu a chywiro'r gwaith.

Mae *Llawr y Dyffryn*, *Crumble Cyffredin* a *Pedro* yn dod i frig y gystadleuaeth ond mae diffygion yng ngwaith y tri ymgeisydd. Er hynny, mae llai o frychau yng ngwaith *Crumble Cyffredin* ac er bod gwaith datblygu ar ei ddwy fonolog, credaf fod yma ddigon o addewid i ddyfarnu'r wobr yn llawn iddo/ iddi.

Y Ddwy Fonolog

PINK LADY

Gwraig tua 55 oed yn eistedd wrth fwrdd-cegin bychan. Potel o gin a rhai poteli eraill, anodd dweud be ydyn nhw, o'i blaen. Mae 'na chydig o lestri, hanner dwsin o wya, lemon neu ddau a gwydryn efo chydig o hylif clir yn'o fo. Mae yno, hefyd, ond ddim yn amlwg iawn i'r gynulleidfa, dwbyn neu ddysgl o geirios a chydig o ffyn coctel.

Siŵr iawn 'mod i wedi crio. Llefen y glaw, fel ma'r hwntws 'na ar 'Pobol y Cwm' yn ei ddeud. Beichio crio. Bw, hw, hwian dros lle. A chwythu lot o sdwff afiach allan o 'nhrwyn. Es i drwy hanner llond bocs o dishiws. Rhoi llygid panda go iawn i mi'n hun. Ac yna callio. Achos pan 'dach chi'n ddynas yn eich oed a'ch amser, nid yn unig yn fam ond yn nain, pan 'dach chi'n hynny, 'fedrwch chi ddim crio'n wirion dros ryw ddyn. A hwnnw'n briod. A hwnnw, ar ôl byw efo chi am dri mis, wedi penderfynu mynd yn ôl at ei wraig. Sy'n ei guro fo. Medda fo.

Dybad ydi hi'n ei guro fo? Welis i nhw'r diwrnod o'r blaen, yn Tescos, yn dadla am 'fala. Nes i stelcian am chydig wrth y tatws, yn studio lebals fel 'sa'r gwahaniaeth rhwng Maris Piper a King Edward y peth pwysica'n y byd. Mae'r ddau fath yn gwneud tatws 'di rhostio da, ond King Edward 'falla'n well i neud tatws 'di stwnshio. Dwn i ddim be oeddwn i'n disgwyl ei weld. Y bysa hi'n tynnu pastwn mawr allan o'i *handbag* a'i glowtio fo ar draws ei ben am ei fod o isio Braeburns a hitha isio Pink Lady?

Cocktail ddyla Pink Lady fod, yn de. Dyna aeth trwy fy meddwl i. Nid afal. Roedd rhywbeth yn gwneud i mi feddwl 'falla'i fod o'n goctel hefyd. Ond dw i rioed 'di bod mewn coctel bar yn fy mywyd. Ydach chi'n gorfod gwisgo coctel *dress* i fynd i goctel bar? Nid 'mod i'n gwbod yn iawn be 'di peth felly, chwaith. Ydi coctel *dress* yn hir? Mae 'mywyd i'n llawn petha dw i ddim yn eu gwbod a phetha dw i rioed wedi'u gwneud. Petha na ddysga i ac na wna i bellach, fwy na thebyg.

Mi 'nes i 'styriad cerddad at y 'fala, a deud 'Esgusodwch fi', gafal mewn dau o'r Braeburns a cherddad i ffwrdd. Cerdded oddi wrthyn nhw'n byta un fysa 'di bod yn dda. Wnes i ddim. Dim and rhoi bag o datws doeddwn i ddim ei angen yn fy nhroli a diflannu cyn iddyn nhw 'ngweld i.

Roedd o yn Tescos bora 'ma hefyd. Ar ei ben ei hun. Mi ddudodd o helo, ond ddim mwy na hynny. Dw i'n ama fod 'na glais bychan o dan ei lygad dde o. Ond 'falla mai dychmygu'r oeddwn i. A doedd gen i ddim gymaint â hynny o amser i sgwrsio na studio. Roedd gen i restr siopa ac yn benderfynol 'mod i'n cael popeth oedd arni: *gin*, wya, lemon, *applejack*, ceirios a *grenadine*. *(Mae'n mynd trwy'r cynhwysion sydd o'i blaen ar y bwrdd ac yn tollti chydig o'r grenadine i'r hylif clir, sy'n ei droi'n binc.)* W! A phacad o'r ffyn bach pren 'ma. I mi gael eu gwthio nhw trwy ganol y ceirios. Fel'na. *(Trawa'r ffon trwy'r ceirios ac yna gosoda'r ceirios ar ei ffon yn y gwydryn a chymryd sip o'r coctel)*

MALUS DOMESTICA

Dyn trwsiadus tua 55 oed, yn eistedd ar stôl uchel o flaen bar brecwast neu uned ynys mewn cegin reit foethus. Mae'n gwisgo crys a thei, ond mae ganddo ffedog drostynt. Mae ganddo afal yn ei law a chyllell yn y llaw arall. Tra'n sgwrsio mae'n plicio afalau, a'u tafellu i mewn i sosban Le Creuset. Saif gwydraid o win coch o'i flaen. Mae'n studio'r afal cyfa yn ei law am chydig eiliadau cyn dechrau siarad.

Mi ges i fy nhemtio, fy hudo. Mi wnes i hyd yn oed fynd i fyw efo hi am chydig. I'r fflat bychan 'na ym mhen arall y dref. Ac mi wnaethon ni chwerthin bob diwrnod, bob diwrnod am ... am dri mis a thridiau. Chwerthin am ein bod ni'n wahanol, a chwerthin am ein bod ni'n debyg. Chwerthin am fod y robin goch oedd yn dod i gael bwyd ar falconi'r fflat yn dderyn bach doniol. A chwerthin am fod yr haul yn tywynnu ac am fod y tost wedi llosgi.

Ond yn ôl yma y dois i. Pam? Y mab, wrth gwrs. Gethin. Mi fydd o'n sefyll ei arholiadau TGAU 'flwyddyn nesa, amser tyngedfennol. Cyfnod pan mae hogyn angen presenoldeb ei dad. Doedd hi ddim yn sefyllfa iach ei fod o a'i fam yn dibynnu gymaint ar ei gilydd.

Wedi ochri efo Annes mae o, gwaetha'r modd. Dealladwy, wrth gwrs. Ac mae'n ddealladwy fod Annes yn flin. Yn flin iawn. Er, mae hi wedi bod yn flin erioed. Blin oedd hi'n y brifysgol. A thempar. A tydi hwnnw wedi newid dim. Dw i'n ei chofio hi'n rhoi slap i mi ar draws fy moch y noson gynta es i efo hi. Yng nghanol y dafarn, a phawb yn chwerthin. 'Paid â chymryd gynno fo, Annes!' Dwn i ddim pa un o'r criw 'na wrth y bar waeddodd hynna. Tasan nhw ond yn gwbod faint dw i wedi'i gymryd ganddi hi. Ond mae hi wedi cymryd gynno finna – gwylia, a gwin, a dillad, a fa'ma i gyd. Smeg 'di honna. Deud arni hi'n ddigon plaen, tydi. Ac roedd rhaid iddi hi fod yn goch am fod yr Aga'n goch.

Nid nad ydi Annes yn ennill pres da hefyd. Fedra i ddim cwyno am hynny. Dw i ddim yn cwyno 'mod i'n cael ambell beltan. Tempar sgin y ddynas.

Cymeriad cryf. Ond biti ei bod hi mor flin, mor biwis, mor ddigalon. Biti na fysa hi'n chwerthin weithia. Ond fel mae hi 'di'i ddeud 'tha fi, mi ddylwn i fod yn ddiolchgar ei bod hi wedi fy nghymryd yn ôl. Er mai ond er mwyn Gethin y mae hi wedi gneud hynny.

Cyllyll Global 'ma'n rhai da. Coblyn o fin arnyn nhw. Dw i wedi cael cyfarwyddiadau i blicio'r 'fala 'ma a'u mudferwi am ychydig funudau cyn y daw hi adra. Mae hi isio neud *krummeltort*, medda hi, am fod Dylan a Maria'n dod draw i swper. Dyna mae hi'n ei wneud pan maen nhw'n dod draw, bob tro bron. Ac mi fydd hi'n gwisgo ffrog ddu, newydd ac mi fyddwn ni'n trafod yr un hen bethau ac yn yfad yr un gwinoedd ag arfar.

Crumble Cyffredin

Cyfansoddi sgript comedi sefyllfa – y gyntaf o chwech yn ei chyfanrwydd a braslun o'r lleill yn y gyfres. Pob un i fod rhwng 25 a 30 munud.

BEIRNIADAETH MALDWYN JOHN A CARYL PARRY JONES

Mae comedi'n anodd, does dim dwywaith am hynny. Os oes rhywbeth trasig yn digwydd yn y byd, mae pawb yn unfrydol eu barn – mae'n drist, mae'n anghyfiawn, mae'n dorcalonus, ac yn y blaen. Ond yn achos comedi, mi all un peth wneud i rywun chwerthin nes ei fod o'n sâl a pheri i rywun arall fethu hyd yn oed â thorri gwên. Dyna sy'n gwneud comedi'n gyfrwng cymhleth i'r awdur. Mae'n rhaid iddo gymryd y risg fod pawb yn cael eu gogleisio yr un fath ag o.

Mae comedïau sefyllfa'n amrywio o ran ffurf erbyn hyn, o'r traddodiadol i'r arbrofol, ond mae 'na dir newydd yn cael ei dorri hyd yn oed o fewn y traddodiadol, gyda'r 'bedwaredd wal' yn cael ei dymchwel yn aml a'r cynnwys yn ddeifiol, ddychanol ac yn gweithio ar *gag ratio* uchel dros ben. Mae datblygiad comedïau sy'n cyrraedd y sgrîn yn gallu cymryd blynyddoedd ac mae'r gwaith o olygu a gwella a byrfyfyrio yn parhau hyd yr eiliad olaf. Mae hi'n broses hir a chymhleth ac, yn eironig, yn un sy'n gwbl o ddifri.

Daeth chwe sgript i law, gydag un ohonyn nhw wedi ei diarddel am *na chawson ni* sgript, dim ond brasluniau. Roedd hi'n amlwg fod llawer o waith ac amser wedi ei neilltuo i'w cyfansoddi ac mae'n rhaid canmol y cystadleuwyr am hynny. Mae'n anffodus na nodwyd yn y *Rhestr Testunau* beth oedd y cyfrwng i fod. Teledu ynteu radio? Ynteu'r we? Mae'n fanylyn hollbwysig gan fod comedi gweledol yn greiddiol i'r teledu (yn amlwg) ac mae radio'n cynnig sefyllfaoedd nad ydynt yn bosibl ar y teledu, e.e. ar y radio, gellir lleoli comedi sefyllfa ar y lleuad pe dymunir ac, yn sicr, mae modd cynnal comedi mewn sefyllfaoedd a fyddai'n costio ffortiwn ar y sgrîn. Gwaetha'r modd, ni nodwyd gan neb beth oedd y dewis gyfrwng er bod rhai'n fwy amlwg ar gyfer y sgrîn.

Mae gynnon ni ofn mai cystadleuaeth siomedig oedd hon. Roedd tair o'r pum sgript yn sobor o hen ffasiwn, cymeriadau amlwg (er enghraifft, gwraig drws nesa fusneslyd, gweinidog, gwraig snobyddlyd ac yn y blaen) a llawer o'r llinellau'n dibynnu ar hiwmor tŷ bach, jôcs gwan sydd wedi cael eu clywed lawer yn rhy aml a rhai cyfeiriadau'n ymylu ar hiliaeth. Roedd dwy sgript yn dangos potensial o ran y 'sefyllfa' ei hun ond y feirniadaeth bennaf am y sgriptiau i gyd yw eu bod nhw'n rhy eiriog o lawer, rhy hir, rhy lafurus, dim digon o sylw i haenau a strwythur … a dim hanner digon doniol. Dyma ychydig eiriau am bob un.

Pafaroti: 'En-Côr'. Sgript wedi ei chyflwyno'n dda, gyda chrynodeb deallus o'r cymeriadau ar y dechrau, gyda rhannau da i ferched o bob oedran (yn arbennig felly Mildred, y fam). Gallwn weld y cymeriadau'n glir o'r dechrau. Roedd y cyfarwyddiadau'n fanwl ac yn ychwanegu at y ffordd y mae'r sgript yn darllen. Crëwyd sefyllfa addawol ac mae'r ddeialog yn llifo'n rhwydd a naturiol yn nhafodiaith Sir Gaerfyrddin. Er hynny, does dim byd annisgwyl yma; mae'r ffaith ein bod ni, i bob pwrpas, yn gwybod beth i'w ddisgwyl nesaf yn siomedig. Mae rhythm siarad da i'r sgript ond trueni na fyddai mwy o newydd-deb ynddi.

Mabon: 'Teulu Bach Cytûn'. Cymeriadau ystrydebol a sefyllfa arwynebol a geir yma. Mae elfennau ffarsaidd yn sgript y saga deuluol hon ac mae'r awdur i'w ganmol am fentro i faes eithriadol o anodd. Mae'r olygfa lle ceir Megan, y fam, ar ei phedwar yn chwilio am ei thabledi cysgu a'r holl ddryswch ynghylch hynny, yn chwerthinllyd, gwaetha'r modd, am y rhesymau anghywir. Ceir cyd-ddigwyddiadau braidd yn rhy gyfleus ac mae'r cymeriadau'n anghyson iawn eu hymddygiad. Mae gan yr awdur ddawn i lunio stori ond bod angen golygu a chwynnu'r ddeialog a chreu pobl o gig a gwaed. Mae ambell ymgais at ddoniolwch yn taro deuddeg ac yn codi gwen ar wyneb, e.e. '*Megan*: Ma 'na waith ar gael yn Iceland'; *Mari*: Pell, ydi o ddim?' Sefyllfa dderbyniol a wanhawyd oherwydd adeiladwaith gwael – mae angen meithrin y grefft o strwythuro pennod.

Ap Rhisiart: 'Helyntion Gwynedd Ap Gwynedd o Wynedd'. Sgript fwy mentrus o ran lleoliad, sef Llechid yn y flwyddyn 997AD, yn ymwneud â marchog hapus ond diog, Gwynedd Ap Gwynedd o Wynedd. Deunydd digon addawol, felly, sydd yn cynnig mwy o bosibiliadau ond hefyd fwy o anawsterau. Mae'r stori'n dal ein diddordeb o'r dechrau. Cyflwynwyd y gwaith mewn dull hynod o gymen a graenus ac mae iddo drefn a chynllun. Mae'r sefyllfa a grëwyd yn ddigri ac mae cryn dipyn o'r ddeialog yn sionc a gafaelgar. Efallai mai gan hwn y mae'r potensial gorau yn y gystadleuaeth. Y gwendid pennaf yw fod prinder yr un llinell siarp honno o ddoniolwch sy'n gymaint o gaffaeliad i gomedi sefyllfa. Mae un neu ddau o'r digwyddiadau'n ymddangos i ni fymryn yn anhygoel. Gwaetha'r modd, nid yw'r sgript yn cyflawni'r addewid a gafwyd wrth ddarllen y tudalennau agoriadol.

Mrs Ramsbottom: 'Gwaed yn dewach na dŵr'. Mae rhywun wedi gweld neu ddarllen y math yma o beth droeon o'r blaen. Sgets wedi cael ei hymestyn yw hon gyda sgript arwynebol o ran gwead ac o ran cynllun. Prin iawn yw'r elfen o gomedi ynddi. Mae ynddi ormod o gecru diangen ac nid yw'r gomedi'n argyhoeddi. Does dim elfennau newydd yng nghynnwys y sgript, gan mai'r hyn a geir yw sefyllfaoedd stoc efo serch a rhyw yn rheoli. Mae'r ddeialog yn drwsgwl ac yn gwasanaethu'r plot yn ormodol, yn hytrach na mynegi dyfnder cymeriadau go iawn. Mae angen mwy o waith ar y cymeriadau'n arbennig. Mae Robat Roberts yn gymeriad rhy ystrydebol i allu ennyn unrhyw fath o gydymdeimlad gan y gynulleidfa, ac mae hynny'n wir am weddill y cymeriadau. Mae'r slapstig yn glogyrnaidd a'r chwarae ar eiriau'n wan.

Glanduar: 'Rhyfel Ezer'. Mae'r sgript hon wedi ei lleoli mewn tafarn yng Ngorllewin Cymru. Cawn ddilyn hynt a helynt y tafarnwr, Ezer Pritchard, yn ystod yr Ail Ryfel Byd. Y mae'r dweud yn ddigon llithrig ar brydiau ond prin yw'r cyffyrddiadau gwreiddiol a does dim byd newydd gan yr awdur i'w ddweud am y cyfnod chwaith. Cyfres o olygfeydd tebyg iawn eu naws sydd yma, a duedda i fod yn ailadroddus a heb ddynameg. Mae'r gorddyfeisio i gynnal y gomedi yn ei gwneud hi'n anhygoel, ac mae'r diddordeb a'r amynedd yn dueddol o ddiflannu cyn y diwedd, gwaetha'r modd. Wedi'r cyfan, crefft a nerth sgript gomedi sefyllfa dda yw awgrymu'n gynnil, heb fynd i'r pen eithaf yn ddi-ffrwyn.

Gyda chalon drom, mewn cystadleuaeth lle'r oedd chwerthin yn ymateb angenrheidiol, ofnwn fod rhaid i ni atal y wobr, gan annog yr awduron i ymchwilio a hogi eu harfau comedïol.

CYFANSODDI I DDYSGWYR

Cystadleuaeth y Gadair

Cerdd: Drysau. Lefel: Agored

BEIRNIADAETH MERERID HOPWOOD

Derbyniwyd tair cerdd ar ddeg, a rhaid diolch i bob cystadleuydd am fynd ati i lunio cerddi a hefyd hefyd am fynd ati i ddysgu'r Gymraeg yn y lle cyntaf. Fel yr awgryma *Dyfrgi*, un o feirdd y gystadleuaeth, yn ei gân, mae angen cryn ddewrder i wneud hyn.

Arhoswn gyda *Dyfrgi* i'w ganmol am yr egni sydd yn y gerdd. Disgrifia un sy'n darganfod drws i afon sy'n bod o'i fewn. Gwelwn mai afon yr iaith yw'r afon hon ac mae'n cynnal delwedd y dŵr yn dda. Mae ambell wall fel 'darganfodes' yn lle 'darganfûm' neu 'drws dirgelaidd' yn lle 'drws dirgel' yn amharu ychydig, ond ni fuaswn ar unrhyw gyfrif yn dymuno i ystyriaethau fel hyn bylu iot ar egni'r bardd hwn. Gweithio ychydig mwy ar y mydr fyddai'r prif gyngor, ac ystyried gorffen y gerdd gyda'r pennill olaf ond un – mae'r olaf yn colli'r asbri ychydig. Y peth pwysicaf nawr, heb os, yw dal ati.

Cerdd amserol sydd gan *Lilias* wrth i'r bardd dristáu o weld cyflwr y wlad. Mae'r gerdd yn gwella wrth iddi symud o'r disgrifio moel (e.e. 'Mae 'na lawer o ddrysau ar gau yn awr') i linell â mwy o ddychymyg fel 'Gadewch i'r haul ddod i mewn'. Rhaid canmol hefyd yr ymgais i gyflwyno patrwm odl ond nid wyf yn sicr pam y mae'n afreolaidd mewn rhai penillion ac yn rheolaidd mewn rhai eraill. Rhyw feddwl ydw i y byddai'n well glynu at un patrwm os nad oes rheswm clir dros ei newid.

Drws atgofion a agorodd i *Draenen Wen* wrth iddi ddianc o dref y bomio i gefn gwlad Cymru. Gall adrodd stori'n delynegol ac mae'n rhoi ymgais lew ar odli. Buasai'n syniad peidio ag odli'r un gair â'i hunan, e.e. 'cyntaf' gyda 'cyntaf', ac efallai y gellid meddwl eto am restru'r atgofion i gyd, a dewis yn hytrach ambell un yn unig, byddai cyfle wedyn i fynd yn ddyfnach i'r profiad.

Cyflwynodd *Pwll Du* gerdd drawiadol mewn priflythrennau i gyd yn union i'r gwrthwyneb i'r bardd a'r llenor Americanaidd, e.e.cummings. Mae cryn dipyn o ôl meddwl yn y gwaith hwn, wrth i ni ddilyn cwrs bywyd o'r crud i'r bedd, a phob cam o'r daith yn cael ei ddynodi â drws arbennig.

Syml ac effeithiol. Mae'r triawd 'Drws Tyfiant', 'Drws Rhamant' a 'Drws Llwyddiant' yn gofiadwy, ac felly hefyd y modd y mae'n gorffen gyda chwestiwn ac yn hoelio sylw: 'Ond ydi'r drws yn cau?'

Rhoddodd *Lisi Meri* is-bennawd i'w cherdd, ac un sy'n werth ei ailadrodd: 'Pan mae un drws yn cau, mae drws arall yn agor'. Dyma gysur o gyngor. Nid yw byrdwn y gwaith yn annhebyg i un *Dyfrgi* wrth i *Lisi Meri* hefyd weld dysgu'r iaith yn fater o fenter a dewrder. Rwy'n colli ychydig ar y trywydd yn y trydydd pennill, yn enwedig efallai'r llinell olaf ond un – tybed beth yw'r 'bywyd dibwys' yn y cyd-destun hwn? Wedi dweud hyn, mae'r gwaith, ar y cyfan, yn gynnil, ac yn llawn addewid. Ac i ateb cwestiwn olaf y bardd, 'A fydd y drws yn agor?', ni allaf ddweud dim byd ond 'gobeithio'.

Atgyfododd hiwmor Dafydd ap Gwilym ar dudalen *Dafydd ap Arthur*. Ailbobodd elfennau o helbul 'Trafferth mewn Tafarn' a llwyddodd i greu tipyn o asbri. Credaf fod angen edrych eto ar aceniad ambell odl, ac efallai fod geiriau hynafol fel 'trefgordd' a 'certh' yn dangos ychydig o ormes odl. Wedi dweud hyn, mae'r bardd yn haeddu canmoliaeth am lunio cerdd mor hir a hwyliog!

Bryntir ap Gof yw'r unig fardd i fentro llunio cynghanedd. Mae ganddo syniad go lew am ei sŵn hi ond mae angen dyfalbarhau nawr i ddeall yr hen reolau'n iawn. Dylai edrych eto ar sut y mae cyfateb cytseiniaid o gylch yr acen. Dim ond mater o wrando ac ymarfer. Diolch am gerdd a ddaeth â gwên gyda hi.

Stori serch yw cerdd *Caerdroia*, ac efallai fod y ffugenw'n rhoi cliw mai twyll yw'r trychineb ac achos yr hiraeth sy'n dod ar ddiwedd y gwaith. Mae hon yn gerdd fwy uchelgeisiol na'r rhan fwyaf. Dyma fardd sy'n deall grym delwedd; fel hyn mae'n agor: 'Mor dawel â chapel ar y Lôn Geulan'. Mae angen gweithio ar ambell anghysondeb, e.e. newid o 'ti' i 'chi' o fewn yr un gerdd, ond gobeithio y cawn glywed mwy gan *Caerdroia*.

Byddai sawl rhiant yn falch o gael copi o gerdd *Y Rhosyn Gwyn*. Cyflwynir y gwaith 'i'm plant', ac mae'r bardd wedi rhestru'r mathau o ddrysau y gallant ddisgwyl eu gweld yn eu bywyd. Er y cyngor i ddewis yr allweddi'n ofalus, mae'r gerdd yn gorffen ag anogaeth iddynt beidio â bod yn ofnus: 'Ewch allan ac agorwch y drysau!' Tybed a fyddai'r gerdd yn fwy uniongyrchol pe byddai'n cyfeirio at 'ti' yn hytrach na 'chi'? Byddai'n siarad wedyn â phob plentyn yn unigol, heb droi ei chefn ar unrhyw un ohonynt. Efallai hefyd y byddai'n syniad ceisio osgoi defnyddio'r un gair yn ormodol (gweler 'agor').

Mae gwaith y pedwar nesaf yn dod i'r brig, yn fy marn i.

Cerdd uchelgeisiol sydd gan *Sibrwd y draenog* ac rwy'n sicr bod llais a glywn ni eto yn siarad yma. Mae sawl cyffyrddiad cofiadwy a chymariaethau gwreiddiol. Tinc cywydd sydd ar y gwaith, er nad yw ar gynghanedd ac eithrio ambell linell fel 'ar drothwy'r draethell', sy'n taro i'r dim o gofio'r testun. Rwyf wrth fy modd â llinell fel 'Pan fydd olion brws yr haul'. Efallai fod angen ychydig mwy o ddisgyblaeth i wella'r gwaith hwn eto. Dylid dewis a dethol geiriau'n ofalus a cheisio sicrhau bod pob un yn talu am ei le.

Gyda *Tansi Gwyllt* rydym yn codi i dir uwch eto. Mae gan *Tansi Gwyllt* afael dda ar y Gymraeg ac nid oes brychau'n baglu'r darllenydd wrth rannu meddyliau'r bardd. Meddyliau, yn wir, yw testun y gerdd hon, a'r ysfa i ddianc rhag y ras sy'n blino'r pen. Credaf mai un sy'n gwella o ddryswch meddwl sy'n siarad ac un sy'n dweud wrthi hi/ wrtho ef ei hunan fod angen amynedd cyn gallu gwella'n iawn. Diolch am gerdd sy'n cuddio dyfnder dan yr wyneb.

Cafwyd soned hyfryd gan *Tu mewn*, ac mae cymariaethau fel 'mor gul â gwely angau' yn dangos crefft sicr. Mae'r bardd yn ymdrin â'r mesur yn grefftus hefyd. Un wedi ei gloi mewn anobaith a bortreadir yma, fel yr awgryma'r ffugenw ac mae'n llwyddo i greu'r tyndra rhwng y byd llawen y tu allan a'r gofid du y tu mewn. Mae'r llinell olaf yn ardderchog, trueni nad yw ei chymar gystal: 'Myfïol llwyr daw dagrau oll dihun/ A'r drysau'n cloi o nghwmpas fesul un'.

Nid oes unrhyw ymffrost yn perthyn i gerdd *Ianto*, ond o dan y darluniau syml mae tipyn o weledigaeth. Mewn Cymraeg glân iawn, cawn ein cyflwyno i brofiad y bardd o 'ddod o hyd i ddrws wedi'i wneud o froc môr wrth gerdded ar y traeth'. Mae hyn yn sbardun i fyfyrdod am yr holl ddrysau sy'n rhan o fywyd beunyddiol, cyffredin. Drws anghyffredin yw'r un o froc môr, fodd bynnag, ac mae croesi drwy hwn yn her ac yn antur. A ddylid mentro? 'Fel amdo llwyd, mae amheuaeth/ yn hongian yn yr awyr las'. Cawn fyw drwy feddyliau'r bardd wrth iddo wynebu'r drws, ac yna, ar ôl yr holl betruso a holi, o fynd drwyddo gwêl mai mynd ymlaen a wna'r daith. Ac eto, er y chwerthin am ei ben ei hun, rwy'n amau a yw'r profiad wedi newid ychydig ar *Ianto,* yn sicr parodd i mi feddwl. Am yr holl resymau hyn, *Ianto* sy'n mynd â Chadair y Dysgwyr eleni. Llongyfarchiadau iddo.

Y Gerdd

DRYSAU

(Ar ddod o hyd i ddrws wedi'i wneud o froc môr
wrth gerdded ar y traeth)

Drysau. Pethau bob dydd.
　　Mor gyfarwydd, mor gyffredin
　　Fel 'na feddyliwn amdanynt
　　Ond fel gwrychoedd a chanddynt
　　Fodolaeth gyffyrddus, ddinod.
　　Pethau i fynd a dod trwyddynt
　　I'w cau; i'w hagor; i'w clepian
　　O bryd i'w gilydd ar ôl ffrae ...
　　Rhan o'r prysurdeb beunyddiol.

Ar y traeth, dyma ddrws
　　O'm blaen – porth annisgwyliadwy,
　　Ma's yn yr awyr agored.
　　Fframwaith a ffurfiwyd o froc môr
　　Ar lun drws ar draws fy llwybr –
　　Y darnau pren wedi'u cannu'n ŵyn
　　A'u sychu gan y gwynt a'r haul.
　　Y pyst fel esgyrn rhyw gawrfil
　　A chapan amrwd i'w hieuo.

Rhywun wnaeth hyn, wrth gwrs.
　　Ni all grym Natur, er cryfed,
　　Ond bwrw sothach y moroedd
　　Ar antur ar y draethell
　　Yn ddifeddwl. Amlwg yw mai
　　Cynllun a fu. Crëwyd gwrthrych
　　Yn fwriadol o'r anhrefn dall.
　　I ba bwrpas nas canfyddir bellach
　　Y cynlluniwyd y fath strwythur?

Tramwyfeydd yw drysau –
　　Mannau croesi i'r anhysbys
　　Y gellir lled-ganfod tu draw
　　Iddynt fraslun o le arall,
　　Ryw fyd arallfydol cyfrin.

Pyrth ydynt ar y ffiniau rhwng
Y gwybyddus a'r tybiedig.
Ni wyddys byth i sicrwydd beth
A geir ar yr ochr arall.

A oes awgrym o her?
Fel amdo llwyd, mae amheuaeth
Yn hongian yn yr awyr las
Wrth i si'r awel yn sisial
Yn y moresg gwasgaredig,
A'r tu hwnt, mae'r twyni tywod
Yn ymestyn tua'r gorwel.
Saif ffrâm y drws fel gwyliedydd
Mud, yn ddistaw ddisgwylgar.

Ai camu drwy'r adwy
Y dylwn i? Does modd, nac oes,
Bod rhyw bedwerydd dimensiwn,
Rhyw Narnia Cymreig yn llechu
Tu hwnt i'r drws simsan? Wir Dduw!
Dyma fynd drwodd. Dim newid.
Dim hud a lledrith, dim Annwfn.
Dw i'n chwerthin, ac ymlaen â fi
Dros y morfa tua phen y traeth.

Ianto

Cystadleuaeth y Tlws Rhyddiaith

Darn o ryddiaith, hyd at 500 o eiriau: Crwydro. Lefel: Agored

---

BEIRNIADAETH HARRI PARRI

Roedd hi'n gymaint braint i gael beirniadu Cystadleuaeth y Tlws Rhyddiaith eleni ag oedd hi i fod yn un o feirniaid y Fedal Ryddiaith – os nad yn fwy felly. A hynny oherwydd fy mawr barch i ddysgwyr yr iaith ac, yn arbennig, i rai sydd am lenydda drwy gyfrwng yr iaith honno. Daeth yn agos i 15,000 o eiriau i law – a chymryd i bawb lynu at 'hyd at 500 gair' – a hynny o ddwylo 29 o lenorion ail iaith. A rhaid canmol y graen a oedd ar eu gwaith.

Fel sawl beirniad o'm blaen, doeddwn i ddim yn ystyried cywirdeb iaith yr unig ffon fesur. Yn aml, yr un gwallau a gafwyd ag sy'n aml yn fagl i lenorion iaith gyntaf: anhawster parthed cenedl enwau, camddefnydd o arddodiaid a chyfieithu'n slafaidd o'r Saesneg. Chwilio roeddwn i am lenor gyda digon o ystwythder iaith i greu darn arbennig o ryddiaith; mewn gair, chwilio am y perl gwerthfawr.

Penderfynodd rhai ddehongli'r testun yn llythrennol: *Manon* yn crwydro Dyffryn Clwyd, *Gwanwyn* yn cerdded Llwybr Clawdd Offa, *Morfa* yn cerdded 'ar bwys afon Teifi' a *Yr hanner arall* yn cerdded traeth ar lan y Môr Tawel. Cofnododd *Sgriblwr* hanes cludo arch a gweddillion Cuthbert Sant, flynyddoedd wedi ei farw, o gwmpas gogledd Lloegr. Olrhain ei daith ei hun o'r de i Nant Gwrtheyrn a wnaeth *Ysgriblwr* a rhoi inni ffeithiau hanes yr un pryd. Ac *Alban Eilir*, i fod yn wahanol, yn anfon roced i grwydro'r gofod. Er mai stori syml am blentyn yn mewnfudo sydd gan *Jac-y-do*, a bod cryn waith cywiro, hoffwn ei gymell (fel y gweddill) i ddal ati. Mae ei stori'n un ddidwyll a'i waith yn ffitio natur y gystadleuaeth i drwch y blewyn.

Crwydrodd amryw ar hyd llwybrau atgofion; rhai fel *Y Darllenydd* a *Dyfrgi*. Profiadau'r daith – rhai'n ddigon sinistr – sydd gan *Gobeithiol, Crwban, Rhiannon, Rosyn Gwyn,* a *Tansi Gwyllt*. Yn wahanol, mae *Aleithia* yn ystyried ymsefydlu yn Nolgellau yn 'rhagluniaethol' ynghyd â'r cyfle a gafwyd i ddysgu'r iaith. Ymhlith y rhai atgofus, daeth tri i'r brig. Mewn pum can gair, croniclodd *Mab y Crwydryn* stori bywyd ei dad yn crwydro'r moroedd. Hoffais waith *Caerliwelydd* yn adrodd hanes gwewyr plentyn aflonydd yn dilyn ysgariad ei rieni. Dysgwr y Gymraeg yn ardal y Fenni a Phen-y-fâl yn hel atgofion yw *Ysbryd yr Oes*; o ran cywirdeb iaith mae lle i wella ond o ran dychymyg anodd fyddai rhagori. Aeth yr athronwyr yn eu plith ati i roi ystyron pellgyrhaeddol i'r testun. *Y Rhosyn Gwyn* a *Carwda* yn trafod dihangfa, a *Trebecas* yn rhoi iddo gyd-destun gwleidyddol. Peth amheuthun oedd cael ias o hiwmor a dychan gan rai fel *Yr Arweinydd* ac *Un o ddwy*. Y pennaf meddylwyr oedd *Rhys ap Ianto* a *Rhyfeddod yr Hôb*. Ond teimlwn mai tenau, braidd, oedd y cyswllt â'r testun.

Fel y gellid disgwyl, ar dro roedd y cynnwys yn rhagori ar y mynegiant; dro arall roedd arddull a chywirdeb yr ysgrifennu yn rhagori ar y deunydd. Yn aros, mae tri a gadwodd gydbwysedd rhwng y ddeubeth. Mae gwreiddioldeb arbennig yn perthyn i'w cynigion a digon o rwyddineb gyda'r iaith i'w ddangos a'i fynegi.

Strydoedd oer y ddinas: Darn cyfoethog, llawn dychymyg ac eto'n destunol. Ar y dechrau, mae Pete yn dioddef o fath o seicosis ac yn grwydredig ei feddwl. Erbyn y diwedd mae'r agoraffobia wedi esgor ar fath o glawstroffobia gyda gorfodaeth i grwydro yn yr awyr agored – 'eira, glaw, cenllysg, niwl, a hyd yn oed haul'. Mae arddull yr ysgrifennu gystal â'r cynnwys.

Mab Iâl: Anodd gwybod p'run ai ailgylchu profiad y mae'r awdur ynteu adrodd gair o brofiad. Mae Siân yn ymweld â'i thaid mewn ysbyty a'i feddwl yntau'n crwydro. Stori fer sydd gan yr awdur a'i chymeriadau'n rhai credadwy. Ysgrifennodd ei stori gydag anwyldeb a naturioldeb. Hwyrach fod arddull y sgwrsio braidd yn ffurfiol.

Twm o'r Ffos: Stori fer hwyliog ac un raenus at hynny. Hwyrach mai'r prif gymeriad yw 'Coco'r gath', y gath a aeth i grwydro. Mae ganddo ddigon o eiriau at ei wasanaeth ond mae angen cywiro ychydig – er enghraifft, treiglo'n ddianghenraid. Ond llwyddodd i ddefnyddio ail iaith i greu llenyddiaeth dda: '... a meddwl Siwan fel inc mewn dŵr'. Yn ogystal, ceir diweddglo dymunol i'r stori.

Mae'r tri'n haeddu'r Tlws ond, eleni, *Strydoedd oer y ddinas* sydd yn ei ennill.

Y Darn o Ryddiaith

CRWYDRO

Bob dydd: Rydyn ni'n crwydro bob dydd. Rydyn ni'n crwydro gyda'n gilydd ar hyd y gamlas, dros y bryniau, i lawr yn y dyffrynnoedd a phobman arall.

Mis Medi: Mae rhai pethau'n anodd. Roedden ni gyda'n mab, Pete, mewn stafell fach mewn ysbyty yn Swydd Efrog. Yn ôl y tîm iechyd meddwl oedd yn delio ag argyfyngau, dangosai Pete arwyddion o wenwyn paracetamol. Annhebygol ond roedd rhaid i ni fynd â Pete i'r uned damwain ac argyfwng. Dim ond am awr, meddan nhw. Roedd o'n sâl dros ben ac roedd o'n edrych fel sgerbwd. Roedd rhaid i mi fynd allan i grio yn y maes parcio.

Roedd o'n siarad yn ddiddiwedd am ei sgyrsiau gyda Barack Obama, David Cameron a Julian Assange. Doedd dim byd yn wir. Doedd fy ngwraig a fi ddim yn byw yn y byd go iawn. Dim ond fo oedd yn gwybod y gwir ac ati. Sgwrs hir gyda'r seiciatrydd am hanner nos. Roedd rhaid iddo gymryd ei dabledi'n fodlon neu gael ei gadw mewn ysbyty meddwl o dan amodau'r Ddeddf Iechyd Meddwl. Rhyw fath o seicosis, yn ôl y meddyg.

Roedd o bron yn fud. Dim ond ie a na, geiriau unsillafog. Roedd o'n gorwedd yn ei wely trwy'r amser ac yn syllu ar y wal. Llenni wedi eu tynnu bob amser, dim radio, dim teledu, dim byd. Dim ond y lleisiau. Bywyd ar ei ben ei hun, yn ddiogel yn ei swigen, yn arswydo rhag mynd allan. Bywyd mewn tywyllwch. Newydd droi ei un ar hugain oed. Pen-blwydd hapus, Pete?

Mis Mehefin: gwirfoddolwr y flwyddyn yn ein tref ni, canmoliaeth uchel yn Swydd Gaerhirfryn; gwirfoddolwr y flwyddyn yn y gogledd-orllewin mewn cynllun dyfarniad cenedlaethol; yr erthygl olygyddol yn y *Lancashire Evening Standard*: 'We need more folk like Pete'. Roedd gan Pete anawsterau dysgu, gan gynnwys dyspracsia, neu broblemau gyda'i gydsymud ond, serch hynny, roedd o'n helpu pobl anabl ifanc eraill gyda'u chwaraeon. Roedd llawer o bobl yn meddwl y byd ohono fo.

Mis Ionawr: Dw i eisiau mynd y tu allan am dro. Beth? Dw i eisiau mynd allan ... Roedd o'n swnio bron yn Feiblaidd, 'Y mab oedd yn byw yn y tywyllwch ...'

A rŵan, rydyn ni'n crwydro bob dydd ar hyd y gamlas rhwng Leeds a Lerpwl, dros y bryniau, drwy'r meysydd, drwy'r mwd, bob dydd, bob tywydd – eira, glaw, cenllysg, niwl a hyd yn oed haul. Rydw i'n cadw dyddiadur. Dyddiadur Pete.

26 Ionawr: Keighley i Bingley, ac yn ôl ar y trên, y tro cyntaf ers Mis Awst

31 Ionawr: Skipton i Gargrave. Bwyta pysgodyn a sglodion mewn caffi bach. Y tro cyntaf ers …

Ond roedd rhai pethau'n arbennig o dda, cerdded ym Mharc Cenedlaethol yr Yorkshire Dales rhwng Gordale Scar a Malham Cove. Y rhaeadr fawr wedi rhewi ac roedden ni at ein pengliniau mewn eira. Yn sydyn, gwelsom lwynog yn rhedeg dros y bryniau, drwy'r eira, dros y rhosydd am fwy na phum munud. Profiad unwaith-mewn-oes. Bythgofiadwy.

Ond beth am y dyfodol? Beth am yfory? Crwydro wrth gwrs!

Strydoedd oer y ddinas

Sgwrs rhwng dau berson mewn ystafell aros. Tua 100 o eiriau. Lefel: Mynediad

---

BEIRNIADAETH MYFI BRIER

Un o bleserau mawr ein bodolaeth yw sgwrsio gyda'n gilydd, neu'n well fyth, clustfeinio ar sgyrsiau pobl eraill! Gorau oll os yw'r sgyrsiau'n ddiddorol, yn hwyliog neu'n ddoniol iawn. Wrth ystyried hyn, rhaid i mi gyfaddef, felly, mai syndod a siom braidd oedd sylweddoli mai dim ond pedwar a roes gynnig ar y gystadleuaeth hyfryd hon. Fodd bynnag, mwynheais waith y pedwar yn fawr iawn.

Mewn gwirionedd, cystadleuaeth ysgrifennu deialog nad yw'r cystadleuydd ei hun yn rhan ohoni sydd gennym yn y fan hon. Mae'n holl bwysig, felly, fod rhywbeth yn y cynnwys – brawddeg, gair, neu syniad difyr hyd yn oed – sydd yn ddigon i wneud i'r arsylwr godi ei ben a chymryd sylw. Nid yw'n adnabod y cymeriadau, na chwaith yn debygol o ddod ar eu traws eto, ond mae rhywbeth wedi cael ei ddweud sydd yn gorfodi rhywun i godi ei ben a dweud 'Be?!'

Mae'r pedwar ymgeisydd wedi dangos yn glir bod modd mynnu ein sylw gydag ychydig iawn o iaith, mewn gwirionedd, a dw i'n eu llongyfarch yn fawr.

Byd Bach: Sgwrs rhwng dau berson mewn gorsaf fysiau sydd gennym yma. Mae'r sgwrs dipyn hirach na'r gofyn, a dweud y gwir, ond mae'r iaith yn gywir ac yn ddiogel. Da iawn!

Trefaldwyn: Adlais o'r ffilm 'Brief Encounter' a geir yma. Dau berson yn cyfarfod yng ngorsaf reilffordd Caerdydd a sylweddoli eu bod, efallai, wedi cyfarfod pan oeddent yn blant. Ceir awgrym fod rhywbeth am ddigwydd! Unwaith eto, mae'r iaith yn gywir iawn. Darn bach hyfryd!

Penderyn: Sgwrs rhwng dau mewn meddygfa. Ceir llawer o hiwmor yn y darn a phe bawn i wedi bod yn eistedd yn y feddygfa, mi f'aswn i'n sicr o fod wedi codi fy mhen i gael gwybod mwy. Mae'r frawddeg, 'Mae rhif saith yn arfer gweld y meddyg tua deng munud wedi deg', yn berl! Gwaetha'r modd, roedd un neu ddau o wallau esgeulus yn y darn, ond fel arall – ardderchog!

Pili-Pala 123: Sgwrs rhwng dau mewn meddygfa eto. Cawn sgwrs naturiol iawn rhwng dau ffrind – Siôn a Siân – gyda'r ergyd ar y diwedd, wrth i ni sylweddoli mai Siôn yw tad babi Siân. Stori fach ddifyr a'r iaith yn gywir iawn. Go dda!

240

Gwobrwyaf *Pili-Pala 123* am gyflwyno stori syml iawn, yn gywir iawn, mewn ffordd ddifyr. Credaf y byddai ambell un yn y feddygfa wedi codi eu pennau o'u myfyrdod y diwrnod hwnnw i gael gwybod mwy! Unwaith eto, llongyfarchiadau calonnog i bawb. Mae hi wedi bod yn bleser darllen y deialogau.

Y Sgwrs

SIÔN A SIÂN YN Y FEDDYGFA

Siôn: Bore da, Siân.
Siân: Bore da, Siôn.
Siôn: Ble'r wyt ti wedi bod? Dw i ddim wedi dy weld ti ers parti Rhodri dri mis yn ôl.
Siân: Dw i ddim wedi bod allan.
Siôn: Pam?
Siân: Dw i ddim wedi bod yn ddá.
Siôn: Wyt ti'n dost?
Siân: Ydw, dw i'n sâl bob dydd.
Siôn: Beth sy'n bod arnat ti?
Siân: Dw i ddim yn gwybod ond dw i wedi blino'n lân hefyd.

Derbynnydd: Siân Williams i weld Dr Morgan nesaf.

Ar ôl deng munud, daeth Siân allan, roedd hi'n crio!

Siôn: O diar, beth sy'n bod, Siân?
Siân: Dw i'n feichiog!
Siôn: O diar – faint o fisoedd?
Siân: Tri mis!
Siôn: O, pwy yw'r tad?
Siân: Ti, Siôn, wrth gwrs!

Pili-Pala 123

Sgript cyfweliad, hyd at bum cwestiwn ac ateb gyda Chymro neu Gymraes enwog, tua 150 o eiriau. Lefel: Sylfaen

---

BEIRNIADAETH DYLAN JONES

Cystadlodd naw. Yn fwy na dim, roeddwn yn chwilio am gyfweliad oedd yn ennyn diddordeb ac yn weddol gywir yn ieithyddol. Dyma sylwadau ar bob un yn ôl y drefn y rhestrwyd hwy gan Swyddfa'r Eisteddfod.

Siân: 'Cyfweliad o dan y coed'. Mae *Siân* yn holi Meinir am stori gariad Nant Gwrtheyrn ar ddiwrnod priodas Meinir â Rhys Maredydd. Ar ôl gofyn iddi beth mae hi'n ei wneud yn sefyll dan y goeden a phwy yw ei chariad, mae'n holi ymhellach: 'Be os bydd neb yn dwâd?' Mae Meinir yn ateb: 'Peidiwch â thynnu fy nghoes. Mi wna i aros amdano fo tan ddiwedd amser!' Eironig, yntê! Mae'r gwaith yn dangos gwreiddioldeb ac yn llifo'n arbennig o dda.

Siors Caersallog: 'Gruff Rhys, cerddor'. Dywed y cystadleuydd ar y dechrau mai Gruff Rhys a'i grŵp, y Super Furry Animals, a'i cyflwynodd i'r iaith Gymraeg. Cawn dipyn o hiwmor yma mewn atebion fel 'errrrrrr … wel … gwych' ac 'errrrrrrr … fallai', yn null Gruff Rhys! Golyga hynny ei fod yn defnyddio llai o eirfa na'r cystadleuwyr eraill.

Ravenna: 'Cyfweliad ag Elizabeth Andrews (1882-1960)'. Holi'r ymgyrchydd hawliau merched, Elizabeth Andrews o Hirwaun, a wneir. Wrth ddarllen y cyfweliad, cawn wybod pam ei bod hi mor benderfynol o helpu gwragedd y glowyr. Mae'r holi ac ateb yn ddiddorol a hynny mewn Cymraeg cywir.

Carol: 'Cyfweliad efo Ray Gravell'. Ymdrech dda gan *Carol* sy'n holi'r diweddar Ray Gravell. Dydi'r Gymraeg ddim yn gwbl gywir ond dydi hynny ddim yn amharu'n ormodol ar y cynnwys.

Cliff Wilkinson: 'Syr Anthony Hopkins'. Cwestiynau sydd ganddo i'r actor Syr Anthony Hopkins am ei ffilm 'August' (neu 'Awst', a defnyddio geiriau'r cystadleuydd). Rhaid canmol ei ddyfalbarhad ond trueni na roesai fwy o raen ar y cyflwyniad.

Susan: 'Cyfweliad efo Wynne Evans'. Mae ar *Susan* eisiau cael gwybod mwy o hanes y canwr, Wynne Evans, y canwr opera a welir yn yr hysbysebion ar y teledu. Mae'r cyfweliad yn cymharu'n dda ag ymdrechion sawl dysgwr yn y gystadleuaeth hon, er bod yr atebion weithiau braidd yn arwynebol.

Myfanwy y Môr: 'Cyfweliad gyda Richard Burton'. Cyfweliad â'r actor enwog o Bontrhydyfen a chawn rywfaint o ysgafnder ar y diwedd, pan ofynnir iddo, 'Ry'ch chi wedi marw yn 1984?' ac yntau'n ateb, 'Ydw, yn y Swistir. Roedd llyfr o gerddi Dylan Thomas 'da fi yn fy arch'. A'i hateb hithau wedyn: 'Diolch yn fawr, Richard. Cysgwch yn dda!' Cyffyrddiad gwreiddiol, chwarae teg.

Fflur: 'Katherine Jenkins'. Ceir cyfweliad cynhwysfawr â'r gantores. Pum cwestiwn amrywiol ac atebion llawn a difyr yn trafod y personol a'r proffesiynol. Ymdrech foddhaol iawn mewn Cymraeg graenus.

Blodeuwedd: 'Safiya Wandji'. Er i'r gystadleuaeth nodi y dylid holi Cymro neu Gymraes enwog, holi ei merch fach chwech oed ei hun a wna *Blodeuwedd*. Ond mae ei merch, yn ei barn hi, yn enwog gan ei bod wedi bod ar y teledu ar Clwb Cyw ar S4C! A pham ddim! Mae yma gwestiynau diddorol ac atebion llawn sy'n ennyn diddordeb.

Siân sydd yn haeddu'r wobr gyntaf am gyfweliad gwreiddiol a chlyfar sy'n defnyddio amrediad eang o eiriau. Llongyfarchiadau!

Y Sgript Cyfweliad

CYFWELIAD O DAN Y COED

Cyfwelydd: Meinir dach chi? Ga' i ofyn cwestiynau i chi? Diolch. Pam dach chi'n sefyll o dan y coed 'ma?

Meinir: Dach chi ddim yn gwybod y traddodiad yn Llŷn? Heddiw ydy diwrnod y briodas. Dw i'n cuddio rhag fy nghariad i.

Cyfwelydd: Diddorol iawn. Pwy ydy o?

Meinir: Rhys Maredydd ydy o. Dw i'n 'i nabod o ers o'n i'n ifanc. Mi gaeth o ei fagu yn y pentre nesa. Dw i'n meddwl mai fo ydy'r dyn gorau yn y byd – golygus, caredig. Edrychwch ar y coed 'ma. Dach chi'n gallu gweld y galon sy' ei wedi thorri yna? Mae 'na ddau enw i mewn ynddi, Rhys + Meinir.

Cyfwelydd: Os dach chi'n caru Rhys cymaint, pam oedd rhaid i chi guddio?

Meinir: Achos mae ffrindiau Rhys yn chwilio amdana i, wrth gwrs. Mi fydden nhw'n mynd â fi i'r eglwys. Ond mae'n hen bryd iddyn nhw ddŵad. Mi ddylen nhw fod wedi cyrraedd erbyn hyn. Dw i ddim yn gallu deall!

Cyfwelydd: Be' os na fydd neb yn dŵad?

Meinir: Peidiwch â thynnu fy nghoes! Mi wna i aros amdano fo tan ddiwedd amser!

Cyfwelydd: Pob lwc! A diolch i chi am siarad efo fi.

Siân

244

Llythyr serch neu lythyr mewn potel, tua 200 o eiriau. Lefel: Canolradd

BEIRNIADAETH NIA ROYLES

Wyth llythyr a dderbyniwyd, a minnau'n disgwyl tipyn mwy o ystyried bod 'na gymaint o ddysgwyr nawr ar y lefel hon. Rwy'n siŵr y byddai llawer yn dymuno dweud â balchder eu bod wedi cystadlu yng Ngŵyl Genedlaethol ein gwlad, gwlad fabwysiedig neu beidio.

Ysgrifennodd y mwyafrif lythyr mewn potel a dau yn unig a ysgrifennodd lythyr serch (ac fe nodir hynny ar ôl y ffugenw). Nodwedd amlwg mewn cymaint o'r llythyrau yw'r hiwmor a hwnnw'n hiwmor sy'n codi gwên wrth ei ddarllen. Eto, dyw ysgrifennu llythyr ar y naill destun na'r llall ddim yn beth rhwydd. Rhaid wrth ddychymyg ac emosiwn eithaf cryf gan fod colli neu gadw cariad neu drychineb dyfrllyd o'ch blaen. A dydy pob un ddim wedi rhoi ystyriaeth ddofn i hynny. Ta waeth, cefais flas ar bob llythyr. Dyma air byr am bob un yn ôl y drefn y daethon nhw drwy'r post.

Cwcw (Llythyr serch): Yn sicr, mae rhamant yma a geirfa gyfoethog. Mae'r gorffennol yn codi atgofion melys ond nid felly'r presennol sy'n llawn tristwch, poen a rhyw ansicrwydd nad ydw i'n wir yn ei ddeall. A'r diweddglo? Pam 'Hwyl fawr i bawb'? Na, nid llythyr mo hwn.

Gwas Fferm: Mae amser gan y gwas hwn i ddechrau'i lythyr gydag 'Annwyl ...' a gorffen gyda 'Yr eiddoch yn gywir'. Tipyn o gamp ac yntau mewn cymaint o drybini ger glannau Dubai. Mae'n methu dianc rhag ei weision (!) ac yn cwyno am y cogydd (!). Yn sicr, mae'r tafod yn y foch pan mae'n gofyn i Heddlu Gogledd Cymru fynd allan i Dubai i'w achub. Sbort gan un o Langynhafal!

Grug Wen: Mae hon mewn trybini mawr. *'Plis, plis, helpwch fi'* (mewn llythrennau breision) yw rhai o'r geiriau cyntaf. Yna mae disgrifiadau hardd o'r ynys mewn tri pharagraff o Gymraeg hyfryd. Mae'r diweddglo fel ffilm â 'Hunk gyda sixpack' yn nofio tuag ati. Erbyn hyn, dyw hi ddim mor barod i gael ei hachub. Trueni bod y llythyr mor hir, llawer hirach na 200 o eiriau.

Rhosyn y Nadolig: Dechrau da; 'Helpwch fi! Helpwch fi!'. Mae popeth wedi mynd o chwith; colli radio, ei sat-naf wedi syrthio mewn crefás, wats wedi rhewi. A nawr, dim bwyd. Diweddglo da a hiwmor cyn cloi. Y cwbl o fewn gofynion y gystadleuaeth.

Llais y Cymoedd (Llythyr serch): Rhieni'n gofidio wrth i'w merch adael 'am ei dêt cyntaf'. Mae'r emosiynau'n gryf a'r gofidiau'n real. Tybed a fyddai rhoi enw i'r ferch wedi bod o help i fynegi'r teimladau? Mae'n llythyr uchelgeisiol o ran yr iaith.

Sais: Mae'r llythyr hwn o safon uchel. Yn wir, dyma Gymraeg gorau'r gystadleuaeth. Nid llythyr mewn potel mo'r cynnwys ond llythyr gan 'Sais' sy'n mynegi ei deimladau dwfn am Gymru. Braint a phleser oedd cael darllen y llythyr a dylid ei gyhoeddi.

Cyfarwydd: Mae'r llythyr hwn yn llawn hiwmor a sbort a hefyd yn cynnwys yr elfennau sy'n hanfodol ar gyfer llythyr mewn potel – sefyllfa o argyfwng ar y môr a'r angen am gael rhywun/ rhywbeth fydd yn achub y truan. Mae braidd yn rhy hir.

Cig Ceffyl: Llythyr argyfwng sydd yma ond mae hefyd yn llawn hiwmor. Dydy o ddim yn argyfwng ar y môr ond yn argyfwng yn y dosbarth Cymraeg. 'Rydyn ni'n meddwl bod gan yr athrawes glefyd y ceffyl gwallgof' a phawb yn cuddio rhagddi dan y byrddau.

Dw i wedi ail a thrydydd ddarllen pob llythyr a mwynhau'r hiwmor, y sbort ac wedi gwerthfawrogi dwyster llythyr *Sais* yn fawr. Diolch i bob un am gystadlu. Nawr, rhaid penderfynu. *Rhosyn y Nadolig* yw'r enillydd, gan iddo lwyr gyflawni gofynion y gystadleuaeth a dangos cryn gamp ar ysgrifennu'n gryno ac yn effeithiol.

Y Llythyr mewn Potel

Helpwch fi! Helpwch fi! Dw i heb gymorth ar ynys fach ger De Georgia. Roedd yr haf yn fyr iawn ac yn stormus, a daeth y gaeaf yn gynnar ac yn sydyn. Felly, dyw hi ddim wedi bod yn bosibl i awyren neu awyren hofran lanio. Chwe wythnos yn ôl, torrodd y radio, felly does dim ffordd o gwbl i wybod a ydw i wedi cael fy anghofio. Mae fy mwyd wedi gorffen, ac nawr dw i'n berwi lledr fy esgidiau i fwyta. Yr wythnos ddiwethaf, roedd rhaid i mi fwyta ci olaf y sled cŵn. Gollyngais fy 'sat-naf' mewn crefás, ac mae fy wats wedi rhewi. Bydd bysedd fy nhraed yn rhewi'n fuan hefyd, achos rhaid i mi fwyta fy esgidiau. Hynny yw, nes bod y tanwydd wedi gorffen – wedyn mi fydda i'n dechrau marw o newyn.

Rhowch fy nghofion gorau i fy nghariad. Dwedwch wrthi hi am beidio ag aros amdana i. Mi faswn i'n ysgrifennu mwy ond mae ewinrhew ar fy mysedd.

Ffarwel Fyd! Ffarwel Fywyd!

O.N. Anfonwch dair potel o wisgi, chwe phâr o hosanau, deg bar o siocled a radio newydd i mi – Ceri Jones, Grytviken, De Georgia. Gallent ddod mewn pryd i'm hachub i. Ffarwel eto. Ceri.

Rhosyn y Nadolig

Adolygiad o lyfr Cymraeg neu raglen deledu/radio Gymraeg. Tua 300 o eiriau. Lefel: Agored

BEIRNIADAETH ALED LEWIS EVANS

Daeth deuddeg adolygiad i law mewn cystadleuaeth o safon uchel, a thrafodwyd saith llyfr a phum rhaglen weledol. Cafwyd amrediad eang o ddefnydd i ymdrin ag o ac roedd y mynegiant o safon uchel yn gyffredinol. Roedd yr ymgeiswyr gorau wedi eu trwytho yn y pwnc ac roedd gan y goreuon eu llais unigryw. Dyma air byr am bob ymgeisydd, heb fod mewn unrhyw drefn benodol ac eithrio'r tri ar y brig.

Y golomen: Cafwyd gwerthfawrogiad o rifyn olaf y gyfres deledu 'Llefydd Sanctaidd'. Dyma lais treiddgar ei sylwadau â gwybodaeth am agweddau gweledol ac elfennau sain. Mae'n cyfleu'r rhaglen i'r dim ac yn amlwg yn uniaethu'n llwyr â'i chynnwys. Gwelwn ambell beth diofal sydd yn amharu.

TCD: Mae'n cyfleu'n effeithiol arddull dreiddgar llyfr Hywel Gwynfryn sy'n ymdrin â bywyd cyhoeddus a phreifat yr actor Hugh Griffith. Da yw ei sylw am 'pathos a hiwmor yn rhedeg gyda'i gilydd' ym mywyd yr enillydd Oscar o Fôn. Awgrymir y tyndra a'r gwrthgyferbyniadau yn ei fywyd yn effeithiol.

Y Pysgotwr: Ymdrinnir â nofel dditectif draddodiadol Geraint Evans, *Y Llwybr*. Mae'r mynegiant yn dda ar y cyfan, er efallai fod gormod o'r stori yma. Nodir y gwrthdaro rhwng y cymeriadau heb ddatgelu dim o'r uchafbwyntiau tyngedfennol. Hoffaf y farn gytbwys gyda defnydd o enghreifftiau i ategu'r farn.

Meri: Mae llais ei hun gan *Meri*, a bachyn diddorol i'n denu i mewn i'r adolygiad: 'Sgynnoch chi ddiddordeb mewn bwyd?' Gwyliwch rhag gor-ddyfynnu adolygiadau blaenorol. Ceir rhesymau dilys am hoffi 'Blasu' gan Manon Steffan Ros, ac fe brofodd y ryseitiau fel cacen sinsir yn boblogaidd!

Am wn i: *Cyflwyno Cartrefi Cefn Gwlad Cymru* sy'n cael sylw cytbwys y cystadleuydd hwn. Cyflwynir prif gynnwys y llyfr yn drefnus a hoffaf yr awgrym am frasluniau yn y gyfrol. Gwelwn dinc fwy beirniadol tua'r diwedd.

Bet Jones: Cawsom agoriad da eto sy'n ein denu i gorff yr adolygiad. Gwelwn ymgais deg i fod yn gytbwys. Yn sicr, codir awydd ar y darllenydd i fentro ar y llyfr *Beti Bwt*. Syniad da yw nodi ei addasrwydd ar gyfer dysgwyr eraill hefyd.

Clwyd: *Y Ferch o Berlin* gan Bob Eynon sy'n mynd â bryd *Clwyd*. Cawn grynodeb twt o'r stori garu ac fe'n gadewir gyda chyfres o gwestiynau digon dilys. Ond tybed na ddylai'r adolygydd fod wedi ymdrin â rhai o'r pwyntiau yn y cwestiynau er mwyn cael mwy o ymdriniaeth ar nodweddion y llyfr?

Y Morfil: Y ffilm 'Pianissimo' a ddarlledwyd ar S4C sydd o dan y chwyddwydr yma. Rhaid rhoi mwy o sylw i gywirdeb ond eto i gyd fe geir ymdriniaeth ddiffuant â ffilm sensitif. Prif wendid yr adolygiad yw mai dim ond tua'r diwedd y mae'n *wir* adolygiad.

Gar ap Alan: Dylai fod wedi osgoi ambell wall elfennol megis cymysgu 'darllenwr' efo'r gair 'darlledwr'. Er nad yw eto mor rhugl â gweddill yr adolygwyr, ceir ymgais lew i fynd o dan groen y nofel *Un Nos Ola Leuad* ac i godi cwr y llen ar athrylith Caradog Pritchard.

Er bod sawl un yr wyf wedi ymdrin â nhw'n barod yn agos at y brig, dyma'r tri sydd y tro hwn yn rhagori i mi.

Y Rhosyn Gwyn: Cafwyd adolygiad o lyfr y cogydd Bryn Williams, *Cegin Bryn*. Olrheinir cysylltiad clòs y cogydd ei hun â Chymru, a nodir cynhwysion cynhenid Cymreig ei ryseitiau ym mwyty Odettes gerllaw Bryn y Briallu yn Llundain. Hoffaf lais yr adolygydd wrth iddo gynnig sylwadau gonest am sut i drin cig hela. Drwyddi draw fe welwn ymateb ymarferol i gynnwys y llyfr, ynghyd â barn agored a chytbwys.

Darllenwr: Rhydd i ni ymateb aeddfed i nofel Jerry Hunter, *Gwreiddyn Chwerw*, gan nodi'r celwyddau a'r cyfrinachau sydd mewn teulu. Llwyddir i wneud hyn heb ddatgelu gormod o wybodaeth am y llinynnau storïol. Ond mae'r ymdriniaeth yn cynnig abwyd blasus i ni. Cawn ymdriniaeth amlhaenog ar deitl y llyfr. Efallai fod lle i roi sylw i bethau eraill, fel y gwneir yn y paragraff olaf, yn hytrach na rhoi cymaint o sylw i'r naratif yn unig.

Strydoedd oer y ddinas: Cawsom ymateb i ffilm Gruff Rhys ym Mhatagonia 'Separado' a fu ar S4C. Gwelwn yma lais mwyaf annibynnol y gystadleuaeth. Mae'r Gymraeg yn naturiol ond â choegni sy'n peri bod yr adolygiad yn hynod o real. Sonnir am elfennau technegol y ffilm yn dda ac fe eir o dan yr wyneb wrth geisio dadansoddi'r gwir fwriad. Ymhyfryda'r adolygydd yng nghynnwys cerddorol y ffilm hefyd, a llwyddir gyda brwdfrydedd i gyfleu ei llwyddiant er gwaethaf y diffyg adnoddau ariannol ar gyfer y cynhyrchiad.

Mewn cystadleuaeth o safon, felly, yr enillydd yw *Strydoedd oer y ddinas*, gyda chlod a diolch am wreiddioldeb a gonestrwydd.

Yr Adolygiad

SEPARADO! (2010)[1]

Beth am ffilm ynglŷn â thaith bersonol seren roc Gymreig yn yr iaith Gymraeg? Taith bersonol seren roc? Rydw i'n pendwmpian yn barod ond, yn ôl S4C, mae Star Trek wedi cyfarfod gyda Buena Vista Social Club.

Aeth Gruff Rhys, 'athrylith gerddorol' a chanwr gyda grŵp Cymreig Super Furry Animals, i Dde America, i chwilio am ei gyndadau a'i berthnasau sy'n byw o hyd yn y Wladfa – y Wladfa Gymraeg a sefydlwyd yn yr Ariannin gan ymfudwyr o Gymru yn ystod y bedwaredd ganrif ar bymtheg. Nid syniad gwreiddiol dros ben. Mae Gruff Rhys ei hun yn siarad am 'gang bang cyfryngol Cymraeg' yn y Wladfa gyda llawer o griwiau teledu'n chwilio am ryw fath o Iwtopia Gymraeg yno. Ond serch hynny, beth am y ffilm?

Roedd Gruff a'i griw yn deall ffilm fel cyfrwng. Doedd dim rhaid iddyn nhw dderbyn cyfyngiadau amser byd y teledu. Roedd y criw yn treulio llawer o amser yn defnyddio'u camera – camerâu (?) – i archwilio'r Wladfa mewn ffordd ffilmiol (84 munud). Roedd Gruff Rhys yn perfformio cerddoriaeth hyfryd, syml a chofiadwy. Mae rhai pobl yn siarad am gerddoriaeth seicedelig. Nid cerddoriaeth seicedelig, dim and cerddoriaeth fachog, fel caneuon plant Woody Guthrie, ond nid yn hollol mor gymhleth!

Roedd gan Gruff Rhys gydwybod gymdeithasol. Roedd o'n poeni am y berthynas rhwng y mudwyr Cymraeg a'r Indiaid brodorol, ac am yr anghyfiawnder yn erbyn yr Indiaid yn y gorffennol sy'n parhau yn y presennol. Roedd o'n poeni am 16 o bobl ifanc, carcharorion gwleidyddol a laddwyd ar ôl trio dianc o garchar yn Nhrelew ddeng mlynedd ar hugain yn ôl.

Ond serch y diffyg adnoddau ariannol, mae Gruff Rhys wedi creu'r ffilm orau erioed am y Wladfa (yn fy marn i, wrth gwrs). Peidiwch â chredu'r cyhoeddusrwydd. Gwyliwch y ffilm eich hunain a mwynhewch!

[1] Ar y teledu'r llynedd.

Strydoedd oer y ddinas

Gwaith Grŵp neu unigol

Llunio tudalennau ar gyfer papur bro neu wefan ar unrhyw destun, rhwng dwy a phedair tudalen A4. Lefel: Agored

---

BEIRNIADAETH PEGI TALFRYN

Mwynheais ddarllen amrywiaeth o erthyglau a thestunau sy'n dangos ôl meddwl dychmygus a threiddgar. Braf oedd derbyn chwe ymgais a llongyfarchaf bawb sydd wedi cystadlu. Y broblem fawr oedd sut i feirniadu. Ar safon yr iaith? Mewn gwaith grŵp, efallai fod y tiwtor wedi llywio a chywiro peth o'r gwaith ond, ar y llaw arall, nid yw'n deg cosbi grŵp sydd wedi cynhyrchu gwaith yn hollol annibynnol. Hefyd, gan fod y lefel yn agored, ni fyddai'n deg gwobrwyo myfyrwyr Uwch oherwydd bod safon eu hiaith yn well na myfyrwyr Mynediad. Ac wedyn, roedd y cwestiwn o gyflwyniad. Mae cynhyrchu deunydd ar gyfer gwefan yn debygol o fod yn hollol wahanol i ddarparu ar gyfer papur bro. Fel arfer, mae gwefan yn canolbwyntio ar un testun a phapur bro'n fwy pytiog. Ar y llaw arall, ceir erthyglau hirion mewn papurau bro. Felly gosodais ganllawiau i mi fy hun. Penderfynais fod angen i'r gwaith fod yn ddeniadol i'r llygad ac yn ddiddorol i'w ddarllen. Ni fyddwn yn rhy hallt wrth feirniadu safon yr iaith, gan fod siawns fod rhai naill ai ar safon uwch neu wedi cael rhywfaint o gymorth yn y dosbarth. Wedi'r cyfan, os prosiect dosbarth ydy cynnyrch y myfyrwyr, rydym yn hynod ddiolchgar i'r tiwtoriaid am annog y dysgwyr i gystadlu. Gobeithiaf, wrth ddilyn y canllawiau hyn, fy mod wedi llwyddo i fod yn deg â phawb. Wrth gwrs, roedd gwendidau mewn rhai cynigion a chryfderau mewn eraill. Af trwyddynt fesul un.

Trebor: Erthygl hir dan y teitl 'Llyfrau Cymraeg' sydd yma, a'r awdur yn ymateb i wahanol lyfrau y mae wedi eu darllen. Mae'r iaith yn wych a'r cyflwyniad yn ddiddorol, gyda'r awdur yn sôn am ddechrau darllen yn blentyn bach. Braf hefyd yw deall ei fod wedi darllen llawer o lyfrau Cymraeg a oedd ar gyfer Cymry iaith gyntaf. Er bod ei arddull yn ddeniadol iawn, nid felly, gwaetha'r modd, y cyflwyniad. Doedd dim penawdau, dim ond un erthygl hir. Pe bai'r awdur wedi rhoi enw pob llyfr yn bennawd trwy'r erthygl, byddai'r ymgais wedi bod yn llawer haws i'w ddarllen. At hynny, nid oeddwn yn siŵr beth yr oedd wedi'i fwriadu – ai un erthygl hir iawn i bapur bro ynteu testun i wefan. Ond byddwn yn argymell i'r awdur ddal ati, gan fod ganddo arddull a Chymraeg arbennig iawn.

Y Wiwer Goch: Mae'r awdur yn mynegi barn ynglŷn â chynhyrchu trydan, o dan y pennawd 'Dim Melinau Gwynt yn ein Hardal!' Daw i'r casgliad

251

mai ynni niwclear yw'r dyfodol. Dw i'n rhyw amau mai gwyddonydd yw'r awdur, gan fod yr iaith yn dechnegol iawn ac yn llawn ffeithiau diddorol. Mae'n erthygl ddarllenadwy iawn a'r diwyg yn ddeniadol i'r llygad. Mae'r awdur yn amlwg yn medru trafod materion gwyddonol yn hyderus yn y Gymraeg.

Genod Prestatyn: Roedd y meddwl y tu ôl i'r papur bro bach hwn yn apelio ataf. Cynhyrchwyd papur a oedd yn canolbwyntio ar 'Colli Pwysau a Bwyta'n Iach' gyda llwyth o erthyglau bychain diddorol a chynhwysfawr ar bob agwedd o gadw'n iach. Yr hyn a oedd yn tynnu'r ymgais hon i lawr oedd y diwyg. Roedd yn amrywio o dudalen i dudalen, gyda rhai eitemau ar gefndir lliw ac eraill yn ddogfennau du a gwyn, ac roedd yn amlwg fod y gwaith wedi'i wneud ar frys, gyda phennawd un erthygl (Gwallt) ar waelod tudalen 3 a'r erthygl ei hun ar frig tudalen 4. Mae angen sicrhau bod yr ymgais yn cael ei chyflwyno fel ymgais unedig yn hytrach nag yn erthyglau gwasgaredig. Wedi dweud hynny, mae'n syniad da iawn, a byddwn i'n annog y grŵp i ddilyn yr un trywydd mewn cystadlaethau yn y dyfodol, dim ond iddynt gysoni'r diwyg.

Dreigiau Dinbych: 'Darganfod Dinbych. Papur Dinbych a'r Cyffiniau'. Dyma'r ymgais gyntaf i fod ar ddiwyg papur bro go iawn. Mae'r cyflwyniad yn ddeniadol i'r llygad a'r erthyglau'n ddarllenadwy ac yn ddiddorol. Mi ddysgais bethau newydd, megis y ffaith fod 'na'r fath beth ag Eirin Dinbych unigryw! Roedd yr ymgais yn edrych yn ddiddorol, gyda hysbysebion yn britho'r tudalennau a llawer o luniau lliw trwyddo. Un pwynt bach ynglŷn â'r daith gerdded, a allasai fod yn ddiddorol iawn i ymwelwyr â'r Eisteddfod, oedd yr angen i ddweud yn benodol ym mhle mae'r daith yn cychwyn. Nid oedd y map na'r cyfarwyddiadau'n ddigon clir ar y pwynt hwn. Heblaw am hynny, gobeithio y bydd manylion y daith ar gael i bawb a fydd yn ymweld â'r Ŵyl.

Dyfi: Fel yr awgryma'r enw, papur Bro Dyffryn Dyfi, dan yr enw 'Y Glyndŵr', a gynigir, gydag amrywiaeth o erthyglau diddorol sydd nid yn unig yn disgrifio'r ardal i'r ymwelydd ond hefyd yn llawn pytiau diddorol y byddai darllenwr yn disgwyl eu cael mewn papur bro, megis Cornel y Plant, newyddion a chyfarchion lleol, hysbysebion a chroesair. Roedd y croesair, yn arbennig, yn dangos ôl gwaith caled. Roedd y rysáit am 'Cacen byth yn Methu' yn tynnu dŵr o'm dannedd ac mi hoffwn wybod a yw'n gweithio! Gwaith safonol iawn.

Y Dawnswyr Morris: Mae'r awduron hyn yn 'Crwydro o Gwmpas yr Ardal', sef ardal Rhuthun. Ceir sawl erthygl safonol iawn yn disgrifio atyniadau'r fro ac un erthygl hynod ddiddorol am bererindod leol. Chwiliais ar Google a darganfod y bydd y bererindod yn ddigwyddiad go iawn ym mis

Gorffennaf ac mae'n siŵr o fod yn achlysur arbennig. Ond yr hyn a erys yn fy ngof i yw'r jôc am y parot, na chlywswn o'r blaen. Diolch am wneud i mi chwerthin. Unwaith eto, gwaith safonol iawn.

Wedi cloriannu, mi fyddwn i'n dweud bod y deunydd ar gyfer y papurau bro'n rhagori ar yr ymgeisiau eraill o ran bod yn ddeniadol, amrywiol ac yn ddarllenadwy iawn. Roedd cynigion *Dyfi* a'r *Dawnswyr Morris* ryw fymryn yn well na *Dreigiau Dinbych*, a chan na chaniateir rhannu gwobr, dw i wedi penderfynu mai *Dyfi*, o drwch blewyn, sy'n fuddugol oherwydd yr amrywiaeth sydd ynddo.

PARATOI DEUNYDD AR GYFER DYSGWYR

Agored i ddysgwyr a siaradwyr Cymraeg

Creu pedair gêm iaith ar unrhyw lefel neu lefelau

BEIRNIADAETH EIRLYS WYNN TOMOS

Braidd yn siomedig oedd mai dim ond tri chynnig a ddaeth i law o gofio cymaint o diwtoriaid ac athrawon sy'n dysgu Cymraeg mewn dosbarthiadau ar hyd a lled Cymru. Wrth greu gemau iaith, rhaid meddwl beth ydy bwriad y gemau a phryd yn union i'w defnyddio: boed i atgyfnerthu pwnc penodol neu bwynt gramadegol neu i ysgafnhau'r wers ar ddiwedd y sesiwn. At hynny, hefyd, dylid rhoi diffiniad clir a nod ieithyddol ar gyfer pob gêm a chyfarwyddiadau syml ar gyfer y dysgwyr. Dylid rhoi cyfle, hefyd, i ymarfer geirfa a phatrymau ieithyddol ac elfen o gystadleuaeth ynghyd â gwybodaeth fanwl i'r tiwtor/ athro am y patrymau ieithyddol a'r eirfa angenrheidiol ar gyfer y gemau iaith.

Mewn munud: Gresyn na chafwyd y 96 cerdyn a baratowyd gan yr ymgeisydd hwn yn hytrach na sampl o ddim ond chwe cherdyn. Cafwyd ymgais i lunio gemau iaith, gyda chyfarwyddiadau syml ac effeithiol a gobeithio y gellir defnyddio'r gemau cyflawn mewn dosbarthiadau a hynny ar gyfer gwahanol lefelau.

Cymraes Crochet: Gemau iaith wedi eu cynllunio i'w defnyddio ar unrhyw lefel ar y themâu a ganlyn: Tywydd, Amser, Amser Berfau a Snap (Cwestiwn ac Ateb). Roedd ôl meddwl y tu ôl i gynllunio'r gemau a'r cyfan yn lliwgar, yn ddeniadol a phwrpasol ond gresyn bod y cyfarwyddiadau manwl yn Saesneg yn unig. Gyda chyfarwyddiadau syml yn Gymraeg, byddai'r gemau iaith hyn yn ddefnyddiol iawn mewn dosbarthiadau dysgu Cymraeg fel ail iaith.

Chwarae: Mae'r cystadleuydd hwn yn gyfarwydd â gofynion creu gemau iaith i ddysgwyr a chanddo wybodaeth am y gwahanol lefelau. Cynlluniwyd y gemau'n ofalus, gyda chyfarwyddiadau clir i'r dysgwyr a'r tiwtor, ac roedd yn dderbyniol cael geirfa ychwanegol yn Saesneg ar adegau er mwyn egluro'n fanylach. Mae'r cystadleuydd yn gyfarwydd â dysgu Cymraeg fel ail iaith a chyda phrofiad o ddefnyddio gemau iaith i atgyfnerthu'r patrymau ieithyddol. Dyma'r gwaith gorau yn y gystadleuaeth, gydag amrywiaeth o weithgareddau, ac mae'n cyrraedd yr amcanion a nodwyd ar y dechrau.

Dyfarnaf y wobr i *Chwarae*, gyda diolch i'r tri am gystadlu – daliwch ati i greu gemau iaith ac i arbrofi, achos mae angen gweithgareddau fel hyn yn y dosbarthiadau dysgu Cymraeg.

ADRAN CERDDORIAETH

Tlws y Cerddor

Darn Corawl digyfeiliant seciwlar rhwng pedwar a saith munud o hyd

---

BEIRNIADAETH SIONED JAMES AC OWAIN LLWYD

Derbyniwyd wyth cyfansoddiad. Roeddem ein dau'n teimlo bod hwn yn nifer cymharol isel o ystyried natur boblogaidd ac eang y testun eleni. Roedd y safon yn amrywiol o fod yn lled-broffesiynol i fod yn amhrofiadol iawn ym maes cyfansoddi corawl.

Rhoddwyd ystyriaeth i sawl ffactor gennym wrth feirniadu: cyflwyniad y sgorau, yn weledol ac yn ymarferol i gantorion; dadansoddiad ac esboniad o'r testun; ymarferoldeb y darn i gôr ac arweinydd, a phoblogrwydd posibl y darn i'w berfformio; gosodiad y geiriau i gyd-fynd â'r syniadau cerddorol; menter, syniadaeth a gweledigaeth mewn oes lle mae canu corawl a darnau corawl yn datblygu'n fwyfwy heriol.

Anial Llwydwyn: 'Ynys Afallon'. Dyma ddarn sy'n gosod her drwyddo draw i gôr, gan rannu'n wyth llais. Cyflwynwyd y gwaith swmpus mewn modd proffesiynol, deallus a chlir, gyda nodiadau'n gyfarwyddyd i arweinydd. Mae'r darn yn cwmpasu elfennau rhythmig diddorol, harmonïau mentrus a lliwgar, ac ystod eang o ddynameg ac emosiwn a fyddai'n apelgar i gynulleidfa ac i gantorion. Mae'r cyfansoddwr wedi ychwanegu lleihad lleisiol i'r cyfeiliant, sy'n gymorth enfawr wrth ddysgu darn newydd. Mae'n uchelgeisiol, yn soffistigedig ac yn deall gofynion canu corawl.

Fi: 'Cariad'. Mae'r cyfansoddwr hwn wedi dewis alaw syml a phrydferth wedi'i phlethu â harmonïau soniarus a hudol. Mae natur y darn yn gweddu i unrhyw gôr amatur cyfoes ac mae'n ddarn gafaelgar o'r bar cyntaf. (Clywir cyffyrddiadau o Whitacre/ Mealor/ Lauridsen a Jackson hwnt ac yma yn ogystal, sy'n dangos fod y cyfansoddwr yn ymddiddori yn y byd corawl cyfoes.) Dyma un o'r ddau ymgeisydd a ddarparodd gryno ddisg, sy'n gaboledig – ond mae'r sgôr ei hun ychydig yn dila ac amaturaidd. Er yn syml ar yr olwg gyntaf, mae'r harmonïau'n gyfoethog ac mae dynameg amrywiol y darn yn gofyn am gryn ddisgyblaeth leisiol. Ceir uchafbwynt naturiol ac effeithiol, ond efallai nad oedd y diweddglo'r un mor drawiadol â chyffyrddiadau eraill yn y gwaith.

Samuel: 'Dychwelyd'. Dyma'r unig ddarn a gyflwynwyd mewn llawysgrifen – elfen draddodiadol, braf ond anodd ei dehongli ar adegau. Mae'n gyfansoddiad effeithiol sy'n defnyddio geiriau adnabyddus T. H. Parry-Williams, 'Dychwelyd'. Cyfansoddwr deallus ond teimlwn y gallai emosiwn y darn fod yn fwy dirdynnol a phwerus. Ceir digon o amrywiaeth ond efallai nad yw'r darn yn gweithio'n llwyr fel cyfanwaith i gôr, er cystal yw'r cyffyrddiadau effeithiol a heriol.

Foel Drigarn: 'Dawns y Dail'. Dyma gyfansoddwr uchelgeisiol, sy'n defnyddio technegau cyfoes (synau onomatopeig fel synau gwynt, a chlapio). Mae wedi creu darn sy'n drawiadol a disgrifiadol, ac efallai dan ddylanwad sgorau ffilmiau. Tybed a fyddai'n apelgar i gôr amatur? Gresyn na chafwyd mwy o gyflwyno ac esbonio cynnwys y darn er lles yr arweinydd.

Bonso: 'Picls a Jam'. Darn syml o ran harmonïau a braidd yn llafurus o ran rhythmau – sy'n golygu y gallai fod braidd yn undonog i gôr a chynulleidfa. Mae'n ddarn homoffonig ar y cyfan ac mi allai'r cyfansoddwr fod wedi bod dipyn mwy mentrus ac uchelgeisiol.

Tomos y Tanc: 'Y Tymhorau'. Er bod syniad y darn hwn yn un effeithiol o ran egwyddor, mae'r rhan helaethaf ohono'n anymarferol i gôr (gan fod ynddo, er enghraifft, gymaint o nodau hirwyntog). Efallai nad yw'r cyfansoddwr yn ddigon profiadol i ddeall gofynion technegol côr.

ap Erasmus: 'Y Tymhorau'. Er bod arddull syml i'r darn, gyda rhai ysbeidiau ysbrydoledig hwnt ac yma, teimlwn nad yw'r darn yn gosod digon o her i gôr. Mae'r rhythmau a'r harmonïau'n or-syml ar y cyfan sy'n golygu na fyddai'n ddarn greddfol i arweinydd ei ddewis.

Jacob: 'Cynddylan'. Clywir alaw ddeniadol yn y darn, sy'n dangos bod potensial i'r cyfansoddiad. Ond, gwaetha'r modd, synhwyrwn fod y cyfansoddwr yn ddibrofiad a bod arno angen ychydig mwy o hyder i greu cyfanwaith gafaelgar.

Wedi cryn drafod, a hynny am ddau ddarn yn benodol, sef 'Ynys Afallon' a 'Cariad', trwy drwch blewyn yn unig, am fod y darn yn hynod o addas ar gyfer corau'r unfed ganrif ar hugain, ac am ei harmonïau gafaelgar a hudol, rydym yn falch o gyhoeddi teilyngdod yng nghystadleuaeth Tlws y Cerddor eleni a dyfarnwn y Tlws i *Fi*.

Emyn-dôn i eiriau Dorothy Jones

BEIRNIADAETH ROB NICHOLLS

Daeth 34 o emyn-donau i law, gyda safon y cyfansoddiadau'n uchel ar y cyfan.

Rhaid ystyried yn gyntaf beth yw prif nod a diben emyn-dôn gynulleidfaol. Dylai pob emyn-dôn fod yn gyfrwng i fynegi ystyr a theimlad y geiriau, a chafwyd cyfle i greu naws addolgar ar eiriau gafaelgar Dorothy Jones, gydag ergyd a byrdwn y neges yn ymddangos yng nghwpled clo pob pennill. Mae'r cynigion yn rhannu'n hwylus yn dri dosbarth. Yn y trydydd dosbarth, ceir *Morannedd, Llys Myfyr, Meurig, Mab-y-Mynydd, Elystan, Pen Dinas, Hwntacyma, O'r Glyn, Iolo Organwr, Wayne, Jac y Dô, Gellioedd, Glandyfi, Eirys, Enfys, Eira'n Gwanwyn, Mab y Mynydd, Emrys (x4), Tomos y Tanc* a *Smaug Penderyn*.

Gwendidau amlycaf y cyfansoddiadau hyn ydy diffyg gwreiddioldeb ambell waith a chamgymeriadau sylfaenol o ran y gynghanedd yn gyffredinol. Yn ogystal, ceir diffyg diddordeb a datblygiad yn y rhannau lleisiol, gan gynnwys yr alaw hefyd. Serch hynny, hoffwn annog pawb yn y dosbarth hwn i ddyfalbarhau gan fod addewid yn perthyn i bob un ohonynt.

Ceir enghreifftiau o gyfansoddwyr aeddfetach a mwy mentrus yn yr ail ddosbarth sef *Ifor, Elsi, Rhys, Petra, Cilcain* a *Fi*. Mae ambell un wedi bod yn fwy arbrofol na'i gilydd, a phawb wedi llwyddo i greu tôn ganadwy ac effeithiol. Yn sicr, mae llawer ohonynt yn dangos gwreiddioldeb a newydd-deb yn eu triniaeth o'r geiriau, a'u tonau'n haeddu cael eu canu mewn oedfaon cyhoeddus a chymanfaoedd canu.

Mae pum tôn yn llwyddo i gyrraedd y dosbarth cyntaf sef *Clwyd, Bronwen, Tomos, Eran* ac *Iorwerth*. Dyma donau o safon arbennig, a phob un ohonynt wedi'i saernïo'n gelfydd ac yn gerddorol, gydag ymwybyddiaeth amlwg o ofynion a rhinweddau emyn-dôn dda a chanadwy. Mae'r pum tôn yn gymharol draddodiadol o ran eu diwyg a'u gwead ond, eto i gyd, ceir ffresni'n perthyn iddynt.

Mae *Clwyd, Bronwen, Tomos* ac *Eran* wedi lliwio tonau sy'n trosglwyddo naws ac ysbryd yr emyn yn effeithiol iawn. Ceir ysgrifennu ystyrlon ar gyfer y pedwar llais a rhed y tonau'n llyfn ac yn esmwyth gyda chyffyrddiadau cofiadwy ym mhob un ohonynt.

Erys un dôn sy'n llwyddo i gyrraedd tir uchel o ran safon, sef eiddo *Iorwerth*. Mae'r gynghanedd yn gyfoethog a diddorol, gan ddatblygu'n raddol a naturiol o fewn cwmpawd y dôn ar ei hyd. Dyma dôn sy'n dangos crefft arbennig gan gyfansoddwr profiadol sy'n amlwg yn deall hanfodion tôn gynulleidfaol effeithiol. Pleser yw cyhoeddi mai'r dôn fuddugol eleni yw tôn *Iorwerth*, gan ddiolch yn ogystal i bawb am gystadlu. Gwobrwyer *Iorwerth*.

Yr Emyn-dôn fuddugol 2013
(i eiriau Dorothy Jones)

Iorwerth

Wrth grwydro'r glas fynyddoedd
Â'r awel ar fy ngrudd,
Neu gerdded min y tonnau –
Ddibryder enaid rhydd!
Dotio at fwa'r enfys –
Gwaith llaw y Pensaer cudd;
O Dad, yr wyt ti yno
Yn cerdded gyda mi!

A phan ddaw siom a gofid
Ryw ddydd i lethu dyn,
Cyfeillion wedi cilio
A minnau'n awr fy hun;
Lle nad oes clust i wrando,
A nos a dydd yn un;
O Dad, yr wyt ti yno
Yn cerdded gyda mi!

Mewn gwewyr mud yn gwylio
Wrth erchwyn gwely gwyn,
Gan ofni cnul pob eiliad
Rhag llacio'n cwlwm tynn,
Daw llafn o liw y wawrddydd
I'm cynnal i bryd hyn;
O Dad, yr wyt ti yno
Yn cerdded gyda mi!

Dorothy Jones

Unawd i lais isel ar eiriau Cymraeg o ddewis y cyfansoddwr

BEIRNIADAETH ERIC JONES

Os bwriad yr Eisteddfod wrth osod y gystadleuaeth hon oedd ychwanegu at gronfa o ganeuon fel darnau gosod posib ar gyfer ei chystadlaethau lleisiol i unawdwyr, yna siomedig yw'r canlyniad. Tair ymgais yn unig a ddaeth i law, dwy ohonynt, mi dybiaf, gan yr un cyfansoddwr. Ac mae'r cynnyrch yn peri penbleth i feirniad hefyd, gan fod dwy o'r caneuon yn perthyn i'r traddodiad 'clasurol' tra gellir disgrifio'r drydedd yn 'gân ysgafn'. Ond wedyn, peryglus yw label gerddorol o unrhyw fath o ran cyfansoddi yn yr unfed ganrif ar hugain. Cyflwynwyd y tair unawd yn raenus, wedi eu hargraffu drwy ddefnyddio meddalwedd cyfrifiadurol.

Mab y mynydd: Gosodiad yw 'Y Bryniau Pell' o un o emynau William Williams, Pantycelyn. Gyda chyfeiliant effeithiol ac ymdrech deg i gyflwyno neges y geiriau, llwyddir i greu'r naws a'r awyrgylch priodol. Mae yma syniadau cerddorol diddorol er bod, efallai, or-ddefnyddio un motiff penodol sy'n disgyn fesul cam. Ceir cysondeb o ran harmonïau ond mae ambell gymal yn reit heriol i'r llais. Awgryma ambell gord yn y cyfeiliant sy'n lletchwith i'w chwarae mai trosiad yw'r unawd o gywair uwch efallai; gall cyfrifiadur wneud hyn gydag un clic ond yn aml mae angen addasu'r gerddoriaeth wedyn. Dylid cywiro mân wallau o ran geiriau, gan gynnwys un cymal lle mae'r geiriau ar goll.

Ymbilgar: Emyn sydd wedi ei osod yma eto, y tro hwn 'O cadw fi' o waith J. Gwyndud Jones. Llwyddir i greu cerddoriaeth sy'n priodi'n dda gyda neges ddwys y geiriau. Yn dechnegol gryf, mae'r cyfansoddwr yn llunio brawddegau cynnil i'r llais gyda chyfeiliant diddorol a chwaethus. Ceir uchafbwyntiau gafaelgar a diweddglo tawel a dwys effeithiol iawn. Hwyrach fod angen rhoi sylw i arferion ac egwyddorion rhannu sillafau mewn geiriau Cymraeg ond, ar y cyfan, mae'r cyflwyniad yn un glân, gyda chyfarwyddiadau manwl i'r perfformwyr.

Fflam: Cân 'ysgafn' fyfyrgar yw 'Cân y lleuad' ac efallai mai gosod geiriau o'i eiddo ef ei hun y mae'r cyfansoddwr. Mae apêl y gerddoriaeth yn uniongyrchol ac yn ddi-os mae'n gân ddeniadol a sensitif, gyda'r geiriau a'r gerddoriaeth yn priodi'n berffaith. Er yn syml, nid yw'n arwynebol, ac mae ambell dro annisgwyl yn awgrymu bod yma gyfansoddwr greddfol, ac un sy'n gyffyrddus iawn â'r arddull hon. Tybiaf y byddai recordiad o'r gân hon yn un poblogaidd iawn.

260

Wrth ystyried y sylwadau, gwelir y benbleth. O ran sylwedd cerddorol, mae *Ymbilgar* yn haeddu clod; o ran cerddoriaeth sy'n 'rhwydd' i wrando arni, mae *Fflam* yn apelio. Wrth nodi mai braf fyddai petai rhagor o gyfansoddwyr wedi mentro i'r gystadleuaeth, y tro hwn, gan gymeradwyo'r ddau hyn am wahanol resymau, rwy'n dyfarnu'r wobr i *Ymbilgar*.

Trefniant o unrhyw gân werin Gymraeg neu gân ysgafn Gymraeg ar gyfer Côr Meibion TTBB gyda chyfeiliant piano

BEIRNIADAETH TIM RHYS EVANS

Daeth pum trefniant i law – dyma ychydig sylwadau ar bob un:

Tomos y Tanc: 'Nwy yn y Nen'. Mae hwn yn drefniant effeithiol sy'n gyfoes ac, ar yr un pryd, ychydig bach yn *retro*. Hoffaf y defnydd helaeth o seithfedau a nawfedau mwyaf a rydd ymdeimlad bwriadol iawn o gerddoriaeth Bacharach sydd, er yn anodd i gôr meibion cyffredin, mor bleserus i'r glust.

Mae rhan y piano, er yn uchelgeisiol, ychydig yn foel a thrwm ar adegau; sylweddolaf fwriad y cyfansoddwr ond dylai fod yn ofalus i beidio â chymysgu rhwng jazz a chanu gwlad (e.e. y datganiad cyntaf un ar y piano). Ar adegau, doeddwn i ddim yn siŵr ai *pastiche* oedd gennym o *Dave Brubeck meets Nelson Riddle* y chwe degau hwyr (a hynny'n fy mhlesio) ynteu Nashville (nad oedd at fy nant). Dw i ond yn crybwyll hynny am fy mod yn credu bod gwir werth yn y trefniant hwn ac yn meddwl tybed nad oes modd ailweithio'r cyfeiliant. Onid ydi'r cystadleuydd yn bianydd, efallai y gellid cael cymorth gan bianydd jazz i wella hyn. At hynny, tybed na ellid ystyried trefniant ar gyfer triawd jazz i ategu'r hyn a ystyriaf, yn ddiffuant iawn, yn ysgrifennu celfydd a dychmygus. Awgrymaf y byddai'r darn i gyd yn elwa o ychwanegu digon o gyfarwyddiadau fel y gŵyr y cantorion yn union beth sydd ei angen. Er enghraifft, gall y ffigwr corawl hanner cwafer (bar 26-27) ddatblygu i fod yn gystadleuaeth weiddi onid ydi'r côr yn ofalus; byddai pethau'n gliriach pe dangosid yn eglur ar y sgôr i'r côr/ arweinydd sut yn union y dymunid i'r darn swnio. Tybiaf fod y cystadleuydd wedi dymuno cael rhyw fath o ymdeimlad o drefniant Carpenters/ Dionne Warwick yma, er y gallai arweinyddion llai hyderus gamddehongli'r *crescendo* hwn fel trwydded i ddangos eu hunain a thrwy hynny ladd ceinder cynnil y foment hon.

Dylid gochel rhag ysgrifennu blêr a bod ychydig mwy beirniadol gyda'r golygu (e.e. mewn rhannau fel bar 27 yn rhan llaw chwith y piano, lle mae'r tawnodau'n ganlyniad amlwg i ddileu ffigwr – pwynt bychan ond un a roddai wedd broffesiynol ar y sgôr). Pe defnyddid rhaglen Sibelius, dylid treulio ychydig amser yn fformatio'r sgôr. Dw i wedi sylwi bod lleihau maint yr erwydd yn gwneud i'r sgôr edrych yn llawer gwell ar unwaith, a bod pwynt 5.7 yn edrych yn dda ar gyfer sgorau corawl. Ar y cyfan, roeddwn wrth fy modd efo'r dilyniannau harmonïol ond weithiau roedd diffyg dychymyg yn difetha trefniant a oedd fel arall yn un diddorol iawn. Y rhan fwyaf siomedig i mi oedd y newid o G$\sharp$ leiaf i A fwyaf (yn ei ail wrthdro) ym marrau 14-15 a 35-36. A thybed na fyddai A yn ei safle gwreiddiol neu hyd yn oed gord C$\sharp$ fwyaf 7^{fed} yn fwy cydnaws â gweddill y trefniant? Roeddwn yn hoffi'r tro annisgwyl i orffen y cyfanwaith (gyda chorws yng nghywair C fwyaf) ar gord Bb mwyaf gyda'r 9^{fed}. Yn wir, mae'r tri bar olaf i gyd yn hyfryd ond mae gorffen *ff* yn rhyfedd i mi o ystyried yr iaith gerddorol hon – efallai y byddai'n well distewi a gorffen yn ddistaw iawn (*pp*). Gobeithiaf glywed mwy gan *Tomos y Tanc* yn y dyfodol – mae angen trefnyddion dyfeisgar a chlyfar ar gyfer corau meibion!

Dinesydd: 'Mil Harddach'. Er i mi sylwi ar ysgrifennu creadigol a diddorol mewn rhannau o'r trefniant, fe'i cefais hefyd yn gerddorol gymysglyd. Roedd rhai o'r harmonïau clòs yn apelgar iawn er y byddwn i'n codi cwestiwn ynghylch rhai o'r dilyniannau cordiol. Tybed a ydynt braidd yn rhy glyfar i fod yn effeithiol? Weithiau, hefyd, mewn mannau o'r ysgrifennu rhanleisiol, amheuaf y rhannau lle mae cyfyngau rhy fawr yn mynd i greu problemau'n sicr o safbwynt gwead – gallent yn hawdd ddileu'r alaw. Mae rhan y piano weithiau'n anghyson ac yn gwyro oddi wrth y gynhaliaeth syml i'r hwiangerdd hyfryd hon a throi'n gyfeiliant hy' a chryf heb unrhyw reswm amlwg. Gofaler rhag ceisio gwneud gormod mewn un darn byr.

Ym 'Mil gwell gen i ...', prin fod angen yr adran *forte Allegro Moderato* efo'r lleisiau i gyd yn unsain; teimlaf fod hyn yn anghydnaws â theimlad a symlrwydd yr alaw werin hyfryd hon. Credaf fod dyfeisgarwch a gwerth mewn llawer iawn o'r ysgrifennu, yn arbennig o safbwynt harmoni. Ond mae'r trefniant yn dioddef am na sylweddolodd y cyfansoddwr y byddai llai'n golygu llawer mwy yn yr achos hwn. Teimlaf ei fod ar drothwy dehongliad hynod ddiddorol, cyfoethog ac effeithiol ac fe'i hanogaf i fynd yn ôl at y trefniant, gan ei symleiddio a'i olygu.

Rocarôl: 'Mi Ganaf Gân'. Trefniant dymunol o gân anthemig, hyfryd. Mae'r rhan i'r piano wedi'i hysgrifennu'n fedrus a'r sgorio'n glir a hawdd ei ddarllen. Mae'r arddull yn syml ac effeithiol a thrwyddo i gyd ni fu gor-drefnu gyda'r canlyniad fod yr alaw a'r bwriad, gan amlaf, yn glir. Weithiau, mae'r ffordd y nodwyd y trawsacennu yn anodd ei ddilyn, e.e. byddai bar 6 wedi bod yn llawer iawn cliriach pe bai wedi defnyddio cwaferi clwm er mwyn i'r canwr allu gweld bod angen i'r frawddeg fod *yn erbyn* y prif guriadau. Roedd hyn yn broblem drwy gydol y gân ac er y gallai'r cyfansoddwr ystyried hyn yn ddibwys, byddai defnydd gwell o nodi trawsacennu ar y sgôr yn gwneud y broses ymarfer ac, yn y pen draw, y perfformiad ei hun yn fwy effeithiol.

Rwy'n amau bod *Rocarôl* wedi chwarae'n saff o safbwynt harmoni – mae mwyafrif y cordiau'n ymddangos yn eu safle gwreiddiol ac ar wahân i'r pedwerydd gohiriedig neu'r ail ychwanegol, credaf y gallai fod yn fwy diddorol. Y drwg o ysgrifennu pob cord yn ei safle gwreiddiol ydi: a) rhydd ymdeimlad llafurus a b) mae'r cyfansoddwr yn ei roi ei hun mewn perygl o ddefnyddio pumawdau ac wythfedau cyfochrog. Weithiau, mae symudiadau olynol yn *wirioneddol* effeithiol ond oni chânt eu defnyddio'n fwriadol ac ar gyfer effaith neu i ddiben arbennig, mae'r darn yn mynd yn sillafog a thrwm. Roedd yma broblem gydag wythfedau olynol ac felly dylid bod yn ofalus gyda'r ysgrifennu rhanleisiol ac ystyried defnyddio rhagor o gordiau gwrthdro ar adegau. Dw i'n gwbl bleidiol i roi'r alawon i leisiau isel (yn arbennig a minnau'n fas bariton fy hun!), er y credaf ei bod yn well darganfod ffordd o wneud hynny heb ddadleoli'r wythawd. Os yw'r alaw'n rhy isel (oni bai fod hynny'n fwriadol i ddibenion sain neu gomedi), mae'n swnio'n rhy fwdlyd. Mae trawsgyweirio'n ffordd dda o sicrhau bod yr alaw i'w chlywed mewn gwahanol gwmpawdau ac felly gellid bod wedi dechrau mewn cywair is ac wedyn trawsgyweirio a byddai hynny hefyd wedi ychwanegu at yr ymdeimlad o uchafbwynt.

Hoffaf yr adrannau *Do wop* (o far 27 ymlaen) ac mae'n hollol addas o ystyried y testun yn yr adran hon. Ond dyma enghraifft eto o ysgrifennu rhythmau mewn modd aneglur – yn lle dau grosiet a dot wedi'u dilyn gan dawnodyn gwerth crosiet (a byddai hynny'n iawn yn amseriad 8/8), dylid ystyried ysgrifennu crosiet wedi'i glymu â chwafer wedi'i ddilyn gan gwafer wedi'i glymu â chrosiet. Efallai fod hyn yn swnio braidd yn bedantig ddiangen ond daw'n gliriach ac yn fwy addas ar gyfer arddull y darn hwn. Dw i ddim yn or-hoff o linellau bar dwbl yng nghanol bar, yn arbennig yn y ffordd y caiff ei ddefnyddio ym mar 26, er enghraifft, gyda'r anacrwsis yn y frawddeg. A oedd bwriad i hyn gynnwys saib cyn dechrau'r ail bennill? Os felly, dylid ystyried peidio â chlymu'r minimau â'r cwafer ond, yn hytrach, defnyddio tawnodyn gyda *tenuto* neu saib uwch ei ben, neu *rit* drwy'r bar ac ychwanegu arwydd amseriad. Gellid hefyd nodi dechrau'r pennill gydag arwydd uwchben yr erwydd yn union fel y gwnaed gyda'r corws.

Jac y Do: 'Tros y Garreg'. Dyna braf oedd gweld rhywun yn ceisio trefnu a pheidio â bod yn rhy glyfar! Mae hwn yn drefnydd celfydd sy'n gwybod yn union sut i ysgrifennu ar gyfer lleisiau'n gyffredinol ac ar gyfer y piano ac mae ganddo glust arbennig ar gyfer corau meibion. Mae'r gyfalaw yn rhagarweiniad y piano'n hyfryd ac yn gorwedd o dan y bysedd yn braf. Mae cordiau gwasgar y pennill cyntaf o dan y sgwennu unsain yn berffaith i'r gwrandäwr glywed yr alaw am y tro cyntaf ac mae'n rhoi ymdeimlad Cymreig i'r rhan oherwydd yr ansawdd telynaidd. Mae'r ysgrifennu rhanleisiol pedair rhan wedi'i drefnu a'i saernïo'n gelfydd. Hoffaf yr harmonïau 'corn hela' yn rhan y tenor a gaiff ei basio ymlaen i'r baswyr ar y geiriau 'Heb un anaf', etc. a dangosai hynny'n union sut i basio'r alaw o un llais i'r llall yn y côr am y rhesymau cywir ac nid dim ond am fod angen rhoi saib i'r baswyr a'r baritonau! Mae'r trawsgyweiriad i'r llywydd fel cymorth i'r baswyr ganu'r alaw ym mhennill 2 yn effeithiol ac roedd yr ysgrifennu rhanleisiol yn y fan hon wedi'i wneud mor gelfydd fel y gallem glywed yr alaw'n glir. Roeddwn yn arbennig o hoff o'r gwrthgyferbyniad gan y tenoriaid yn neidio wythawd ar gyfer eu rhan hwy o'r pennill ac o'r cordiau *staccato* dramatig yn y piano o dan y geiriau 'Cwyd y "Ddraig"' a oedd yn hollol addas i gyfleu teimlad y geiriau.

Mae'r sylw i fanylion yn y sgôr yn hynod glodwiw. Nid oes yma ddibynnu ar raglen gyfrifiadurol ac eto mae pob manylyn o'r arwyddion techneg i'r mynegiant yn hollol glir a chywir. Tybiaf i'r cystadleuydd hwn dderbyn ei addysg gerddorol cyn 1987 pan ddileodd TGAU Cerdd y math hwn o fanylder mewn theori cerdd. Cawn yma wers ar sut i drefnu go iawn, er mewn modd diogel. Er nad ydi'r trefniant yn torri tir newydd o safbwynt harmoni ac er ei fod yn draddodiadol iawn, fe'i trefnwyd yn arbennig o gelfydd ac mi hoffwn glywed un o gorau meibion mawr Cymru yn canu'r trefniant hwn yn fuan. Mae ynddo'r potensial a'r ansawdd i ddod yn ffefryn gan bob côr meibion. Dymunaf yn dda i *Jac y Do* ac mi hoffwn glywed mwy o'i waith.

Madryn: 'Edrych Tuag Adre'. Mae llawer i'w ganmol yn y trefniant hwn; rhan syml i'r piano sy'n sensitif i'r alaw ac ychydig o effeithiau corawl. Fodd bynnag, hoffwn dynnu sylw at rai mannau lle teimlaf y gellid gwella. A oedd bwriad i osod hwn yn amseriad 6/8? I mi, dylai fod yn 9/8 pan ellid bod wedi gwneud defnydd o osod y geiriau ac o'r holl ddyfeisiau cerddorol. Ar hyn o bryd, gyda'r gosodiad 6/8, mae rhannau trwsgl lle mae'r teimlad yn ddiffygiol a lle digwydd acennu sillafau diacen. Anogaf y cyfansoddwr i arbrofi gyda gosod y gwaith mewn tri churiad (9/8) yn hytrach nag mewn dau (6/8) a chymryd y cwafer cyntaf yn y frawddeg fel anacrwsis i'r cymal.

Dylid gofalu rhag dyblu'r alaw wythawd yn is yn rhy aml. Mae'n iawn os cedwir hynny er mwyn creu effaith ond os caiff ei ddefnyddio fel mater o drefn, yna gall fynd yn drwm ac yn feichus. At hynny, ceir gorddefnydd o gordiau yn eu safleoedd gwreiddiol sydd hefyd yn creu effaith drom; byddai arbrofi gyda gwrthdroadau'n rhoi gwell syniad o ddilyniant cordiol ac yn creu gwell ysgrifennu rhanleisiol. Mae adegau pan ddefnyddiwyd llinell bar dwbl yng nghanol y bar (e.e. ar ddechrau pennill); mae newid yr amsernod ac ysgrifennu diwedd penillion yn cael gwared â'r angen i wneud hynny. Mae defnyddio unawdwyr ym mhennill 4 yn effeithiol ac yn creu gwrthgyferbyniad hyfryd. Mae'r defnydd o harmonïau diddorol ym mhennill 6 yn hyfryd a diddorol er nad oeddwn yn siŵr a oedd yr harmonïau deulais yn gweithio (lle mae'r ail denoriaid a'r baswyr yn cydganu, fel y gwna tenor 1 a'r baritonau). Dylid bod yn ofalus, hefyd, gyda'r defnydd o nodau enharmonig (e.e. dw i'n siŵr fod *Madryn* wedi bwriadu i'r C♯ fod yn D♭ ym mar 79). Yn yr un modd, dylid ysgrifennu B naturiol yn hytrach nag C♭ yn yr harmonïau cywasg ym mar 89? Mae llawer a hoffaf yn y trefniant hwn ac anogaf *Madryn* i dreulio amser yn golygu'i waith yn drylwyrach ac yn ailystyried rhai o'r dewisiadau sy'n agored iddo.

Cymeradwyaf drefniant 'Nwy yn y Nen' gan *Tomos y Tanc* ond rhoddaf y wobr gyntaf i *Jac y Do* am 'Tros y Garreg'.

Symudiad offerynnol yn seiliedig ar alaw neu alawon gwerin Cymreig
i unrhyw gyfuniad o offerynnau

BEIRNIADAETH HUW TREGELLES WILLIAMS

Her ddiddorol i gyfansoddwr cyfoes yw seilio darn ar alaw o gyfnod
llawer cynt, boed hi'n alaw werin draddodiadol neu'n alaw wreiddiol gan
gyfansoddwr cydnabyddedig. I ba raddau y gellir cyfuno arddull dau gyfnod
gydag argyhoeddiad, heb gyfyngu neu gyfaddawdu arddull bersonol
gyfoes? Sut y gall cyfansoddwr adlewyrchu symlrwydd bendigedig alaw
werin mewn darn estynedig sy'n hawlio amrywiaeth a datblygiad syniadau
crai mewn modd i arddangos techneg ond heb greu cymhlethdod anaddas?

Yn ystod hanner cyntaf yr ugeinfed ganrif, bu cryn ymchwil, ledled Ewrop
ac ymhellach, i olrhain ffynonellau cerddoriaeth werin, law yn llaw gyda'r
awydd i sefydlu arddulliau cerddorol cenedlaethol. Mae esiamplau lu o
ddarnau sy'n dyfynnu alawon gwerin neu'n cynnwys alawon newydd a
gwreiddiol mewn dull gwerinol, yn aml gyda rhythmau sy'n adlewyrchu
llif ac acennu ieithoedd cenedlaethol. Gellid, er enghraifft, grybwyll gwaith
Kodaly yn Hwngari neu Grace Williams yng Nghymru.

Deio: 'Y Daith' oedd yr unig gyfansoddiad a ddaeth i law. Mae'n amlwg o'r
darn hwn, sy'n seiliedig ar yr alaw chwareus 'Wrth fynd efo Deio i Dywyn',
nad yw'r cwestiynau a'r posibiliadau uchod yn ddieithr iddo. Mae'r darn
yn llwyddiannus oherwydd mae'n cyfuno cynllun cerddorol traddodiadol
(rhagymadrodd araf, symudiad cyflymach, adran ganol araf, dychweliad y
symudiad cyflymach, diweddglo) gydag elfennau disgrifiadol am y daith fel
yr awgrymir gan y teitl, er nad yw'n dyfynnu unrhyw eiriau yn ei lawysgrif.
Gwneir hynny drwy amrywio *tempo*'n grefftus drwy'r darn yn gyffredinol,
fel pe bai'n dilyn geiriau'r alaw ar hyd y daith, i ddal, er enghraifft, ambell
funud i ymlacio – 'bara a chaws a gaed yng Ngwanas', neu 'cyrraedd
Mawddwy erbyn swper'. Mae *Deio*, felly, wedi defnyddio deunydd crai'r
gerddoriaeth yn ogystal â stori'r geiriau i greu darn sy'n llawn amrywiaeth,
ac mae ei dechneg wrth sgorio i gerddorfa linynnol yn lliwgar yn tanlinellu
hynny.

Mae'r rhagymadrodd byr – 'yn sad gysidro prun oedd orau mynd ai peidio'
– yn rhagleisio naws yr adran ganol ac yn cyflwyno rhythm dau hanner-
cwafer a chwafer a ddefnyddir yn aml yn gyfeiliant i'r alaw drwy gydol
y darn ac yn y barrau sy'n pontio'r rhagymadrodd i'r *Allegro moderato* a
thrachefn i'r adran ganol. Mae'r *tempo*'n graddol gynyddu a cheir hwyl
yn yr *Allegro moderato* drwy amrywio *pizzicato* ac *arco* (y bys neu'r bwa
ar y tannau), drwy efelychiant chwareus rhwng yr offerynnau, a thrwy

ychwanegu rhythm bachog (rhythm a glywir yn aml mewn dawnsiau gwerin Celtaidd) ar ailymddangosiad yr alaw.

Naws dyner, fyrfyfyr sydd i'r adran ganol araf gyda harmonïau meddylgar, chwerw-felys ar brydiau. Mae *Deio'*n osgoi teimlad statig wrth i'r gerddoriaeth lifo'n gyson tuag at uchafbwyntiau mewn traw a dynameg trwy ddefnyddio cynffon cymal cyntaf yr alaw. Mae'r olaf o'r rhain yn diweddu ar nodyn disgwylgar cyn ailymddangosiad deunydd hwyliog yr *Allegro moderato* ond yn fywiocach y tro hwn (*Allegro vivace*) – efallai fod y teithwyr yn rhag-weld diwedd y daith gerllaw! Wedi arafu sydyn a phwerus (*Molto allargando*), cymharol fyrwyntog yw'r ailgydio yn y gerddoriaeth fywiog, wrth i'r naws raddol suddo mewn ynni a thraw. Ond, er y blinder, mae'r teithwyr fel pe baent yn seinio'r alaw gyda'u holl nerth am y tro olaf: 'Dacw Dywyn!', cyn i'r barrau olaf gynnig darlun clir o ruthro'n bendramwnwgl i'r llinell derfyn.

Yn 'Y Daith', mae *Deio'*n dal diddordeb y gwrandäwr drwy ddefnyddio'r alaw'n ddyfeisgar i greu amrywiaeth naws a lliw cerddorol. Mae'r darn yn llwyddo o safbwynt strwythur a'r ddawn i ddweud stori, ac mae ei lawysgrif wedi ei pharatoi'n fanwl a gofalus ar gyfer perfformiad. Mae'r ymgais yn llwyr haeddu'r wobr, a pherfformiad buan hefyd.

Cystadleuaeth i ddisgyblion ysgolion uwchradd a cholegau trydyddol 16-19 oed

Dau ddarn cyferbyniol mewn unrhyw gyfrwng na chymer fwy nag wyth munud. Gellir eu cyflwyno ar ffurf sgôr neu sgôr a chryno ddisg

---

BEIRNIADAETH DAFYDD LLOYD JONES

Roeddwn yn siomedig na chafwyd ond dau gystadleuydd o ystyried bod cyfansoddi'n rhan amlwg o gyrsiau Cerddoriaeth TGAU a TAG UG/U y dyddiau hyn. Cyflwynwyd sgorau (allbrintiau cyfrifiadurol) o'r cyfansoddiadau ond ni dderbyniwyd cryno ddisgiau sain.

Swigod Mr: 'Ywen Llangernyw'. Gwaith i bumawd chwyth wedi'i ysbrydoli yn ôl sylwadau'r cyfansoddwr gan ei astudiaeth o'r ywen hynod hon. Symudiad ydyw mewn arddull finimalaidd yn ddibynnol ar un motiff sy'n cael ei ailadrodd, ei ymestyn a'i gywasgu. Ceir adran fer wrthgyferbyniol sy'n symud yn hyrddiol braidd, heb unrhyw baratoad, i gywair dôn yn is cyn dychwelyd i gywair a syniadau'r adran gyntaf. Mae elfen harmonig y gwaith yn wan, yn ailadrodd yr un cord E leiaf yn adrannau 1 a 3, a'r adran ganol wedi'i sylfaenu ar gymal o bedwar nodyn sy'n bur ddiffygiol ei harmoni. Ceir yma ddiffyg rheolaeth o'r gwead gydag ambell gymal alawol yn anghlywadwy gan mor drwchus y sain. Dylid sicrhau amrywiaeth a diddordeb drwy gyfuno a gwahanu'r offerynnau'n fwy celfydd. Anymarferol yw rhan redegog ddi-dor y ffliwt am gryn ddeugain bar.

Unawd piano yw'r ail ddarn sy'n fynegiant o dristwch y 'llymder yng ngwlad Groeg' yn ddiweddar. Mae'r elfen ailadroddus eto'n amlwg yn y gwaith hwn gyda'r un ffigurau'n britho'r symudiad heb nemor ddim datblygiad. Mae'r cyfan yn aros yn yr un cywair heb ymgais i drawsgyweirio i newid cyfeiriad y gerddoriaeth ac mae'r un cordiau'n or-amlwg. Mae'r llaw dde'n ailadrodd yr un ffigurau *arpeggio* a nodau'r raddfa leiaf harmonig a'r llaw chwith yn cynnwys cyfuniad o gordiau llawnion gor-drymaidd yn y cwmpawd is, *arpeggios* ac wythfedau. Byddai cymalau melodig ymestynnol a gweadau mewn arddull fwy pianyddol wedi cyfoethogi'r gwaith. Ceir ymgais i fynegi emosiwn drwy rai cyfarwyddiadau dynameg, amrywio *tempi* a mynegiant, a chredaf i'r cystadleuydd fwynhau creu'r cyfansoddiad hwn.

Y Llew: 'Aileni Cariad'. Unawd i lais a chyfeiliant llinynnol – feiolin; cello; gitâr acwstig, electronig a bas; telyn; piano; a drymiau. Ceir ymgais bur dda i fynegi emosiwn y geiriau ond nid yw'r corfannu'n gywir a naturiol mewn rhai cymalau, e.e. barrau 17-20, 45-46 a 54-55. Mae'r gân gyfan yn aros yn yr un cywair heb unrhyw drawsgyweiriad i amrywio a newid cyfeiriad y gerddoriaeth. Defnyddir ystod cyfyng o gordiau ac ar adegau mae'r harmoni'n wallus, gwaetha'r modd. Er dewis cynifer o offerynnau, mae eu defnydd yn anwastad a digynllun.

Deuawd yw 'Byth Bythoedd' i leisiau soprano a thenor a chyfeiliant i ffliwt, pedwarawd llinynnol a thelyn. Hoffaf yr ymgais i greu adran offerynnol sy'n ychwanegiad i'r ddeuawd leisiol er y gallai'r delyn gyfoethogi'r sain fwyfwy gyda chordiau llawnach ac *arpeggios* idiomatig. Eto ceir cryn gamgorfannu sy'n wendid pur amlwg – barrau 14-15, 18-20, 28-30, ac enwi rhai'n unig. Mae cwmpawd cymalau clo rhan y soprano'n anghyfforddus o uchel o ystyried y cyd-destun, ac annisgwyl yw hepgor y tenor o'r cymal hwn i gynnal yr uchafbwynt.

Cefnogaf ymdrechion y ddau gystadleuydd ond, gwaetha'r modd, oherwydd gwendidau sylfaenol niferus, ni theimlaf iddynt deilyngu'r wobr.

Erthygl Gymraeg yn ymwneud â phwnc gwyddonol ac yn addas i gynulleidfa eang, heb fod yn hwy na 1,000 o eiriau

---

BEIRNIADAETH NEVILLE EVANS

Diolchaf i bob un o'r wyth awdur am erthyglau diddorol mewn cyflwyniadau hwylus i'w dilyn. Ar y cyfan, mae'r iaith yn lân ond nid wyf yn hoff o weld mewn erthygl y ffurf lafar '(y)na' (e.e. '... daeth 'na air newydd ...', '... os oes 'na ...'). Yn fy marn i, gwell fyddai ei hepgor. Mae pob erthygl a ddaeth i law yn haeddu ei lle mewn cyhoeddiad o ryw fath, mewn papur bro efallai neu'n ddeunydd darllen cwrs ysgol a choleg. I mi, y term allweddol yng ngeiriad y gystadleuaeth yw 'cynulleidfa eang'. Pwy yw'r bobl hynny? Yn siŵr ddigon, mae mwy nag un ateb. Dewisais i'r gynulleidfa sy ar Faes yr Eisteddfod Genedlaethol, wrth i bobl fwyta mewn pabell, efallai, neu wrth oedi yn yr haul. Ar gyfer y rhain y chwiliwn o'r dechrau am deitlau gafaelgar, ond cefais fy siomi. Dyma ychydig o sylwadau ar bob cynnig.

Illtud Fawr: 'Ffracio'. Dyma'r enw ar dechneg o hollti creigiau siâl (carreg glai) tanddaearol er mwyn rhyddhau nwyon ac olew. Defnyddir diagramau priodol a nodir ystyriaethau o blaid ac yn erbyn.

Bil: 'Cyflwyno Egni a Gwyddoniaeth i Blant Ysgolion Cynradd'. Teyrnged yw'r ysgrif i A. J. S. Williams am ddiogelu deunyddiau Labordai Edward Davies yn Aberystwyth pan gaewyd y labordai ym 1988 a'u defnyddio mewn cyflwyniadau difyr ar gyfer disgyblion. Yn y bôn, brasluniau o'r cyflwyniadau sydd yma ac ae o raid, felly, yn dameidiog. Da deall bod nifer fawr o ddisgyblion wedi cael eu cyfareddu dros y blynyddoedd.

Y Crys Gwyn: 'O Ystalyfera i fyd y Maldi-Toff'. Agorir trwy nodi bod yr Athro John Beynon, F. R. S., un o blant Ystalyfera, yn 90 oed eleni. Defnyddir y ffaith honno i gydnabod bod y gwyddonydd disglair hwn yn haeddu parch uchel am arloesi techneg ddadansoddol, sef sbectrometreg *más*. Erbyn heddiw, mae'r dechneg ar waith yn eang iawn, yn dadansoddi deunyddiau cemegol a biocemegol – er enghraifft, wrth geisio adnabod cyffuriau anghyfreithlon yn y corff dynol. Mae'r ysgrif yn safonol ond teimlaf mai myfyrwyr gwyddoniaeth yw'r gynulleidfa.

Dafad Ddu: 'Bygythiad Feirws Schmallenberg yng Nghymru'. Ymdrinnir â bygythiad feirws hollol newydd i ŵyn a lloi. Mae'r defnydd o baragraffau byrion yn gymorth i ddarllenwyr ganfod yr agweddau amrywiol ar y testun. Nodir ystyriaethau sy'n berthnasol i Gymru. Erthygl hwyliog sy'n cyfathrebu'n effeithiol ac yn herio. Trueni am y teitl.

Branwen: 'Rhyngrwyd y dyfodol: defnyddio mathemateg i benderfynu sut ac ymhle' – erthygl sy'n ymwneud â'r dasg enfawr o drefnu a sicrhau cysylltiadau band llydan cyflym rhwng miliynau o ddefnyddwyr ar draws gwledydd. Nodir datblygiadau yn Awstralia a bwriadau yng Nghymru. Papur technegol yw hwn yn ei hanfod, yn ymylu ar fod yn ddogfen farchnata. Nid yw'r fathemateg yn ddigon amlwg i'r darllenydd a ddenwyd gan y teitl. Hoffais y drefn o osod dwy golofn ar draws tudalen – nodwedd cylchgrawn technegol.

Cambrensis: '*Building Information Modelling* a'i ddylanwad ar ddiwydiant adeiladu'r dyfodol'. Rwy'n amau a yw'r teitl yn debyg o ddenu fforddolion Maes yr Eisteddfod Genedlaethol. Serch hynny, mae'r cynnwys yn rhoi amlinelliad cytbwys o'r chwyldro digidol yn y diwydiant adeiladu. Papur lled-dechnegol yw hwn gydag arddull lefn. Defnyddir is-deitlau a pharagraffau byrion yn briodol.

Michael D. Jones: 'Be' sy' o le a'r gwenyn?'. Dyma enghraifft o deitl gafaelgar (er gwaethaf y gwallau), sy'n rhoi awgrym cryf o beth sy'n dilyn. Ymdrinnir yn daclus gyda'r gofid o ganlyniad i'r colledion mawr ymhlith gwenyn a ddaeth i'r amlwg gyntaf yn yr UDA yn 2006. Mae arddull y cyflwyniad yn hwylus benodol a chryno wrth symud o ystyriaeth i ystyriaeth. Mae'r erthygl yn cloi gyda brawddeg awgrymog nad yw'r cyfan wedi'i ddatrys.

Helios: 'Egni rhad yr Haul'. Mae'r teitl yn dynodi cyd-destun yr erthygl, sef y dulliau i fanteisio ar yr egni rhad hwn. Ond, wrth gwrs, nid yw'r dulliau'n rhad o bell ffordd. Nodir posibiliadau o ddefnyddio deunyddiau newydd, polymerau organig (plastigau), i ffurfio celloedd solar. Os rhywbeth, mae'r erthygl yn rhy draethodol; nid yw un llun o safle bws yn ddigon i hoelio sylw ar wyddoniaeth y testun.

Dyfarnaf y wobr i *Dafad Ddu*.

Yr Erthygl

BYGYTHIAD FEIRWS SCHMALLENBERG YNG NGHYMRU

Mae ffermwyr yn poeni byth a beunydd ynglŷn ag afiechydon anifeiliaid. Yn ddiweddar, efallai mai diciâu oedd ar ben y rhestr ond y llynedd cododd bygythiad arall ar ffurf feirws hollol newydd.

Afiechyd newydd

Yn hydref 2011, gwelwyd achosion o afiechyd anhysbys mewn gwartheg yn Ewrop lle ganed ŵyn a lloi abnormal. Ar ôl ymchwil dwys, darganfuwyd feirws yng nghyrff ŵyn yr effeithiwyd arnynt. Roedd yn aelod o'r grŵp *Orthabunyaviruses* ond un heb ei ganfod o'r blaen. Fe'i galwyd yn feirws Schmallenberg (SBV) ar ôl y dref yn yr Almaen lle cafodd y feirws ei adnabod.

Yn ystod y misoedd nesaf, digwyddodd achosion o SBV yn yr Almaen, yr Iseldiroedd, Gwlad Belg, Ffrainc, yr Eidal, Sbaen a Denmarc. Canfuwyd yr achos cyntaf yn ne Lloegr ym mis Ionawr 2012 a darganfuwyd y feirws yng Ngheredigion ym mis Medi 2012. Erbyn hyn, mae wedi cael ei ganfod ym mhob sir yng Nghymru a Lloegr ond dim eto yn yr Alban nac yn Iwerddon.

Sut y daeth SBV i Gymru?

Lledaenir y feirws gan frathiadau gwybed yn y teulu Culicoides ac ni chredir ei fod yn cael ei drosglwyddo'n uniongyrchol o un anifail i'r llall. Mae'n debyg i'r achosion cyntaf yn Lloegr gael eu hachosi gan wybed a chwythwyd gan y gwynt o gyfandir Ewrop tuag at dde-ddwyrain Lloegr. Ar ôl i anifail gael ei frathu, bydd feirws yn y gwaed am 2 i 6 diwrnod ac mae'n gallu heintio gwybed eraill sydd yn ei frathu yn ystod y cyfnod hwn, Felly heintiwyd gwybed brodorol a gariodd y feirws i ardaloedd eraill ym Mhrydain, gan gynnwys Cymru. Mae gwybed yn fach, llai na mosgitos, ac maent yn byw mewn mannau gwlyb, felly mae cynefinoedd addas iddynt yng Nghymru. Maent yn llai actif pan mae hi'n oer ac o ganlyniad mae'r feirws yn llai tebygol o gael ei drosglwyddo yn y gaeaf.

Symptomau

Gwelir symptomau mewn gwartheg, defaid a geifr. Mae presenoldeb gwrthgorff (*antibody*) mewn ceirw, byfflo ac alpaca yn dangos haint â'r feirws ond ni welwyd afiechyd yn y rhywogaethau hyn. Nid effeithir ar geffylau nac ar anifeiliaid anwes.

Ar ôl cyfnod magu o 2 i 5 diwrnod yn dilyn eu heintio, mae gwartheg godro yn dioddef o dwymyn ysgafn, dolur rhydd ac yn cynhyrchu llai o laeth. Mae buwch unigol yn gwella ar ôl pum diwrnod ond gall un fuwch ar ôl y llall ddangos symptomau ac felly gall digwyddiad barhau mewn buches am dair wythnos. Yn aml, ni nodir symptomau yn achos defaid, geifr na gwartheg sugno.

Ni fyddai SBV yn cael ei ystyried yn glefyd difrifol oni bai am ei effaith ar ffetysau yn y groth. Yn dilyn haint yn ystod y cyfnod allweddol cyn datblygiad system imiwnedd y ffetws, sef diwrnodau 70 i 120 o feichiogrwydd mewn buchod a 25 i 50 mewn mamogiaid, mae'r feirws yn achosi naill ai erthylu neu enedigaeth epil ag abnormaleddau ar ddiwedd beichiogrwydd. Mae'r feirws yn effeithio ar feinwe nerfol ac yn achosi anffurfiadau yn yr ymennydd, megis hydroseffalws neu serebelwm bach, neu niwed i linyn y cefn. Oherwydd niwed i'r nerfau echddygol (*motor nerves*), credir nad yw cyhyrau'r ffetws yn symud ac o ganlyniad mae cymalau'r coesau a'r asgwrn cefn yn datblygu anhyblygrwydd (*arthrogryposis*) ac felly gwelir coesau, gyddfau ac esgyrn cefn cam ac, weithiau, enau isaf byr. Gall y fath abnormaleddau achosi problemau wrth roi genedigaeth. Mae ŵyn a lloi abnormal yn annhebygol o oroesi. Nid yw'n sicr eto a yw'r feirws yn effeithio ar ffrwythlondeb drwy ladd embryonau cynnar.

Faint o achosion SBV sydd wedi digwydd yng Nghymru?
Nid yw SBV yn afiechyd hysbysadwy ac felly ni ellir dweud ar faint o ffermydd yr effeithiwyd. Mewn cyfarfod ym mis Chwefror 2013, adroddodd 22 allan o 23 practis milfeddygol yn ne a chanolbarth Cymru iddynt weld ŵyn neu loi ag SBV. Yn ffodus, dim ond nifer fach o ŵyn abnormal a aned yn y mwyafrif o breiddiau yr effeithiwyd arnynt. Er hynny, mae ychydig o ffermydd wedi dioddef colledion mwy sylweddol. Oherwydd beichiogrwydd hwy, mae'n rhy gynnar i wybod ar faint o loi yr effeithir eleni oherwydd iddynt ddal yr haint yn ystod hydref 2012.

Oes perygl i bobl?
Nid yw firysau *Orthobunyaviruses* eraill yn achosi salwch mewn pobl. Nid adroddwyd am salwch mewn pobl â chysylltiad ag anifeiliaid â haint SBV. Er hynny, ni ellir dweud yn bendant nad yw feirws Schmallenberg yn achosi afiechyd dynol. Ni ddylai merched beichiog drin defaid adeg wyna, fodd bynnag, oherwydd y perygl o ddal heintiau eraill.

Diagnosis, trin a rheoli SBV
Ni ellir cyrraedd diagnosis o SBV heb brofion labordai oherwydd gall epil abnormal ddeillio o achosion eraill. Mae prawf PCR ar gael i ddatgelu'r feirws ym meinwe nerfol ffetysau.

Nid oes triniaeth rhag effeithiau'r feirws. Nid oes modd ymarferol o amddiffyn anifeiliaid fferm beichiog rhag cael eu brathu gan wybed yn gyfan gwbl ond gallai mesurau rheoli leihau'r tebygolrwydd o anifeiliaid heb imiwnedd yn cael eu brathu gan wybed yn ystod y cyfnod allweddol mewn beichiogrwydd.

Gallai osgoi hwrdda ŵyn benywaidd yn eu blwyddyn gyntaf roi mwy o gyfle iddynt gael eu heintio a chodi imiwnedd cyn iddynt feichiogi. Adroddodd milfeddygon iddynt weld llai o ŵyn wedi'u heffeithio ym mis Ionawr nag ym mis Rhagfyr, sydd yn awgrymu y gallai fod yn fanteisiol i ohirio hwrdda tan y misoedd pan fo gwybed yn llai actif.

Beth am y dyfodol? Mae haint ag *Orthabunyaviruses* eraill yn cynhyrchu imiwnedd gydol oes. Mae canlyniadau profion am wrthgorff mewn gwaed yn awgrymu bod canran uchel o ddefaid a gwartheg llawn dwf yng Nghymru wedi cael eu heintio ag SBV. Gobeithir y bydd ganddynt imiwnedd naturiol ac nad effeithir ar eu hepil yn ystod adeg bridio 2013. Mae brechlyn dichonol yn mynd drwy'r gyfundrefn trwyddedu a allai amddiffyn anifeiliaid ifanc heb imiwnedd naturiol.

Felly, er bod afiechyd endemig newydd yn annymunol, mae lle i gredu y gall ffermwyr Cymru addasu i feirws Schmallenberg.

Dafad Ddu